BIBLIOTHÈQUE DU VOYAGEUR

LE GRAND GUIDE DE LA FLORIDE

Traduit de l'anglais et adapté
par Dominique Saran, Annie Chérouvrier, Mark Greene
Anne-Laure Maire et Béatrice Méneux

GALLIMARD

Aucun guide de voyage n'est parfait. Des erreurs, des coquilles se sont certainement glissées dans celui-ci, malgré toutes nos vérifications. Les informations pratiques, adresses, numéros de téléphone, heures d'ouverture, peuvent avoir été modifiés ; certains établissements cités peuvent avoir disparu. Nous serions très reconnaissants à nos lecteurs de nous faire part de leurs commentaires, de nous suggérer des corrections ou des compléments qui pourront être intégrés dans la prochaine édition.

1er dépôt légal : mai 1989
Dépôt légal : septembre 1996
N° d'édition : 74966
ISBN 2-07-071634-1
Imprimé à Singapour

CEUX QUI ONT FAIT CE GUIDE

Budd Schulberg écrivait il y a trente ans, dans *American Panorama* : « *La Floride est aux États-Unis ce que les États-Unis étaient à l'Europe il y a un siècle : un melting-pot, une frontière, un endroit pour cultiver son bien-être ou sa chance.* » Ce qui était vrai alors l'est encore plus aujourd'hui, à une époque où l'État de Floride s'avance à grands pas vers un nouvel âge de prospérité et de popularité.

L'édition originale du *Grand Guide de la Floride* est née de la collaboration de **Hans Höfer**, fondateur des éditions APA, et de **Paul Zach**. Ce dernier, qui fut, pendant trois ans, correspondant du *Washington Post* en Indonésie, a acquis ses connaissances sur la Floride en étant rédacteur à l'*Evening Independent* de Saint Petersburg. C'est à cette époque qu'il définit son projet d'un guide sur la Floride, en compagnie de **Leonard Leuras**, coéditeur. Ce dernier, né au Nouveau-Mexique, vit à Hawaï depuis 1963. Il a dirigé les *Grands Guides d'Hawaï*, de *Hong Kong* et du *Mexique*.

Cette nouvelle édition du *Grand Guide de la Floride* a été soigneusement préparée par **Joann Biondi**, journaliste pigiste installée à Miami, qui a édité l'*Insight City Guide* de Miami et qui est l'auteur de trois *Insight Pocket Guides*. Très familière de l'État du Soleil, elle écrit : « *Il est facile pour les voyageurs de considérer la Floride comme un piège touristique. Mais ceux qui prennent le temps d'approfondir un peu plus et de sortir des sentiers battus trouveront ce que cet État a de véritablement authentique.* » Joann Biondi a été aidée dans sa tâche par **Martha Ellen Zenfell**, originaire du sud des États-Unis et directrice éditoriale d'Apa Nord-Amérique.

Fred W. Wright Jr, auteur des chapitres sur la côte Est, vit en Floride depuis plus de vingt-cinq ans. Ancien chroniqueur en chef de la rubrique Spectacles à l'*Evening Independent* de Saint Petersburg, il est journaliste indépendant, spécialisé dans le cinéma et le théâtre.

Les chapitres sur la population noire, les retraités, les Crackers et les Yankees, et le nord de la Floride ont été écrits par **H. Taft Wireback** et sa femme, **Deanna L. Thompson** qui a reçu plusieurs prix de la Florida Society of Newspaper Editors.

Natif de La Havane, **Raul Ramirez** s'est installé à Miami en 1962. Ancien rédacteur en chef du *Miami Herald*, il est l'auteur du vivant portrait de sa communauté natale. Diplômée de l'université de la Floride du Sud, **Cindy Rose Stiff** travaille comme rédactrice à l'Associated Press Miami bureau, au Miami Bureau of United Press International et au *Fort Lauderdale News/Sun-Sentinel*. Elle a participé aux chapitres sur la Floride du Sud.

Zach

Leuras

Biondi

Zenfell

Ferro

Dave Barry, journaliste, écrivain et lauréat du prestigieux prix Pulitzer, distille son humour impertinent sur l'univers de Disney World dans le chapitre intitulé « Divertissement garanti ». Il est l'auteur de nombreux ouvrages humoristiques, en particulier de *Dave Barry's Only Travel Guide You'll Ever Need*, dont est tiré l'extrait du *Grand Guide de la Floride*.

La journaliste et juriste **Alice Klement** a écrit : « *Lorsque Dieu a dit "Que la Lumière soit", il (ou elle) devait avoir à l'esprit l'État de Floride. La lumière chauffée à blanc et brillante d'ici explique notre folie. Bienvenue dans un univers délirant.* » Elle est l'auteur des chapitres sur les gourmets et sur les festivals.

Trois excellents photographes d'origine cubaine ont apporté leur contribution à la réactualisation des photos de ce guide : **Ricardo Ferro**, qui a remporté en 1965 le prix du Photographe de l'année ; **José Azel**, qui a travaillé trois ans au *Miami Herald* avant de devenir photographe indépendant, et **Tony Arruza**, photographe de West Palm Beach qui a participé aux *Grands Guides du Portugal, de Lisbonne.*

Le New-Yorkais **Bud Lee**, qui vit en Floride depuis 1976, à Plant City, a travaillé pour de nombreuses publications nationales. Il a été élu en 1967 Nouveau Photographe de l'Année par le magazine *Life*. Certaines des photographies les plus spectaculaires sont de **Catherine Karnow**, qui a déjà contribué à l'illustration de plusieurs guides APA. Merci également à **Pat Canova** et à **Baron Wolmon**, ancien photographe en chef de *Rolling Stone*, qui, du ballon dirigeable Goodyear Blimp basé à Pompano Beach, a travaillé pour ce guide.

Jacques Le Moyne nous fournit les documents les plus anciens. Il a participé à l'expédition francaise en Floride de 1562, conduite par l'explorateur Jean Ribaut, en tant que chef cartographe et artiste. Ses documents, colorés ultérieurement par d'autres artistes, sont les seuls que nous possédions des tribus aborigènes disparues.

Il faut aussi remercier tous ceux qui ont participé à la première version de ce guide : **Tim Rosaforte**, **Paul Moran**, **Ray Holliman**, **John Anderson** et **Steve Shrader**.

Nous tenons à remercier aussi pour leur aide précieuse le Florida State Museum, le Département photo de la NASA du Kennedy Space Center, Kennedy Space Center Tours, TWA Services, Circus World, John & Mabel Ringling Museums, l'Everglades National Park et Weeki Wachee and United Press International.

Pour les éditions Gallimard, la traduction, l'adaptation et la réactualisation ont été réalisées par Dominique Saran, Annie Chérouvrier, Mark Greene, Anne-Laure Maire et Béatrice Méneux.

Wright

Wireback

Thompson

Stiff

Klement

TABLE

TABLE

TABLE

TABLE

CARTES

GIRO AL MONDO
SPOT

8' ½ F

BIENVENUE EN FLORIDE

Plus de quatre siècles après sa découverte par l'Espagnol Ponce de León, la Floride est restée, comme le veut la légende qui la vit naître, une fontaine de Jouvence. Le rêve américain l'a déclinée pendant longtemps en *Sun, sand and surf* (« le soleil, le sable et le surf »). Aujourd'hui, on peut y ajouter les jeux, le rêve et l'argent.

La Floride continue d'incarner le rêve d'une vie meilleure pour des populations très cosmopolites. Elle n'a jamais failli à sa réputation de terre d'asile pour les réfugiés, devenant un véritable creuset culturel où cohabitent les Cubains de Miami, les noirs du nord de l'État, les Grecs

de Tarpon Springs, les Juifs de Miami Beach, les Vietnamiens et bien d'autres. Rêve d'une retraite heureuse aussi pour plus de deux millions de personnes âgées qui s'adonnent aux vertus de l'« État du Soleil ».

La Floride est l'un des États les plus en avance en matière d'écologie, peut-être parce qu'elle possède un patrimoine exceptionnellement riche : plus de 100 km de plages de sable, plus de 30 000 lacs, trois forêts nationales et trois parcs nationaux. De même, elle est l'État le plus attentif à son histoire et à son archéologie. Mais elle constitue surtout un véritable laboratoire du futur : en 1885, Henry Flager ouvrait l'ère du tourisme en construisant un audacieux chemin de fer reliant le continent aux îles des Keys ; en 1958, la NASA s'installa à Cape Canaveral d'où partit, onze ans plus tard, le premier homme à avoir marché sur la lune ; en 1971, Walt Disney révolutionnait le monde des loisirs en créant, à Orlando, le plus grand parc d'attractions du monde.

Parallèlement, la Floride a gardé le sens de la fête. Les Indiens séminoles célébraient déjà la moisson avec la Green Corn Dance. Aujourd'hui, on fête tout et rien, à la seule condition d'être assez motivé pour s'amuser. Et l'histoire de la Floride ne manque pas de dates anniversaires commémorant l'arrivée de conquistadores, les méfaits de pirates, des batailles militaires et des changements de drapeau !

Pages précédentes : flamants roses aux couleurs floridiennes ; chapeau, la Floride ! ; déjeuner dans les îles des Keys ; saut d'un petit ange ; séance photo à Miami Beach ; Jules' Lodge, résidence sous-marine à Key Largo. A gauche, un clown pour guide ; ci-dessus, bienvenue en Floride.

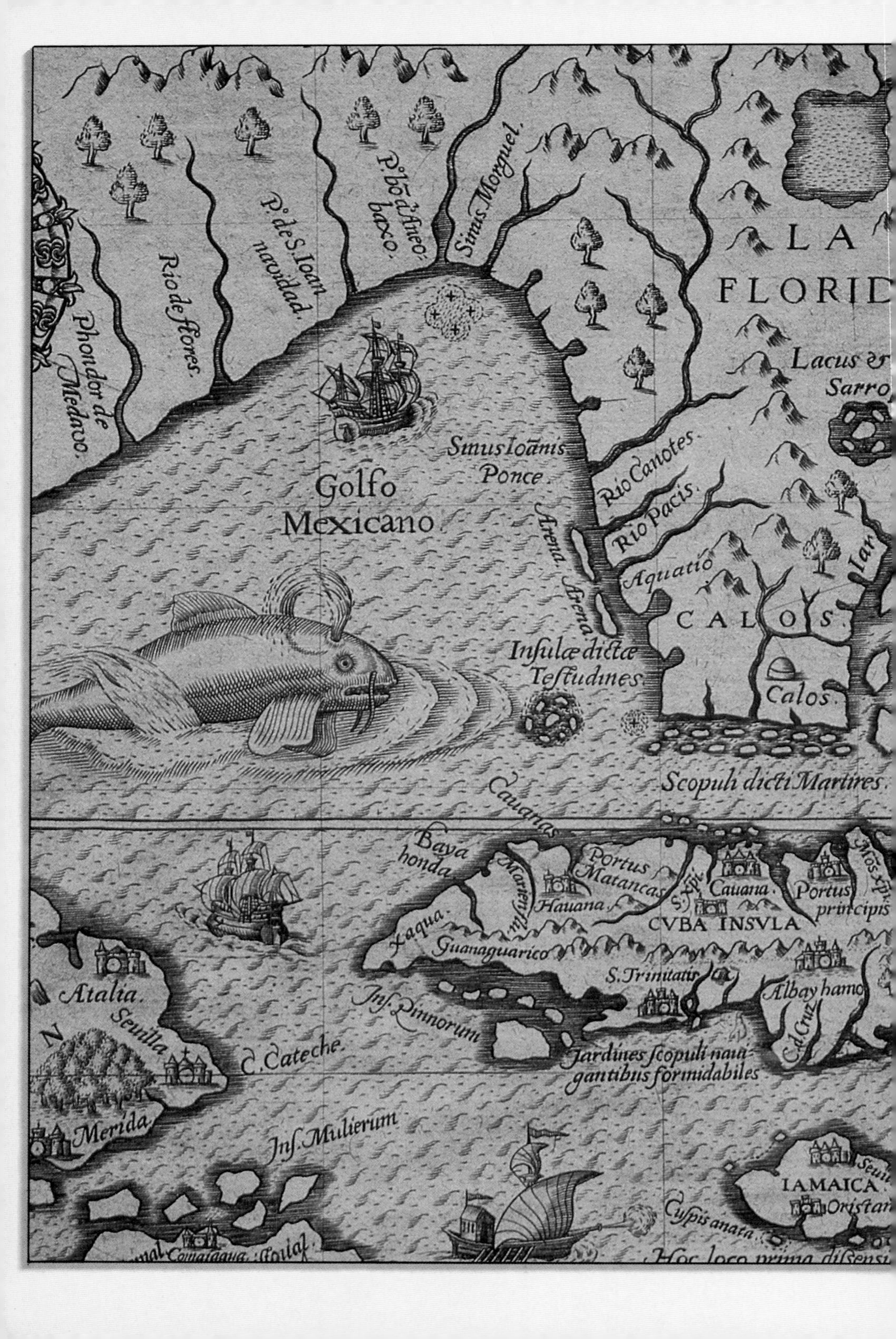

Golfo
Mexicano
LA
FLORID
Sinus Ioãnis
Ponce
Rio Canotes
Rio Pacis
Aquatio
CALOS
Calos
Insulæ dictæ
Testudines
Scopuli dicti Martires
Sinus Morguel
Rio de flores
Phondor de
Medaco
Lacus
Sarro
Bava
honda
Portus
Matancas
Hauana
Cauana
Portus
principis
CVBA INSVLA
Xaqua
Guanaguarico
S. Trinitatis
Albay hamo
Ins. Pinnorum
C. Cateche
Jardines scopuli nauigantibus formidabiles
Atalia
Seuilla
Merida
Ins. Mulierum
IAMAICA
Cuspis anata

R. Sorrochas.
Sorrochos.
Iucayonoque
LVCAYA
Oathkaqua
Mocossou.
Prom: Canaueral.
P.o de Sant Hellenæ.
La Emperadada
Bahama.
C. de Canareal.
Canalis Bahamæ versus
Septemtrionem semper fluit.
Bimini.
Ciquateo
Guanima.
Hæc Maris pars plena est Insulis,
scopulis, breuibus & puluinis valde insidiosis.
Guanahany
Samana.
Carybdis magna
Insula Arenarum
Iumeto
Maya guana.
Portus patris
Quibanaca
Hinagua
Cuspis Mayaci
Conceptio nis.
Portus
Ins. S. Tome.
Mons Christi.
Port absconsus Baraca
P. Nicola
Vallis paradisi
Natiuita
Mōs Cariuata
Cibao
Portus Regius.
Isabella.
HAYTI
SIVE SPÃNIOLA
Cap franco.
C. Capris
Xaragua
Lago sal.
Port plati
Caymit.
Guanaba.
Banco mōs
La Yaguana
Lago dolce
Rio de Iuna.
C. Samana.
Caput deceptionis.
SCIA
Calana
RA
Yaguima.
G
S. Iulian
VA
Rio d'Ozama
S. Asua
Dominici
Rio d'Mina
Yguey
Rio d'Orama
S. Catelina.
Saona
Zacheo
formicarum.

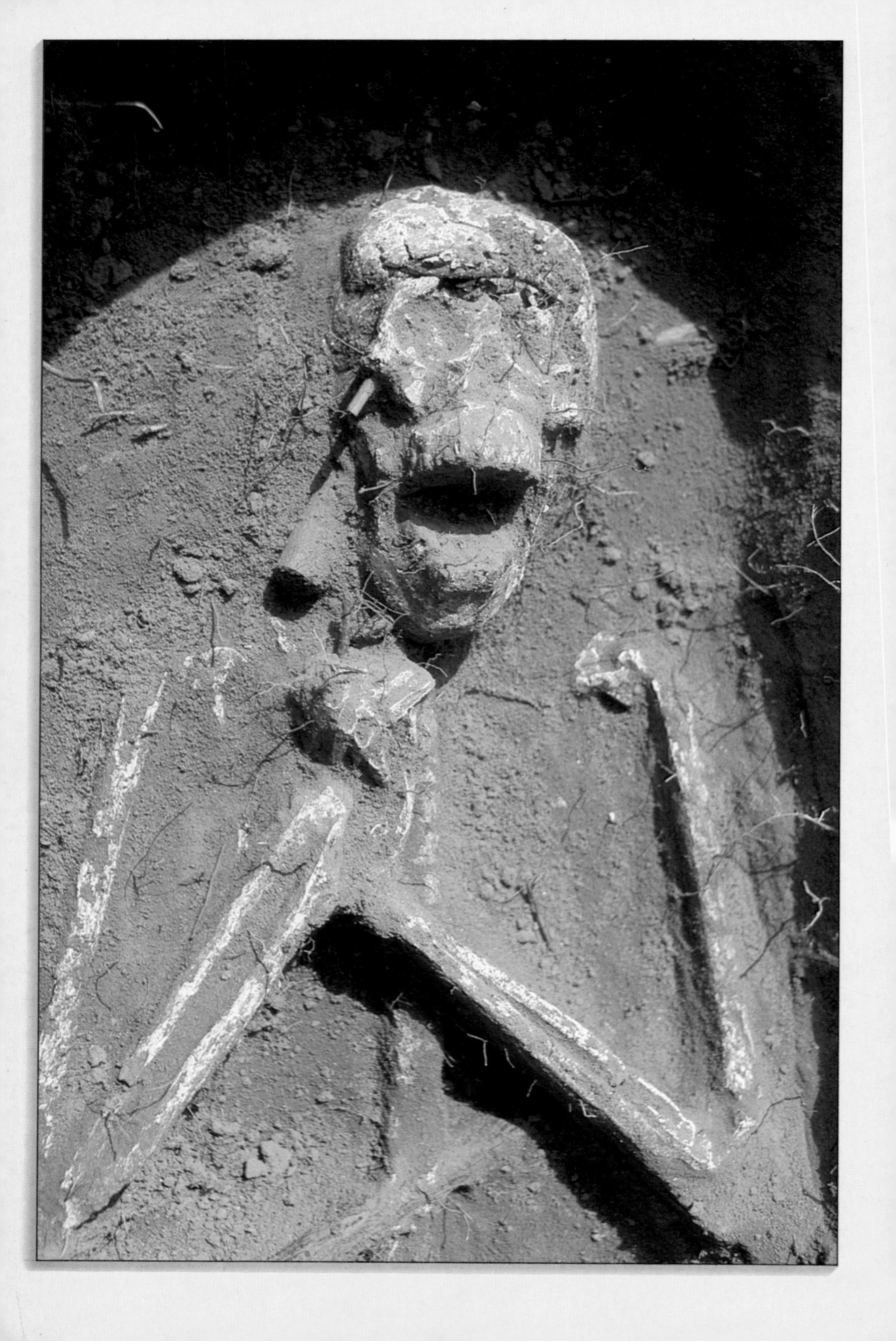

LES PREMIERS ADORATEURS DU SOLEIL

La Floride fait étalage de ses charmes climatiques. C'est un fait que les jours froids et sombres propres à engendrer le *spleen* y sont rares. Séduits par un mode de vie décontracté, treize millions de personnes ont choisi de s'installer dans ce quatrième État des États-Unis par sa démographie. Un chiffre qui devrait doubler en l'an 2000. Il faut encore y ajouter les quarante millions de touristes qui se rendent chaque année en Floride.

Nul doute que les premiers habitants de la péninsule subirent eux aussi cet attrait irrésistible du soleil. Selon une hypothèse courante, il y a environ vingt mille ans, des peuplades venues d'Asie franchirent la distance séparant la Sibérie de l'Alaska, chassées par les glaciers meurtriers de l'époque glaciaire. Ces premiers Américains poursuivirent leur descente vers le sud, à travers le Canada, les Rocheuses, les Grandes Plaines et la vallée du Mississippi. D'après les géologues, certaines tribus atteignirent le sud de la Géorgie et le nord-ouest de la Floride voilà quelque dix mille ans.

Autre hypothèse : des similitudes culturelles existent entre les Floridiens primitifs et les tribus sud-américaines, et certains archéologues en déduisent que les Nord-Américains seraient issus de peuplades venues du sud. D'après les linguistes, la langue des Floridiens ressemble plus à une langue parlée dans le delta d'Orinoco River, en Amérique du Sud, qu'aux autres langues amérindiennes.

Des fouilles ont mis au jour des pierres taillées, appelées « pointes de Clovis » ou « pointes de Suwannee », selon leur âge et l'endroit où on les a trouvées. Ces silex dentelés — découverts sur la côte ouest jusqu'à hauteur de Fort Myers, et sur la côte est jusqu'à Vero Beach — ressemblent aux bouts des flèches fabriquées par les Indiens. Les chasseurs les attachaient probablement au bout de longues perches pour en faire des lances, ou *atlatl*. Les plus anciennes ont été trouvées à Warm Springs, près de Venice, à 18 m de profondeur.

Dans cet environnement aquatique, les anciens Floridiens explorèrent rivières, baies et lacs, et y trouvèrent une nouvelle source de subsistance (poissons, coquillages, crabes, langoustes) Ils s'implantèrent dans les parages.

Pages précédentes : carte ancienne de la Floride. A gauche, la Floride a conservé de nombreux vestiges des tribus aborigènes, tel ce squelette provenant d'un tumulus apalachee.

Vestiges préhistoriques

Vers 5000 av. J.-C., les cultures aborigènes dites « archaïques précéramiques » apprivoisèrent l'environnement sauvage de la péninsule. Des villages primitifs jaillirent le long des rives de la Saint Johns River. Ils étaient habités par des hommes de grande taille, à la peau foncée et aux cheveux raides. Après avoir vidé le contenu des huîtres, des conques et autres coquillages, ces premiers habitants employèrent les coquilles comme récipients pour la cuisine ou comme outils afin de fabriquer des canoës destinés à la pêche ou à l'exploration des cours d'eau. Les coquilles inutilisées s'accumulèrent sur place. Puis les tribus s'éteignirent ou émigrèrent, et le temps finit par ensevelir leurs traces. De nouvelles tribus équipées d'outils plus évolués les remplacèrent, laissant à leur tour de nombreux vestiges derrière elles.

De nos jours, les ouvriers du bâtiment et les enfants qui creusent la terre le long des rives sablonneuses redécouvrent parfois ces *mounds*, ou tertres artificiels, laissés par les Indiens. Couche après couche, ces découvertes permettent de reconstituer la chronologie des premiers habitants de l'État. Des pointes de lances paléo-indiennes, enfouies au plus profond de la terre, aux colliers et aux pipes de civilisations plus récentes, en passant par les tessons de poterie à la décoration de plus en plus complexe, ces *mounds* racontent une histoire passionnante.

L'utilisation de l'argile rougeâtre vers 2000 av. J.-C. fut un événement déterminant dans l'existence des Floridiens. La poterie allait naître. Il fallut attendre encore huit cents ans pour qu'elle apparaisse sur tout le continent nord-américain.

Les premiers objets étaient de formes grossières, avec parfois des motifs simples en damier. A mesure que leur usage se diversifia, le dessin se fit artistique au cours des siècles. En l'an 850, les habitants de la côte ouest de Floride fabriquaient des poteries qui, selon l'anthropologue John M. Goggin, *« passaient pour les plus belles des États-Unis... »*

Parallèlement à l'évolution des ustensiles de cuisine, l'alimentation des Indiens se modifia également. S'étant jusque-là nourris des produits de la chasse, de la pêche et du ramassage des coquillages, ils commencèrent à cultiver le sol vers 1000 av. J.-C. Lors de fouilles près du lac Okeechobee, les archéologues ont découvert des formes primitives de canaux d'irrigation et de terres cultivables aménagées sur des levées construites au-dessus de la savane humide.

D'après certains scientifiques, le maïs poussait dans le sud de la Floride avant de croître en d'autres endroits du continent nord-américain. Les fouilles entreprises dans les *mounds* révèlent que les Indiens brûlaient le calcaire des coquilles. Or, on sait qu'ils agissaient ainsi pour cuire le maïs. D'après l'analyse au carbone 14, le charbon de bois de ces barbecues daterait de 1000 av. J.-C, soit bien avant l'apparition du maïs dans le Midwest. Les grains introduits en Floride ont pu provenir d'Amérique du Sud ou du Mexique.

Ossements et tumulus

Les sous-sols de Floride constituent un véritable musée d'histoire ancienne pour les archéologues du XXe siècle. Les découvertes les plus fascinantes sont celles d'énormes tumulus qui semblent inspirés des cultures Hopewell des États de l'Ohio et de l'Illinois. De Matecumbe aux îles des Keys, en passant par Bear Lake dans les marais des Everglades, Malabar sur la côte est, Safety Harbor sur le golfe, et dans des dizaines de sites dans le Panhandle (nord-ouest de la Floride) et près de Saint Augustine et de Jacksonville, les Indiens ont élevé des monuments funéraires pour leurs chefs et d'autres membres importants de la tribu.

Les ossements de ces illustres inconnus allongés sur le dos reposent au centre de chaque tumulus. Par-dessus, d'autres ossements, plus nombreux — peut-être ceux de parents rendant un dernier hommage à leur chef de famille —, reposent tournés vers la terre. D'autres, éparpillés, os enterrés au hasard proviennent probablement de sacrifices humains. On trouve également dans les tumulus des céramiques caractéristiques et des effigies en bois sculpté représentant des formes humaines ou d'oiseaux. Il s'agit sans doute des possessions chères au défunt ou bien de talismans pour hâter son ascension au ciel.

On ignore si les habitants Hopewell d'Ohio River Valley furent les premiers à élever des tertres funéraires, mais la découverte de coquilles de conques provenant de Floride dans les tumulus du Nord indique qu'une forme de troc existait déjà entre différentes régions du continent. Peut-être favorisa-t-elle aussi des échanges d'idées.

Au début de l'ère chrétienne, les tumulus des Indiens de Floride étaient devenus de gigantesques ouvrages de terre. Certains étaient reliés entre eux par un réseau de canaux et de routes au tracé compliqué, dont la signification n'était connue que des Indiens eux-mêmes.

Des personnes érudites ont noté des similitudes avec la culture de ces grands bâtisseurs de temples que furent les Aztèques, les Mayas et les Incas d'Amérique centrale et du Sud. Si l'on en croit l'archéologue Calvin Jones, il fut un temps où les chercheurs avaient répertorié plus de 14 000 sites semblables en Floride, mais les promoteurs en ont malheureusement anéanti 1 à 2 % par an.

A gauche, les Indiens sacrifient un cerf au dieu du soleil ; ci-dessus, des Floridiens traversant une rivière (dessins de Jacques Le Moyne, 1564).

Des tribus disparues

Les historiens dénombrent six principaux groupes. La tribu la plus nombreuse, celle des Timucuan, habitait dans l'actuelle Floride du Nord, limitée au sud par Cape Canaveral. Celle des Tocobega, apparentée à la première, mais plus modeste, vivait dans la région de Tampa Bay. Les Calusa et les Mayaimi étaient, pour leur part, implantés près du lac Okeechobee et dans le sud-ouest de l'État. Les Apalachee vivaient dans l'est du Panhandle, cependant, on retrouve leurs traces jusqu'en Géorgie. Les Pensacola, les Apalachicola et les Chtot peuplaient l'ouest du Panhandle. Les Ais et les Jeaga habitaient la région côtière de Saint Lucie River, à l'est. Enfin, les Tequesta se partageaient les terres de la Côte dorée, d'où surgirent plus tard des villes comme Palm Beach, Fort Lauderdale et Miami. Ces nombreuses tribus peuplaient la Floride avant que l'arrivée de Christophe Colomb ne change le cours de l'histoire. Trois siècles plus tard, elles avaient totalement disparu de la surface du globe.

JUAN PONCE DE LEON. SPANISH KNIGHT, DISCOVERER OF FLORIDA, MARCH 27, 1513. AUTHENTIC PORTRAIT LOANED BY THE ST. AUGUSTINE INSTITUTE OF SCIENCE AND HISTORICAL SOCIETY.

LES POSSESSIONS ESPAGNOLES

« Convaincu par les propos fantaisistes d'une Caraïbe, l'aventurier espagnol Ponce de León décida d'explorer le pays à la recherche d'une fontaine de Jouvence. Ce ne fut ni le premier ni le dernier gentilhomme à se lancer dans une quête perdue d'avance, séduit par des rumeurs sans fondement. »

M. M. Cohen, *Notices of Florida and the Campaigns* (*Compte rendu des campagnes de Floride*), 1836.

Ponce de León

On attribue d'ordinaire la découverte de la Floride par les Européens à l'Espagnol don Juan Ponce de León. Mais il fut probablement devancé par un Italien.

Les voyages du navigateur et cartographe génois Giovanni Caboto, plus connu sous le nom de Jean Cabot, le conduisirent plusieurs fois dans le Labrador et dans le nord du Nouveau Monde, découvert peu de temps auparavant par Christophe Colomb, en 1492, alors qu'il cherchait à atteindre les Indes. Ses expéditions permirent à Cabot de bénéficier de la faveur du roi d'Angleterre, Henry VII. Le roi chargea celui qu'il avait surnommé *« le découvreur des Terres neuves »* de tracer la carte du pays. D'après les historiens, il longea la côte de la péninsule jusqu'au cap Florida, un promontoire que Cabot baptisa *« cap à la Fin d'avril »*, avant de remonter vers le nord en mai. Ni Cabot ni son fils ne débarquèrent — mais peu après leur expédition, des cartes représentant grossièrement la péninsule de Floride apparurent en Europe.

Ponce de León se rendit dans le Nouveau Monde pour la première fois lors de la seconde expédition de Colomb. Il établit un avant-poste à Porto Rico, et en fut récompensé par le roi Ferdinand V qui le nomma gouverneur d'Hispaniola. Mais le fils de Christophe Colomb, Diego, fit bientôt valoir ses droits sur ce titre. Le roi proposa alors à Ponce de León de devenir gouverneur (*adelantado*) de Bimini, une île légendaire passant pour être un véritable paradis où coulait une fontaine de Jouvence. Encore fallait-il la trouver.

L'Espagnol don Juan Ponce de León découvrit probablement la Floride en cherchant de l'or, sur les conseils du roi Ferdinand V.

Il est peu vraisemblable que le désir de prendre un bain de jouvence dans une fontaine aux propriétés magiques fût la principale motivation de ce voyage. Outre le commandement de l'île et de toutes les nouvelles contrées qu'il pourrait découvrir, le roi avait laissé entendre à Ponce que les terres, avec l'or et tous les métaux précieux qu'elles contiendraient, seraient sa propriété.

Ponce de León croisa près des îles Bahamas pendant environ vingt-cinq jours sur la *Santa María de la Consolación* et le *Santiago*, sans trouver trace de Bimini. Il célébra avec son équipage la Pascua Florida, les « Pâques fleuries » (dimanche des Rameaux), à bord de son bateau. Le nom resta, et fut même attribué dans un premier temps à toutes les possessions espagnoles sur le continent nord-américain. Six jours plus tard, le 2 avril, il arriva en vue d'une nouvelle terre qu'il devait baptiser Florida.

Ponce de León accosta quelque part entre le site de l'actuelle ville de Saint Augustine, première implantation permanente sur le continent des États-Unis, et l'embouchure de la Saint Johns River. *« Merci à Toi, ô Seigneur, de m'avoir permis de voir quelque chose de nouveau » :* tels furent, dit-on, les mots que sa découverte inspira à Ponce de León.

Des indigènes hostiles

Poursuivant son exploration, l'expédition remonta au nord jusqu'à l'embouchure de la Saint Johns River, puis redescendit au sud jusqu'à Cape Canaveral et la baie de Biscayne où elle fit une halte. Ponce de León longea ensuite les îles des Keys, qu'il appela Los Mártires parce que les îles rocheuses lui rappelaient une procession de martyrs. Le nom a été oublié, contrairement au mot Tortugas dont il se servit pour désigner l'extrémité des Keys aux plages grouillantes de tortues de mer.

Après avoir contourné les îles, Ponce et son équipage remontèrent la côte ouest, sans doute jusqu'à la baie de Pensacola.

Même sans aller aussi loin, Ponce de León sut qu'il avait découvert beaucoup plus qu'une île mythique. Il fit une nouvelle halte à Port Charlotte, appelé jadis Bahía Juan Ponce. Il y rencontra les indigènes de Floride, des Indiens de haute stature, puissants et hostiles.

Ce premier affrontement suggère que des contacts antérieurs avaient peut-être eu lieu entre Européens et Floridiens. Certains historiens se demandent si des marchands d'esclaves venus des colonies espagnoles, dans les Caraïbes, n'avaient pas tenté d'enlever des Floridiens. Plusieurs récits rapportent que les Indiens criaient des mots espagnols aux oreilles des explorateurs abasourdis, ce qui accréditerait cette hypothèse. D'autres pensent que les Indiens des îles colonisées avaient pu faire connaître d'une manière ou d'une autre les mauvais traitements qu'ils subissaient aux mains des Espagnols. En fait, dans les seules huit premières années de l'occupation espagnole à Porto Rico et à Haïti, les colons européens tuèrent ou réduisirent en esclavage plus d'un million de Caraïbes.

Ponce de León retourna à Porto Rico après cette première expédition pour faire valoir ses droits sur La Florida. Mais le roi lui ordonna au préalable de se rendre dans les Petites Antilles pour mettre fin à un soulèvement. Il lui fallut attendre 1521 pour pouvoir rassembler deux caravelles, deux cents hommes, cinquante chevaux, des animaux domestiques, des arbalètes et d'autres armes, ainsi que des outils destinés à l'agriculture et à la construction. Le roi l'avait chargé de coloniser l'« île de Floride », aidé de prêtres missionnaires, tout en s'efforçant de traiter les Indiens *« du mieux possible, et d'essayer par tous les moyens de les convertir à la Sainte Foi catholique »*.

Ponce de León débarqua de nouveau près de Port Charlotte. C'était un événement historique pour les catholiques, car c'était la première fois que des prêtres mettaient officiellement le pied sur le sol des futurs États-Unis. Malheureusement, les résultats furent décevants. Tandis qu'ils construisaient les premiers abris de leur campement, les nouveaux venus furent surpris par un groupe de Calusa ou de Mayaimi qui les attaquèrent à coup de pierres et de flèches. Ponce de León essaya vainement de mener une contre-attaque. Ses hommes et lui étaient plus accoutumés aux batailles rangées et aux combats au poignard. D'après certains récits, les Espagnols allèrent même jusqu'à lancer leurs féroces lévriers sur les attaquants.

Les conquistadores

Malgré de lourdes pertes, les Indiens ne se résolurent jamais à battre en retraite. Une flèche taillée dans un roseau des marais blessa gravement Ponce de León. Six de ses hommes, également touchés, tombèrent autour de lui. Les survivants parvinrent à les ramener sur l'un des bateaux. Ils rejoignirent Cuba, où Ponce de León mourut. Il fut enterré à Porto Rico.

Trois expéditions importantes furent organisées en Floride durant les quarante années qui suivirent. Elles visaient à pacifier la nouvelle contrée et ses occupants.

Toutes échouèrent. Environ deux mille Espagnols perdirent la vie dans l'aventure. La plupart avaient fièrement brandi leur épée et revêtu leur armure pour suivre leurs chefs, ces hommes rompus au combat qu'ils appelaient des conquistadores.

Pánfilo de Narváez débarqua dans Tampa Bay avec quatre cents hommes le vendredi saint de 1528. Guerrier à la barbe rousse, il avait acquis sa réputation en perdant un œil lors du combat contre Hernán Cortés au Mexique. Il vint avec la ferme intention de soumettre les Indiens auxquels il donna cet avertissement :

« Je prendrai vos biens et je vous ferai subir tous les maux et les torts dont je serai capable... et les morts et les dommages qui s'ensuivront seront votre faute et non celle de Sa Majesté, de moi, ni d'aucun des chevaliers venus avec moi. »

Les Indiens s'empressèrent de révéler à Narváez ce qu'il voulait entendre : il existait au nord un pays où les Espagnols trouveraient l'or tant convoité. Narváez se mit en route à l'intérieur des terres, ordonnant à ses caravelles de l'attendre au bout du voyage. Il découvrit de vastes plaines où poussaient des palmiers, de grandes forêts de pins, des sources et des rivières miroitantes, mais d'or, aucune trace. Considérablement éprouvés par les assauts des Indiens, les rescapés atteignirent, épuisés et mourants de faim, le nord-ouest de la Floride, où les bateaux n'étaient pas au rendez-vous. Narváez et ses hommes construisirent six embarcations de fortune et firent voile vers le Mexique.

Pánfilo de Narváez disparut avec ses bateaux et seuls quatre survivants de l'expédition arrivèrent au Mexique. Ils avaient réussi à gagner le rivage et, conduits par Álvar Núñez Cabeza de Vaca, ils avaient erré huit ans dans le sud-ouest de l'Amérique avant de trouver le pays des Aztèques.

L'expédition d'Hernando de Soto

Hernando de Soto, l'un des plus célèbres conquistadores de son temps, commanda une expédition beaucoup plus ambitieuse sinon plus réussie. Un récit décrit l'équipée de cet hidalgo de trente-six ans comme une forme de *« poésie en action ; c'était le chevalier errant du Vieux Monde transporté au cœur des contrées sauvages d'Amérique... des cavaliers bardés de fer, avec des lances, des casques et des coursiers caracolants, resplendissant à travers les contrées sauvages de la Floride, de la Géorgie et des prairies du Far West... »*

Hernando de Soto accosta dans Tampa Bay en mai 1539 avec une armée forte de mille chevaliers et aventuriers. Ils tuèrent ou réduisirent en esclavage tous les Indiens qu'ils rencontrèrent et pénétrèrent à

A gauche, tribu indienne triomphant à l'aide des Français (dessin de Le Moyne) ; ci-dessus, le conquistadore Hernando de Soto, qui tenta en vain de pacifier les contrées sauvages et hostiles de la Floride.

Saturiova
Saturiova Re della Florida nell'America Settentriona
in atto di andare alla Guerra

l'intérieur de la Floride sauvage. Ils durent se frayer un chemin à l'emplacement actuel de Dade City, Lake City et Live Oak. Désappointé de ne trouver ni or ni villes fabuleuses comme il avait pu en voir au Pérou et au Mexique, Hernando de Soto poursuivit sa marche vers le nord de la Floride, la Géorgie, la Caroline du Nord et les Smoky Mountains, avant de continuer sa quête vers l'Alabama, à l'ouest.

Après trois années passées à parcourir des milliers de kilomètres en Amérique du Nord, il mourut de fièvre et d'épuisement. Ses hommes immergèrent son corps dans le Mississippi. La plupart des conquistadores revinrent en Espagne les mains vides mais riches de récits sur les paysages immenses et variés du Nouveau Monde.

Malheureusement, le compte rendu précis de l'expédition d'Hernando de Soto disparut avec lui. Son aventure devint néanmoins légendaire. On raconte qu'en débarquant dans la Tampa Bay, les conquistadores dévisagèrent avec une extrême curiosité un Indien qui parlait couramment espagnol. Sous ses peintures, l'homme se révéla être Juan Ortiz, un soldat qui avait participé à l'expédition de Narváez. Capturé par les Indiens Timucuan, il avait survécu d'une remarquable manière.

Garcilaso décrivit le supplice de Juan Ortiz, prisonnier d'un cacique nommé Harriga :

« Ils le forçaient à porter continuellement du bois et de l'eau. Il mangeait et dormait très peu, et subissait des sévices... Il commençait à courir au lever du soleil et ne s'arrêtait qu'à la nuit tombée ; même durant le repas du cacique, ils ne toléraient pas qu'il s'arrête, si bien qu'à la fin de la journée, il était dans un état pitoyable, allongé sur le sol, plus mort que vif. La femme et les filles de Harriga, pleines de compassion, lui donnèrent des vêtements et l'aidèrent d'une façon si opportune qu'elles le sauvèrent de la mort. » Il réussit à s'enfuir grâce à l'aide de la fille aînée.

Tristán de Luna y Arellano, noble espagnol, essaya lui aussi de conquérir la Floride, découragé ni par les défaites de ses prédécesseurs, ni par l'assassinat de trois missionnaires dominicains en 1549. Dix ans plus tard, son équipée composée de 1 500 hommes tentait de s'établir dans Pensacola Bay. Mais ils durent abandonner en 1561, mourant de faim, ce lieu dévasté par un ouragan.

A gauche, le chef Satouriona régnait sur les anciennes tribus vivant au bord de la Saint Johns River. Il offrit son amitié aux colons français de Fort Caroline.

Rivalités entre puissances européennes

Les pirates représentaient une autre menace pour la politique expansionniste de l'Espagne en Floride et dans les Caraïbes. Arborant le pavillon noir, Français, Hollandais et Anglais croisaient près de l'archipel des Bahamas et dans les eaux côtières de la péninsule, s'attaquant aux galions chargés de cargaisons précieuses qui faisaient la navette entre l'Espagne et le Nouveau Monde. Les boucaniers — descendants de vachers d'Hispaniola qui fumaient la viande de bœuf sur des boucans (grils de bois) — pillaient les doublons, l'or et l'argent, et enterraient parfois leur butin sur les rivages de la Floride ou dans des îles désertes, pour le plus grand bonheur des chasseurs de trésors du XXe siècle.

Enhardi par les difficultés que rencontraient les Espagnols, le Français Jean Ribaut fut chargé d'implanter une colonie sur la Saint Johns River en 1562. Il fit bâtir un fort nommé Caroline.

Cette initiative raviva l'ardeur des Espagnols. Leur dessein n'était plus seulement de s'installer en Floride, mais d'en chasser les Français. Le 28 août 1565, jour de la Saint-Augustin, à la tête d'une impressionnante armée, Pedro Menéndez de Avilés s'établit sur la côte est, au sud de l'avant-poste français, pour préparer son attaque. Le 8 septembre, Menéndez célébra la création de Saint Augustine, première colonie permanente espagnole en Amérique du Nord.

Conscient du danger imminent, Jean Ribaut revint en hâte à Fort Caroline, rassembla ses forces et tenta de surprendre les Espagnols. Mais la nature joua son rôle éternel dans la destinée de la Floride. Les vaisseaux de guerre français coulèrent lors d'une tempête avant de pouvoir atteindre Saint Augustine. Pendant ce temps, Menéndez s'était dirigé vers Fort Caroline et s'en était emparé, tuant tous les occupants à l'exception des catholiques, des femmes et des enfants. En redescendant vers Saint Augustine, il rencontra les cent cinquante rescapés de la flotte de Jean Ribaut et n'épargna que seize d'entre eux. Ribaut fut décapité. Le lieu de cet affrontement sanglant fut surnommé Matanzas, ce qui signifie « l'endroit du massacre ».

Débarrassé des Français, Menéndez voulut renforcer l'emprise de l'Espagne sur la Floride. Pour ce faire, il entretint de bons rapports avec différentes tribus, aida les missions jésuites à s'implanter dans le pays, et s'efforça d'étendre son autorité dans la péninsule en y créant de nouvelles colonies. Mais Saint Augustine fut la seule qui survécut, malgré quelques avatars. Ainsi l'Anglais Francis Drake rasa la petite ville en 1585. Un ouragan dévasta la colonie rebâtie en 1599. Cependant, Saint Augustine sut se reconstruire sur ses ruines et résister aux intempéries.

Menéndez mourut en Espagne en 1574, loin de sa chère Floride. L'épitaphe de son tombeau, que l'on doit à José Maria de Heredia, poète français d'origine cubaine, rend hommage, à travers lui, aux conquistadores pour qui la Floride représenta le plus grand des défis :

« La gloire a marqué de rides ton front
Et tes joues, ô illustre chevalier ;
Malgré les meurtrissures de la guerre,
Ce front altier ne s'est jamais courbé. »

La disparition des aborigènes

Avant de mourir, Ribaut et son cartographe, Jacques Le Moyne, ont laissé des descriptions détaillées des Indiens qu'ils rencontrèrent. Ainsi, en 1563, Ribaut remarqua que la plupart d'entre eux couvraient leurs reins et leur sexe de peaux de cerf. Ils se peignaient le corps avec des couleurs diverses, des nuances d'azur, de rouge et de noir, *« si bien faites que les meilleurs peintres d'Europe n'auraient rien à retoucher »*. Les femmes se couvraient le corps d'herbes. Les hommes aimaient se parer de différentes manières. Ils avaient le teint *« fauve, un nez crochu et un air engageant. Les femmes, gracieuses et réservées, ne tolèrent pas qu'on les approche de près »*.

Dans un texte qu'illustrent quarante-deux croquis pertinents, Jacques Le Moyne décrivit certaines coutumes locales. Il mentionna que les peuplades de la côte est lui semblaient généralement plus curieuses et plus hospitalières que leurs féroces parents de la côte ouest. Les Indiens cultivaient des haricots, du millet et du maïs qu'ils conservaient dans des greniers. Ils adoraient le Soleil, faisaient la guerre à d'autres tribus de la péninsule, scalpaient et mutilaient leurs ennemis et portaient leur scalp et leurs membres au bout de leurs lances en signe de victoire. Ils attrapaient aussi facilement des maladies vénériennes. Le Moyne raconta encore qu'ils allaient jusqu'à sacrifier leurs enfants premiers-nés à leurs chefs en les frappant avec

un gourdin lors des danses rituelles. Comme les Floridiens du XXe siècle, ils appréciaient les pique-niques sur les îles voisines. Le Moyne vanta l'habileté des Indiens qui, pour chasser le cerf, se déguisaient avec des peaux et des ramures.

Il observa que les Indiens pratiquaient une forme primitive de parlementarisme. Le conseil de tribu se rassemblait certains jours de l'année, tôt le matin, dans un lieu public. Le chef s'asseyait le premier sur un siège fait de neuf troncs d'arbre disposés en rond, marque de distinction. Lorsqu'il devaient débattre d'une question importante, le chef invitait les *laüas* (ses prêtres) et les anciens à donner tour à tour leur avis. Rien ne pouvait être décidé avant plusieurs assemblées, et ils délibéraient solennellement pour toutes leurs décisions.

Garcilaso fournit également un aperçu de la vie indienne. Il constata des similitudes avec les coutumes des Incas, particulièrement en ce qui concernait l'édification des temples. La technique de construction de ce qui faisait office de lieux d'habitation des chefs de tribus ressemblait étrangement à celle utilisée par les Indiens du Pérou. Les édifices étaient bâtis au sommet de monticules artificiels auxquels on accédait par un escalier de bois. Garcilaso rapporte : *« Les peuplades de Floride idolâtrent le Soleil et la Lune comme des divinités. Elles leur adressent des prières ou leur consacrent des sacrifices. »*

Le contact avec les Européens porta un coup fatal aux cultures indigènes déjà décimées par les guerres tribales et les sacrifices d'enfants. Les tribus qui s'efforcèrent d'accueillir les Espagnols furent souvent victimes de nouvelles maladies telles la varicelle ou la rougeole devant lesquelles elles étaient impuissantes. Les marchands d'esclaves arrachèrent à leur pays natal jusqu'à douze mille Indiens. Nombreux sont ceux qui moururent en défendant les terres sur lesquelles leurs tribus vivaient depuis dix mille ans.

A gauche, portrait de Pedro Menéndez de Avilés ; ci-dessus, dessin de Le Moyne illustrant une ruse des aborigènes utilisant le camouflage pour chasser le daim.

L'arrivée des Séminoles

Selon les historiens, il ne restait, en 1560, plus que le quart des quelque vingt-cinq mille Indiens qui peuplaient la péninsule. Dans leur épaisse bure marron, les missionnaires jésuites et franciscains parcoururent le nord de la Floride, en quête de conversions, supportant un climat humide et chaud. Il y eut une cinquantaine de missions au XVIIe siècle.

Mais les Anglais rasèrent tout au début du XVIIIe siècle, forçant les Timucuan et les Apalachee restants à s'enfoncer plus au sud. Les Espagnols emmenèrent avec eux à Cuba les deux cents derniers Indiens aborigènes lorsqu'ils cédèrent la Floride aux Anglais, en 1763.

A cette date, les Creeks Oconee avaient quitté la Géorgie pour émigrer plus au sud, vers la péninsule. En Floride, ils allaient être connus sous le nom de Séminoles.

XVIIIe ET XIXe SIÈCLES : PÉRIODE DE TRANSITION

Les événements qui agitèrent la Floride après l'arrivée des Européens furent aussi mouvementés que les flux et reflux de la mer auxquels la péninsule doit l'originalité de son relief. Les drapeaux flottant au-dessus de Saint Augustine et Pensacola ne cessèrent de changer de couleurs. Les puissances qu'étaient à l'époque l'Espagne et l'Angleterre se disputèrent la Floride, puis l'abandonnèrent à son sort. Mais au-delà des frontières fixées par les colons s'étendaient des contrées encore plus sauvages que l'Ouest d'antan.

« Redcoats » et révolution

En dépit de tous ses efforts et des longues années d'occupation, l'Espagne avait seulement réussi à fonder les colonies de Saint Augustine et de Pensacola, et à entretenir une petite garnison à Saint Marks, dans le Panhandle. La Grande-Bretagne, dont les colonies se développaient sur le continent nord-américain, convoitait la Floride. Prudents, les Espagnols construisirent la forteresse de San Marcos afin de protéger Saint Augustine. Ouvrages de défense et canons repoussèrent les assauts répétés des Anglais, notamment l'attaque de grande envergure lancée par le général James Edward Oglethorpe en 1742. Mais vingt et un ans plus tard, l'Angleterre acquit la Floride sans coup férir, par le premier traité de Paris. Les Anglais, qui s'étaient emparés de Cuba durant la guerre de Sept Ans, acceptèrent de rendre La Havane à l'Espagne en échange de la Floride.

Le souvenir de l'implantation espagnole s'évanouit rapidement. Les Creeks d'Alabama et de Géorgie, alliés aux Anglais, émigrèrent massivement vers le sud. Pour faciliter sa tâche, l'administration anglaise coupa le territoire en deux, créant la Floride orientale (de la côte Atlantique à l'Apalachicola River) et la Floride occidentale (de l'Apalachicola au Mississippi). Ces territoires devinrent ainsi les quatorzième et quinzième colonies britanniques.

A gauche, le général Grant remonte l'Oklawaha River en bateau à vapeur (tableau du XIXe siècle) ; à droite, le chef séminole Billy Bowlegs.

Sous le joug des Redcoats (surnom donné aux soldats anglais à cause de leur uniforme rouge), la Floride établit pour la première fois des liens avec le reste du continent nord-américain. L'Espagne, elle, avait toujours gouverné en relation avec La Havane, qui était sa colonie florissante. Sous l'administration anglaise, de nouvelles plantations apparurent : indigotiers, riz et agrumes. Le trafic d'esclaves avec l'Afrique et les Antilles s'accrut en conséquence et

on vit arriver une nouvelle vague d'immigrants à l'accent cockney ou irlandais.

L'agitation révolutionnaire des treize colonies anglaises d'origine épargna la Floride. Ses sujets britanniques restèrent loyaux envers la Couronne lorsque les colons américains se rebellèrent contre le roi George III, le 4 juillet 1776. Les habitants de Saint Augustine allèrent jusqu'à pendre et brûler les effigies des chefs révolutionnaires américains, John Hancock et John Adams.

Tirant parti de la situation embarrassante de l'Angleterre face à la révolution américaine, l'Espagne reprit Pensacola et regagna le contrôle de toute la Floride occidentale. La partie orientale demeura britannique et repoussa même trois incursions américaines.

Vingt ans seulement après avoir acquis la Floride, les Anglais la rendirent à l'Espagne en échange des Bahamas, par le deuxième traité de Paris, signé en 1783. Le fait que le territoire ait refusé de rallier les Américains fut pour eux une maigre consolation.

La Floride n'a pas attendu l'afflux récent des boat-people fuyant le Vietnam, Cuba et Haïti pour avoir la réputation d'attirer les sans-logis, les exclus ou les fugitifs. Dès l'époque de la révolution américaine, la Floride, déjà très cosmopolite, comptait des émigrés venus d'Afrique, des îles Caraïbes, d'Angleterre, d'Espagne — et particulièrement de Minorque —, d'Allemagne, de Grèce et de Sicile, sans oublier les Indiens creeks et choctaw. Tous allaient s'installer et prospérer sous le soleil subtropical. Les races se mélangèrent. Il n'est pas étonnant qu'une telle société ait donné naissance à des hommes aussi différents qu'Alexander McGillivray, William Augustus Bowles ou Zephaniah Kingsley.

Fils d'un marchand écossais et d'une métisse de sang creek et français, Alexander McGillivray était un diplomate hors pair. Il favorisa de bonnes relations entre les gouverneurs espagnols de Floride, les commerçants anglais, l'armée des États-Unis et la Confédération indienne qu'il organisa avec l'assentiment de différentes tribus réunissant quarante-cinq mille Indiens. Cette impossible alliance dura pourtant jusqu'à sa mort, en 1793. Il traita toujours les Indiens avec dignité et leur accorda sa confiance.

William Augustus Bowles était un émigré anglais. Il n'avait pas de sang indien, mais il vécut parmi les Creeks et épousa la fille d'un chef. Quand les Espagnols dominèrent de nouveau la Floride, il tenta à plusieurs reprises de retrouver ses privilèges perdus. Il contacta même Alexander McGillivray et offrit de livrer des armes et des munitions aux Creeks afin qu'ils fassent la guerre aux Géorgiens qui les avaient chassés de leurs terres. Il connut un certain nombre d'aventures épiques, n'hésitant pas, par exemple, à s'attaquer à la garnison de Saint Marks. Mais les Espagnols finirent par le capturer et l'emprisonner à La Havane, où il mourut.

Zephaniah Kingsley était un Écossais haut en couleur, bossu, et particulièrement doué pour le trafic d'esclaves qu'il fit venir par milliers d'Afrique et des îles Caraïbes. Il leur apprenait à servir les Blancs, puis les revendait pour des sommes rondelettes. Il devint une figure légendaire en se faisant un défenseur acharné de l'esclavagisme. Il épousa même l'une de ses esclaves et reconnut ses enfants, dont il fit ses héritiers.

Acquisitions américaines

Le retour des Espagnols sur la scène floridienne fut à peine plus réussi que la première fois. Anglais, Noirs et Indiens fuyant les États-Unis nouvellement constitués venaient grossir la population du pays.

Les Géorgiens fomentèrent des troubles le long de la frontière nord, forçant les Espagnols à se retirer jusqu'au trente et unième parallèle, devenu la frontière définitive entre la Géorgie et la Floride.

En 1800, l'Espagne céda la Louisiane à la France, qui la revendit aux Américains, peu de temps avant que ces derniers n'acquièrent la Floride. Les États-Unis revendiquèrent, en 1813, Mobile (Alabama), à la frontière occidentale de la Floride. A l'instigation des Américains, un mouvement en faveur de l'indépendance se développa en Floride occidentale. Aussi, les Anglais, auxquels les Espagnols s'étaient alliés durant la guerre de 1812, envoyèrent-ils des troupes à Pensacola pour défendre, disaient-ils, les intérêts espagnols. Mais les Américains n'apprécièrent guère ce retour en force des soldats anglais.

Andrew Jackson voulut les empêcher d'étendre de nouveau leur influence en Floride. Il profita d'un soulèvement creek en Alabama pour masser des troupes vers la frontière de la Floride. Il battit les Indiens à la bataille de Horseshoe Bend, puis marcha sur Pensacola pour en chasser les Anglais.

Une escarmouche entre Américains et Indiens déclencha la première guerre contre les Séminoles (1817-1818). Lassée de faire la guerre, l'Espagne accepta l'offre des États-Unis d'annuler une dette de cinq millions de dollars en échange de la péninsule. Andrew Jackson retourna à Pensacola en 1821, et y devint le premier gouverneur de Floride.

A gauche, des fortins comme celui-ci, sur la Tampa Bay, protégeaient les villages de colons des Séminoles ; à droite, le général Andrew Jackson.

Andrew Jackson resta gouverneur de Floride pendant seulement trois mois, puis il retourna à Washington. Élu président des États-Unis, il continua d'exercer son influence sur le nouveau territoire. Les responsables politiques se rendirent rapidement compte que la distance entre Pensacola et Saint Augustine était trop grande pour permettre un contrôle efficace du territoire ; c'est pourquoi ils décidèrent d'établir le gouvernement de Floride à mi-chemin entre les deux villes. Ils choisirent un village d'Indiens Talasi, et Tallahassee devint ainsi capitale de l'État en 1823.

Le Green Swamp souillé par le sang

Les Indiens furent chassés de ce village. La migration des tribus (le plus souvent membres de la Confédération creek) s'était poursuivie à un rythme régulier. Les Indiens s'approprièrent les terres arables abandonnées et les forêts giboyeuses. Ils étaient connus sous le nom de Séminoles, mot creek signifiant « sauvages » ou « fugitifs ». Certains d'entre eux parlaient la langue des Hitchiti, d'autres celle des Muskogee.

Tandis que Blancs et Indiens s'installaient dans le nouveau territoire, la population de Floride doubla presque, passant

de 34 370 habitants en 1830 à 66 500 en 1845. La première échauffourée entre les troupes de Jackson et les Séminoles ne fut qu'un avant-goût des combats sanglants qui n'allaient pas tarder à les opposer de nouveau. Les Blancs convoitaient les terres fertiles des Peaux-Rouges. Ils exercèrent des pressions sur le gouvernement américain pour que ce dernier déporte les Indiens de Floride dans les réserves de l'Ouest.

Commandées par Neamathla, le chef des Miccosukee, les tribus séminoles se rassemblèrent à Moultrie Creek, près de Saint Augustine, en 1823, où elles acceptèrent un compromis avec le gouvernement américain. Trente-deux chefs signèrent un traité par lequel ils s'engageaient à se rendre avec leurs familles et leurs esclaves noirs dans une réserve de 1,6 millions d'hectares, au centre-ouest de la Floride, en échange d'une aide financière pour les aider à vivre. Aucune des deux parties ne respecta les termes du traité. Les Séminoles, ayant découvert que la terre était impropre à la culture, ne se pressèrent pas d'émigrer. En outre, la sécheresse aggrava la pénurie de vivres dans la réserve. Le gouvernement, de son côté, ne leur accorda pas l'aide financière promise. En 1830, le Congrès adopta une loi (*Indian Removal Bill*) obligeant les Indiens vivant dans l'Est à s'établir dans l'Ouest.

Les deux camps se rencontrèrent à nouveau à Payne's Landing, sur l'Oklawaha River, qui coulait à travers le Green Swamp au centre de la Floride. Cette fois-ci, les délégués américains ne purent convaincre que sept chefs pour signer un nouvel accord, lequel annulait le traité antérieur et obligeait les Séminoles à vivre dans des réserves situées dans l'Arkansas (et aujourd'hui incluses dans l'Oklahoma). La plupart des Séminoles réagirent avec colère lorsqu'ils apprirent que les sept chefs avaient été contraints d'accepter ce traité. Mais le président Jackson durcit le ton : *« Je vous préviens que vous devez partir et que vous partirez. »*

Le général Duncan L. Clinch, à la tête de dix compagnies de soldats, ordonna aux chefs séminoles de renoncer par écrit à leurs terres de Floride. A Fort King, près de l'actuelle Ocala, il réussit à obtenir la « signature » — en fait, une simple croix — de Micanopy, chef timoré de la Nation indienne, et de quelques autres. On raconte qu'un jeune guerrier indigné, du nom d'Osceola, aurait alors lacéré le document avec son couteau en s'écriant : *« Voilà le seul traité que je conclurai jamais ! »*

Cet acte fit de lui un héros. Bien que son arrière-grand-père fût écossais, il renia publiquement toute ascendance blanche, ne voulant assumer que sa culture creek. Encouragés par l'attitude d'Osceola, les Séminoles se rebellèrent. Un groupe de guerriers tendit une embuscade au major

Francis Langhorne Dade entre Fort Brooke et Fort King. La première balle tirée l'atteignit mortellement. Sur les cent onze hommes qui l'escortaient, trois seulement eurent la vie sauve.

La capture d'Osceola

Ce massacre provoqua la deuxième guerre contre les Séminoles qui, pourtant en nombre inférieur, résistèrent pendant sept ans aux soldats blancs mieux armés. Les Séminoles connaissaient comme personne les étendues sauvages du Green Swamp, frappant par surprise les colonies américaines, et disparaissant ensuite dans les

A gauche, Osceola, le héros séminole ; à droite, un guerrier séminole montant la garde devant une chikee.

marais. La guerre coûta cher aux États-Unis et fit près de quinze cents morts. Pour se protéger, les colons construisirent des forts : Lauderdale, Jupiter, Myers, Pierce...

La tromperie contribua à la défaite des Séminoles. En 1837, le général Thomas S. Jessup proposa une trêve à Osceola. Celui-ci se rendit loyalement à Saint Augustine avec un drapeau blanc envoyé par le général. Mais Jessup viola la trêve en arrêtant Osceola. Il emprisonna le valeureux guerrier, ses femmes, ses enfants et cent seize autres Indiens à Fort Moultrie, à Charleston.

Un certain nombre de Séminoles se volatilisèrent dans les marais des Everglades et de Big Cypress. Ils s'y regroupèrent sous la conduite de leur chef, Billy Bowlegs, et massacrèrent, en 1855, un campement de géomètres qu'ils considéraient comme des intrus. Ce fut le détonateur au troisième et dernier conflit. Soldats et colons traquèrent les Séminoles comme des bêtes durant trois années. Ils offrirent d'énormes récompenses pour leur capture. Bowlegs capitula avec ses guerriers en 1858, et fut transféré dans l'Ouest. Certains refusèrent obstinément de partir et s'échappèrent. Les Floridiens finirent par abandonner les recherches, permettant ainsi à trois cents Séminoles de rester dans les impénétrables Everglades.

HUNTING INDIANS IN FLORIDA WITH BLOOD HOUNDS.

Osceola connut un destin tragique. Profondément abattu, il mourut de malaria un an après sa capture. Par vengeance, parce qu'Osceola avait décapité son beau-frère durant la guerre, le médecin qui le soignait lui trancha la tête. La capture du jeune guerrier eut raison de la résistance des Séminoles. Jessup piégea quatre cents autres Indiens avec leur chef, après avoir demandé à les rencontrer pour discuter d'une trêve. Le général Zachary Taylor, lui, vainquit loyalement une troupe de guerriers séminoles sur la Kissimmee River. L'armée rassembla les Indiens, hommes, femmes et enfants, et transféra trois mille d'entre eux à l'ouest du Mississippi, en 1842.

Du statut d'État à la guerre de Sécession

Le 3 mars 1845, la Floride fut proclamée État de l'Union. Mais seize ans plus tard, la brouille que l'événement avait suscitée éclata au grand jour. En Floride, la richesse d'un homme se mesurait au nombre de ses esclaves. Les planteurs et les propriétaires fonciers s'opposaient fermement à l'abolition de l'esclavage. Très influents, ils rallièrent les législateurs à leurs vues et, le

10 janvier 1861, la Floride quittait l'Union. Elle se joignit aux forces renégates de la Confédération et entra en guerre contre les nordistes.

Cette guerre civile eut des effets particulièrement désastreux sur l'économie de la Floride. Le nouvel État se remettait à peine des guerres tragiques contre les Séminoles, guerres qui avaient retardé sa croissance durant plusieurs décennies. L'agriculture commençait seulement à se développer, les hectares de coton, de riz, de betterave à sucre et de tabac se multipliaient. Grâce à l'achèvement, en 1861, d'un chemin de fer traversant broussailles et forêts de pins et reliant Tallahassee à Cedar Key, sur le golfe du Mexique, les régions sauvages de l'État commençaient à reculer.

Mais la guerre de Sécession vint freiner ce modeste essor. La Floride mobilisa sa minuscule population et puisa dans un budget microscopique pour financer la guerre. Sa participation fut brève et limitée et eut des conséquences dévastatrices.

Les forces de l'Union envahirent à quatre reprises le port de Jacksonville et s'emparèrent de la plupart des forts de Floride. Fernandina Beach, refuge des négriers après la proscription de l'esclavage, tomba aux mains de l'Union.

Mais, encouragés par les exploits du capitaine Dickison, les Floridiens se défendirent vaillamment. La bataille la plus importante eut lieu le 20 février 1864. Dix mille soldats s'affrontèrent à Olustee, près de Lake City. Près de cent Floridiens furent tués et plus de huit cents blessés, mais les survivants parvinrent à contenir l'avance des nordistes, qui subirent le double de pertes.

La « Compagnie des berceaux et des tombeaux » — ainsi surnommée parce qu'elle était constituée d'adolescents et d'hommes âgés — fut attaquée par une brigade ennemie dans le nord-ouest de la Floride. Elle repoussa bravement les soldats de l'Union, dont les képis portaient l'inscription suivante : « A Tallahassee ou en Enfer ». La bataille fut livrée le 5 mars 1865 sur un pont naturel enjambant la Saint Marks River. Les nordistes n'atteignirent jamais la capitale de la Floride. Mais ce triomphe fut de courte durée. Un mois plus tard, le général en chef des armées du Sud, Robert E. Lee, capitulait à Appomattox.

A gauche, devant la résistance séminole, l'armée américaine recourt à des chiens pour l'emporter ; ci-dessus, la bataille d'Olustee, en 1864, vit la victoire provisoire de la Floride pendant la guerre de Sécession.

La guerre coûta environ cinq mille hommes à la Floride et vingt millions de dollars en dommages causés à ses villes, qui n'étaient plus que ruines fumantes. Les esclaves n'étaient libres qu'en théorie. Malgré la célébrité de Harriet Beecher Stowe, l'auteur de *La Case de l'oncle Tom*, le Ku Klux Klan et des rebelles armés continuèrent de s'en prendre aux Noirs. En fait, jusqu'à la promulgation du *Civil Rights Act*, en 1964, la ségrégation des Noirs était monnaie courante en Floride.

Le drapeau étoilé flotta de nouveau sur la capitale de la Floride le 30 mai 1865. La reconstruction économique et politique démarra timidement. La Floride demeurait une contrée sauvage où prévalaient la force et les armes. La fièvre jaune, le paludisme et le choléra n'encourageaient guère les colons. Néanmoins, le soleil attirait les nordistes. La population de Floride passa de cent quarante mille âmes en 1860 à deux cent soixante-dix mille en 1880.

Hamilton Disston entreprit de drainer les vallées de Kissimmee et Caloosahatchee, rendant les cours d'eau navigables et transformant le sol détrempé du sud de la Floride en zones cultivables. De nombreux Cubains suivirent Vicente Martínez Ybor à Tampa, dans les années 1880, pour travailler dans les manufactures de cigares, qui ont fait depuis la fortune de la ville. Sur la côte est, un immigré chinois du nom de Lue Gim Gong réussit à produire une variété d'orange résistante au froid. Les orangeraies commencèrent à fleurir le long de l'Indian River, marquant le début de l'agrumiculture de l'État.

Chemin de fer et tourisme

La clairvoyance de deux Floridiens prépara le terrain au boom touristique du XXe siècle. Henry B. Plant fit construire l'Atlantic Coastline Railroad, un chemin de fer reliant Richmond (Virginie) à Tampa. Au terminus de la ligne, Plant fit bâtir le somptueux Tampa Bay Hotel, dont les minarets dominent toujours la ville. Les touristes commencèrent à affluer.

La construction du Florida East Coast Railroad, entreprise à l'initiative de Henry Morrison Flagler, influa encore plus sur le devenir économique de l'État. À partir de 1885, Flagler investit près de cinquante millions de dollars dans des hôtels en des lieux desservis par son chemin de fer, en commençant par le très sélect Ponce de León à Saint Augustine. En 1894, la ligne se terminait brutalement dans un lieu désolé du bord de mer. Flagler baptisa l'endroit Palm Beach, fit bâtir le Breakers Hotel (dont la clientèle apprécie toujours le grand luxe), et créa une station balnéaire très chic fréquentée par les Astor, les Rockefeller, les Vanderbilt et autres grandes fortunes.

En 1896, Julia D. Tuttle, une femme riche originaire de Cleveland, persuada Flagler de prolonger son chemin de fer plus au sud, dans la région broussailleuse de la Biscayne Bay. Miami était née. Flagler fit courir ses rails jusqu'à Homestead en 1903, puis Key West en 1912, un an avant sa mort. Les hôtels ne tardèrent pas à se multiplier, les immigrants et les touristes aussi.

Cette attirance pour la Floride fut nourrie par les récits d'une colonie d'écrivains de plus en plus nombreuse. Après s'être attaquée à l'esclavagisme, H. Beecher Stowe elle-même vanta les vertus du soleil, des sources limpides et des forêts odorantes de l'État.

A gauche, les magnats du chemin de fer de Floride devant une locomotive ; à droite, sites touristiques à Key West, illustré par le Harper's Weekly *(XIXe siècle).*

The Naval Depot
Green Turtle Soup
A Venerable Hack.
A Residence
The Custom House
(and Fort in distance.)
The Milk-man
on his Rounds.
A Key West Yacht.
Preparing Sponges for the Market.

LA FLORIDE AU XXe SIÈCLE

Le XIXe siècle s'acheva sur le grondement du canon. Mais le fracas des batailles fit très vite place à l'effervescence des chantiers. A l'est comme à l'ouest, les villes côtières poussaient comme des champignons le long des voies ferrées financées par Plant et Flagler.

Contrairement aux conflits antérieurs, la guerre hispano-américaine fut propice au développement économique de la Floride.

Les manufactures de cigares et les restaurants espagnols de la communauté fondée par Ybor, à Tampa, jouèrent un rôle non négligeable dans cette guerre. Plus ou moins indirectement, les émigrés cubains soutenaient les efforts entrepris par leurs compatriotes, revenus dans leur patrie, pour libérer Cuba du joug espagnol. Le chef rebelle José Martí jouissait d'un énorme soutien à Tampa où il récoltait des fonds pour la cause cubaine. Cette cause était si populaire qu'un jeune politicien plein d'avenir, du nom prédestiné de Napoleon Bonaparte Broward — il allait bientôt devenir l'un des gouverneurs les plus progressistes de l'État —, se rendit célèbre en fournissant secrètement des armes et des munitions aux insurgés cubains avant même que les États-Unis ne soient entrés officiellement en guerre.

Le naufrage du cuirassé américain *Maine* en rade dans le port de La Havane, survenu en 1898, dans des circonstances troubles, fournit aux Américains le prétexte pour se ranger du côté des révolutionnaires dans la guerre contre l'Espagne. Les troupes fédérales arrivèrent en masse en Floride, où elles établirent leurs campements avant de s'embarquer pour Cuba. L'armée installa son quartier général à Tampa. Clara Barton, fondatrice de la Croix-Rouge américaine, y établit son siège administratif. L'Espagne fut chassée du Nouveau Monde sur les plages mêmes où, près de quatre siècles auparavant, elle avait commencé sa conquête.

L'essor prend forme

Nombre d'affairistes spéculèrent sur les terres de Floride avec aussi peu de scrupules que les Espagnols et les Anglais avant eux, leur seul objectif étant de faire rapidement fortune. D'autres, en revanche, vinrent, réussirent et restèrent, constituant le premier noyau économique de l'État.

Walter Fuller morcela en lots Saint Petersburg, ville de la côte ouest inondée de soleil, et fondée par le magnat russe Peter Demens. Fuller raconte comment, dans certaines transactions, il sextupla ses bénéfices.

On vit apparaître une nouvelle race de vendeurs en knickers et nœud papillon blanc, passés maîtres dans l'art de vendre des terrains plus ou moins marécageux. Même les politiciens s'intéressaient aux opérations immobilières. William Jennings Bryan, un homme dont l'éloquence lui valut un poste de secrétaire d'État, fit des affaires dans le quartier résidentiel de Coral Gables construit par George Merrick. Première ville planifiée des ÉtatsUnis, Coral Gables possédait des piscines, des hôtels, des terrains de golf, un quartier réservé aux affaires et de superbes lotissements sur les boulevards et le long des canaux bordés de palmiers.

Non loin de là, Carl Fisher dragua les fonds sableux de la baie de Biscayne et transforma en plage la mangrove anarchique le long de la côte de Miami. Dans la seule année 1925, quatre cent quatre-vingt-un hôtels et immeubles surgirent à Miami Beach. Sur la côte ouest, John Ringling, un célèbre directeur de cirque, fonda Sarasota, et Dave Davis aménagea plusieurs îles pour l'élite de Tampa.

Après Henry Flagler, c'est l'architecte Addison Mizner qui s'intéressa à Palm Beach. Il se spécialisa dans la réalisation de châteaux princiers destinés à une clientèle riche, et ne fut pas étranger à cet engouement pour le kitsch qui se développa en Floride. Ses demeures ressemblaient à des gâteaux de mariage surchargés de crème et de décorations. Mizner vendit également des terrains à Boca Raton, sorte de Venise floridienne, opération qui lui rapporta vingt-six millons de dollars. En 1928, l'achèvement de la construction d'une route le long des marais peu engageants des Everglades permit à la Floride de poursuivre son essor. *Coconuts* (*Noix de coco*), un film des Marx Brothers, restitue bien l'atmosphère de cette folle époque.

Des revers de fortune

L'hiver de 1926 fut particulièrement rigoureux et il mit, en quelque sorte, un frein à la montée des prix. Puis, un des ouragans les plus importants du siècle balaya la péninsule. La voie ferrée de Flagler qui desservait les îles des Keys, fut détruite par la catastrophe. Tout cela contribua, pendant un temps, au déclin économique.

Le krach de la Bourse en 1929 et la grande dépression qui s'ensuivit, portèrent un coup fatal à l'économie, même si les conséquences furent de moindre envergure en Floride que dans les autres Etats. Davis, Fuller et des dizaines d'autres millionnaires se retrouvèrent ruinés du jour au lendemain. Heureusement, les fondements de l'économie étaient suffisamment solides pour favoriser un retour à la croissance à la fin de cette période noire.

Entre 1920 et 1940, la population de l'État doubla, et atteint presque deux millions d'habitants. Au début de la Seconde Guerre mondiale, deux millions et demi de touristes vinrent chaque année en Floride. Bien que l'agriculture jouât un rôle de plus en plus important dans l'économie, curieusement, la population augmentait surtout dans les villes. En 1940, ce sont plus de

A gauche, Henry Morrison Flagler joua un rôle primordial dans le développement touristique de la Floride ; ci-dessus, Hollywood Boulevard, comme sur les images qui contribuèrent à l'explosion touristique du XXe siècle.

L'OURAGAN ANDREW

Le 24 août 1992, à la tombée de la nuit, la Floride vécut un véritable cauchemar lorsque des vents soufflant à plus de 250 km/h et un raz de marée de 4 m de hauteur s'abattirent sur la pointe sud de l'État. Les dégâts furent impressionnants.

L'ouragan Andrew, qui est considérée comme la plus grave catastrophe naturelle de l'histoire des États-Unis, fit trente-cinq morts, détruisit 60 000 foyers et laissa 150 000 personnes — 10 % de la population du comté de Dade — sans abri. Les dommages provoqués par Andrew —

fort ouragan de catégorie cinq, un phénomène très rare puisqu'il ne se produit seulement qu'une ou deux fois par siècle — furents évalués à près de vingt milliards de dollars.

Les zones rurales et suburbaines situées à environ 30 km au sud de Miami — Homestead, Florida City, Kendall — furent les plus durement touchées. Les destructions furent également impressionnantes dans certaines parties de Coconut Grove et de Coral Gables, localités plus proches de Miami. En plus d'une infinité de maisons individuelles, on constata que de nombreux bâtiments tels que des écoles, des centres commerciaux, des stations-service et des églises avaient été démolis, ce qui paralysa la vie économique et sociale pendant plusieurs mois. Les vents extrêmement forts emportèrent voitures, bateaux et avions comme des fétus de paille, des milliers d'arbres furent déracinés.

Dans les jours et les mois qui suivirent, un nombre considérable de bénévoles venus de tout le pays affluèrent dans la région sinistrée, collaborant avec la Croix-Rouge américaine. En outre, plus de 20 000 soldats furent dépêchés par le président des États-Unis pour dissuader d'éventuels pillards, pour donner un coup de main aux déblayeurs et dresser des campements.

Toutefois, certains habitants se plaignirent de la lenteur des secours et de l'absence de coordination des autorités, tant au plan de la Nation que de l'État. Des milliers de victimes furent privées de nourriture, d'eau et d'assistance médicale pendant plusieurs jours, par une température de 40° C. La situation était si grave qu'on vit même des agents de police de Florida City détourner un camion-citerne rempli d'eau, à l'origine destiné à la ville d'Homestead. Les animaux ne furent pas épargnés par le cataclysme. Des milliers de chats et de chiens, n'ayant pas été admis dans les abris, furent abandonnés dans les rues.

Les images de l'ouragan firent le tour du monde, et l'aide internationale ne tarda pas à affluer, venant aussi bien du Canada que du Japon ou de Taïwan. Même le président russe Boris Eltsine proposa d'envoyer sur place des équipes de sauvetage et des machines pour aider aux opérations de déblaiement.

L'ouragan Andrew eut toutefois le mérite de ressouder la population du comté de Dade qui, dans le passé, fut souvent déchirée par des conflits ethniques et raciaux. Tous les habitants, blancs ou noirs, Cubains, Haïtiens ou Guatémaltèques, firent preuve, dans cette catastrophe, d'une grande solidarité et œuvrèrent de concert.

Heureusement pour l'économie locale, les principaux centres touristiques furent assez peu touchés. Miami Beach et le centre de Miami n'eurent à déplorer que quelques vitres cassées et quelques arbres arrachés. Si l'ouragan Andrew avait frappé quelques kilomètres plus au nord, la catastrophe eût été bien pire d'un point de vue économique.

55 % des Floridiens qui vivaient en zone urbaine, contre 37 % en 1920. Tampa attirait surtout les industriels tandis que les adorateurs du soleil affluaient vers Miami. Il y eut plus d'hôtels construits dans Miami et ses environs entre 1945 et 1954 que dans tous les autres États.

Les paris mutuels — qui furent légalisés en 1931 — sur les courses de chevaux et de lévriers et sur le *jai-alai* (pelote basque) enrichirent les caisses de l'État mais aussi celles du crime organisé qui sévissait dans les grandes villes. Là, abondaient les rackets en tous genres. Le célébrissime gangster Al Capone s'établit à Miami Beach. Jusqu'à sa mort, en 1947, il réussit à jouir à la barbe du fisc et de la police, des bénéfices de ses opérations.

Par ses audaces et ses merveilles, l'architecture a contribué à apporter une dimension spectaculaire à la monotonie du relief de la Floride. L'ouragan de 1935 ayant détruit le chemin de fer de Flagler qui desservait les îles des Keys, les ingénieurs décidèrent de le remplacer par une route, la US 1. Ils réalisèrent à cette fin le spectaculaire Seven Mile Bridge, un pont de 11 km, qui repose sur cinq cent quarante-quatre piliers. A Tampa, la première travée du magnifique Sunshine Skyway, un pont de 18 km de long, fut achevée en 1954. Malheureusement, vingt-cinq ans plus tard, à la suite d'une fausse manœuvre d'un cargo, une partie du pont s'effondra, provoquant la mort de trente-cinq automobilistes.

L'architecte Frank Lloyd Wright réalisa les plans futuristes du Florida Southern College à Lakeland en 1938.

Peu de temps après la Seconde Guerre mondiale, les Américains décidèrent de procéder aux tests de leurs missiles à Cape Canaveral. En 1958, la NASA (National Aeronautics and Space Administration) s'y installa définitivement. Le site de Cape Canaveral, baptisé pendant un temps Cape Kennedy, est assimilé au Kennedy Space Center. En 1969, c'est à partir de la Floride que Neil Armstrong décolla à destination de la lune, pour la première fois dans l'histoire de la conquête de l'espace.

Dans cette époque de croissance économique, le premier service aérien régulier fut rapidement mis en place entre Saint Petersburg et Tampa et, en 1959, des avions à réaction inaugurèrent les lignes intérieures, situant Miami à quelques heures de vol de New York.

A gauche, les dégâts du cyclone Andrew ; ci-dessus, illustration ancienne du Gandy Bridge, au-dessus de Tampa Bay.

Les nouveaux Floridiens

La Floride n'a jamais failli à sa réputation de terre d'asile pour les réfugiés. A la suite du coup d'État de Fidel Castro à Cuba en 1959, des vagues d'immigrés hispanophones ont afflué en Floride — phénomène qui connut un nouveau sursaut vingt ans plus tard. Nombre de Nicaraguayens immigrèrent et des Haïtiens en masse firent le périlleux voyage en mer, entassés dans de petites embarcations, pour fuir la misère de leur pays. En outre, les années 1980 ont vu s'accroître la population dans les régions de Palm

Beach, d'Orlando et sur la côte ouest où des centaines de milliers d'Américains originaires du nord du pays, attirés par la prospérité et le climat, vinrent également s'installer. D'importantes entreprises déplacèrent leur siège en Floride et l'activité bancaire internationale y fleurit. La Floride connut, à cette époque, une croissance non seulement démographique mais aussi économique, à la fois solide et constante.

Mais cette prospérité avait également des causes moins légales. Ceux que l'on surnomme les «cocaïne cow-boys» s'enrichirent avec l'argent de trafics de drogue et plongèrent le sud de la Floride dans une atmosphère de violence. On compte par milliards de dollars la masse d'argent pompée dans les caisses de l'État par les trafiquants.

L'afflux d'immigrés et la violence constante s'accompagnèrent également de tensions ethniques. La communauté noire de Miami, dans les quartiers de Liberty City et d'Overtown, fut la première à subir les conséquences d'un mal-être. Rapidement, la municipalité dut mettre en place un véritable programme social pour tâcher de calmer l'agitation, ce qui n'empêcha pas en 1977, le gouverneur de Floride de faire rétablir la peine de mort, qui avait été abolie treize ans auparavant.

Parallèlement, la Floride se faisait connaître dans 136 pays avec la sortie sur les petits écrans de la série télévisée *Miami Vice*. A travers les feuilletons, Miami apparut comme une ville «glamour» — et non un pôle de violence — où l'action se déroulait dans un paradis aux tons pastel.

L'attrait subsiste

L'État continua de prospérer au début des années 1990 et des investissements européens, japonais et sud-américains affluèrent dans le secteur du tourisme et notamment de l'hôtellerie, mais aussi dans les affaires.

Le tourisme, véritable pôle économique de la région, a évolué à une vitesse vertigineuse. Orlando, Tampa, Miami et Key West ont toujours attiré un nombre important de visiteurs. Aujourd'hui, le quartier Art déco de Miami Beach connaît de nouveau ses heures de gloire. Mannequins, photographes, étrangers avant-gardistes s'y disputent les tables des terrasses des établissements d'Ocean Drive.

La Floride, et plus particulièrement les îles des Keys, furent le lieu de prédilection d'artistes et d'écrivains notoires. Ernest Hemingway, Tennessee Williams, Harriet Beecher Stowe, Truman Capote, Allison Lurie et les Beatles ne sont qu'un échantillon des célébrités qui y ont séjourné ou s'y sont installées. *The Sunshine State* («l'État du Soleil») a su se bâtir une image qui lui est propre — celle d'un nouvel Eldorado.

A gauche, les personnages de la série télévisée Miami Vice *; à droite, les plaisirs de l'eau.*

PEACHES
MANGOS
2 for $1.29
or
69¢ ea.
RUSKIN

AVOCADOS
79¢ EA.
LOPES
39¢ EA.

POPULATION

« Celui qui vient s'établir en Floride — qu'il soit capitaliste, agriculteur, ou ouvrier — trouvera la vie plus facile, plus confortable et moins chère, bénéficiera d'un luxe plus authentique, obtiendra de meilleurs revenus en investissant et en travaillant moins, et fera son trou plus vite qu'en toute autre partie habitable d'Amérique du Nord. »

George M. Barbour, *Florida for Tourists, Invalids and Settlers* (*La Floride pour les touristes, les malades et les colons*), 1896.

Barbour ne se rendit probablement pas compte que son guide contribuerait à déclencher vers la Floride un exode d'une ampleur inégalée depuis que Horace Greeley s'était écrié : *« Pars pour l'Ouest, jeune homme »* (*« Go west, young man »*), plusieurs décennies auparavant.

Un siècle plus tard, les propos de Barbour restent en grande partie vrais, et les visiteurs continuent à affluer en Floride. Mais, la péninsule ne constitue pas pour autant un melting-pot.

Plusieurs groupes d'immigrants ont exercé une influence particulièrement profonde sur le développement de l'État : les Indiens séminoles, fièrement opposés à pactiser avec un gouvernement qui leur a pris leurs terres. Pour récupérer celles-ci, ils poursuivent stoïquement leur combat sur un plan légal ; les Cubains, venus de La Havane à la poursuite d'un rêve, comme Ponce de León et ses aventuriers espagnols ; tous les descendants des colons du XIXe siècle, propriétaires terriens ; les millions de Yankees fraîchement débarqués des États du Nord moins favorisés ; les Noirs, dont les ancêtres ont fui l'esclavage ; et un peuple de retraités, toutes races et ethnies confondues, en quête d'un climat d'éternel été.

D'autres groupes méritent d'être cités : les Grecs de Tarpon Springs, les Minorquiens de New Smyrna, les Japonais de Delray Beach, les Juifs de Miami Beach, les « Conques » de Key West. Les Vietnamiens fuyant le régime communiste sont arrivés en Floride par petits groupes à partir de 1975. Ce brassage humain donne à l'« État du Soleil » sa vitalité. Ses paysages plats et monotones acquièrent, grâce à ceux qui les peuplent, relief, caractère et couleurs.

Pages précédentes, vendeurs de mangues sur le bord de la route ; sur le chemin de l'école, à Ocala. A gauche, prendre sa retraite au soleil.

LES SÉMINOLES

Tous les Indiens de Floride pensent descendre des quelque trois cents Séminoles qui se réfugièrent dans les années 1850 dans les Everglades, menés par leur chef Billy Bowlegs. Ils s'enfoncèrent dans les marais à la suite des guerres séminoles et refusèrent d'en bouger. Lassé, le gouvernement américain renonça à les en déloger.

Fidèles au terme « séminole », nom qui trouve à la fois ses racines dans l'espagnol *cimarrón* (« sauvage ») et dans le mot creek *ishti-semoli* (« homme libre des bois »), ils vécurent ainsi à l'écart, se nourrissant de maïs, de canne et de courges, faisant commerce de la peau d'alligator, du cuir de daim et de plumes d'oiseaux mais restant peu avertis de l'essor économique qui catapultait la Floride dans le XXe siècle.

Les Miccosukee (une tribu séminole) se regroupèrent dans la région des Casula Mounds, près de Chokoloskee, alors que d'autres tribus se retrouvèrent à Pine Island, près de Fort Lauderdale, à Miami River, à Big Cypress et dans les environs des Ten Thousands Islands. Ils ne se mêlèrent aux hommes blancs que par nécessité et ne leur accordèrent aucune confiance.

Certains Séminoles participèrent à la construction du Tamiami Trail dans les années 1920. La route amena touristes et argent, mais elle représentait aussi une menace pour la pérennité des traditions indiennes. La création du parc national des Everglades, en 1947, eut également de bons et de mauvais effets. Cette initiative respectait l'attachement des Séminoles à la terre, tout en la leur confisquant.

Les droits tribaux

Aujourd'hui, près de mille cinq cents Séminoles vivent et travaillent dans les réserves de Big Cypress, au nord du territoire Miccosukee, et de Brighton, au nord-ouest du lac Okeechobee, ou sur un plus petit territoire à Hollywood.

Comme de nombreux Floridiens de la région, ils élèvent du bétail sur des terres qui rappellent les prairies de l'Ouest. Seuls les panneaux de signalisation — parfois recouverts de graffitis revendiquant le « Pouvoir indien » —, le long de la route SR 721, avertissent que l'on est sur une terre séminole.

Les Miccosukee sont aujourd'hui plus de cinq cent cinquante. La plupart vivent encore près de leur terre natale, le long du Tamiami Trail et dans la réserve d'Alligator Alley, mais quelques-uns, tournant le dos au passé, se sont installés dans les environs de Miami. Le Miccosukee Indian Village and Culture Center est une sorte de village modèle situé en bordure du Tamiami Trail.

A gauche, George Storm, célèbre conteur de la tribu miccosukee ; à droite, une vieille femme médite sur le présent.

Le centre de ce village abrite plusieurs attractions séminoles, uniques en leur genre. On y trouve des débits de boissons ainsi qu'un un restaurant où les serveuses portent des tee-shirts par-dessus leurs jupes traditionnelles aux couleurs éclatantes. On peut également visiter un site ressemblant à ceux des Indiens d'autrefois, lorsqu'ils campaient dans les Everglades. L'ensemble comprend une *chickee* (hutte faite de feuilles de cyprès et de palmiers) pour la cuisine, une *chickee* pour dormir, et d'autres encore dans lesquelles les vieilles Indiennes au visage tanné fabriquent des bijoux en enfilant des perles ou confectionnent des chemises et des jupes.

Les créations artisanales séminoles — colliers et bracelets assortis, poupées en fibres de palmier, paniers, tomahawks en bois peint — emplissent les boutiques de souvenirs et les rayons des magasins. Dans l'une des *chickee*, un artiste local expose ses tableaux. Les motifs et les couleurs éclatantes, typiques de l'artisanat séminole, s'y mêlent à des thèmes modernes. Son œuvre traduit la lutte que mène aujourd'hui la tribu, confrontée à un monde en mutation.

A l'ouest du village, cette lutte s'illustre par une école moderne destinée aux enfants indiens, par des bureaux climatisés, des véhicules motorisés immatriculés dans la réserve même et par un commissariat de police qui leur est propre. Les habitations dont l'arrière donne sur les Everglades conjuguent une architecture « gothique *chickee* » et un style floridien fonctionnel.

Les centres administratifs des Séminoles de Hollywood et des Miccosukee de Miami sont indépendants l'un de l'autre tout comme leur organisation tribale respective. La langue parlée est la première différence constatée, dans le cours de l'histoire, entre les deux tribus. Les Miccosukee parlent une forme de *hitchiti* tandis que les Séminoles pratiquent la langue plus commune des Creeks appelée *muskogee*. Les deux groupes tentent d'en faire des langues écrites.

Malheureusement, la langue muskogee comprend des sons très différents de ceux de la langue anglaise et le nombre de jeunes Indiens capables de parler leur langue ancestrale décroît d'année en année.

Malgré les difficultés occasionnées par la suprématie de l'anglais ou de l'espagnol, la Floride reste marquée par l'apport des langues séminoles. Des noms de lieux tels que Chassahowitzka (« les citrouilles qui pendent »), Chattahoochee (« les rochers marqués »), Okaloacoochee (« la petite nappe d'eau non potable »), Oklawaha (« la rivière tortueuse »), Halputtlockee (« l'alligator mange »), Panasoffkee (« le ravin profond »), Wacasassa (« quelques vaches ici ») et Thonotasassa (« le lieu des silex ») sont d'origine séminole.

Il est un lien important avec le passé auquel tous les Séminoles restent attachés : la cérémonie annuelle de la Green Corn Dance. Il y a plusieurs années, Sam Jones, l'ancien chaman de la tribu, a confié dans une interview accordée au magazine *National Geographic*, que, si la danse n'avait pas lieu au moins tous les deux ou trois ans, *« la médecine mourra, et ce sera la fin des Indiens »*.

Les Séminoles invitent rarement les étrangers à ce rituel organisé par le sorcier et qui dure toute une semaine. Ils interdisent qu'on prenne des photos. Les participants psalmodient des centaines de chants, accompagnés par les tintements aigus de sonnettes. C'est au cours de ces cérémonies que les jeunes Indiens deviennent des hommes après avoir enduré les entailles faites dans leur chair par des aiguilles.

La conception séminole de l'univers a également son importance. Les Indiens voient le monde comme une roue qui tourne lentement sur elle-même, semblable au cercle des bûches des feux de cérémonie. Cette vision symbolise leur volonté de survivre tels quels, de faire face à l'adversité pour ressurgir encore plus forts. Ainsi, ils pourraient reprendre la lutte pour recevoir leur part légitime de l'héritage floridien que l'État a légué à ses habitants.

Pris entre deux mondes

Cependant, la cause indienne a gagné de plus en plus de sympathisants au gouvernement. Les Creeks de Brighton, de Big Cypress et de Hollywood renforcèrent leur position en s'organisant au sein d'une structure politique, la Seminole Tribe of Florida, coiffée par un conseil de cinq membres. Les Miccosukee firent de même en créant leur propre organisation en 1962. Par la suite, chaque tribu intensifia la lutte contre le gouvernement américain, lui réclamant terres et argent. En 1970, l'Indian Claims Commission alloua seize millions de dollars aux Indiens, en compensation des terres confisquées lors de précédents traités. Mais la répartition de cette somme entre les Séminoles d'Oklahoma et ceux de Floride provoqua des désaccords. Les Miccosukee exigent quant à eux, la restitution de leurs terres purement et simplement. Ils intentèrent un procès à l'administration américaine pour récupérer la majeure partie du sud-ouest de la Floride — notamment les villes de Fort Myers et de Naples — qu'un traité signé en 1845 par le président James Polk leur avait accordée.

Les Miccosukee pourraient néanmoins renoncer à cette revendication, contre un million de dollars versés par l'État, la promesse d'un bail illimité sur 78 000 ha de terres dans les comtés de Dade et de Broward classés sites protégés, et le droit de pêcher et chasser sans permis sur certaines terres.

A gauche, les vêtements colorés des Séminoles donnent de l'éclat à cette vieille carte postale ; ci-dessus, une couturière miccosukee à l'œuvre.

LA POPULATION NOIRE

Les Noirs commencèrent à émigrer vers le sud au XIXe siècle, avant que d'autres catégories de la population américaine ne transforment la Floride en un paradis. Ils ne venaient ni pour le soleil, ni pour les plages, mais pour échapper à l'esclavage. Aujourd'hui encore, la Floride apparaît telle une terre promise aux yeux des Noirs, comme si, après les jours enivrants de l'émancipation, ce siècle n'avait connu ni ségrégation raciale, ni révoltes.

« On a fait croire aux Noirs de Floride que c'était un endroit merveilleux », dit Victoria Warner, responsable du département de sociologie à la Florida A & M University (la seule université de l'État à prédominance noire depuis 1887). *« Nous devons dire à nos élèves diplômés : "Faites vos valises et allez là où vos chances sont réelles"*, poursuit-elle. *En fait, nous devons presque les chasser de l'État. Comme les Blancs du nord des États-Unis, nombreux sont les Noirs qui ont été séduits par l'image d'une Floride où les palmiers épousent le vent, où la vie semble agréable, et où l'on pense pouvoir réussir. »*

Le succès de cet État du Sud est dû, tout d'abord, à sa position géographique. A l'époque de l'esclavage, la Floride était très peu colonisée. Les plantations de coton et de tabac n'existaient alors que dans le nord de l'État. Toutefois il ne faut pas négliger le rôle joué par certains gouverneurs. Quand Leroy Collins commença à exercer ses fonctions, vers la fin des années 1950, il passait pour un ségrégationniste modéré. Cependant, l'image qu'il laissa de lui fut celle d'un homme plutôt libéral qui, du moins en paroles, était favorable aux droits des Noirs. Reubin Askew est considéré par les historiens comme le premier gouverneur dont les actes sont allés de pair avec les propos. C'est grâce à lui que les Noirs entrèrent au gouvernement, à tous les niveaux.

Néanmoins, la vie des Noirs n'était pas facile pour autant. La Floride faisait bel et bien partie du Sud traditionnel des planteurs. Lors du recensement de 1860, on dénombra 61 475 esclaves dans les plantations. Avant que les droits civiques ne soient peu à peu reconnus aux Noirs dans les années 1950 et 1960, la Floride se rangeait incontestablement dans le camp du vieux Sud ségrégationniste.

Longtemps, les Noirs vécurent dans les quartiers pauvres de la côte Est, de Jacksonville à Miami. Les Blancs vivaient au bord de l'océan et les Noirs, en retrait, de l'autre côté de la voie ferrée. Mais dans le sud des États-Unis, la ségrégation et la discrimination raciales ont apparemment régressé.

A gauche, une jeune habitante de Floride affiche ses origines africaines par ses vêtements et ses bijoux ; à droite, C. J. Steele, ancien militant des Droits de l'homme de la Floride du Nord.

Les styles de vie et d'habitation se sont modifiés. Le nombre de Noirs floridiens a plus que doublé en trente ans, passant de six cent mille à un million trois cent mille et positionnant l'État en sixième place en ce qui concerne la population noire. La majorité vit en zone urbaine, à Jacksonville, Fort Lauderdale, Orlando, Saint Petersburg, Miami ou Tampa alors qu'il y a soixante ans, la majorité vivait en milieu rural.

Le pouvoir du Panhandle

Contrairement aux citadins qui ont fui les milieux des plantations, les Noirs vivant en zone rurale subissent encore les séquelles de l'ancien système économique et paternaliste des Blancs qui dominent la scène politique et auxquels ils sont financièrement redevables.

Le comté de Gadsden, dans le Panhandle, noir à 60 %, fut marqué par l'époque des plantations de tabac et de leurs travailleurs noirs jusqu'aux années 1960. Gretna, ville du comté, noire à 88 %, fut administrée par la minorité blanche jusqu'en 1971. Les choses changèrent en 1981 quand furent élus un maire et une équipe noirs. Mais c'est Eatonville qui fut la première ville gérée par des Noirs en Floride, et peut-être même dans la Nation toute entière.

Le premier Noir à pénétrer en Floride et dont l'histoire a retenu le patronyme fut « Little Steven ». Il accompagna Narváez lors de son expédition de 1527. La plupart des expéditions espagnoles en Floride comprenaient des soldats noirs. Selon les historiens, sous la domination espagnole, la Floride passait pour le seul endroit d'Amérique où les Noirs jouissaient d'une grande liberté. A Pensacola et Saint Augustine, les mariages interraciaux étaient monnaie courante. Les Noirs avaient la possibilité d'apprendre un métier traditionnellement réservé aux Blancs. Nombre d'entre eux devinrent d'habiles artisans.

Si un certain projet gouvernemental, envisagé à la fin de la guerre de Sécession, avait abouti, c'est toute la Floride du Sud qui serait à prédominance noire. En effet, une commission de l'époque, chargée d'aider les Noirs à s'adapter à leur liberté nouvelle, s'attaqua au problème de la distribution des terres. Parmi les projets, l'un d'eux suggérait que le sud de la péninsule, alors presque inhabité, fût attribué aux fermiers noirs. L'idée était de faire cohabiter cinquante mille anciens esclaves de Virginie sur 200 000 ha de terres fédérales, dans le sud de la Floride. Cet ambitieux projet fit place à un programme nettement plus limité.

Parmi les Séminoles

Les esclaves en fuite trouvèrent que la vie dans les marais, avec les Séminoles, était préférable à leur ancienne condition dans les plantations. En 1838, quatorze cents Noirs vivaient avec les Séminoles, dont deux cents seulement comme esclaves. Les Indiens exigeaient d'eux peu de choses. Au dire des historiens, ils se contentaient souvent de prélever une dîme sur les récoltes de maïs.

Abraham, le fuyard le plus célèbre, commença comme esclave chez les Séminoles mais fut rapidement remarqué pour son esprit brillant et il fut libéré. Il officia ensuite comme traducteur et conseiller du chef Micanopy et devint un des piliers de la deuxième guerre séminole.

Quand la guerre de Sécession éclata, douze mille Noirs de Floride rejoignirent l'armée de l'Union. Mais plus de soixante mille esclaves restèrent à travailler dans les plantations pour s'occuper des champs et veiller sur les familles de leurs maîtres.

Dans les années de reconstruction qui suivirent la fin de la guerre civile, les Noirs de Floride bénéficièrent des fruits d'un nouveau libéralisme. A un certain moment, le corps législatif de l'État comprenait dix-neuf affranchis. Fait encore plus significatif, le Noir Jonathan C. Gibbs fut nommé secrétaire d'État de Floride en 1868 et devint par la suite surintendant de l'Enseignement public. Gibbs avait la réputation d'être un grand orateur mais après dix-huit mois de responsabilités à l'Éducation, il mourut d'une attaque. Certains parlèrent d'empoisonnement car l'homme avait tant d'ennemis qu'il dormait dans son grenier avec sa ceinture de pistolets pour se protéger.

Le gouverneur Askew engagea des Noirs dans son cabinet, en nomma à la Cour suprême de l'État, au conseil de l'université et à d'importants postes gouvernementaux. Ces nominations constituèrent de grandes victoires pour les Noirs de Floride, après une série de manifestations de 1956 à 1964.

Passé l'époque de la lutte pour les droits civiques, Blancs et Noirs coexistèrent sans trop de heurts jusqu'en 1980, date à laquelle les Noirs d'un ghetto de Miami surnommé Liberty City (la ville de la Liberté) manifestèrent violemment pour venger la mort d'un des leurs. L'émeute fit dix-huit morts, blancs et noirs confondus.

A gauche, les Noirs de Floride pratiquent le baptême par immersion ; ci-dessus, les enfants aident traditionnellement leur famille dans les plantations de tabac.

L'explosion de violence traduisait aussi une lassitude d'ordre économique. Les Noirs reprochaient aux immigrés cubains d'accepter des salaires inférieurs pour un travail équivalent au leur.

Aujourd'hui, la communauté noire de Floride montre qu'elle peut et qu'on lui donne de plus en plus les moyens de s'intégrer socialement. La présence des Noirs à la tête de départements d'État, travaillant dans l'administration ou occupant un poste de décision n'est plus une utopie aujourd'hui, ce qui est très motivant pour les étudiants. Le cas de Carrie Meek, une femme noire du sud de la Floride, élue au Congrès en 1992, en donne un bon exemple.

BAYER

LES CUBAINS

Depuis 1959, les réfugiés cubains arrivent dans le sud de la Floride par vagues successives. Ils ont tenté l'aventure sur tout ce qui était susceptible de flotter suffisamment longtemps pour leur faire traverser les courants traîtres du golfe séparant Cuba des îles des Keys : embarcations légères, bateaux pneumatiques, chambres à air de pneus, filets maintenus à flot par des noix de coco, feuilles de palmier, radeaux de bonbonnes de gaz vides...

Des dizaines de milliers de Portoricains et de Sud-Américains sont également venus s'établir dans la région de Miami, mais la Floride hispanique d'aujourd'hui est avant tout marquée par l'influence cubaine. Installés dans le sud de la Floride, les Cubains ont dans l'ensemble réussi à s'intégrer dans la société américaine bien que ceux qui ont débarqué sans ressource vivent encore bien souvent dans la misère.

La Havane en Floride

L'influence cubaine ne s'est jamais autant fait sentir qu'au sein de Little Havana, dans le sud-ouest de Miami. Ce quartier, autrefois désolé, est aujourd'hui un centre très animé qui tourne autour de Flagler Street et de Calle Ocho, le nom espagnol qui désigne la SW 8th Street.

Les facades écaillées et les devantures de magasins barrées de planches qui accueillirent les premières vagues de réfugiés ont fait place à des vitrines étincelantes, des centres commerciaux, des librairies, des cafétérias, des magasins d'articles religieux, de jouets, des drugstores, des cafés et des restaurants. Dans la rue, les panneaux de signalisation sont écrits en anglais et en espagnol.

Les touristes sont invités à savourer l'arôme du café cubain, à goûter les pâtisseries à la goyave, à acheter des photos du patriote cubain José Martí, à prendre le temps de siroter une boisson au jus de canne, de déguster des *moros y cristianos* (haricots noirs au riz), de commander des bananes frites ou un sandwich cubain, ou à aller voir le dernier film mexicain ou espagnol sous-titré en anglais.

A gauche, les Cubains fabriquent encore à la main les cigares qui ont fait la renommée de Tampa ; à droite, la fille d'un immigré cubain.

La musique cubaine — le cha-cha-cha, la rumba, le mambo, et aujourd'hui la salsa — reflète l'appétit de vie de ce peuple. Le boléro, plus traditionnel, musique au rythme lent, a pour thème sempiternel un amour sans espoir.

La pétulance et l'empressement à communiquer avec autre chose que de simples mots se retrouve dans le parler cubain. L'espagnol saccadé est particulier. Des syllabes entières sont avalées, de sorte que les phrases semblent couler encore plus vite.

Le comportement des gens, l'expression de leur visage, leur regard, le langage des mains, les grands mouvements de bras donnent aux lieux cubains une atmosphère de bruit, d'agitation, d'indomptabilité, en somme une ambiance.

La plus grande cérémonie cubaine de Miami a lieu le 6 janvier. Une gigantesque fête se déroule sur 3 km dans la Calle Ocho, au cœur de Little Havana. Le Tout-Miami est invité à cette manifestation mi-culturelle, mi-religieuse qui s'accompagne d'un carnaval comme il y en avait autrefois à La Havane, et où l'on voit des Cubains parés de leurs plus beaux atours danser au rythme de la conga.

Les vols de la liberté

L'afflux des Cubains vers Miami n'a jamais été homogène. En 1959, les premiers immigrants cubains furent les partisans du dictateur déchu, Batista. Chaque année, ou presque, a vu venir de Cuba une nouvelle vague de réfugiés d'une race, d'une classe ou d'une catégorie sociale différente, désillusionnés par la présence au pouvoir de Fidel Castro.

En dépit de l'ampleur sans précédent du phénomène, l'arrivée à Miami des réfugiés politiques sud-américains aurait pu passer presque inaperçue. Lieu de vacances traditionnel pour les riches d'Amérique latine, la ville est également depuis longtemps un point de convergence des révolutionnaires et des hommes politiques caraïbes et sud-américains en guerre contre le pouvoir en place. Fidel Castro vint lui-même en Floride du Sud avant de retourner à Cuba pour renverser la dictature sanglante de Batista, soutenue par les États-Unis.

Ironie du sort, l'orientation politique de Castro, encouragée par l'hostilité des Américains envers son régime révolutionnaire, a conduit des centaines de milliers de Cubains à fuir vers les États-Unis. Les partisans discrédités de Batista furent les premiers à partir, bientôt suivis par les Cubains les plus riches, effrayés par une politique socialiste. L'émigration des cerveaux — médecins, juristes, fonctionnaires, journalistes... — commença en 1960. En 1962, toutes les classes se joignirent à l'exode. En 1990, près d'un million de Cubains avaient quitté l'île. Au moins la moitié d'entre eux résident dans le sud de la Floride.

Le choc de l'exil, auquel s'ajoute la barrière du langage et le manque de qualification professionnelle — dû aux nouvelles exigences de la société moderne —, a empêché un grand nombre de Cubains de bénéficier de l'essor économique de la région. Le plongeur d'un restaurant ou l'homme qui nettoie les toilettes d'une station-service a peut-être été un jour un avocat prometteur. Bon nombre de Cubains, notamment ceux qui sont partis en exil dans la fleur de l'âge, n'ont pas abandonné l'espoir de retourner un jour à Cuba, sous un régime différent. L'attachement à leur patrie explique le relatif désintérêt à la politique locale et se retrouve dans les multiples organismes sociaux, culturels et politiques liés à leurs origines.

Mais le plus grand succès remporté par les Cubains en Floride, c'est la conquête du dollar. Sans ressource au départ, ils sont parvenus à une étonnante réussite

économique. L'aide financière qu'ils ont obtenue auprès des agences américaines n'explique pas tout. Du reste, les Cubains font fièrement remarquer que leur capacité de travail et l'énergie qu'ils mettent à améliorer leur condition expliquent le succès des leurs dans les années 1960.

Ces vingt dernières années, la communauté cubaine a évolué. D'un statut d'ethnie enclavée, elle est aujourd'hui devenue un groupe puissant au niveau politique comme au niveau économique. De toutes les métropoles américaines, le comté de Dade détient le record d'entreprises appartenant à des Cubains. Parallèlement à cette massive représentation dans le secteur privé, les Cubains sont aussi très présents dans le secteur public. En 1985, Miami élisait son premier maire d'origine cubaine.

Même si les Cubains ont véritablement réussi, ils ont vu leur réputation assombrie par l'arrivée de jeunes déséquilibrés et délinquants parmi les cent vingt-cinq mille réfugiés qui prirent la fuite vers la Floride en 1980. Les autorités américaines soupçonnèrent Castro de s'être délibérément débarrassé de ces jeunes gens à problèmes en les faisant partir dans la masse de l'époque.

Bien que constituant une minorité parmi les nouveaux venus, ces jeunes gens se sont révélés inadaptés au monde professionnel et ont été jugés trop instables pour trouver un emploi ou un logement. Surnommés les « Marielitos » parce qu'ils avaient embarqué dans le port de Mariel, ils ont été mis au ban de la société par les Cubains de Miami eux-mêmes, et on leur a attribué un nombre totalement disproportionné de crimes violents.

A gauche, une épicerie cubaine du quartier de Little Havana à Miami ; ci-dessus, soldats américains assistant des réfugiés cubains arrivés à Key West sur un bateau de pêche durant l'exode massif de 1980.

Les Cubains de Miami ont également été victimes de querelles ethniques. Certains chefs politiques noirs considèrent que les Cubains bénéficient de formations et d'emplois qui pourraient améliorer leur propre condition économique en Floride. Dans les quartiers blancs, comme celui de l'importante communauté juive du comté de Dade, une campagne de protestation contre la présence cubaine a abouti au rejet d'une proposition par référendum qui visait à faire de Miami une ville officiellement bilingue. L'hostilité des communautés blanche et noire a toujours existé mais n'a jamais freiné la poursuite de la réussite cubaine.

CRACKERS ET YANKEES

Les Crackers et les Yankees résident dans le même État, mais ils vivent dans deux mondes différents. Les Crackers symbolisent le passé, l'héritage rural des plantations et des métairies d'une quinzaine d'hectares. Les Yankees incarnent une Floride en mutation, l'exode rural, des villes à forte densité démographique, des plages noires de monde, une vie nocturne intense.

Crackers et Yankees constituent les deux principaux groupes de la population blanche de Floride. Selon les critères retenus, ils représentent entre 50 % et 70 % de la population. De nombreuses différences culturelles les séparent, même si, aux yeux des recenseurs, ils ne forment qu'un seul groupe. Ils ne vivent pas dans les mêmes régions, ne mangent pas la même chose, n'ont pas les mêmes occupations et ne s'expriment pas de la même façon.

Comment différencier un Yankee d'un Cracker ?

Le surnom de Yankee est le plus facile à comprendre. C'était, à l'origine, un terme argotique anglais employé pour désigner les colons de la Nouvelle-Angleterre à l'époque où les futurs États-Unis n'avaient pas encore rompu le cordon ombilical avec la mère patrie. Cependant, dans le langage courant, le mot désigne tous ceux qui sont originaires des régions du Middle West ou du nord-est du pays.

Un Cracker, en revanche, a ses racines dans le Sud. Il vient de l'extrême sud-est de cette partie du pays ou appartient au club fermé des descendants des premiers immigrants, des gens nés et élevés dans l'« État du Soleil ». L'écrivain floridien Ernest Lyons, qui fait partie des puristes, le définit dans un de ses livres : *« Le Cracker teint-dans-la-laine, honnête-envers-Dieu, Floridien véritable, peut retracer l'histoire de sa famille jusqu'aux guerres indiennes. Il est profondément attaché à son ranch de pins et de palmiers comme peut l'être le montagnard du Tennessee à ses collines bleutées. Il peut avoir un poste haut placé, son cœur restera dans son ranch avec ses vaches, ses chiens de berger et les serpents à sonnette ! Ses ancêtres fabriquaient eux-mêmes le sel de mer, filaient leur coton, chassaient le sanglier ou attrapaient des bêtes sauvages, en somme vivaient de leurs ressources. »*

A gauche, un instant de repos sur un lit d'arachides pour ce fermier de Floride du Nord ; à droite, un gagnant du premier prix de la Florida State Fair (foire de Floride).

Toutefois, on conseille aux touristes d'utiliser le surnom de Cracker avec prudence, car dans certains milieux, il signifie « petit Blanc pauvre », terme franchement désobligeant qui risque d'en vexer plus d'un.

Et pourtant, d'après Angus McKenzie Laird, un érudit qui vit en Floride, au nom

d'une certaine philosophie sociale et politique, les Crackers aiment être reconnus comme tels : *« Les Crackers se considèrent avec fierté comme des gens du peuple, opposés aux privilèges et aux intérêts particuliers ».*

Déjà dans *The Life and Death of King John* (*Vie et mort du roi Jean*), pièce écrite par Shakespeare en 1590, le surnom apparaît : *« What cracker is this same that deafs our ears with this abundance of superfluous breath ? »* (« Quel est ce "hâbleur" qui nous casse les oreilles d'un flot de paroles inutiles ? ») demande l'archiduc d'Autriche. A cette époque, un Cracker était quelqu'un qui se vantait d'avoir fait des choses extraordinaires ; ce qui expliquerait qu'on ait affublé de ce sobriquet les ancêtres mal dégrossis des Platt, Hendry et Whiddon d'aujourd'hui.

Selon d'autres hypothèses, ils auraient acquis ce surnom soit parce qu'ils faisaient craquer le maïs pour obtenir du gruau, soit parce que les éleveurs de Floride avaient l'habitude de faire claquer bruyamment leurs fouets pour rassembler le bétail.

Les premiers Crackers s'attaquèrent à la jungle subtropicale qui envahissait autrefois la Floride et y construisirent de grands domaines destinés à l'élevage et à l'agriculture. Aujourd'hui, certains de leurs descendants vivent sur ces terres que leur ont transmises leurs robustes ancêtres et travaillent dans des exploitations agricoles dont les premiers arpents furent labourés il y a bien longtemps.

L'invasion des « Tin Can Tourists »

L'arrivée massive des Yankees a changé le visage de la Floride qui s'est urbanisée. Deux Yankees du Connecticut, Henry B. Plant et Henry M. Flagler, ont préparé le terrain à cette ruée vers la Floride avec la construction de lignes de chemin de fer qui, rendant toutes les spéculations possibles, allaient ouvrir la voie aux promoteurs immobiliers.

Durant une période de croissance économique extraordinaire, de nombreux Américains du Nord découvrirent la péninsule. Surnommés les *Tin Can Tourists* (les touristes amateurs de conserves), ils arrivaient en train ou en voiture, s'installaient dans des campements de toile improvisés et se nourrissaient de conserves. Ils furent séduits par cet État ensoleillé, au mode de vie autrement plus agréable que celui qu'ils subissaient le reste du temps.

La Seconde Guerre mondiale vit arriver des centaines de milliers de Yankees qui tinrent garnison dans les villes importantes. De nombreux militaires retournèrent s'installer en Floride à la fin de la guerre. La population augmenta de 81 % dans les années 1940.

Cette poussée démographique se poursuivit durant trente ans. Aujourd'hui, 30 % de la population de Floride vient du nord-est ou du Middle West et 22 % du sud des États-Unis.

Si les nouveaux venus sont culturellement différents, ils semblent avoir en commun une vision de la Floride implantée dans la conscience nationale durant le boom des années 1920. *« Je croyais que l'État entier ressemblait à ces cartes postales représentant Miami Beach*, dit une Américaine installée en Floride depuis le milieu des années 1970. *J'ai été agréablement surprise de constater que cela ne correspondait pas à la réalité, même si une petite part de moi-même persiste à voir la Floride de cette manière.* »

Les Floridiens de naissance sont moins diserts sur les raisons de leur attachement à l'État. « *C'est chez moi*, dit l'un d'entre eux. *Je suis né là, j'y ai passé mon enfance, c'est ma patrie et je l'aime.* »

« *Les grands immeubles construits sur la plage où j'ai grandi me déplaisent*, dit Pat Hendry, originaire de Daytona Beach. *Il fut un temps où il n'y avait que nos maisons de campagne.* »

Des différences subtiles

Il existe donc une certaine tension entre les Yankees et les Crackers. Ces derniers ont le sentiment que la Floride a évolué trop rapidement, et pas forcément dans le bon sens. Les Yankees pensent que les Crackers sont restés trop attachés à un mode de vie aujourd'hui dépassé. Les frictions entre les deux groupes sont rares, et elles se produisent le plus fréquemment de façon sourde.

« *Les autochtones ont un sens particulier de l'orgueil*, écrivait l'éditeur Harris Mullins. *Ils se contiennent pour ne pas éclater verbalement en jetant leurs différences à la tête des Américains du Nord, et préfèrent les instiller par des remarques.* »

Habitués à la vie paisible des bourgs, les Crackers se sentent menacés par les nouveaux venus dont le style de vie leur est étranger.

« *J'ai l'impression qu'ils sont complètement différents*, confie un employé administratif travaillant dans le Panhandle. *Par leur comportement et par leur culture, ils sont totalement différents. Ils mènent une vie trépidante, et je n'aime pas me sentir bousculé dans mes habitudes.* »

A gauche, Crackers se rendant à l'église (illustration du Harper's Weekly*) ; ci-dessus, des habitants de Plant City devant leur portrait mural réalisé par John Brigg.*

C'est sur le même mode que Mullins énonce des différences fondamentales entre les deux groupes et remarque que les Floridiens de naissance ne se baignent plus passé le Labor Day (la fête du Travail, début septembre), n'aiment pas Miami, habitent à moins d'un quart d'heure de leur bureau, détestent les plages noires de monde, les taxes immobilières, les légumes et l'agneau trop cuits, mais raffolent du porc, de l'ombre et de la fraîcheur, de la politique, et adorent faire des affaires entre vieux amis.

3/4

LES RETRAITÉS

Le « baby boom » de l'après-guerre fit beaucoup pour la démographie américaine des années 1950. Mais la Floride connut un autre phénomène d'une génération différente, celle des grands-parents qui affluaient dans l'« État du Soleil » pour vivre une retraite dorée. Un flux de personnes âgées commencé il y a plus de soixante ans se poursuit encore aujourd'hui.

Cette immigration de retraités a remodelé la Floride et d'anciennes communes comme Clearwater et Fort Myers se sont métamorphosées en véritables métropoles. Une kyrielle de services ont vu le jour pour satisfaire la demande croissante de cette nouvelle clientèle. De plus, les retraites mensuelles sont devenues l'une des principales ressources en argent frais de l'État. C'est en Floride qu'on constate aujourd'hui la plus forte concentration de personnes âgées, ce qui ne décourage pas les jeunes mariés, toujours très nombreux à s'y rendre en voyage de noces.

Priorité aux plus âgés

Sur les treize millions d'habitants, près de deux millions ont plus de soixante-cinq ans. Ce qui signifie qu'un Floridien sur cinq a franchi le seuil du troisième âge.

Dans quinze des soixante-sept comtés de Floride, plus d'un tiers de la population est plus que sexagénaire et dans le comté de Charlotte, au sud sur la côte du golfe, les retraités forment 52,5 % de la population.

Et la courbe ne montre aucun signe de ralentissement, au contraire. Passer sa retraite en Floride est l'ultime « rêve américain », surtout lorsqu'on en a les moyens. Pour des millions de travailleurs, la Floride est la juste récompense de plusieurs décennies de labeur dans des États non maritimes aux hivers froids.

L'attrait de la Floride auprès du troisième âge trouve des causes financières — l'État bénéficie de gros avantages fiscaux. Le climat ne serait alors qu'un simple bonus.

A gauche, malgré leur âge, les membres de la Kids and Kubs Baseball League de Saint Petersburg ne manquent pas de punch ; à droite, un retraité à moto.

Au début, la majorité des retraités s'établissait à Miami Beach et Saint Petersburg. Mais ces vingt dernières années, ils ont envahi tout le sud de la Floride, se regroupant notamment sur la côte où se sont multipliées des stations aménagées destinées à cette tranche de la population. On remarque que les personnes âgées se sont regroupées en tel ou tel lieu, suivant leur ancienne activité professionnelle ou leur milieu social. Les retraités du Middle West, souvent d'anciens employés de bureau, et plutôt conservateurs, affluent sur la côte occidentale, de Tampa Bay à Fort Myers. Les retraités originaires du Nord-Est urbain

se fixent en principe dans l'extrême sud de la péninsule, entre Fort Lauderdale et Miami. Ils sont en général plus libéraux que leurs congénères du Middle West.

La vie des retraités de Floride varie donc selon les goûts et le budget de chacun. Le « gratin » du troisième âge se retire de préférence à Palm Beach. Jacksonville accueille plutôt des retraités noirs mais c'est aussi l'un des lieux de prédilection des militaires en retraite que l'on retrouve également dans la région de Pensacola. Alors que les personnes les plus fortunées séjournent dans de grands hôtels-club ou dans des résidences cossues où s'offrent à eux un grand choix d'activités, les plus modestes se retrouvent dans de petites pensions tenues par des gens âgés eux-mêmes. D'autres achètent un *mobile home*. Sinon, ils optent pour un appartement en copropriété. Ce mode d'habitation consistant en immeubles d'une douzaine d'appartements est de plus en plus prisé aux États-Unis. Les copropriétaires paient uniquement des charges mensuelles pour l'entretien des parties communes. Leur choix pour une telle solution est déterminé par le désir d'être dégagé de tout souci d'entretien.

Les retraités n'habitent pas tous en permanence en Floride. Certains y résident en hiver et s'en vont au printemps.

accueillent des milliers de personnes âgées désireuses d'échapper aux cris d'enfants et à la vie trépidante du monde moderne, tout en pouvant béneficier de loisirs organisés. Les clubs du troisième âge sont réservés aux personnes de cinquante-cinq ans minimum. Toutes les semaines un orchestre fait danser les membres des clubs sur des airs d'autrefois.

La retraite en Floride est, pour certains seniors, l'occasion de se mettre à des sports qu'ils n'ont jamais eu le temps ou les moyens de pratiquer dans leur jeunesse. Les Kids and Kubs de Saint Petersburg sont une équipe de base-ball unique en son

Plusieurs activités symbolisent la communauté des retraités, parmi lesquelles le tricycle, beaucoup plus stable qu'une bicyclette, le jeu de boules sur gazon et le *shuffleboard*, jeu qui se pratique avec un palet que le joueur doit lancer dans des cases numérotées sur une piste en béton. Ces deux derniers sports requièrent peu d'efforts et favorisent les rencontres.

Des résidences ou parfois des villages entiers destinés exclusivement aux adultes fleurissent un peu partout. *Adults only* («pour adultes uniquement») ne sous-entend nullement des activités que la morale réprouve. Si ces centres ne sont pas accessibles aux mineurs, c'est qu'ils

genre. Plus on est âgé, plus on a de chances de participer aux championnats... car il faut avoir au moins soixante-quinze ans pour être qualifié. A quatre-vingt-quinze ans, un des joueurs continuait à frapper la balle.

Le troisième âge, un réel groupe de pression

La politique locale intéresse un bon nombre des retraités. Certains se font élire maire ou deviennent membres d'un conseil municipal. Cette partie de la population a fini par constituer une puissante force politique dans l'État. Le candidat au poste de gouverneur de Floride qui négligerait de prévoir dans sa campagne des étapes dans les communautés du troisième âge du sud de la Floride, courrait droit à l'échec.

Le Silver-Haired Legislature (la législation des cheveux blancs) est un groupe de pression de personnages politiques âgés de plus de soixante ans. Ils sont élus par leurs pairs et se réunissent annuellement à Tallahassee. Ils n'ont pas le pouvoir de voter des lois mais ils exercent une véritable influence sur la chambre législative en ce qui concerne les décisions qui affectent la vie des personnes âgées. Certains retraités mettent une partie de leur argent au service de leurs convictions politiques. Bien entendu, la Floride compte aussi des personnes sans ressources et des vieillards grabataires. A Saint Petersburg, un quartier a été surnommé The Battle Zone (la zone de combat) car les pauvres qui y habitent dans des logements bon marché ou dans des hôtels délabrés, sont une proie facile pour les agresseurs et les voleurs.

Néanmoins les retraités désargentés constituent l'exception en Floride. Grâce aux pensions, ce sont douze milliards de dollars par an qui renflouent les caisses de l'État. Près d'un tiers des transactions immobilières concernent des personnes âgées et plus de trois quarts des demeures qu'ils occupent leur appartiennent.

Pourtant, beaucoup de retraités se rendent compte que la Floride n'est pas aussi idéale qu'il y paraît. Cette ségrégation volontaire dans laquelle vivent des centaines de milliers de personnes âgées, tous ces visages ridés, ces corps voûtés, ces démarches traînantes, ces cannes et ces maisons de retraite finissent par en déprimer plus d'un. Leur ville d'origine vient à leur manquer et ils souffrent également souvent de l'éloignement de leurs proches et de la difficulté — voire de l'impossibilité — de se mêler à des jeunes gens en bonne santé.

Pourtant, nombre de retraités éprouvent une satisfaction à couler des jours paisibles dans le bonheur artificiel de la Floride. Cette immigration des plus de soixante ans, outre l'apport financier qu'elle procure, génère également un nombre d'emplois non négligeable. L'« État du Soleil » semble masquer tout ce qui pourrait rappeler la vieillesse et la mort par le biais d'activités fantaisistes et luxueuses. On pousse même l'hypocrisie jusqu'à rebaptiser le grand âge : la « maturité moderne ».

A gauche, un dimanche matin dans les rues de Saint Petersburg ; ci-dessus, une ombrelle très pratique sous le soleil de Miami Beach.

National
Marine
anctuary
Program
Looe Key
DO NOT
STAND ON
OR AROUND
CORAL

SUN BANK
RAINBOW
BUICK
GMC TRUCK
BUD LIGHT
Budweiser
BUD LIGHT
BUD LIGHT
BUD LIGHT
BUD LIGHT
OPEN HOUSE
El

Luvs
Plaza
Procter
&
Gamble
Budweiser
OS A LA CALLE OCHO
DIXIE

LES FESTIVALS

Le jour de Guavaween, sorte de Halloween de la communauté hispanique, la mythique Mama Guava mène le défilé de Tampa. Sa mission ? Supprimer l'ennui (*bore* en anglais) de l'historique Ybor City. Comment ? Grâce à l'atmosphère joyeuse d'un festival qui combine musique rock, reggae, nourriture et fête auxquels s'ajoutent des parodies du « politiquement correct » et les Holy Rollers sur patins à roulettes.

Tous les prétextes sont bons pour faire la fête en Floride. Dans cet État, l'entraide amicale au sein des communautés est légendaire. Il y a deux siècles, les Séminoles célébraient déjà la moisson avec la fameuse Green Corn Dance. Aujourd'hui, on célèbre tout et rien avec quelques mets à grignoter, un peu de musique, une anecdote historique, des sujets artistiques et du folklore, à la seule condition d'être motivé pour s'amuser.

Il faut admettre que la notion de festival en Floride ne correspond à rien de précis. Tous les six mois, on essaie de recenser ces manifestations, mais il apparaît impossible de les répertorier toutes et d'en définir le contenu. On peut tout de même dire que les grandes vacances semblent être plus propices à ce genre d'événement. Il faut se tenir informé, ne serait-ce que pour célébrer la fête nationale, l'Independence Day, le 4 juillet. Ce jour-là, on n'a que l'embarras du choix entre les nombreux feux d'artifice, défilés et parades aux couleurs du pays, fanfares… En fait, tout ce qui symbolise les États-Unis.

Toutefois, les excentricités régionales perdurent. Les îles des Keys et les villes côtières honorent l'océan — on navigue, on fait la course en mer, on pêche et on mange du poisson. A l'intérieur des terres, le poisson est plutôt remplacé par les agrumes et le bétail. Les hommes comme les « bons vieux Crackers » ou les cow-boys sont à l'honneur lors de rodéos ou plus particulièrement au Fort Myers' Cracker Festival.

Pages précédentes : plongeurs œuvrant à la protection des coraux ; festival de Calle Ocho, dans Little Havana. A gauche, défilé du Goombay Festival ; à droite, danseurs dans la rue.

Les habitants de certaines petites villes disent qu'elles doivent leur présence sur une carte grâce à ce genre de fêtes. D'autres se plaignent des débordements que ces traditions occasionnent.

Succès ethnique

Quand les nouveaux arrivants débarquèrent sur les côtes floridiennes — colonisateurs européens, réfugiés caraïbes et Américains fuyant le froid du Nord —, ils étaient pleins d'espoir, prêts à travailler dur et ils importèrent aussi leurs coutumes. Chaque année, les festivals nous replongent

dans l'histoire. Saint Augustine rend hommage à Christophe Colomb et Jensen Beach salue un autre colonisateur, viking celui-là, Leif Ericson, qui aurait débarqué bien avant Colomb mais plus au nord…

Le 6 janvier, jour de l'Épiphanie, les descendants des pêcheurs d'éponges grecs célèbrent la naissance du Christ en escortant une croix d'or qu'ils jettent ensuite à la mer. Puis, ils partagent leur baklava de port en port, l'occasion de répandre un esprit de fête de Boca Raton à Tallahassee. Les Espagnols de Minorque revendiquent une journée à Saint Augustine, les Italo-Américains, à Venice et les Portoricains à Orlando.

A Dunedin, les clans écossais se réunissent en mars pour les Highland Games de cornemuse, qu'accompagnent une retraite militaire et un spectacle. Les Allemands célèbrent l'Oktoberfest à grands coups de flonflons, de bière et de fanfares à Cape Coral, Titusville et à Naples. A Brooksville, le même événement se déroule en septembre.

Les festivals Goombay des Bahamas allient rythmes caraïbes et danses de limbo, de Key West en octobre à Coconut Grove en juin. C'est la plus importante manifestation afro-américaine des États-Unis.

Sur terre, sur mer et dans les airs

Les sportifs peuvent aussi trouver satisfaction dans les programmes des festivités floridiennes et particulièrement dans le domaine nautique. Au printemps et en automne, les rafts volent au ras de l'eau à Melbourne, près de Titusville, et vers Port St Lucie. En avril également, les lacs de Kissimmee sont animés par divers événements nautiques alors que les coureurs de marathon se lancent dans la course du Seven Mile Bridge des îles des Keys.

Des montgolfières rasent régulièrement en mars les arbres de Tallahassee. A Lakeland, Punta Gorda et sur la plage de New Smyrna, le ciel d'automne voit des avions virevolter à toute vitesse. En novembre, Ormond Beach accueille une reconstitution des premières courses de voitures sur le sable tassé de la plage, agrémentée d'un marché de troc de voitures anciennes. Les amateurs de derby pourront rejoindre la tribune improvisée de Naples.

Des hommes et des mythes

L'histoire de la Floride déborde d'anecdotes de conquistadores, de pirates, de batailles militaires et de changements de drapeau. De juin à août, Saint Augustine, la plus ancienne ville des États-Unis, met en scène l'époque de sa création, en 1565. Certaines villes restent fidèles à leurs bandits. Fort Walton Beach commémore l'arrivée de William Augustus Bowles (Billy Bowlegs), en 1778, lors du festival qui porte son nom et qui se déroule en juin. En février, Tampa rend hommage à José Gaspar. Des pirates «enragés» vont à l'abordage d'une goélette, défilent dans la rue, enlèvent le maire et déclenchent une semaine de fête.

La Floride se plaît à adopter des héros. C'est ainsi qu'à Key West, Ernest Hemingway est à l'honneur avec des ateliers littéraires, un concours de nouvelles, l'élection de « monsieur Papa », comme on l'appelait. A Fort Myers, c'est la mémoire de Thomas Edison qui donne lieu à un spectacle de lumières et une soirée anniversaire en février.

Chaque année, le présent rejoint le passé. En avril, Key West se sépare de la Floride dans une déclaration d'indépendance de la « république des Conques ». La ville de Micanopy fait un bond par-dessus les siècles — de l'arrivée de Pedro Menéndez, en 1656, jusqu'en 1774, avec les voyages du botaniste William Bartram. Sont également célébrées les parties de chasse des Séminoles et la cavalerie des Confédérés. Milton Town commémore l'installation d'un comptoir commercial dans cet endroit épineux du bord de la rivière, ce qui valut à la ville le premier nom de Scratch-Ankle « écorche la cheville ».

On peut encore voir, en Floride, des cow-boys et des Indiens plus ou moins authentiques. Dans le centre de l'État, les cow-boys professionnels s'adonnent au rodéo, domptent des chevaux sauvages ou pratiquent la *square dance* (danse folklorique apparentée au quadrille)... à cheval ! Kissimmee organise chaque année, en février et en juillet, le Silver Spurs Rodeo (rodéo des éperons d'argent), compétition assez ancienne et nationalement connue.

Aujourd'hui, il est courant d'organiser les rodéos simultanément à des *pow wow* (rassemblements indiens). Les Séminoles renouvellent l'événement plusieurs fois l'hiver, y compris lors de leur grande fête tribale annuelle à Hollywood. Non loin des Everglades, en décembre, les Miccosukee accueillent le seul festival d'art indien.

Pour se replonger dans le passé et retourner aux sources, il ne faut pas manquer les Pioneer Days de High Springs ou les Frontier Days de Naples. On peut également participer à une randonnée à cheval ou en roulotte à travers le comté d'Osceola ou faire un tour à Pensacola.

Il arrive que les fermiers se regroupent pour des foires de villages, avec expositions agricoles, concours de bestiaux et concerts de musique country. La foire de Tampa donne le ton des festivités locales avec notamment, au programme les concours de la meilleure confiture et autre cri de cochon le plus aigu, et ce, durant deux semaines en février.

Les artistes américains et les artisans font la tournée des manifestations auxquelles ils participent, profitant ainsi de la douce brise de l'« État du Soleil ». A Miami, ce

A gauche, le folklore du Highland Fling à Dunedin ; ci-dessus, parade à Key West.

sont plus de trois cents artistes qui se retrouvent au Coconut Grove Arts Festival en février. L'événement perdure depuis trente ans avec succès et connaît une certaine notoriété au niveau national. Le succès des foires de Winter Haven, de Mount Dora et d'ailleurs ne cesse de grandir.

En janvier, lors du Week-end Art déco de Miami Beach, l'architecture aux tons pastel est à l'honneur avec danse en plein air et concerts de Big Bands. Les cinéphiles peuvent eux aussi apprécier la clémence du temps floridien à l'occasion du Miami Film Festival de février et du Greater Fort Lauderdale Film Festival de novembre, qui

proposent des séances à ciel ouvert et des danses de rue au cours desquelles les spectateurs peuvent rencontrer les stars.

Les festivals de musique organisés un peu partout dans l'État sont de plus en plus reconnus. En ce qui concerne le jazz, rendez-vous à Pensacola ou West Palm Beach au printemps et à Jacksonville, Clearwater ou Sanibel Island en automne. La musique bluegrass, avec ses instruments spécifiques, anime les rives de la Suwannee River à Live Oak en avril et à Kissimmee en mars. Au printemps, on peut aller apprécier la musique cajun à Destin alors que Seaside vibre au son des arias. En automne, les fanfares résonnent dans Saint Petersburg.

Certaines soirées en plein air diffèrent résolument des autres. A Key West, des musiciens très particuliers soufflent dans des coquillages et s'affrontent lors d'un concours de conques se déroulant en mars. En juin, sur l'île de Big Pine Key, on peut assister pendant quatre heures à un concert gratuit de musique sous-marine relayé sur la plage par de grandes enceintes.

Les festins

Les festivals de Floride sont aussi l'occasion de mettre son estomac en joie ! L'agrume préféré de cet État ensoleillé, l'orange, donne lieu à des fêtes à Lakeland en avril et à Winter Haven en février. La plus importante compétition de football américain aux États-Unis porte le nom du fameux fruit : l'Orange Bowl. Rapidement, on sort des limites du terrain jusque dans les rues de Miami le soir de la Saint-Sylvestre. A Orlando, en janvier, un événement similaire mais de moindre importance est organisé — le Citrus Bowl — et il précède une parade dans la ville.

On ne compte plus les foires aux fruits de mer tout le long de la côte. Depuis longtemps, à Apalachicola, l'huître est à l'honneur mais d'autres villes ont également leur denrée mascotte. Au mois de mai, on festoie autour du homard à Pensacola, du crabe à Panacea, et de la crevette à Amelia Island. Fellsmere titille les grenouilles pour leurs cuisses tandis qu'au Boggy Bayou Festival de Niceville, on trouve du rouget sous toutes ses formes.

Il paraît que le simple fait de préparer un mets donne le *la* à une bonne soirée. De Green Cove Springs à West Palm Beach et de Pensacola à Sandestin, on peut participer à des concours de plats en tout genre. A Tallahassee, dans une propriété plus que centenaire, on broie la canne à sucre pour en distiller le sirop, événement donnant lieu à une fête, tandis que Naples régale les amateurs de piment.

Et les plantes non comestibles elles-mêmes peuvent être célébrées. Le premier bourgeon de l'année est l'occasion du Delray Beach's Bonsai Festival. Sarasota, quant à elle, fête les orchidées et Winter Haven, les chrysanthèmes.

A gauche, fête de la ville à Plant City ; à droite, le faste des plumes et des paillettes sous le soleil.

juicy
South
Florida
Fruit

KONG
FAY WRAY
ROBT ARMSTRONG
BRUCE CABOT
COOPER
SCHOEDSACK
PRODUCTION

POUR LES GOURMETS

Les amateurs de bonne chère découvriront rapidement que la diversité des plats qui composent la gastronomie de la Floride est une des composantes de ses richesses. La combinaison d'aliments aussi simples que du riz et du poulet peut donner naissance à une multitude de plats de différentes origines. Cette variété résulte des traditions de la population très chamarrée de « l'État du Soleil » et au climat d'influence tropicale. Les produits qui ont été apportés au cours de l'histoire font légion puisque même la fameuse orange n'est pas un fruit né en Floride.

La cuisine européenne fut introduite dès l'arrivée des missionnaires espagnols, et les voyageurs portugais et grecs y ont ajouté une touche encore plus méridionale. Les huguenots français ont contribué à l'implantation du muscat, raisin très fruité qui donne un vin au goût particulier. Puis les esclaves africains qui accompagnèrent les conquistadores ont implanté la patate douce, l'aubergine et l'*okra*. A tout cela s'ajoutèrent d'autres spécialités dues à la présence des Anglais, des Caraïbes, etc. ou des Nord-Américains.

Aujourd'hui, la Floride doit s'adapter aux exigences de ceux qui viennent se refaire une santé ainsi qu'aux désirs des gastronomes en vacances et tente de redonner un coup de jeune à ses menus en confrontant, par exemple, la sauce à la papaye au traditionnel maïs.

Plats typiques

Les fruits et les légumes qui prospèrent sous ce climat tempéré parfument la cuisine de Floride, même si la plupart des recettes sont accommodées avec des ingrédients venus d'ailleurs. Parmi les plats que l'on retrouve le plus fréquemment figurent entre autres les baklava grecs, les pinces de crabe de roche et les sandwichs cubains, les tomates Ruskin et les fraises de Plant City, les mandarines et les sapodilles du comté de Dade.

Pages précédentes : un vendeur de jus de fruits. A gauche, la touche du chef fait toute la différence ; à droite, brochettes préparées dans la rue.

Le dessert le plus réputé de Floride est le *Key lime pie*. Il est originaire de Key West où l'on trouve de petits citrons jaunes, les limes, qui ont probablement été importés d'Haïti ou d'autres îles des Caraïbes. Ce gâteau s'apparente à la tarte au citron meringuée dans sa préparation mais n'a pas tout à fait le même aspect. Malheureusement, certains restaurants de Floride préparent ce dessert avec des citrons verts — la pâtisserie prend alors une coloration verte — ou même avec du jus de citron industriel, n'en déplaise aux puristes ! On reconnaît le véritable *Key lime pie* à sa garniture jaune.

En mars-avril, la production de fraises est abondante en Floride. On les savoure entières avec du sucre ou bien en tarte sur une pâte sablée recouverte de crème battue.

Au petit-déjeuner, il est courant d'aller cueillir son pamplemousse ou son orange dans le jardin. Mais de nombreux restaurants proposent également des jus de fruits frais. Les agrumes ont contribué, avec le tourisme, à faire de la Floride l'« État du Soleil ». La production d'agrumes s'échelonne de septembre à début août. Les variétés d'oranges les plus courantes se nomment Valencia, Hamlin et Pineapple ainsi que l'hybride de Lue Gim Gong et la variété Parson Brown, moins répandue. Les pamplemousses, importés en Floride par le Français Philippe Odet, en 1823, sont plus savoureux lorsqu'ils sont pleins de pépins bien qu'actuellement, on recherche de plus en plus à élaborer des fruits sans aucun « défaut ». La Floride fournit plus de 70 % de la production mondiale de pamplemousses. La variété Duncan est la plus réputée.

On goûtera peut-être aux *grits*, qui sont des grains entiers de maïs blanc que l'on moud grossièrement, et qui sont servis même au petit déjeuner. Certains les apprécient avec du lait et du sucre, cependant, beaucoup les préfèrent chauds avec du beurre fondu. Les *grits* que l'on mange dans tout le sud-est des États-Unis accompagnent souvent les œufs et remplacent les pommes frites, courantes ailleurs. De nombreux restaurants de Floride donneront à leurs clients le choix entre *grits* et pommes frites.

La présence du pain de maïs et les biscuits sur les tables rappellent l'influence du Vieux Sud. Quand on sert du poisson, on l'accompagne parfois de *hush puppies*, semblables à de petites croquettes à base de maïs blanc, de sel, de levure, d'œufs et d'oignon cru haché. On les cuit dans une friture jusqu'à ce qu'ils brunissent.

Spécialités de fruits de mer

Inutile de dire que les fruits de mer sont en tête de liste des spécialités culinaires de la Floride. Pourtant, même si vous avez vue sur la mer, méfiez-vous des restaurants qui servent, sans vergogne, des surgelés d'autres régions des États-Unis voire d'autres pays, en les faisant passer pour des fruits de mer frais. Les meilleurs établissements affichent leur plat du jour ou leur « prise du jour » au menu, mais si l'on en doute, on peut se renseigner. De petites échoppes proposent souvent du poisson d'une qualité supérieure à celle d'établissements beaucoup plus renommés et chers. Il est donc conseillé de ne pas se fier systématiquement aux apparences.

Parmi les spécialités de fruits de mer au menu en Floride, on trouve fréquemment les pinces de crabes de roche (*stone crab claws*). La chair des pattes simplement agrémentée de beurre est considérée par les gourmets comme le *nec plus ultra* des produits de la mer et elle est parfois préférée à la chair de homard. Les pêcheurs de crabe utilisent des perches à long manche munies en leur bout de crochets en fer, pour inciter les crabes à sortir des rochers à proximité des plages. Du 15 mai au 15 octobre, on ne trouve malheureusement que des pinces surgelées lorsque l'on commande du crabe au restaurant.

Le mulet, ou rouget (*mullet*), abondant dans les eaux à découvert et les bras de mer, est servi frit ou grillé. Le mulet fumé présenté dans certains restaurants a une très bonne réputation chez les amateurs de poisson.

Les crevettes (*shrimps*) sont à la base d'une multitude de recettes. Cuites dans l'eau bouillante, décortiquées, accompagnées d'une sauce, elles constituent un plat à part entière. On les trouve frites, grillées, cuites au four ou en cocotte, et elles sont aussi parfois servies en *chiche kebab*. Elles proviennent en général du golfe du Mexique. Il ne faut pas oublier qu'elles réduisent de moitié à la cuisson, laquelle est mal supportée si elle dure trop longtemps.

On prépare les huîtres (*oysters*) de façons les plus diverses bien que les Floridiens les préfèrent nature. Les spécialistes prétendent que durant les mois les plus froids, les coquillages sont meilleurs que ceux pêchés pendant l'été — la chaleur n'ayant jamais été une grande amie des fruits de mer. On peut dire que la pleine saison pour ces produits va d'octobre à mai. Le calibre des huîtres doit être d'au moins 7,5 cm pour qu'elles soient pêchées en toute légalité en Floride.

Le pompano est un poisson excellent au goût raffiné. Le préparer en papillotes est idéal pour ne pas en gâcher le goût. Le poisson-chat (*catfish*) est un poisson d'eau douce, relativement rare dans les menus américains. Cependant, c'est un véritable délice quand il est servi frit. La truite de mer mouchetée (*spotted sea trout*) vit dans les eaux côtières. La préparation traditionnelle est de l'accommoder avec des amandes, qu'elle soit cuite à la poêle ou bien à l'étouffée.

On ne manque pas d'arguments pour comparer le homard épineux (*spiny lobster* ou *crawfish*) à son parent des eaux froides du Maine. Ce sont ses pinces à la chair généreuse qui le différencient de son « cousin ». On ne le trouve quasiment pas entre le 1er avril et le 25 juillet. Les restaurants faisant rarement la distinction entre les deux espèces, on peut demander au serveur s'il s'agit de la variété de Floride ou de celle du Maine. Le mérou (*grouper*) est aussi un poisson que l'on trouve assez couramment dans son assiette en Floride. Il est préférable de ne pas le déguster grillé car il devient alors trop sec.

Selon l'endroit où l'on se trouve, il est conseillé de se laisser tenter par des recettes plus locales. Dans les îles des Keys par exemple, les habitants apprécient tout particulièrement la bouillabaisse de conques, communément accompagnée de salade et de beignets. La conque est de consistance plus caoutchouteuse que les praires ou les encornets et elle est difficile à préparer de façon adéquate. Les crabes bleus sont souvent de petite taille mais ils sont délicieux quand ils sont cuits dans un bouillon. Les coquilles Saint-Jacques se reproduisent dans des baies peu profondes ou des canaux intérieurs. La petite variété pêchée dans les baies est meilleure que celle ramassée en pleine mer, plus dure sous la dent.

A gauche, vente de sandwichs cubains au Calle Ocho Festival ; ci-dessus, langoustines préparées à la caraïbe.

La viande

Si l'on a tendance à préférer la viande aux fruits de mer, on peut trouver des menus à des prix raisonnables. La Floride fait partie des dix États du pays des bovins. Le centre-sud de la Floride est producteur de viande, et en particulier les régions d'Arcadia, de Brighton (près d'Okeechobee) et de Kissimee. Certains supermarchés et de nombreux restaurants proposent du bœuf élevé en Floride même.

Quelques restaurants servent de l'alligator, intermédiaire entre viande et poisson. Son goût avoisine celui de la viande de veau mais la consistence de sa chair est plus ferme et rappelle celle du calmar.

Les plats d'accompagnement sont relativement variés : aubergines frites, gombos, légumes verts, pois, croustade de volaille…

La corne d'abondance

Depuis le début du siècle, la Floride cultive, cueille, emballe et expédie ses fruits à travers les États-Unis. Les agriculteurs qui ont réussi à survivre aux ouragans et au gel ont transformé l'État en de gigantesques domaines fruitiers. Les agrumes juteux et sucrés de Floride se répartissent en une douzaine de variétés d'oranges, quatre sortes de pamplemousses, des mandarines, des citrons ainsi que des limes. La diversité des variétés permet un échelonnement de la production tout au long de l'année, selon la période à laquelle l'agrume mûrit.

La légende raconte que ce serait Christophe Colomb qui aurait importé des oranges en provenance d'Europe alors que le pamplemousse trouverait, lui, ses origines à Cuba. Des variétés hybrides comme les *tangelos* (croisement de mandarine et de pamplemousse), les *tangors* (croisement de mandarine et d'orange) et les *ugli fruits* (croisement de pamplemousse et d'orange) ont récemment vu le jour.

Depuis les années 1940, lorsque fut mis au point un procédé de concentration permettant une conservation durable, la Floride exporte son jus d'orange presque partout dans le monde. Mais certains s'étonnent toujours de trouver du jus d'orange concentré ou surgelé — et non pas frais — dans les supermarchés de Floride.

Les limes, venus d'Asie, sont produites presque exclusivement dans le comté de Dade. A partir de cette variété de citron, on élabore surtout des boissons rafraîchissantes. On utilise également souvent ce fruit pour agrémenter les poissons ou nuancer la saveur d'un plat de légumes. En pâtisserie, cet agrume est aussi fréquemment utilisé. Le *Tangy Key Lime* a fait l'objet d'un label déposé et constitue le principal ingrédient de nombreux gâteaux des îles des Keys, dont le fameux *Key lime pie*.

Bien que les agrumes aient contribué à la célébrité de la Floride, on trouve aussi de nombreux fruits des régions subtropicales comme l'ananas, la noix de coco, la banane et aussi la canne à sucre, la mangue, la goyave, la papaye et l'avocat — très utilisé dans la cuisine latino-américaine.

Les amateurs de fruits rouges seront satisfaits de décembre à juin dans le comté de Hillsborough. Bien que l'on trouve des fruits un peu particuliers comme les kumquats ou les groseilles à maquereau, la consommation des conserves, confitures, coulis, chutneys et autres crèmes glacées à base de fraises l'emporte.

La plupart des fruits et légumes sont disponibles sur les étals de janvier à décembre. Il est possible de les cueillir soi-même sur des domaines signalés par une pancarte « *U-pick* ». Les fruits sont aussi en vente au bord de la route ou au coin des rues sur des stands de fortune.

A gauche, le Yacht Club de Palm Beach ; à droite, un fameux restaurant du parc d'attractions Universal Studios.

Finnegan's
BAR-GRILL
FINNEGAN'S
WINE
ALES
BEER
FINNEGAN'S
REGAL

HARLEY-
DAVIDSON

DOT

DES SPORTS SPECTACULAIRES

Si frapper une balle de golf, prendre une vague ou nager en compagnie de dauphins ne suffit plus aux sportifs de Floride, les amateurs de sensations fortes seront séduits par des activités, physiques ou non, se rapprochant du spectacle.

La Floride peut paraître dangereuse aux « accros » du sport et du jeu qui aiment prendre des risques. Et si l'on se fait piéger et que l'on ne peut plus reculer, mieux vaut se lancer en promettant que ce sera la dernière fois.

A toute vitesse !

Les spectateurs ont toujours été captivés par la course et la vitesse. Le circuit de Daytona est un des plus importants des États-Unis, et des noms tels que Richard Petty, A. J. Foyte et Mario Andretti ne sont pas étrangers à son succès. Pourtant, pour beaucoup, Daytona, c'est aussi la fin d'un rêve et s'ils sont souvent quatre-vingts à vouloir participer à la course, ils ne sont en fait plus que la moitié après les épreuves de sélection à s'aligner au départ.

Tout commença un jour de février 1959, une course eut lieu sur le circuit international de vitesse de Daytona et la compétition du stock-car changea du tout au tout.

Depuis, la plupart des courses de Floride sont couvertes par la presse internationale, mais aucune n'a eu autant d'impact que la première compétition. Cette épreuve a permis aux courses de stock-car d'occuper l'avant-scène nationale, voire internationale, jusqu'alors réservée aux courses d'*open cockpits* d'Indianapolis ou aux circuits de Formule 1.

Pourtant, on ne peut pas dire que cette discipline soit totalement nouvelle en Floride. L'histoire de William H. G. « Bill » France, venu chercher fortune dans le Sud, est légendaire. Il commença par réunir quelques amis férus de vitesse, et forma avec eux, après de longues discussions, la NASCAR (National Association for Stock Car Auto Racing). Son association et lui-même ne tardèrent pas à s'imposer. France pensait que si les voitures *open-wheel* pouvaient disposer d'un circuit de 4 km à Indianapolis, il pouvait en être de même pour les stock-cars.

C'est ainsi qu'il inaugura le Daytona International Speedway en 1959. La forme en « D » du circuit et l'importante surélévation des bas-côtés dans les virages — deux innovations par rapport à l'ovale parfait et à la légère surélévation du circuit d'Indianapolis — étaient destinées à permettre une plus grande vitesse.

Le nombre de fans qui accourent à Daytona, en février, pour assister à la première compétition de la saison est estimé à environ treize mille. Ceux qui font le pèlerinage annuel ne sont pas seulement des voyageurs que la vitesse fascine, mais également de bons buveurs de bière qui n'hésitent pas à rester éveillés toute la nuit pour faire la fête.

En juillet et en novembre ont lieu d'autres compétitions de voitures de sport et, début mars, la plus grande course de motos du pays. Puis les coureurs reviennent, mi-mars, pour les Douze Heures de Sebring. A l'époque des courses de prototypes, quand Porsche et Ferrari se

Pages précédentes : des amateurs de Harley Davidson à Daytona Beach. A gauche, virage sur les chapeaux de roue sur un circuit de Daytona ; à droite, hydroglisseur au large de Miami.

disputaient âprement la première place du Championnat des constructeurs, la popularité de Sebring était inégalée. Aujourd'hui, même sans prototype, Sebring reste une épreuve importante, un test aussi bien pour les coureurs que pour leurs machines. Le circuit, situé en pleine région humide de Floride centrale, passe sur les anciennes pistes de l'aéroport de la ville, et son revêtement est par endroits si abîmé qu'il transforme la course en une épreuve dangereuse.

Pour les quelque trente-cinq mille spectateurs qui convergent vers cette modeste ville de Floride en mars, les Douze Heures sont aussi prétexte à faire la fête.

L'autre sport de vitesse très suivi dans cet État nautique qu'est la Floride, est la course de bateaux. Du petit hors-bord à la « cigarette » en passant par l'hydroglisseur, toutes sortes de bateaux se livrent à des courses de vitesse dans les innombrables baies, lacs et rivières de l'État.

Miami Marine Stadium, situé sur le Rickenbacker Causeway qui enjambe la Biscayne Bay, est le lieu principal de ces affrontements. C'est là que se déroule, dans un vrombissement de moteurs, la célèbre compétition d'hydroglisseurs qui attire chaque année de nombreuses stars. Mais, tout au long de l'année, les eaux de Miami sont agitées par de multiples événements sportifs. D'autres compétitions sont organisées à Saint Petersburg, Stuart ainsi qu'à Cocoa.

Lancer les paris

La Floride est une véritable Mecque pour les joueurs qui ne trouvent pas entière satisfaction dans la course automobile. Les frissons ne sont pas les mêmes. Avec ses trente-deux établissements (terrains de courses et frontons) consacrés aux paris mutuels, des jeux variés organisés dans les différentes régions de l'État attirent chacun une clientèle spécifique. Entre Pensacola et Key West, on dénombre dix-neuf cynodromes et neuf *jai-alai* (terrains de pelote basque).

Plus de quinze millions de personnes par an misent 1,6 milliard de dollars sur le *jai-alai* et les courses de chevaux en Floride. Généralement, les paris mutuels attirent deux sortes de personnes : le joueur sérieux qui s'informe avant de parier et espère gagner, et le joueur occasionnel, souvent vacancier, qui risque peu d'argent, pour s'amuser plus que pour la fièvre du jeu.

L'industrie du jeu est dominée principalement par les courses de pur-sang. Les sports de paris mutuels sont associés dans le monde entier à une tradition un peu

« glamour ». On porte hommes et chevaux au rang de héros et il règne sur les hippodromes une ambiance très particulière. Pendant plus de soixante ans, la ville de Miami a été, durant la saison d'hiver, le point de rencontre des meilleurs chevaux et jockeys du pays.

Il y a quelques années, l'atmosphère était telle dans le sud de la Floride que l'hippodrome était le lieu où il fallait être vu. Aujourd'hui encore, le fantôme de ces années fastes règne sur des circuits toujours très appréciés comme Hialeah ou Gulfstream mais les gens qui fréquentent les lieux viennent davantage par curiosité. printemps venu, dans le Kentucky Derby, les Preakness et Belmont Stakes — la Triple Crown (« triple couronne ») des courses de chevaux. Pompano et Tampa bénéficient également de pistes de qualité.

D'octobre à avril, la Floride du Sud est également le centre des courses nationales de trot attelé. L'ouverture, il y a vingt-cinq ans de Pompano Park a été le catalyseur d'une nouvelle migration annuelle vers le sud des plus célèbres jockeys. Presque toutes les stars des champs de courses envoient leurs écuries à Pompano pour la saison d'hiver. Les jeunes chevaux y sont préparés pour les courses de l'été suivant.

Hialeah garde cependant toujours cette image de grande dame des courses de pur-sang en Floride, avec ses splendides jardins, ses flamants roses et son architecture méditerranéenne. Gulfstream, au nord de Miami Beach, fait aujourd'hui partie intégrante d'une résidence au style moderne typiquement urbain. C'est à Gulfstream et Hialeah que les meilleurs poulains du pays, âgés de trois ans, viennent faire leurs preuves avant de s'en aller courir, le

A gauche, parade de lévriers, sur une ancienne carte postale de Miami ; ci-dessus, arrivée dans un mouchoir de poche pour ces coursiers au galop.

Tout comme les courses de chevaux, les courses de lévriers remontent certainement à des temps très anciens. Elles sont maintenant organisées dans toute la Floride. Elles attirent près de huit millions de personnes chaque année. La Floride est sans conteste l'État où l'industrie des courses de lévriers est la plus florissante, ne serait-ce que par le nombre des cynodromes qui s'y trouvent. Chaque métropole, ou presque, en compte un, et ce sport se développe également dans les villes moyennes. La version moderne de ces courses remonte à celle qui eut lieu en 1904 à Hot Springs, dans le Dakota du Nord.

D'après les archéologues, les lévriers furent domestiqués il y a plus de sept mille ans, et les premières courses auraient été organisées environ 2500 ans av. J.-C. Ovide décrit une course analogue dans un texte datant de 63 av. J.-C. Mention en est également faite en Égypte, sous le règne d'Arrian, vers l'an 105 de notre ère. Comme la plupart des souverains égyptiens, Cléopâtre affectionnait particulièrement les lévriers. Mais c'est plus récemment, sous le règne d'Élisabeth Ire d'Angleterre, que les courses de lévriers connurent leur véritable âge d'or, ce qui inspira l'expression : « Sport des reines ».

La pelote basque

Si parier sur les chevaux ou les chiens ne plaît pas, la Floride est l'un des rares États américains où l'on peut miser sur des êtres humains. A condition, bien sûr, qu'ils pratiquent cet ancien jeu basque appelé là-bas *jai-alai* (« fête joyeuse »).

Le *jai-alai* est une lointaine version du handball, pratiqué devant un fronton très long. Les joueurs casqués jouent avec un panier d'osier en forme de gouttière recourbée, une chistera, attaché au poignet.

Aux États-Unis, bien que d'autres frontons existent dans le Connecticut et à Las Vegas, c'est en Floride que le *jai-alai* se pratique le plus. Les deux plus grands frontons se trouvent à Miami et à Diana, une banlieue de Fort Lauderdale.

Le base-ball

Un autre sport à grand spectacle qui attire en Floride des fans de tous les États-Unis, c'est le base-ball, devenu une véritable institution.

Le jeu se déroule de la manière suivante : deux équipes de neuf joueurs s'affrontent en un match d'une durée minimale de une heure trente. La partie est jouée en neuf manches, une correspondant au passage des deux équipes à l'attaque et à la défense. Le batteur attend la balle que lui envoie le lanceur de l'équipe adverse. Il essaie de frapper la balle hors de portée de ses adversaires et, pour marquer un point, il doit franchir trois « bases » sur le « diamant » et revenir à son point de départ avant le renvoi de la balle. L'élimination de trois batteurs inverse les rôles des équipes.

C'est au printemps que l'activité reprend et la Floride accueille 17 des 26 équipes de la Major League pour les entraînements. Comme des ours polaires après l'hibernation, les joueurs de base-ball doivent se remettre en forme. On voit les arbitres (*umpires*) agiter les bras et les batteurs (*batters*), à force de jouer, ont des ampoules aux mains. Les lanceurs (*pitchers*) lèvent leurs bras et les mains des *catchers* (ceux qui attrapent) tremblent quand elles voient arriver la balle à 150 km/h.

Même si, de mars à mai, ce ne sont que de simples séances d'entraînement sans réel enjeu financier, les meilleurs joueurs attirent des dizaines de milliers de fans qui font le voyage pour voir leurs idoles. Et, bien que les places lors des séances d'entraînement ne soient pas gratuites, elles coûtent nettement moins cher qu'un ticket de grand match.

Obtenir l'autographe d'un joueur de base-ball est un exploit enivrant qui a un parfum d'enfance, lorsque l'on tente d'approcher le plus près possible la star, presque irréelle, et de lui adresser quelques mots. Les supporters acharnés suivent leurs équipes favorites à travers tout le pays.

A gauche, un joueur de l'équipe des Cardinals ; à droite, George Foster, des New York Mets, à l'entraînement.

Mets

LA CHASSE AUX TRÉSORS

« Ces pièces étaient tout ce qu'il restait du flux commercial annuel qui autrefois reliait la grande foire de Portobello, le port de Carthagène et l'entrepôt de La Havane. En elles gisaient les espoirs, les désirs, les peurs et les économies d'inconnus, les risques pris par des marchands morts depuis des siècles et les convoitises de rois à demi-oubliés. Oui, ici étaient la mort, la dissolution des espérances humaines, le déclin d'un empire, la fin d'une époque. Mais elles parlaient aussi de la vie, de la culture et du commerce de l'Espagne coloniale. Et nous, assis sur ce tas de pièces, nous avions le privilège de pouvoir embrasser tout cela. »

Eugène Lyon, *The Search for the Atocha* (*A la recherche de l'Atocha*)

Le fusil contre la hanche, un garde en uniforme stationne devant le bâtiment de Conch House à Key West. Contrôlés à l'entrée, les visiteurs reçoivent un badge à leur nom et sont invités à monter à l'étage supérieur. Ils arrivent dans une salle très bien gardée, où sont exposés, comme dans un musée, des fragments de poterie, de vaisselle cassée, d'anciens boulets de canon et des mousquets. Ils entrent ensuite dans la salle contiguë, où les attend un spectacle à couper le souffle : des gardes encadrent de longues vitrines habillées d'un tissu bleu électrique, à l'intérieur desquelles, sous la lumière des spots, brille de l'or. La plupart des visiteurs sont ensuite attirés vers une pièce à côté. Là, la surprise est de taille.

Au milieu des gardes, des coffres tapissés de tissu bleu vif recèlent des trésors scintillants, dont l'éclat est mis en valeur par la lumière : barres, chaînes, vaisselle, pièces, lingots, des kilos d'or ! Une vitrine renferme à elle seule dix millions de dollars sous forme de longues chaînes d'or aux anneaux épais. Les objets réunis dans ces deux salles représentent au total plus de vingt millions de dollars.

Pages précédentes : un trésor sous-marin. A gauche, Mel Fisher, le roi de la chasse aux trésors brandit une de ses trouvailles ; à droite, modeste butin d'un plongeur.

Le morceau de métal précieux que le visiteur tient dans ses mains est avant tout un objet chargé d'un passé fabuleux, oublié au fond de l'océan pendant près de quatre cents ans. Comme les autres objets exposés, il a été découvert dans la coque rongée d'un des deux galions espagnols naufragés en 1662, la *Nuestra Señora de Atocha* et la *Santa Margarita*.

La Treasure Salvors Inc. a l'habitude d'organiser ce genre d'exposition dans ses locaux à Key West. L'aventure de Mel Fisher, le fondateur de la société, est devenue légendaire, au même titre que les fabuleux trésors qu'il a rapportés. Fisher

est une forte personnalité qui ne ressemble en rien à ces héros de bandes dessinées qui trouvent la cachette du trésor en suivant les directives d'une carte marquée d'une croix. Fisher a fait de la chasse aux trésors un véritable business, et c'est un peu grâce à lui si la Floride est devenue le pôle d'attraction de tous ces rêveurs qui pensent que la fortune les attend ici, cachée au fond de l'océan ou dans quelque île isolée.

Doublons et réaux

Aux XVe et XVIe siècles, les navires espagnols quittaient les ports de leurs colonies du Nouveau Monde, les cales remplies d'or, d'argent, d'objets précieux et de denrées rares. Longeant les côtes sud de la Floride et les Keys, ils étaient la cible rêvée des pirates, qui tuaient passagers et équipages et emportaient tout ce qui pouvait avoir de la valeur. Certains de ces boucaniers cachèrent leur butin dans quelque île isolée, où il est encore possible de le découvrir aujourd'hui. Non moins dangereux que les pirates, les récifs et les ouragans envoyèrent plus d'un bateau au fond de l'océan.

Le 4 septembre 1622, des galions espagnols chargés de trésors royaux et privés quittèrent La Havane escortés de deux puissants navires de guerre, l'*Atocha* et la

Santa Margarita. Le lendemain, un ouragan anéantit la flotte, qui sombra dans le détroit de Floride. Au total, la tempête coula huit navires, tua 550 personnes et engloutit une fabuleuse fortune en or, argent, indigo, cuivre et tabac.

Bien sûr, les légendes fleurirent autour des bateaux et de leurs richesses disparues, mais personne ne les rechercha sérieusement jusqu'à ce que, dans les années 1960, Mel Fisher se jura de les retrouver. Encouragé par la découverte, au large de Vero Beach, de doublons et de réaux dans les épaves de vaisseaux espagnols coulés en 1715, il entreprit de nouvelles recherches dans les Keys.

Le récit de l'aventure qui le mena à l'*Atocha* contient tous les ingrédients d'un *best-seller*. Des investigations aux résultats incertains en Espagne, la lecture de vieux documents jaunis, sans compter des années de navigation sur des mers périlleuses coûtèrent la vie au propre fils de Fisher qui, pourtant, poursuivit sa quête, refusant de laisser l'*Atocha* aux mains d'autres chasseurs de trésors. Finalement, tragédies et intrigues se soldèrent par la découverte du galion en juin 1971.

Pour éviter les contestations, Fisher s'attacha à prouver que cette épave était bien celle de l'*Atocha*. Un document du XVIIe siècle identifiant la cargaison de l'*Atocha*, ancrée à La Havane, faisait mention d'une barre d'argent enregistrée sous le n° 4584, comme celle que Fisher avait trouvée dans l'épave ; il indiquait qu'elle pesait 28 kg également : il n'y avait plus qu'à comparer. Devant une foule enthousiaste de journalistes, de photographes et d'amis, il vérifia si les poids concordaient et ce fut bel et bien le cas. Après le succès obtenu avec l'*Atocha*, Fisher engagea la recherche des trésors de la *Santa Margarita,* évalués à vingt millions de dollars.

Un secteur en expansion

Depuis, la Treasure Salvors Inc. a changé de nom ; rebaptisée Mel Fisher Maritime Heritage Society, elle a déménagé dans de vastes locaux au 200 Greene Street, toujours à Key West. L'exposition permanente du musée contient des barres d'or, des chaînes, des boulets de canon et de la poterie trouvés à bord des deux navires espagnols. Fisher, cependant, a conservé sa modestie et traîne souvent autour de son musée en toute décontraction.

Il est difficile de savoir combien d'argent Fisher, ses employés et ses actionnaires tireront de ce butin. Le gouvernement des États-Unis et l'État de Floride ont tous deux vainement tenté d'exercer des droits sur ces trésors qui appartiennent encore à Fisher. Mais la bataille juridique n'est pas terminée. Les administrateurs de Floride et les archéologues d'État se disputent la gestion incontrôlée de la chasse aux trésors. Les conservateurs des milieux marins estiment que les chercheurs de trésors ont endommagé les coraux et porté atteinte à la vie sous-marine. La National

Oceanographic and Atmospheric Administration ordonna à Fisher de cesser toute recherche dans les îles des Keys. Lui prétend être victime de la cupidité des autorités floridiennes et américaines, à qui il considère avoir déjà donné beaucoup d'argent par le biais des impôts.

Les exploits de Fisher ont fait de la Floride un haut lieu de la chasse aux trésors. Des concurrents ont découvert un autre galion au large du comté de Broward : il gisait par 450 m de fond et pourrait contenir de 20000 à 50000 pièces d'argent. Plus au sud, près d'Elliott Key, dans le Biscayne National Park, un plongeur a découvert une ancienne épave espagnole, et a pu remonter avec de vieux coutelas et de la vaisselle.

Au large des côtes de la République dominicaine, Burt Webber, un ancien rival de Fisher, a retrouvé après quinze ans de recherches, l'épave de la *Concepción*. L'opération Seaquest International a déjà récupéré un butin d'une valeur de quarante millions de dollars. Près de Fort Pierce, Doubloon Salvage a découvert des vaisseaux qui pourraient bien contenir plus de richesses que la flotte espagnole coulée en 1715 ; et Soul Treasures of Florida a exploré les eaux prometteuses du port de Saint Augustine.

Des hommes comme Fisher et Webber ont fait de la chasse aux trésors un véritable métier, utilisant des équipements perfectionnés et n'hésitant pas à investir des centaines de milliers de dollars dans leurs recherches. Mais ceux que l'on rencontre le plus souvent arpentent forêts et plages armés seulement de pelles, de pioches et d'informations douteuses.

Récompense pour les débutants

L. Frank Hudson, de Saint Petersburg, affirme être une autorité en matière de trésors cachés sur la côte ouest de Floride. Pourtant, dans ses divers écrits, il n'a jamais reconnu avoir déniché le moindre coffre de pirates. Dans son livre *Lost Treasure of Florida's Gulf Coast* (*Trésors cachés de la côte est de la Floride*), il reproduit les différentes inscriptions que les pirates gravaient parfois sur les arbres et conseille aux chasseurs d'avoir de bonnes pelles. Très obligeamment, il indique l'emplacement de plusieurs dizaines de « trésors » prétendus cachés, dont certains, selon lui, pourraient valoir jusqu'à deux cents millions de dollars.

*A gauche et à droite, chaînes et pièces d'or, les trésors de l'*Atocha.

Il mentionne entre autres lieux prolifiques Naples Beach, où les doublons d'or et des réaux d'argent se seraient échoués à cause des grandes marées ou des tempêtes. La légende veut que Cara Pelau Island, près de Charlotte Harbor, ait servi de quartier général — et donc de salle de coffres — à José Gaspar, l'un des plus célèbres pirates de Floride, même si les historiens affirment que ce dernier n'a jamais existé. En fait, comme la route des galions espagnols passait au large des Keys

et de la côte est de la Floride, il est peu probable qu'il y ait réellement eu beaucoup de pirates sur la côte ouest.

Mais les chasseurs de trésors ne se lassent pas pour autant, et ils sont toujours aussi nombreux, la pelle accrochée à leur ceinture, à parcourir les plages de Floride à l'affût du moindre « bip » dans les écouteurs de leur détecteur de métal. Après tout, c'est grâce à un détecteur de quinze dollars que Kip Wagner, un habitant du comté de Broward, a trouvé des pièces provenant de la flotte espagnole qui coula en 1715. Aujourd'hui la Real Eight Salvage Company, qu'il a fondée, a rassemblé l'équivalent de six millions de dollars.

United States
USA

CAP SUR L'ESPACE

« Une détonation épouvantable, inouïe, surhumaine, dont rien ne saurait donner une idée, ni les éclats de la foudre, ni le fracas des éruptions, se produisit instantanément. Une immense gerbe de feu jaillit du sol comme d'un cratère. La terre se souleva, et c'est à peine si quelques personnes purent un instant entrevoir le projectile fendant victorieusement l'air au milieu des vapeurs flamboyantes.

« Au moment où la gerbe incandescente s'éleva vers le ciel à une prodigieuse hauteur, cet épanouissement de flammes éclaira la Floride entière, et, pendant un instant incalculable, le jour se substitua à la nuit sur une étendue considérable du pays. Cet immense panache de feu fut aperçu de cent milles en mer, du golfe comme de l'Atlantique, et plus d'un capitaine de navire nota sur son livre de bord l'apparition de ce météore gigantesque.

« La détonation de Columbiad *fut accompagnée d'un véritable tremblement de terre. La Floride se sentit secouer jusque dans ses entrailles. »*

Jules Verne, *De la Terre à la Lune*, 1863

C'est avec une prescience étonnante que Jules Verne décrivit, en plein XIXe siècle, le lancement d'une navette spatiale, la baptisant et identifiant son site de lancement, plus d'un siècle avant que l'événement ne se produise. L'esprit de l'écrivain aurait pu planer sur le Kennedy Space Center, cent dix-huit ans plus tard, le 12 avril 1981.

Ce matin-là, lorsque *Columbia* quitta le sol de la Floride, une lumière aveuglante embrasa le ciel, éclipsant l'éclat du soleil levant. Puis une incroyable fumée emplit l'horizon. Soudain, sortie de ses propres nuages, une machine d'une taille monstrueuse apparut, hésita et accéléra, laissant derrière elle une longue traînée blanche.

On entendit alors un grondement qui, en s'amplifiant, fit tout trembler alentour. Tandis qu'une colonne de fumée s'élevait, le son devint de plus en plus saccadé avant de cesser, laissant les spectateurs dans un terrible état d'excitation, bien après que la navette *Columbia* se fut détachée de la terre. La Floride se sentit alors vibrer.

Pages précédentes : la navette spatiale sur sa plate-forme de lancement. A gauche, le premier lancement de la navette ; à droite, le commandant Robert Crippen en apesanteur.

Pour beaucoup, le seul fait de vivre le lancement d'une fusée depuis Cape Canaveral justifie un voyage en Floride. Même le souvenir d'un soleil couchant sur le golfe du Mexique s'estompe quand le compte à rebours passe la barre des dix secondes.

Contrairement aux attractions de Floride qui veulent donner l'illusion d'un autre monde, le centre Kennedy est bien réel. Cet espace de technologie de pointe situé en pleine nature transporte le visiteur

vers des lieux bien plus mystérieux que les paradis plastifiés de Disney World ou les steppes artificielles des Busch Gardens.

Même si voyager à bord d'une navette spatiale reste l'apanage d'une poignée d'astronautes, le fait d'assister à un départ dans l'espace et de voir les premières fusées de Cape Canaveral suffit pour emporter les visiteurs au-delà de l'atmosphère.

Cohabitation dans un paysage subtropical

Le centre spatial s'étend à travers l'éden écologique que constituent Merritt Island National Wildlife Refuge et Canaveral

National Seashore, soit 570 km² de marais, de savanes, d'îlots marécageux et de plages ventées. Aigrettes, ibis, hérons et canards peuplent cette zone sauvage et semblent partager de bonne grâce leur territoire avec ces étranges oiseaux qui les dépassent à une vitesse incroyable dans un bruit assourdissant. Plus de 280 espèces ont été observées dans la réserve, dont le pélican brun et le faucon pèlerin arctique, tous deux en voie de disparition.

Parmi les autres habitants, on a dénombré deux cents lamantins, dont l'espèce est aussi menacée d'extinction, quelques daims et environ cinq cents alligators qui paressent, la gueule ouverte, sur les rives des canaux longeant les routes principales du centre spatial.

Les guides recommandent de porter des chaussures de couleur vive pour aller admirer la flore et la faune locales car l'approche des alligators peut être risquée. On peut suivre le chemin de randonnée Oak Hammock ou l'un des deux circuits le long de Max Hoeck Creek et Black Point.

En réalité, les bases de lancement, les complexes industriels, les installations secondaires et les autres routes occupent seulement 7 % des quelque 56 000 ha de terrain que possède la NASA. Ces étendues de broussailles et d'eaux saumâtres ont le plus souvent conservé l'aspect qu'ils avaient à l'arrivée des Européens dans le Nouveau Monde. *« Nous protégeons non seulement la nature, mais l'environnement nécessaire à sa survie. C'est la preuve que haute technologie et vie sauvage peuvent cohabiter avec succès »*, dit le directeur du centre spatial.

La conquête de l'espace dans le respect de la nature

Les premiers explorateurs des futurs États-Unis débarquèrent jadis non loin de ce site qui fut le port d'embarquement des premiers hommes ayant marché sur la lune.

Ce fut Ponce de León qui découvrit, en 1513, le cap sablonneux qui s'avançait dans l'océan Atlantique. Il lui donna le nom de Corrientes — en raison de la violence des courants. Ce nom fut rapidement remplacé par Canaveral, un mot qui, dans la langue des Ais — les anciens habitants de ces régions sauvages —, signifie le « porteur de cannes ». Cette nouvelle appellation apparut sur les cartes maritimes après 1520, à la suite d'une bataille au cours de laquelle Francisco Gordillo, capitaine d'un vaisseau négrier, perdit un grand nombre d'hommes, transpercés par les flèches des Indiens — flèches confectionnées à l'aide de cannes et de roseaux. Le cap s'est appelé Canaveral depuis lors, à l'exception des années 1960, époque à laquelle on l'avait rebaptisé « cap Kennedy ».

Cet endroit est resté très longtemps sauvage, peu d'hommes, en dehors des Ais, n'ayant osé braver les broussailles infestées de moustiques. Les Ais ont laissé derrière eux tumulus et débris de coquillages qui côtoient aujourd'hui les bâtiments massifs du centre spatial.

Les premiers missiles partirent de Cape Canaveral en 1947. Le ministère de la Guerre avait choisi ce site, en raison, d'une part, de ses immensités inhabitées où pouvaient retomber sans risques les projectiles perdus, d'autre part, parce que les îles au large constituaient un endroit idéal pour installer des stations d'écoute. *Explorer I*, le premier satellite américain, s'envola de Cape Canaveral le 31 janvier 1958, destiné à rattraper l'avance prise par l'URSS avec *Spoutnik*. Neuf mois plus tard, le gouvernement créa la NASA, et le 5 mai 1961, Alan Shepard, le premier Américain à aller dans l'espace, se retrouvait à bord de *Mercury*.

A gauche, du sable de Floride à la poussière lunaire, l'astronaute James B. Irwin, de la mission Apollo XV *en 1971 ; ci-dessus, le module lunaire* Intrepid *se pose lors de la mission* Apollo XII, *en 1969.*

Au départ, la NASA installa ses bureaux et laboratoires sur le site du cap, mais, en 1964, elle les transféra à Merritt Island, à l'ouest de la Banana River. Puis suivirent les missions Gemini, avec deux hommes à bord. C'est alors que les villes assoupies des environs, telles Cocoa Beach et Titusville, virent affluer scientifiques, ingénieurs et techniciens. Les entrepreneurs suivirent et les constructions nouvelles se multiplièrent encore plus vite que les fusées.

Puis, dans le cadre de son programme Apollo, la NASA envoya trois hommes dans l'espace ; le programme atteignit son point culminant le 29 juillet 1969, avec les premiers pas de Neil Armstrong sur la lune. La maquette de *Saturn V*, cette monstrueuse fusée de 110 m, qui emporta les astronautes sur la lune, est exposée devant le Vehicle Assembly Building (VAB).

Visite du site de lancement

Pour visiter le centre spatial, prendre la route SR 405, qui mène directement au parking de la NASA. A l'entrée n° 3, un garde délivre un laissez-passer pour le Spaceport. On peut aussi prendre la route SR 3, à partir de Cocoa Beach, et arriver ainsi à l'entrée n° 2. Une rangée de fusées permet de situer le Visitors Center, au sud du parking.

Les différentes installations comprennent, notamment, une Gallery of Space Flight, qui retrace les grandes étapes de la conquête spatiale.

Les automobilistes ne sont pas autorisés à circuler dans le centre sans accompagnateur. Aussi est-il préférable de suivre la visite guidée à bord des bus qui partent de Spaceport USA. Le tour dure deux heures avec des commentaires très vivants sur la vie quotidienne des astronautes lors de leurs missions spatiales.

Si les activités de la base le permettent, le bus s'arrête devant l'imposant Vehicle Assembly Building. Avec ses 160 m de haut, 218 m de long et 179 m de large, le VAB est l'un des plus grands bâtiments du monde. Il pourrait contenir la totalité de l'Empire State Building coupé en morceaux.

Puis, le bus mène au *crawler-transporter*, sorte de tank géant, qui transporte les vaisseaux jusqu'à leur base de lancement à la vitesse d'un escargot. L'exploration se poursuit avec la visite du Complex 39, d'où les missions Apollo, les Skylabs et les navettes spatiales quittèrent la Terre. Le guide conduit les visiteurs au bâtiment d'entraînement, où ils peuvent voir une reconstitution de la base de contrôle et le module lunaire utilisé lors de la mission *Apollo XI*.

L'enthousiasme retrouvé

Avec la fin du programme Apollo, au milieu des années 1970, le centre spatial Kennedy vit ses activités se ralentir. La majorité des « astrobars » fermèrent, touchés par le départ massif de leurs clients licenciés par la NASA. Les programmes spatiaux n'enthousiasmaient plus les foules.

Mais une nouvelle ère est née ce matin d'avril 1981, où plus d'un million de personnes se rassemblèrent le long des rivières Indian et Banana pour le lancement de la navette spatiale *Columbia*. Nouvelle étape dans la conquête spatiale, cette navette lancée sur le dos d'une fusée put, par sa propre énergie, revenir sur terre et s'y poser tel un planeur. Elle atterrit en Californie d'où un Boeing 747 la transporta en Floride. En théorie, ces navettes sont conçues pour effectuer plus de cent vols.

Plus de cinq mille journalistes venus du monde entier se réunirent pour assister à ces lancers. Même les astronautes à la retraite durent admettre que ces décollages étaient réellement spectaculaires. Le retour des astronautes s'accompagna de légions de nouveaux fans et le nombre des employés du centre, significatif de l'activité de Cape Canaveral, s'est stabilisé à vingt mille personnes. Aujourd'hui, l'intérêt pour les nouveaux programmes spatiaux est tel que le Spacesport enregistre près de trois millions de visiteurs par an.

Depuis la première mission historique, le programme ambitieux de la NASA a mené à bien de nombreux essais et expériences. *Columbia* décolla pour quatre missions, suivie par *Challenger,* qui transporta la première femme américaine, Sally K. Ride, dans l'espace en 1983 — la première femme étant russe. Malheureusement, soixante-seize secondes seulement après son lancement, *Challenger* explosa en plein envol sous les yeux de milliers de spectateurs. Six membres d'équipage trouvèrent la mort dont une institutrice choisie par la NASA pour être la première personne civile à participer à une mission.

Mise à feu

Pour préparer sa visite correctement, on peut appeler le 1800/452 2121 sur place, ou bien écrire à l'avance à la NASA afin d'obtenir un laissez-passer à la date d'un lancement. Cela permettra au visiteur, le jour J, d'entrer dans le centre et d'approcher au bord de l'Indian River, à environ 10 km de la plate-forme de lancement. De là, il est conseillé d'utiliser des jumelles ou un téléobjectif, bien qu'on puisse parfaitement jouir du spectacle à l'œil nu.

Même si l'on n'a rien prévu, on peut tout de même, comme beaucoup d'autres, garer sa voiture en dehors du centre spatial et assister au lancement. Il existe certains emplacements particulièrement bien situés le long de la US Highway 1, à Titusville, et le long de la State Road 402, au nord du Complexe 39. Si l'on arrive par Orlando, il faut suivre la voie express Bee-Line jusqu'à Bennett Causeway, d'où l'on a également un point de vue appréciable. De Jetty Park, au bout du Causeway, tout près de Cape Canaveral, ainsi que des plages au nord de Ponce's Inlet, on voit très bien l'ascension des fusées. Les aviateurs peuvent se poser près de l'aéroport de Tico et les navigateurs ont la possibilité d'observer l'événement depuis l'océan Atlantique entre le centre spatial et la base militaire.

Grâce à l'implantation du Kennedy Space Center au centre de l'État, la Floride s'est, en quelque sorte, rapprochée des étoiles…

A gauche, Saturne et ses anneaux photographiés par Voyager I *en 1980 ; ci-dessus, la Terre, enveloppée de nuages, telle qu'ont pu la voir les membres de l'équipage d'*Apollo X.

LA BATAILLE DES PARCS A THÈMES

Autrefois, avant l'ère Disney, des vacances en Floride étaient synonymes de petits hôtels familiaux, de divertissements simples et peu onéreux, typiques des États du Sud.

Mais tout changea en 1971. Mickey est entré en scène et l'univers de Disney est devenu incontournable. Une foule de grandes compagnies se sont précipitées dans la brêche, attirées par la perspective d'immenses profits. Désormais, elles se livrent une guerre sans merci.

Fièvre à Orlando

En dépit de la crise économique, les dépenses des consommateurs en biens touristiques n'ont cessé de progresser. La Floride accueille près de quarante millions de visiteurs par an, une aubaine financière pour l'État. Chaque année fait l'objet de campagnes publicitaires et promotionnelles diverses. La ville d'Orlando est entièrement dévolue à Mickey et à ses visiteurs. La concentration de chambres d'hôtel y est la plus élevée des États-Unis (77 000), ainsi que leur taux d'occupation (près de 80 %). Le nombre de touristes qui atterrissent à l'aéroport international d'Orlando a augmenté de 300 % au cours des années 1990.

Certains ont émis l'idée que les parcs à thèmes — univers féeriques où même les poubelles reluisent comme de l'or — ont pour fonction de répondre au désir d'évasion de masses harassées par une vie de monotone labeur. Impeccablement lustrés et ordonnés, ils donnent une sensation de perfection qui flatte les sens sans mettre à l'épreuve le sens critique. On a écrit également que les grands parcs à thèmes sont à la société des loisirs ce que les lieux de pèlerinage étaient au monde ancien.

L'univers des parcs à thèmes n'en est pas moins impitoyable. Ces derniers se livrent un âpre combat, se plagiant et s'espionnant tout en dissimulant leur soif d'argent sous un ludisme bon enfant et une célébration des vertus américaines. L'industrie est soutenue par de gigantesques campagnes de publicité, justifiées par d'importantes sommes mises en jeu. D'après le *Wall Street Journal*, Splash Mountain, une des attractions du parc Disney World, a coûté la bagatelle de 80 millions de dollars et 650 millions ont été consacrés à la construction des Universal Studios. C'est donc une affaire de gros sous.

Plus d'une vingtaine de grands parcs à thèmes — et plusieurs douzaines de petits — émaillent désormais la surface de l'État. La tendance s'est répandue : Miami, Tampa et même la traditionnelle Key West

les accueillent à bras ouverts et, par conséquent, mènent une politique touristique dynamique voire tapageuse. Les chaînes d'hôtels et de restauration se sont associées aux parcs et proposent toute une gamme de séjours combinés afin de s'assurer une part du gâteau.

Chaque site est un univers autonome, ce qui, commercialement, se révèle très profitable. Véritables petites cités, dédale de rues cernées de hautes murailles, les parcs exploitent une clientèle captive pendant une journée entière. La plupart possèdent des bureaux de change, proposent un service de locations de poussettes et de fauteuils roulants, sans oublier les

Pages précédentes : saluons la foule ! A gauche, tours et détours aux Busch Gardens ; à droite, King Kong en cage.

boutiques qui vendent pellicules photo, chapeaux, lunettes de soleil, et même des chaussures pour pouvoir arpenter le parc toute la journée.

Le modèle Mickey

S'il était encore en vie, Walter Elias Disney (1901-1966) lui-même n'en croirait pas ses yeux : Walt Disney World est un succès phénoménal. Le parc accueille plus de visiteurs que n'importe quelle attraction touristique commerciale au monde. Seules Kyoto, La Mecque et le Vatican le surpassent en nombre de visiteurs. Aujourd'hui, des vols directs relient Orlando à Paris, Tokyo, Londres ou Rio, et ce, grâce au monde magique de Mickey. Depuis son inauguration, en 1971, la région d'Orlando draine quatre fois plus de visiteurs qu'auparavant.

La puissance de la compagnie fondée autour du parc à thèmes est donc considérable. Avec une réglementation propre en matière de construction, de prévention d'incendie et de taxes, il fait un peu figure d'État dans l'État. La communauté urbaine d'Orlando pourrait difficilement s'en passer. D'après le magazine *Time*, le parc Disney est le plus gros employeur (33 000 personnes) et contribuable (23 millions de dollars par an) de l'industrie touristique de Floride. Soixante pour cent des touristes visitant la région placent le parc en tête de leurs centres d'intérêt.

Les employés sont astreints à des règles de comportement et de tenue vestimentaire très strictes. Ils doivent contribuer à garder les lieux propres, sourire en permanence et encenser la mémoire du fondateur de l'empire. On vient même de l'étranger pour observer les méthodes de gestion et nombre de sociologues se sont intéressés à l'impact du parc sur l'environnement socioculturel.

Disney a créé un véritable modèle en la matière, souvent imité mais jamais égalé. Les compagnies aériennes n'échappent pas à son influence et, périodiquement, rivalisent entre elles afin de bénéficier du statut de « transporteur officiel » de Disney World.

Une rude compétition

Les Busch Gardens de Tampa existaient déjà depuis douze ans lorsque Mickey a ouvert ses portes. Toutefois, c'est le succès de Disney qui a servi de locomotive au développement de son zoo africain et du parc à thèmes. En observant Disney, la direction du parc de Tampa a pris conscience de ses faiblesses. Une nouvelle politique de dynamisation et d'expansion s'est ensuivie. Des montagnes russes, des cascades et des jeux d'eau, un palais marocain et des numéros d'animaux furent mis en place pour concurrencer son illustre voisin. L'office de tourisme de Tampa se donne beaucoup de mal pour détourner, ne seraitce qu'une journée, une partie des visiteurs qui affluent vers Orlando.

Les parcs de Gatorland, Weeki Wachee et Cypress Gardens ont également consenti à de grands efforts d'aménagement afin de tenir tête à la concurrence.

L'un des adversaires les plus rudes de Disney World est aujourd'hui Sea World qui, bien qu'installé dans les terres, est entièrement consacré à la mer. L'ambiance y est plus sereine que dans la plupart des autres parcs à thèmes, mais Sea World n'en est pas moins une affaire rentable. Si l'on en croit les rumeurs, son succès donnerait des idées à la direction de Disney, qui envisagerait de construire une grande attraction marine vers la fin des années 1990.

Les parcs à thèmes consacrés à l'environnement aquatique, de type « aqualand » avec fausses rivières, lacs, cascades, bassins à vagues et toboggans, se sont multipliés après l'arrivée de Mickey. Rares sont les villes qui ne s'en sont pas dotées, les faisant sortir de terre en un temps très court, comme par enchantement. Des entreprises telles que Wet'n'Wild, Watermania, Atlantis ou Wild Waters se targuent de posséder les meilleurs et les plus spectaculaires toboggans au monde !

Les restaurants ne sont pas les derniers à avoir adopté l'esprit des parcs d'attractions. Il est rare qu'un repas se résume à un simple dîner. De nos jours, il est difficile d'éviter un spectacle bruyant et clinquant, avec profusion de paillettes, qui ne facilitera peut-être pas l'ingestion d'un abondant festin composé de six plats différents. Des restaurants à thèmes tels que le Medieval Times, le King Henry's Feast, l'Arabian Nights ou le Mardi Gras présentent tous de grands spectacles inspirés des mises en scène de Disney World.

A gauche, baignade d'éléphants ; ci-dessus, une pause pendant la visite des Universal Studios.

Bienvenue chez King Kong

Lorsque l'entreprise Disney, franchissant un nouveau palier dans son inexorable soif d'expansion, lança, en 1989, ses studios de cinéma Disney-MGM — inspirés de la Metro Goldwyn Mayer —, elle croyait avoir parfaitement cerné un nouveau créneau. Les studios Disney-MGM avaient deux objectifs : d'une part, servir de studios de cinéma ou de télévision et, d'autre part, offrir à un public de cinéphiles la chance de déambuler dans d'authentiques décors et d'observer la mise au point d'effets spéciaux et de cascades.

Mais, un an après son ouverture, Disney-MGM eut la déconvenue de voir s'installer un concurrent de taille : Universal Studios Florida. Visités par 6,7 millions de touristes en seulement un an, les plus grands studios cinématographiques en dehors de Hollywood (Californie) ont donné du fil à retordre à Disney. Un combat de titans s'est alors engagé, aussitôt titré par les médias locaux « King Kong à l'assaut de Mickey ».

Disney construisit rapidement une nouvelle attraction prometteuse de sensations fortes — Catastrophe Canyon — mais la réplique de Universal Studios ne se fit pas attendre avec Earthquake Experience (le tremblement de terre).

Sur mer comme au ciel

L'industrie de la croisière d'agrément n'a pas résisté aux appels d'un marché juteux. Si quelques bateaux s'habillent de matières nobles comme le teck ou l'acajou pour respecter l'image de la croisière classique, nombreux sont ceux qui affichent aujourd'hui un style très « Disney ». Les cabines ont opté pour une décoration audacieuse dans des tons de violet, rose bonbon et bleu électrique avec des plafonds étoilés et des moquettes bariolées. Ces navires arborent des noms tels que *Fantasy*, *Ecstasy* ou *Sensation*. La décoration obéit souvent à un thème, du style égyptien au genre futuriste.

Les nouveaux bateaux de croisière sont devenus des parcs d'attractions flottants, avec spectacles et divertissements. Ils disputent leur clientèle aux parcs à thèmes du continent. Sur *Premier*, la ligne officielle de Disney World, se produit un groupe de personnages Disney.

Le centre spatial Kennedy n'a pas voulu rester hors du coup. Dans les années 1970, il proposait un spectacle scientifique et éducatif qui drainait près de cinq cent mille visiteurs par an. En 1982, le petit centre d'accueil fut transformé en *Spaceport USA*, une base de haute technologie multimédia pourvue d'écrans géants, avec visites guidées en autobus et cafétéria futuriste qui attirent près de trois millions de visiteurs par an.

Des échecs retentissants

Depuis la construction du parc Disney, les prix de l'immobilier, en particulier dans la région d'Orlando, se sont envolés. Un acre de terrain (0,4 ha), qui se vendait deux cents dollars à la fin des années 1960, se négocie autour de cent mille dollars trente ans plus tard. Nombreux sont les fermiers et les producteurs d'agrumes qui ont réalisé de belles plus-values en cédant leurs terres aux promoteurs de parcs à thèmes.

Mais ce secteur florissant a aussi connu des déboires. Des projets ambitieux se sont heurtés à des problèmes financiers, à des conflits liés à la répartition géographique ou à une mauvaise gestion. Parmi les échecs notoires, on signale Bible World, qui voulait mettre en scène les grands mythes de la chrétienté, Hurricane World, une spectaculaire mise en scène qui plongeait le visiteur dans l'œil du cyclone, Winter Wonderland, véritable gageure puisqu'il s'agissait de créer une station de ski au cœur même de la Floride, et Little England, reconstitution d'un village anglais d'autrefois.

A gauche, le saut de l'orque à Sea World ; à droite, une attraction ordinaire.

19

DIVERTISSEMENT GARANTI

Journaliste et écrivain (lauréat du prix Pulitzer), Dave Barry nous donne quelques conseils pour survivre dans l'enfer des parcs d'attractions.

« Disney World, je peux dire que j'en ai fait le tour. J'y suis en quatre heures de route et, d'après mes calculs, ma femme, mes enfants et moi y avons laissé les trois quarts de nos revenus nets d'impôt. Mais

je ne me plains pas. On ne s'ennuie pas à Disney World: c'est interdit! Le parc est truffé de caméras de surveillance qui traquent le mauvais coucheur. Si vous n'affichez pas en toute circonstance un sourire radieux, vous serez condamné au costume de Dingo par 40 ° C et livré à des hordes de gosses surexcités jusqu'à ce que vous demandiez grâce. Soyez-en sûrs : Disney World est un « rêve devenu réalité ». Voici quelques tuyaux pour en réchapper. »

Quand faut-il y aller ?

« Si vous souhaitez éviter la foule, l'époque la plus généralement recommandée est 1962. Par quels moyens ? Vous pouvez vous y rendre en avion mais, comme Disney est un plaisir qui se mérite, les vrais amateurs conseillent la route, par le plus long trajet, dans une voiture pleine d'enfants. »

« Une fois en Floride, impossible de rater Disney World — le centre de l'État appartient entièrement à la compagnie. Prenez n'importe quelle route, vous aboutirez inmanquablement sur un parking Disney de la taille d'un aéroport, traversé par des familles nomades cherchant leur voiture depuis 1979. Mémorisez l'emplacement de votre véhicule : vous pourrez toujours le vendre si vous êtes à court de liquide pour payer votre billet d'entrée. »

S'armer de patience

« Mais qu'importe le prix. L'essentiel est d'être rendu à bon port, d'avoir touché au but. Les portes du paradis vont s'ouvrir. Vous êtes prêt. Mais armez-vous tout de même d'un peu de patience, il faut d'abord attendre le tram qui dessert le parking, piloté par d'affables membres du personnel Disney, en grand uniforme, qui vous feront bénéficier de leurs précieux conseils en matière de sécurité : surtout, ne jamais sauter d'un tram avant l'arrêt. »

« La promenade s'achève enfin. Place aux choses sérieuses ! Pas si vite : d'abord il faut prendre son tour pour acheter ses tickets, ce qui n'est pas une si mince affaire. Les experts recommandent le laissez-passer de quarante-sept jours qui doit suffire — à condition de ne jamais dormir ni manger — pour visiter la totalité des attractions. »

« Bon, vous avez sollicité un nouvel emprunt et acheté vos billets, et vous allez goûter aux joies de... Non, attendez ! Encore la file d'attente. Cette fois, pour emprunter le monorail, petite merveille futuriste avançant à la vitesse d'une tondeuse à gazon. En chemin, de gentils employés vous donneront quelques tuyaux concernant l'engin. Vous apprendrez, par exemple, qu'il est déconseillé d'y mettre le feu avant d'avoir mis ses effets personnels en lieu sûr. »

« Ça y est. Le Royaume Magique se dresse enfin devant vous. Plus de transports en commun à attendre. Il n'y a plus qu'à trépigner pour entrer et il y a beaucoup de monde. De nombreux groupes sont rassemblés sous des écriteaux tels que « Toute la population de New York ». Diantre ! Ça doit valoir la peine. »

« Voilà, vous avez fait preuve de patience, vous allez entrer. Un sympathique membre du personnel vous tamponne la main avec une encre invisible qui vous fait remonter le temps : vous êtes redevenu un enfant de dix ans. « Génial ! »

« Enfin ! Vous y êtes. Vous avez franchi les portes du Royaume Magique. Alléluia ! Vous allongez le cou pour apercevoir quelque chose. Merveille : la foule est compacte, vous naviguez au milieu d'un océan de têtes. Qu'est-ce qu'on s'amuse ! »

« Alors, il ne vous reste plus qu'à vous ruer au milieu d'une nuée de touristes, à renverser les poussettes lorsqu'elles vous barrent la route, tout ça parce que notre chérubin veut grimper sur Space Mountain. Il en rêve depuis des mois, et, comme chacun sait, les désirs d'un enfant sont des ordres. Mais... parbleu ! Cet interminable serpent humain serait-il la file d'attente pour la fameuse attraction ? Ne vaudrait-il pas mieux expliquer au bambin qu'il aura les cheveux blancs avant d'atteindre le bout ? Mais à quoi bon ? Alors, vous prenez la résolution d'acheter les sacs de couchage officiels Disney World et de vous préparer à un très long siège. Tant pis pour l'école l'année prochaine. Il y a des choses plus importantes. »

A gauche, l'humoriste Dave Barry ; ci-dessus, la sieste d'une femelle gorille.

Le centre Epcot

« Au fait, puisqu'on parle d'éducation, je vous conseille de visiter le centre Epcot. Vous y verrez des expositions sponsorisées par de grandes entreprises tout ce qu'il y a de plus sérieux — expositions qui retracent quelques-uns des grands défis de l'humanité, en passe d'être remportés grâce aux efforts désintéressés de ces mêmes entreprises. Le centre Epcot comprend également des pavillons construits par d'autres pays que les États-Unis. On peut s'y faire une idée extrêmement précise et réaliste de ce que serait la vie dans ces pays si elle consiste en une floraison de restaurants et de boutiques de souvenirs. »

« Je n'oublierai jamais cette nuit au centre Epcot où j'ai dîné avec ma famille au restaurant allemand. J'y dégustais plusieurs bières ainsi qu'une fine spécialité culinaire appelée *Bloatwurst*, sorte de saucisse prétendument destinée à être mangée. En sortant, je ressemblais à peu près à un boa ayant avalé une vache et s'apprêtant à la digérer pendant quelques mois. Malheureusement, mon fils insista pour tâter d'une nouvelle attraction éducative d'Epcot ayant pour nom « Le corps ». Il s'agit d'une capsule de type spatial où l'on prend place pour faire un voyage à l'intérieur du corps humain. »

« Un mot exprime ce que j'ai ressenti : l'horreur. Imaginez la scène. Vous êtes assis face à un écran, observant une simulation des plus réalistes et saisissantes de l'intérieur d'un corps humain, point de vue plutôt déplaisant. A chaque instant, vous croyez vous faire écraser par un globule blanc de la taille d'une caravane. Pendant ce temps, la capsule s'agite violemment, notamment lors du passage de l'aorte. Croyez-en mon expérience de vieux routier : « A saucisse géante, point d'aorte. »

« Dave World »

« Quand je pense que, pour le plaisir d'endurer cela, les gens payent. Tout ça m'a donné une idée pour m'enrichir. Vous avez sûrement remarqué que, dans la plupart des parcs, la foule qui se presse devant une attraction est proportionnelle à la brutalité et l'atrocité de cette dernière. Les aimables manèges d'autrefois ne font plus recette, et les cohortes de fanatiques, en majorité des adolescents, font le siège d'attractions où l'on vous sangle solidement avant le départ. »

« Voici mon idée : ouvrir un parc à thèmes appelé " Dave World ", dont le clou serait l'attraction " chute mortelle ". Il s'agirait d'une tour de 80 m de haut. Voici son fonctionnement : vous grimperiez jusqu'au sommet, une trappe s'ouvrirait sous vos pieds et vous chuteriez comme un cageot de tomates bien mûres. Pour des raisons bassement légales, on ne pourrait pas essayer mon attraction. Un panneau signalerait : " Danger ! Interdiction de monter, cette attraction est mortelle, merci. " Ce qui aurait pour effet d'accroître sa renommée. Tous les adolescents du coin viendraient visiter " Dave World " pour le seul plaisir d'y faire la queue. »

« Une autre attraction pourrait s'appeler " Les parents magiques " avec sélection à l'entrée. Un panneau indiquerait : " Désolé, les jeunes, attraction réservée à vos parents. " A l'intérieur, un bar et, pour les jeunes enfants, j'ai songé à " Fantaisie terreuse ", une base de loisirs consacrée aux joies de la terre. Les jours de pluie, pour le même prix, ce serait de la boue. »

« Franchement, je ne vois pas très bien comment " Dave World " pourrait échouer. Je ne tarderais pas à devenir riche et pourrais traîner ma famille dans d'interminables voyages à travers le monde. Laissons tomber. »

Comment quitter Disney World ?

« Arrive l'instant où vous songez enfin à partir. Prudence ! Attendez le milieu de la nuit pour tenter votre chance. Il vous faudra en effet échapper à la terrible vigilance du personnel qui ne supporte pas qu'on quitte le parc pour dépenser son argent ailleurs. Si votre fuite est détectée, une meute d'employés guidés par ce cher Pluto sera à vos trousses. Si par malheur vous êtes pris, vous êtes bon pour le supplice du costume de Dingo. »

Autres plaisirs

« Le risque de quitter Disney World est considérable, mais quelques-unes des autres attractions de la région valent bien la peine. Les deux meilleurs se situent côte à côte — ça arrive souvent — dans une petite ville répondant au doux nom de Kissimmee. »

« L'une d'elles est le siège des récipients alimentaires en plastique Tupperware. Une visite guidée vous conduira dans le musée historique des récipients — je ne plaisante pas. Je n'invente pas non plus Gatorland, à deux pas. Après être passé sous une gigantesque paire de mâchoires d'alligator faisant office de porte, vous arpenterez des passerelles surplombant de noirâtres piscines où flottent des alligators immobiles qui semblent se remettre d'une dépression nerveuse. Des poissons sont en vente, si vous souhaitez leur en offrir. »

« Le grand événement de Gatorland, le seul qui réveille les alligators, est l'assaut aux poulets morts, connu sous le nom de *Gator Jumparoo* — je ne mens pas. Voici comment ça se passe : une foule se presse autour d'une piscine, au-dessus de laquelle, se balancent des poulets plumés et décapités. Sous les acclamations du public encouragé par un animateur, les alligators se dressent hors de l'eau et arrachent les poulets avec leurs mâchoires. C'est très drôle, et aussi très instructif, non ? »

A gauche, une interprétation très américaine du carnaval de Venise à Orlando ; ci-dessus, un petit souvenir à rapporter après une dure journée.

DELANO

di Lido

West Palm Beach
Clewiston
Belle Glade
Fort Myers
Immokalee
FORT LAUDERDALE
HOLLYWOOD
Ochopee
Hialeah
Miccosukee
MIAMI
Tequesta
EVERGLADES
Homestead
Flamingo

ITINÉRAIRES

Devant moi tant de choses à voir m'attendent,
Mais je sais que ne peuvent m'égarer
Ces changements de latitude, ces changements d'attitude.

C'est avec ces paroles et un air de guitare que le poète Jimmy Buffett a su exprimer à quel point la Floride est une échappatoire à la routine des Nord-Américains.

En moins d'un siècle, la Floride, simple région sauvage, quasiment inexplorée, s'est transformée en une vaste station balnéaire. Le climat particulièrement doux de l'État le plus méridional des États-Unis attire aussi bien les fuyards de l'hiver que les *aficionados* du soleil. La Floride est d'ailleurs surnommée à juste titre l'« É tat du Soleil » (*Sunshine State*).

Elle accueille, chaque année, plus de 40 millions de visiteurs. Chacun peut y trouver de quoi composer un voyage complet adapté à ses goûts et à sa curiosité. C'est à la fois un État où la nature est très protégée — ses lois font souvent référence dans tout le pays — et où le monde de demain se profile à chaque coin de rue.

La **Floride du Sud** trouve son point d'ancrage dans la métropole de Miami, à l'architecture folle (la cité-jardin Coral Gables, le quartier Art déco). Paradis des touristes, Miami Beach s'étend devant les façades ininterrompues des hôtels de Collins Avenue. Les immenses marais du Sud, les Everglades, en partie transformés en parc national, s'étendent à perte de vue, abritant une faune et une flore exceptionnelles. La pointe sud de la Floride s'égrène sur 300 km en un chapelet d'îles, les Keys, dont la dernière, Key West, a accueilli de célèbres écrivains.

La **côte Est**, entre Jacksonville et Melbourne, présente au moins trois centres d'intérêt: Saint Augustine, « la plus ancienne cité de la Nation », Daytona Beach, connue pour son circuit de courses auto-moto, et Cape Canaveral, cité de l'espace avec le centre spatial de la NASA.

Walt Disney World, qui lança la mode des parcs à thèmes, à Orlando notamment, est la principale attraction de la **Floride centrale**. Mais cette région ravira aussi les amoureux de la nature puisque ses limites nord comprennent l'Ocala National Forest, envahie par les pins de sable et peuplée de cerfs.

Le **nord de la Floride** embrasse le Panhandle, région essentiellement rurale, dominée par la Blackwater River State Forest et l'Apalachicola National Forest, et limitée par Tallahassee et Pensacola, deux grandes villes qui ont le charme du Vieux Sud. Sur la côte s'étend le Miracle Strip, une succession de plages encore peu explorées.

Enfin, la **côte Ouest**, qui va de Marco Island, au sud, à Cedar Key, au nord, est frangée de belles plages. Salvador Dalí règne en maître dans son musée de Saint Petersburg. John Ringling exprima sa passion du cirque à Sarasota et à Venice. Le quartier d'Ybor City à Tampa, ancienne colonie cubaine, se souvient de sa florissante industrie du tabac.

Pages précédentes : panorama du quartier Art Deco de Miami Beach ; le fort Jefferson, dans les îles des Keys ; coucher de soleil dans les Everglades. A gauche, une autre façon de parcourir la Floride.

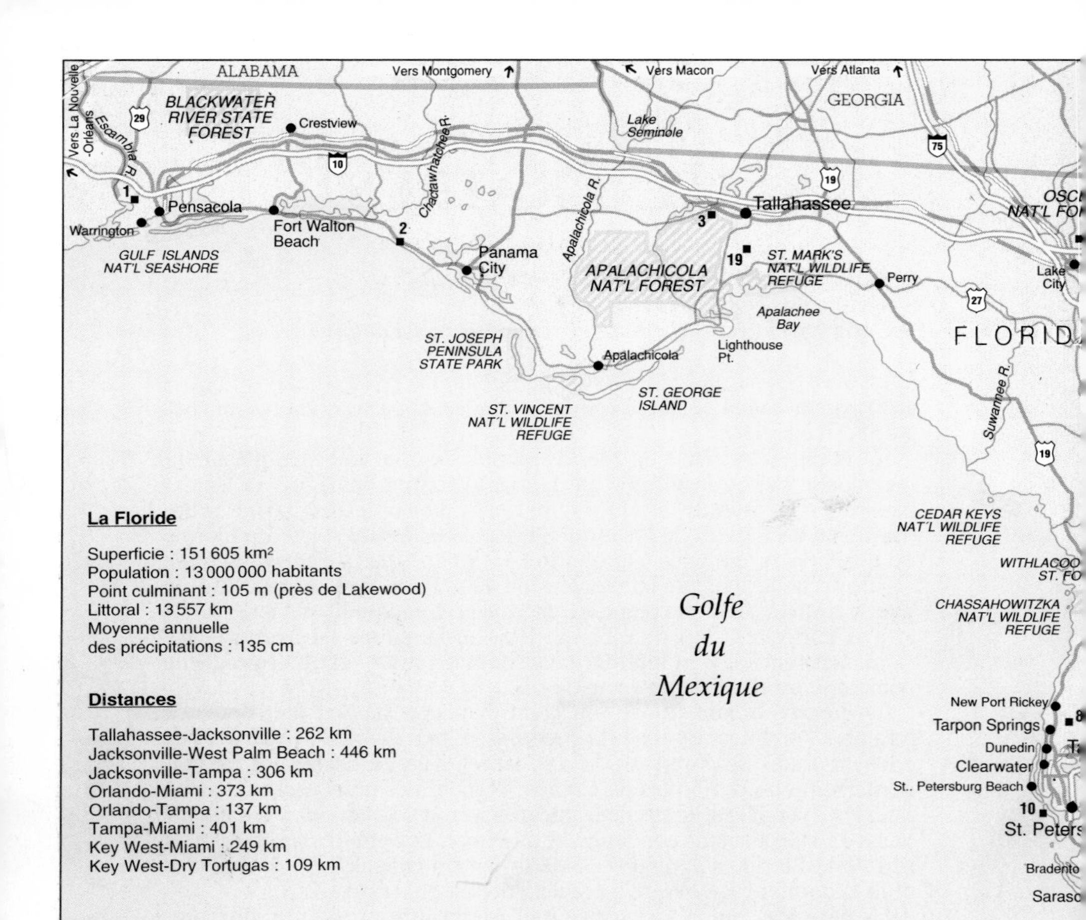

La Floride

Superficie : 151 605 km²
Population : 13 000 000 habitants
Point culminant : 105 m (près de Lakewood)
Littoral : 13 557 km
Moyenne annuelle
des précipitations : 135 cm

Distances

Tallahassee-Jacksonville : 262 km
Jacksonville-West Palm Beach : 446 km
Jacksonville-Tampa : 306 km
Orlando-Miami : 373 km
Orlando-Tampa : 137 km
Tampa-Miami : 401 km
Key West-Miami : 249 km
Key West-Dry Tortugas : 109 km

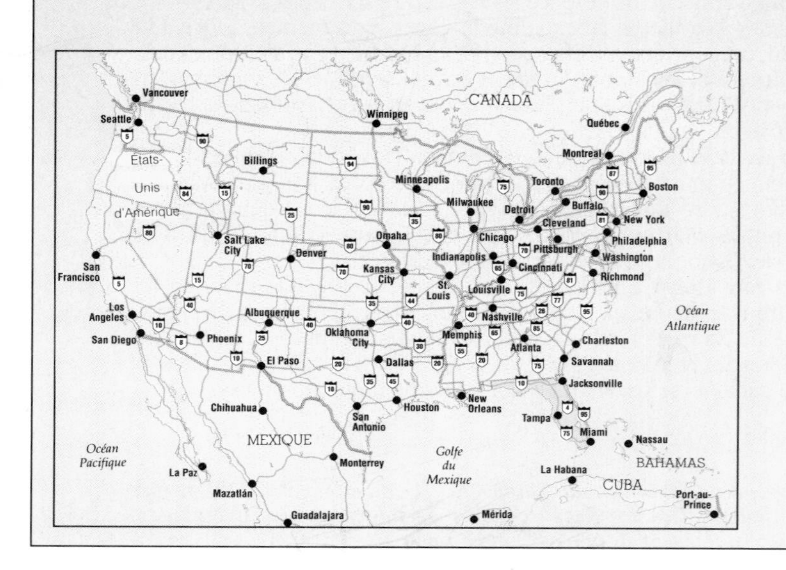

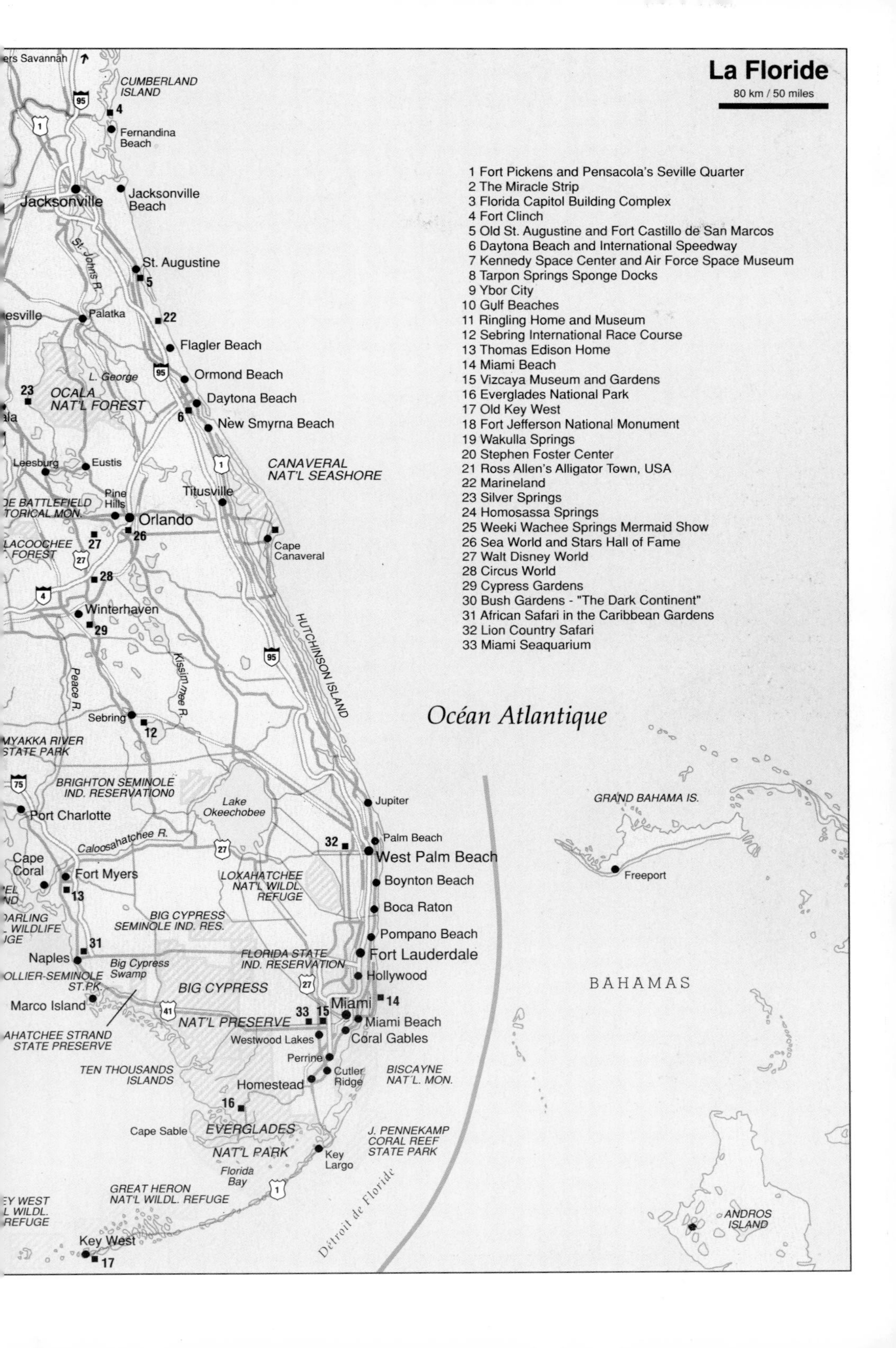
La Floride
80 km / 50 miles
1 Fort Pickens and Pensacola's Seville Quarter
2 The Miracle Strip
3 Florida Capitol Building Complex
4 Fort Clinch
5 Old St. Augustine and Fort Castillo de San Marcos
6 Daytona Beach and International Speedway
7 Kennedy Space Center and Air Force Space Museum
8 Tarpon Springs Sponge Docks
9 Ybor City
10 Gulf Beaches
11 Ringling Home and Museum
12 Sebring International Race Course
13 Thomas Edison Home
14 Miami Beach
15 Vizcaya Museum and Gardens
16 Everglades National Park
17 Old Key West
18 Fort Jefferson National Monument
19 Wakulla Springs
20 Stephen Foster Center
21 Ross Allen's Alligator Town, USA
22 Marineland
23 Silver Springs
24 Homosassa Springs
25 Weeki Wachee Springs Mermaid Show
26 Sea World and Stars Hall of Fame
27 Walt Disney World
28 Circus World
29 Cypress Gardens
30 Bush Gardens - "The Dark Continent"
31 African Safari in the Caribbean Gardens
32 Lion Country Safari
33 Miami Seaquarium
Océan Atlantique
Savannah
CUMBERLAND ISLAND
Fernandina Beach
Jacksonville
Jacksonville Beach
St. Johns R.
St. Augustine
Palatka
Flagler Beach
L. George
Ormond Beach
OCALA NAT'L FOREST
Daytona Beach
New Smyrna Beach
Leesburg
Eustis
CANAVERAL NAT'L SEASHORE
Titusville
Pine Hills
Orlando
Cape Canaveral
Winterhaven
HUTCHINSON ISLAND
Kissimmee R.
Peace R.
Sebring
MYAKKA RIVER STATE PARK
BRIGHTON SEMINOLE IND. RESERVATIONO
Port Charlotte
Lake Okeechobee
Jupiter
GRAND BAHAMA IS.
Caloosahatchee R.
Palm Beach
West Palm Beach
Cape Coral
Fort Myers
LOXAHATCHEE NAT'L WILDL. REFUGE
Freeport
Boynton Beach
Boca Raton
BIG CYPRESS SEMINOLE IND. RES.
Pompano Beach
Naples
FLORIDA STATE IND. RESERVATION
Fort Lauderdale
Big Cypress Swamp
Hollywood
BAHAMAS
BIG CYPRESS
Marco Island
Miami
NAT'L PRESERVE
Miami Beach
Westwood Lakes
Coral Gables
STATE PRESERVE
Perrine
TEN THOUSANDS ISLANDS
Cutler Ridge
BISCAYNE NAT'L. MON.
Homestead
Cape Sable
EVERGLADES NAT'L PARK
J. PENNEKAMP CORAL REEF STATE PARK
Key Largo
Florida Bay
GREAT HERON NAT'L WILDL. REFUGE
Détroit de Floride
ANDROS ISLAND
Key West

CAPT. TONY'S
SALOON
The First and Original "SLOPPY JOE'S" 1933-1937"

LA FLORIDE DU SUD

La Floride du Sud, soit la partie méridionale de la côte Est, est un véritable microcosme de l'« État du Soleil » tout entier. On y rencontre à la fois des cow-boys et des Indiens, des Crackers et des Yankees, des Cubains et des Haïtiens. Les autoroutes ultramodernes alternent avec les chemins de terre et les plantations de canne à sucre, les gratte-ciel avec les marais ou les terres arables. Du charme rustique de Homestead à la folle cité Art déco de Miami, en passant par la paisible Vero Beach et le lac Okeechobee, la Floride du Sud a su faire de ses contrastes un atout.

La région comprend les Everglades, immenses marais constituant la majeure partie de la « queue » de la Floride et qui s'étendent sur 700 000 ha. Les eaux peu attrayantes des Everglades masquent un environnement fascinant qu'influence un climat à la fois tempéré et tropical. Même l'alligator, à présent protégé, prospère dans cette plaine liquide.

La pointe sud de la Floride ne se termine pas brusquement mais s'égrène en petites îles coralliennes, les Keys (*key* étant le mot *cayo* anglicisé signifiant, en espagnol, « petite île »). Elles s'étalent sur environ 300 km, de la baie Biscayne à Miami jusqu'aux Dry Tortugas, situées à seulement 150 km de Cuba. Les quarante-trois ponts de la US Highway 1, « l'autoroute au-dessus des mers », les relient en une chaîne sans fin.

Chaque île, de la culture maritime de Key Largo à celle, pseudobohémienne, de Key West, conserve une identité propre. Les *aficionados* du soleil se sont emparés des îles hautes, laissant tranquilles les habitants des îles basses, fiers d'être surnommés les « conques », du nom de ce mollusque très apprécié aux Keys. Une chose les réunit toutefois : tous ne se laissent pas emporter par le tourbillon de la vie. A Mañanaland, à Margaritaville, sur la Riviera américaine... — surnoms que portent les îles des Keys —, arriver à l'heure à un rendez-vous, par exemple, n'est pas une préoccupation majeure.

Il ne faut pas hésiter à aller admirer, tôt le matin, le soleil qui se lève sur l'océan Atlantique ou courir le soir de l'autre côté de son île pour regarder le crépuscule sur le golfe du Mexique. Les « conques » disent que ce sont les seuls repères du temps.

Pages précédentes : les Surrounded Islands *(les « îles emballées »), œuvre de l'artiste Christo, dans la baie Biscayne, en 1983, avec Miami à l'arrière-plan. A gauche, un endroit où passer le temps : Key West.*

LA MÉTROPOLE DE MIAMI

Les villes jumelles de Miami et Miami Beach ont toutes deux connu un essor fulgurant. A l'endroit même où, il n'y a pas si longtemps, régnaient des marais infestés de moustiques, une mégalopole déploie ses tentacules. Lorsqu'on arrive par avion, à l'approche de l'aéroport international de Miami, on voit par le hublot cette végétation marécageuse qui s'étend au loin comme une mer silencieuse : les Everglades. Pour revenir à un paysage plus urbain, il suffit de regarder la ville avec ses toits inondés de soleil, qui tranche avec le bleu-vert de la baie de Biscayne.

Au premier abord, la prose dithyrambique des dépliants touristiques semble justifiée. Tout y est : les plages, la douceur du climat et l'effervescence de la vie nocturne. Même l'ouragan Andrew qui dévasta, en 1992, une bonne partie des quartiers de Coconut Grove et de Coral Gables n'a pas trop altéré le rêve. Sous les couches de nuages, on voit surgir les immeubles d'un centre économique florissant teinté de culture latine propre au « Grand Miami » et, autre caractéristique de la métropole floridienne, Miami Beach et le quartier Art déco, une véritable réussite.

La grande ville de Miami a davantage à offrir qu'un simple lieu de villégiature. Malgré la publicité négative déployée ces dernières années, la ville continue à prospérer et à évoluer. La zone de libre-échange, où circulent les dollars par millions, ressemble à celles de Port Everglades ou d'Orlando, et contribue à appuyer la position de Miami en tant que capitale des affaires latino-américaines.

Du village de pêcheurs à la mégalopole

Confrontée à une série de problèmes, Miami a perdu un peu de son éclat. Depuis plusieurs années, les touristes du Nord choisissent de dépenser leurs dollars dans d'autres régions de la Floride. Les éléments déchaînés joints à de fortes marées ont englouti certaines plages. Le développement urbain s'est produit aux dépens des fermiers. De violentes manifestations raciales ont ébranlé la ville pourtant engagée dans un processus de déségrégation. Enfin, l'afflux de réfugiés cubains et haïtiens a remis en question un certain équilibre démographique.

Néanmoins, l'histoire de Miami pourrait s'apparenter à un conte de fées. Cet ancien village de pêcheurs à la lisière d'une immense contrée sauvage acquit le statut de ville en 1896. Pourtant, le magnat du chemin de fer Henry Flagler douta de son avenir quand le train s'y arrêta pour la première fois. Le Florida East Coast Railroad fut pourtant à l'origine d'une croissance phénoménale tout au long de la Côte dorée. En hommage à Flagler, la grande avenue qui coupe Miami en deux porte son nom, tout comme une piste de courses de chiens et une société d'épargne. Sur Biscayne Boulevard, dans le parc du bicentenaire, il est aussi à l'honneur à

A gauche et à droite, la CenTrust Tower de Miami change de couleur sur commande.

l'endroit même du port d'origine qui avait été construit pour l'entretien des bateaux à vapeur.

Mais le comté de Dade n'a pas attendu la venue de Flagler pour s'inscrire dans l'histoire. Le premier homme blanc connu à avoir habité cette région était un naufragé espagnol capturé par les Indiens Tequesta qui vivaient à l'embouchure de la Miami River. Dans ses mémoires, le marin évoque un lieu que les Indiens appelaient « lac de Mayaime » ; les historiens supposent que le toponyme se référait, en fait, au lac Okeechobee, au nord-ouest. Mayaime se transforma en Miami — « eaux douces » en langue indienne.

Plus tard, un grand nombre de colons, venus à Fort Dallas au début du XIXe siècle pour contenir les Séminoles, choisirent de rester dans la région. Julia Tuttle, l'une des premières Yankees à avoir fui les hivers glacials de Cleveland pour la douceur floridienne, vint y habiter. C'est elle qui convainquit Flagler de prolonger son chemin de fer jusqu'à la baie de Biscayne. En 1924, **Fort Dallas** fut démantelé pierre par pierre pour être reconstruit à Lummus Park, sur North River Drive, près de Miami River.

Le Biscayne Boulevard donne dans **Brickell Avenue**, ainsi nommée en mémoire de Mary et William Brickell. Dans les années 1870, le couple possédait tous les terrains qui longent la baie, de Miami River à Coconut Grove. Les riches se firent construire d'élégantes demeures le long de la baie, dans le sillage du chemin de fer.

Aujourd'hui, les immeubles de béton de Brickell Avenue n'ont plus rien en commun avec le passé. Cependant, la demeure de quatorze pièces dont on aperçoit les trois tours, les lucarnes et les grilles en fer forgé est calquée sur un prieuré français du XIVe siècle. De pareilles résidences, perdues parmi les tours d'habitation modernes, donnent une idée du charme de Brickell Avenue au début du siècle quand la forêt était si dense que les gens n'osaient s'aventurer dehors à la tombée de la nuit.

La Fantasy *au départ du plus grand port de croisière du monde.*

Il ne reste plus grand-chose du quartier boisé de **Brickell Hammock**, situé dans **Alice C. Wainright Park**. Les brigands hantaient autrefois les parages, alors qu'à présent, le parc prête ses charmes à des cérémonies de mariage. Il y a environ cent mille ans, le site de Miami était recouvert par la mer. Quand elle se retira, des couches de calcaire se déposèrent, formant un récif — ou oolithe — de 3 km de long, parallèle au rivage de la baie.

L'installation du chemin de fer engendra une période de croissance, dont les conséquences s'étendirent à des régions et des îles jusqu'alors très sauvages. Ainsi naquirent, entre autres, Miami Beach, Hialeah, Opa-Locka et Coral Gables. Objets de spéculations, les terrains changèrent de mains plusieurs fois. Mais l'ouragan de 1926, qui tua 113 personnes et en blessa 884, joint à la Grande Dépression, mit provisoirement fin à l'essor de Miami.

L'assainissement de l'économie et l'implantation de nouvelles industries dans la région donnèrent le coup d'envoi à une deuxième période de prospérité qui fit entrer Miami dans le monde moderne des années 1950. Grâce au développement de l'aviation commerciale et à la construction du **Miami International Airport**, la ville devint un carrefour international.

Des milliers de soldats se sont entraînés à Miami Beach pendant la Seconde Guerre mondiale. Nombre de ces militaires sont retournés sur les lieux avec leur famille après le conflit. Certains ont profité du « GI Bill » — loi qui allouait des subventions aux gens qui avaient servi dans l'armée et souhaitaient reprendre leurs études — pour aller à l'**université de Miami**. L'établissement, fondé en 1925, subit les retombées du krach, mais l'arrivée des militaires en renfloua les rangs et le fit redémarrer. Située à Coral Gables, l'université doit sa renommée à sa faculté de médecine, son département de sciences marines et au **Lowe Art Museum**, dont la collection permanente, composée de 8 000 œuvres d'art, est très diversifiée.

Des animateurs encouragent l'équipe de l'université de Miami.

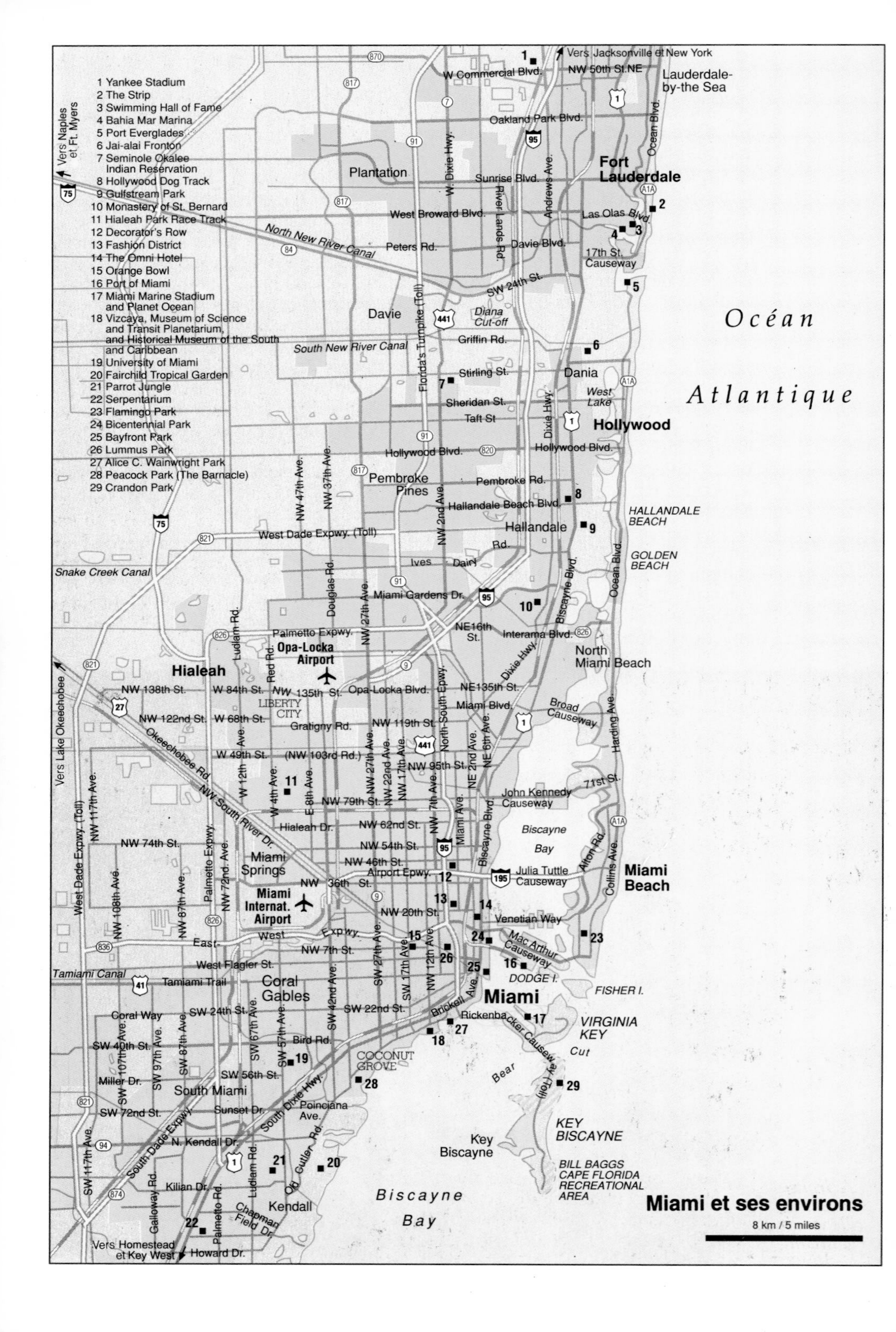

1 Yankee Stadium
2 The Strip
3 Swimming Hall of Fame
4 Bahia Mar Marina
5 Port Everglades
6 Jai-alai Fronton
7 Seminole Okalee Indian Reservation
8 Hollywood Dog Track
9 Gulfstream Park
10 Monastery of St. Bernard
11 Hialeah Park Race Track
12 Decorator's Row
13 Fashion District
14 The Omni Hotel
15 Orange Bowl
16 Port of Miami
17 Miami Marine Stadium and Planet Ocean
18 Vizcaya, Museum of Science and Transit Planetarium, and Historical Museum of the South and Caribbean
19 University of Miami
20 Fairchild Tropical Garden
21 Parrot Jungle
22 Serpentarium
23 Flamingo Park
24 Bicentennial Park
25 Bayfront Park
26 Lummus Park
27 Alice C. Wainwright Park
28 Peacock Park (The Barnacle)
29 Crandon Park
Miami et ses environs
8 km / 5 miles
Océan Atlantique
Vers Jacksonville et New York
Vers Naples et Ft. Myers
Vers Lake Okeechobee
Vers Homestead et Key West
Lauderdale-by-the Sea
Fort Lauderdale
Plantation
Davie
Dania
Hollywood
Pembroke Pines
Hallandale
HALLANDALE BEACH
GOLDEN BEACH
North Miami Beach
Hialeah
Opa-Locka Airport
LIBERTY CITY
Miami Springs
Miami Internat. Airport
Miami Beach
Miami
Coral Gables
COCONUT GROVE
South Miami
Kendall
Key Biscayne
KEY BISCAYNE
VIRGINIA KEY
FISHER I.
DODGE I.
BILL BAGGS CAPE FLORIDA RECREATIONAL AREA
Biscayne Bay
North New River Canal
South New River Canal
Snake Creek Canal
Tamiami Canal
W Commercial Blvd.
NW 50th St.NE
Oakland Park Blvd.
Sunrise Blvd.
West Broward Blvd.
Las Olas Blvd.
Peters Rd.
Davie Blvd.
17th St. Causeway
SW 24th St.
Diana Cut-off
Griffin Rd.
Stirling St.
Sheridan St.
Taft St
Hollywood Blvd.
Pembroke Rd.
Hallandale Beach Blvd.
West Dade Expwy. (Toll)
Ives Dairy Rd.
Miami Gardens Dr.
Palmetto Expwy.
NE16th St.
Interama Blvd.
NW 138th St.
W 84th St.
NW 135th St.
Opa-Locka Blvd.
NE135th St.
Miami Blvd.
Broad Causeway
NW 122nd St.
W 68th St.
Gratigny Rd.
NW 119th St.
W 49th St.
(NW 103rd Rd.)
NW 95th St.
NW 79th St.
John Kennedy Causeway
71st St.
Hialeah Dr.
NW 62nd St.
NW 74th St.
NW 54th St.
NW 46th St.
Airport Epwy.
Julia Tuttle Causeway
NW 36th St.
NW 20th St.
Venetian Way
East-West Expwy.
NW 7th St.
Mac Arthur Causeway
West Flagler St.
Tamiami Trail
Coral Way
SW 24th St.
SW 22nd St.
Rickenbacker Causeway
SW 40th St.
Bird Rd.
Miller Dr.
SW 56th St.
SW 72nd St.
Sunset Dr.
Poinciana Ave.
N. Kendall Dr.
Kilian Dr.
Chapman Field Dr.
Howard Dr.
Old Cutler Rd.
South Dixie Hwy.
South Dade Expwy.
Florida's Turnpike (Toll)
W. Dixie Hwy.
River Lands Rd.
Andrews Ave.
Ocean Blvd.
Dixie Hwy.
Biscayne Blvd.
Harding Ave.
Collins Ave.
Alton Rd.
NW 47th Ave.
NW 37th Ave.
NW 2nd Ave.
Douglas Rd.
NW 27th Ave.
North South Epwy.
NE 2nd Ave.
NE 6th Ave.
Ludlam Rd.
Red Rd.
W 12th Ave.
W 4th Ave.
E 8th Ave.
NW 22nd Ave.
NW 17th Ave.
NW 7th Ave.
Miami Ave.
Okeechobee Rd.
NW South River Dr.
West Dade Expwy. (Toll)
NW 117th Ave.
NW 108th Ave.
NW 87th Ave.
NW 72nd. Ave.
SW 42nd Ave.
SW 27th Ave.
SW 17th Ave.
NW 12th Ave.
Brickell Ave.
SW 107th Ave.
SW 97th Ave.
SW 87th Ave.
SW 67th Ave.
SW 57th Ave.
SW 117th Ave.
Galloway Rd.
Palmetto Rd.
Ludlam Rd.
Bear Cut

L'arrivée des Cubains

Miami fit les gros titres de la presse dans les années 1950, lorsque les membres de la pègre locale passèrent devant la commission sénatoriale. La cité attira des gangsters tel Al Capone, dont la résidence, au 93 Palm Island, au nord de MacArthur Causeway (pont reliant Miami à Miami Beach), existe toujours. Le célèbre chef de la mafia de Chicago acquit le domaine dans les années 1920, lorsque ses « affaires » prospéraient. Il y mourut en 1947.

Dans les années 1960, la **baie de Biscayne** et la **Miami River**, victimes d'une croissance trop rapide, reçurent le surnom peu flatteur de « paradis pollué ». Soutenus par la population locale, les écologistes demandèrent que les eaux soient épurées et ils s'opposèrent à l'implantation de toute nouvelle industrie dans la région. Le gouvernement s'emploie depuis à mieux contrôler le développement industriel.

Comme dans d'autres métropoles, les habitants blancs s'installèrent dans les banlieues, alors que le centre-ville, peuplé par une forte population noire, attira des centaines de milliers de réfugiés cubains. La misère du ghetto noir empira, tandis que la communauté cubaine prospéra. Les Noirs acceptèrent mal ce clivage, ce qui provoqua les affrontements de Liberty City, en 1968, durant la convention nationale du Parti républicain, à Miami Beach.

Les troubles atteignirent leur paroxysme en 1980, lors d'une série d'émeutes qui fit 18 morts. L'arrivée de 125 000 réfugiés cubains, la même année, aggrava les choses, d'autant que certains d'entre eux sortaient de prison. Sans argent ni travail, ils apparurent comme une menace pour la population. Miami était alors une ville réputée pour son fort taux de criminalité.

Mais les Américains, les Européens et les Canadiens de Miami contribuent aussi à un essor culturel, défiant ainsi New York. L'ascension sans précédent de Miami Beach, capitale américaine des tendances et mecque des nouveautés, repositionne Miami sur une carte. Créateurs et autres artistes affluent vers la côte.

A droite, le centre-ville vu de la Miami River.

L'ouragan Andrew, qui emporta de splendides maisons et les palmiers de Coconut Grove et de Coral Gables, épargna miraculeusement les résidences côtières. Miami, qui a toujours été un refuge d'avant-gardistes, prend aujourd'hui sa revanche.

Le centre de Miami

Dans le centre de Miami, un bloc monolithique noir appelé **Omni** contraste avec un édifice éclairé de mille feux baptisé **International Place**. Ce dernier est, avec ses 47 étages, un des plus hauts immeubles du sud des États-Unis. Quant à l'Omni, il attire de nombreux touristes d'Amérique du Sud et d'Amérique centrale qui descendent souvent dans cet hôtel de vingt étages. On peut aussi se promener dans le centre commercial de l'édifice, et dépenser son argent à loisir dans les 165 magasins. Le *Miami Herald*, l'un des principaux journaux du pays, a ses bureaux à l'est de l'Omni Hotel.

Le **Bicentennial Park**, plus au sud, est un bon endroit pour observer les bateaux de croisière qui accostent ou quittent les quais de **Dodge Island**. On accède à l'île en suivant le Biscayne Boulevard, au sud. Là, dans le **Port of Miami**, les bateaux de plaisance côtoient de gros bateaux de croisière.

Au sud du port, sur Biscayne Boulevard, le **Bayfront Park** permet d'échapper à l'effervescence du centre ville. **John F. Kennedy Memorial Torch of Friendship**, colonne de 5,50 m de haut coiffée d'une flamme éternelle, symbolise les relations amicales entre Miami et l'Amérique latine. D'autres monuments du parc perpétuent le souvenir de Christophe Colomb, de José Martí, libérateur de Cuba, de José Cecello del Valle, à l'origine de la constitution fédérale du Honduras, et de Rubén Darío, poète nicaraguayen. Un monument à la mémoire de la navette *Challenger* de 1986 a également été érigé. Récemment, un grand centre composé de commerces et restaurants, **Bayside Marketplace**, s'est installé sur le front de mer.

La construction de bâtiments neufs et onéreux destinés aux divertissements ont modifié le centre de Miami. Outre le **Metro-Dade Cultural Center**, un complexe de style méditerranéen qui abrite le centre des Beaux-Arts, s'y trouve le **Historical Museum of Southern Florida**, la bibliothèque principale et le **Gusman Theater for the Performing Arts**, de style rococo assez chargée qui accueille spectacles classiques et grand public.

Le **Miami Arena**, dans Overtown, au nord de la limite du centre-ville, organise aussi des manifestations allant du match de basket aux concerts de musique pop ou rock, et du cirque aux spectacles sur glace.

La Havane, Floride

En face du parc, une rangée d'hôtels borde le quartier commerçant plein de vie. Si l'on parvient à braver la foule des touristes latino-américains, on arrive à l'**Everglades Hotel**. Du toit, agrémenté d'une piscine et d'un solarium, on a une vue panoramique de la ville.

Parmi les curiosités du centre de Miami, au 2100 Biscayne Boulevard, la **Bacardi Art Gallery**, et sa façade ornée d'une mosaïque splendide en faïence de Delft. Au 58 N W 57th Avenue, le dôme en cuivre de l'**Assumption Ukrainian Catholic Church** apporte une touche orientale à la ville. La Southwest 3rd Avenue évoque aussi le Proche-Orient, avec ses commerces, églises et restaurants libanais, syriens, grecs et palestiniens.

Malgré cette diversité, Miami a gardé une certaine cohésion grâce à son âme hispanique. L'ancienne Havane n'a pas disparu avec l'arrivée de Castro au pouvoir, en 1959, mais a partiellement déménagé en Floride. Des panneaux publicitaires sont uniquement en espagnol et chez certains commerçants, on informe aimablement la clientèle qu'« ici on parle l'anglais ». Dans le quartier de Little Havana, les bancs des arrêts de bus sont carrelés et les réverbères ont un air espagnol. Pour un Américain, un séjour à Miami est presque un voyage à l'étranger.

Notre-Dame-de-la-Charité, au détour d'une rue de Little Havana.

Si **Hialeah** et **Coral Gables** sont également des enclaves hispanophones, **Little Havana** reste le cœur de la colonie. Coincée entre le centre de Miami, à l'est, et Coral Gables, à l'ouest, bordée par West Flagler Street au nord et S W 22nd Street, au sud, Little Havana est un élégant quartier latin qui se donne des airs cosmopolites.

Calle Ocho, c'est-à-dire la S W 8th Street, est l'artère principale de Little Havana. On y voit des hommes en *guayaberas* blanches (chemises de coton portées sous les tropiques) mâchonner leur cigare, des étals de fruits exotiques, des boutiques uniques en leur genre et des ouvriers qui roulent encore les cigares à la main. L'arôme du café cubain est très tentant et il est conseillé de s'arrêter dans l'un des nombreux bars de la rue où l'on déguste des *churros*, longs beignets saupoudrés de sucre que l'on trempe dans une tasse de chocolat cubain.

La meilleure façon de visiter Calle Ocho est d'y circuler en voiture et de s'arrêter uniquement dans les quartiers que l'on trouve intéressants, pour les parcourir à pied. Il faut savoir que c'est un axe à sens unique d'est en ouest. Lorsqu'on arrive du centre-ville, prendre, vers l'ouest, S W 7th Street, avant de bifurquer. Les vieux Cubains apprécient la compagnie et il ne faut pas hésiter à engager la conversation. Ils ont toujours une histoire fascinante à conter sur leur départ de leur pays d'origine. Dans le **Maximo Gomez Park**, les hommes, et plus rarement les femmes, jouent aux dominos.

On trouve dans Calle Ocho plusieurs marchés aux poissons et restaurants de fruits de mer. La **Mar Pescaderia** recommande son *ceviche* — poisson cru mariné dans du jus de citron — et **Centro Vasco**, un lieu de rencontres pour Cubains établis, sert paella et *sopa marinero*, un plat tellement à la mode qu'il représente à Miami ce qu'est la bouillabaisse à Marseille.

Outre les poissons et les fruits de mer, **Esquina de Tejas**, **Islas Canarias** et **El Pub** proposent des hamburgers cubains, ou *fritas*, servis avec de très

Une partie de dominos endiablée.

fines frites dans un pain rond ou avec des plats cubains variés et relevés. C'est au **Versailles** que l'on trouve les meilleurs sandwiches cubains de Little Havana, bien que ceux du **Casablanca** soient aussi très appréciés. Les ingrédients n'ont rien d'extraordinaire — du pain, du jambon désossé et cuit au four dans du sucre, du porc bouilli, du gruyère, des pickles et du beurre — mais le mariage des différentes saveurs relève du grand art. Au restaurant **El Inka**, on peut essayer la cuisine péruvienne, et, au **Restaurante Monserrate**, la cuisine colombienne. Une halte s'impose à **Perezsosa Bakery**, une boulangerie située à deux pas du Maximo Gomez Park.

Autels

Il est d'usage pour les Cubains de prouver leur dévotion à tel ou tel saint en lui élevant un petit autel dans leur jardin, voire sur leur lieu de travail. On peut en voir sur les pelouses des maisons, en s'aventurant dans les rues transversales autour de la 8th Avenue. Saint Lazare est le plus vénéré, non pas tant à cause de sa résurrection que pour sa capacité à endurer souffrances et misère.

Dans une cage en fer forgé posée sur un piédestal pivotant, la **Virgen de la Caridad del Cobre** décore un coin de la station-service d'Armando Tundilor, au 1559 W Flagler Street. Almacenes Felix Gonzales, quant à lui, au 2610 S W 8th Street, vend des statuettes religieuses à la portée de toutes les bourses.

Au 3805 S Miami Avenue, non loin d'une école catholique, l'**Ermita de La Caridad**, placé dans un cône semblable à une fusée, occupe une place particulière dans le cœur des exilés cubains. Une cassette explique en espagnol que la forme de l'autel symbolise le manteau de Notre-Dame de la Charité et que les six colonnes représentent les provinces de Cuba. Le socle est composé de pierre, d'eau et de terre cubains. L'église fait face à l'ancienne patrie, de l'autre côté de l'océan. « Priez pour Cuba », dit la voix.

La **Cuban Memorial Plaza**, sur la 13th Avenue, où se dresse le monument de la Baie des Cochons, est le lieu de nombreuses cérémonies commémoratives de la communauté latine locale. Chaque année en mars, tout Miami est invité à une grande fête appelée Carnaval Miami, sorte de mardi-gras cubain. Autre cérémonie importante, la Three Kings Parade, qui a lieu le premier ou le deuxième dimanche de janvier, présente près d'une centaine de chars et de cortèges.

Si le quartier de Little Havana témoigne de la présence massive des Cubains, on découvre aussi des microcosmes de Buenos Aires, Managua, Bogotá, Quito et Caracas, faisant de Miami un creuset des cultures d'Amérique centrale et du Sud.

Le quartier de la mode

Au nord de Little Havana, le quartier surnommé **Decorator's Row** est une zone commerciale un peu cachée et fréquentée par des clients assez aisés. Elle se situe entre les 35th et 40th Streets

Une échoppe haïtienne sur 59th Street.

et entre N Miami Avenue et N E 2nd Avenue ; il est agréable de s'y promener ne serait-ce que pour y faire du lèche-vitrines. Les dernières tendances en matière d'ameublement et de décoration y sont exposées. La plupart des magasins d'exposition sont ouverts au public mais certains ne sont accessibles qu'aux professionnels. Être accompagné d'un styliste ou recommandé par un architecte peut ouvrir les portes d'un magasin renommé.

Couleurs des Caraïbes

Encore plus au nord, le quartier de **Little Haiti** est une récente enclave d'immigrés, aux maisons et magasins peints de couleurs chatoyantes caractéristiques des Caraïbes. Le centre de Little Haiti se situe le long de N E 2nd Avenue entre les 54th et 79th Streets. Les épiceries haïtiennes fournissent de la tête de chèvre, du poisson séché, des épices relevées et toutes sortes de fruits exotiques. Dans les *botanicas*, on vend tout ce qui a un rapport avec la religion vaudoue. Des disquaires se sont spécialisés dans la musique haïtienne. On peut acheter des objets d'artisanat au **Caribbean Marketplace**, marché assez vaste à ciel ouvert, inspiré de celui de Port-au-Prince.

En visitant Vizcaya

En passant par Brickell Avenue, on peut visiter les quartiers sud de Miami. Malheureusement, les vents violents de l'ouragan Andrew ont frappé durement ce quartier. En arrivant sur Federal Highway, prendre à gauche la S Miami Avenue. **Vizcaya** est une superbe villa de style Renaissance italienne donnant sur la baie. Elle fut construite en 1916 par James Deering, magnat de l'industrie des machines agricoles. Une route qui serpente à travers une jungle à l'aspect exotique conduit à l'édifice du magazine *National Geographic*, décrit autrefois comme *« un triomphe rappelant l'âge d'or de l'art et de l'architecture… une mine pour l'art décoratif italien, inégalé en Amérique. »*

La villa Vizcaya et ses jardins.

Outre la splendeur des meubles d'époque, des tapisseries et des sculptures, Vizcaya (« lieu élevé » en basque) est entourée de 4 ha de jardins qui, avant l'ouragan, avait un air résolument européen. Face aux jardins, dans la baie de Biscayne, Deering ancra un bateau sculpté dans la pierre qui servit parfois de brise-lames et souvent d'entrepôt clandestin pour les alcools prohibés.

De l'autre côté de la Miami Avenue se situent le **Museum of Science** et le **Space Transit Planetarium**. Ce dernier transporte le visiteur dans un trou noir, avec images, musique et rayons laser à la clé.

En poursuivant dans le sud de Miami jusqu'à Bayshore Drive, on arrive à **Coconut Grove**. « The Grove » (« le quartier ») fut, dès le début du XXe siècle, un lieu de villégiature hivernale pour les Américains du Nord. Durant des années, **Peacok Inn** était le seul hôtel du coin. Construit en 1880, il dominait la baie de Biscayne et l'actuel **Peacock Park**, sur McFarlane Road, près de South Bayshore Drive. L'emplacement de l'ancien hôtel est signalé dans le parc.

L'architecte et photographe Ralph Middleton Munroe joua un rôle important dans cet engouement pour le Grove. Il y construisit sa maison, **The Barnacle**, à présent un musée d'histoire, au 3485 Main Highway. A l'origine, le bâtiment n'avait pas d'étage et on y entreposait des objets trouvés sur les épaves. Pour loger sa famille, il éleva sa maison sur pilotis et bâtit un nouveau rez-de-chaussée en dessous, en 1895.

A cette époque, une colonie de Noirs arriva dans la région. Elle inspira le style architectural Gingerbread (« pain d'épice ») que l'on retrouve à Key West et aux Bahamas. On peut encore en voir des exemples sur **Charles Avenue**. A l'extrémité ouest de l'avenue se situe le cimetière de pionniers dans **Charlotte Jane Stirrup Memorial Cemetery**. L'identité du quartier change en mieux et le pavillon **Cocowalk**, construction moderne, est devenu un point central du Grove, regroupant magasins, restaurants, bars et cinémas.

La piste cyclable

Les trottoirs du Grove sont fréquentés par des personnages pittoresques circulant en patins à roulettes, à bicyclette, en planche à roulettes ou à pied. Le Goombay Festival, en juin, est une véritable fête de la musique.

Une piste cyclable permet de faire le tour du Grove. On peut longer les ateliers des menuisiers, des potiers et autres artisans jusqu'à Main Highway. Les boutiques font alors place aux églises et aux écoles, et des figuiers projettent leur ombre sur l'asphalte.

La **Plymouth Congregational Church** fut construite en 1897 sur le modèle d'une mission espagnole. La première école en place dans la région, bâtie à partir de morceaux de bois de bateaux naufragés, figure également dans les environs, au 3429 Devon Road. Poursuivre la promenade sur la piste cyclable vers le sud, puis tourner à gauche dans l'impasse St Gaudens

Terrasse à Coconut Grove.

Road. On se retrouve à **Coral Gables**, ville sortie de l'imagination d'un rêveur.

George Edgar Merrick est à l'origine de cette localité remarquable qui vit le jour assez rapidement lors du premier essor que connut la Floride. La ville doit son nom à la maison à pignons (*gabled house* en anglais) de Merrick.

Ses plans ambitieux, légèrement modifiés, président toujours à l'aménagement — souvent déroutant — des rues serpentines et à l'architecture des maisons. Il voulut donner à Coral Gables un style méditerranéen, y apportant ensuite des touches de France, de Hollande, d'Afrique du Sud et de Chine, bien qu'il n'ait jamais quitté son pays. On peut s'inscrire pour une visite guidée de la ville en bus ou se promener à pied avec la brochure du City Hall (« hôtel de ville »), au bout de la rue commerçante **Miracle Mile**.

Merrick délégua à William Jennings Bryan le soin d'embellir sa ville en aménageant la **Venetian Pool**, qui longe Almeria Avenue et Toledo Street, à l'ancien emplacement d'une carrière. C'est à présent un paradis tropical d'îles, de grottes, de pitons rocheux, de cascades et de ponts en arc (ouvert au public).

La **Puerta del Sol**, accessible par Douglas Road et 8th Street, est l'entrée principale de Coral Gables. Merrick conçut l'horloge et le beffroi de la ville dans l'esprit des places méditerranéennes. Des portes de corail sculptées ornent les autres entrées de la ville. L'hôtel **Biltmore**, dont la tour rappelle la cathédrale de Séville, flanque la ville à l'ouest. Délabré lors de la Dépression, l'édifice, classé monument historique, est en cours de restauration.

Vers Key Biscayne

Une seule route mène à l'île de Key Biscayne. La **Rickenbacker Causeway** est théoriquement pratique, mais le week-end, la traversée du pont dure parfois deux heures. Sur la route, le

La Venetian Pool de Coral Gables.

Miami Marine Stadium prête son cadre à des concerts de musique pop. Flipper, le marsouin, et Lolita, la baleine, sont les attractions du **Seaquarium**.

Parmi les centaines d'îles qui entourent la pointe de la Floride, **Key Biscayne** et **Virginia Key** sont des îles sédimentaires formant une barrière parallèle aux côtes méridionales de Floride. Il y a des millions d'années, elles n'étaient encore que des bancs de sable. La roche et le quartz déposés par la mer et le vent sur les coraux aidèrent à la formation d'îles, véritables barrières entre l'Atlantique et le continent.

Les curiosités du relief de Key Biscayne sont cachées. A l'est des rives nord de l'île, un petit récif corallien, à peine visible à marée haute, se découvre à marée basse.

Crandon Boulevard traverse Key Biscayne, annexe floridienne de la Maison-Blanche sous le gouvernement Nixon. Peu de touristes s'intéressent à l'ancienne résidence du président, préférant pour la plupart se diriger vers **Bill Baggs Cape Florida State Park**, à l'extrémité de l'île, pour visiter le phare.

En 1836, des Séminoles firent le siège du phare, dans lequel s'étaient retranchés le gardien et son auxiliaire. Ils voulurent les en déloger en y mettant le feu, mais un baril de poudre lancé du sommet mit fin à leur projet de façon fracassante. Un patrouilleur entendit l'explosion et vint à la rescousse. Les cinq pièces de la maison du gardien ont été fidèlement restaurées. Malheureusement, en 1992, l'ouragan Andrew a détruit des kilomètres de pins australiens sauvages, qui constituaient une grosse partie du patrimoine naturel de Bill Baggs. La repousse de tels arbres prendra plusieurs dizaines d'années.

Les promoteurs ont eux aussi découvert Key Biscayne mais la tranquillité du rythme de vie a été préservée. Les feux de signalisation et les bouchons sont rares sur l'île. Les boutiques, un peu vieillottes, vendent des produits de base. La quincaillerie, par exemple, a toujours des clous et des vis au détail.

Les **Spoil Islands**, quatorze petites îles disséminées dans la baie, sont facilement accessibles par bateau de Key Biscayne. Ce sont des lieux idéaux pour camper, pêcher ou lambiner au soleil. Elles sont formées de roches et de sable dragués au fond de la baie pour faciliter le passage des bateaux.

Carl Fisher, l'homme à qui l'on doit Miami Beach, aménagea **Monument Island**, pour perpétuer le souvenir de Henry Flagler. Il fit ériger un obélisque de 30 m de haut, flanqué de quatre statues symbolisant la Prospérité, l'Industrie, l'Éducation et l'Esprit pionnier.

La vie nocturne s'étend d'un côté à l'autre de Miami. Parmi les lieux incontournables, le **Violins Supper Club**, dans le centre-ville, présente un spectacle de variétés cubaines précédées par des violonistes. Le **Tobacco Road** est, au dire de certains, le meilleur club de jazz et le plus vieux bar de Miami où l'on écoute du blues dans une atmosphère totalement enfumée.

Un melting-pot de curiosités

Le **Miami Metrozoo**, au sud de la ville, est un parc animalier qui s'étend sur 150 ha et qui jouit d'une très bonne réputation aux États-Unis. Connu pour ses espèces tropicales — il en compte plus de cent —, il abrite entre autres des koalas, des éléphants et des tigres du Bengale, une espèce rare de nos jours. Comme de nombreux sites touristiques du sud du comté de Dade, le Metrozoo a lui aussi subi des dégâts considérables lors du passage de l'ouragan Andrew. Bien que la végétation luxuriante ait été endommagée, les enfants et les amoureux des animaux aiment toujours autant s'y rendre.

L'**Orange Bowl**, la plus importante coupe de football américain, attire des hordes de supporters chaque année autour du jour de l'an. Elle réunit les plus grandes équipes universitaires, qui font référence dans ce domaine sportif. Les professionnels de l'équipe des Miami Dolphins se produisent, eux, régulièrement au **Joe Robbie Stadium**.

A droite, le romantisme est au rendez-vous dans le port de Miami.

EDGEWATER
BEACH
HOTEL
AIR COND
•POOL
EFFICIENCIES

MIAMI BEACH

Lorsqu'en 1915 Carl Fisher entreprit d'aménager un banc de sable infesté de serpents à sonnette et de rongeurs et qu'il traça Lincoln Road à travers l'épaisse mangrove de palétuviers en utilisant des éléphants de cirque, il ne se doutait peut-être pas qu'il allait faire les beaux jours de Miami Beach. Lieu de vacances rêvé des Américains, la station fut pourtant détrônée dans les années 1970 par Walt Disney World, au centre de la Floride. Aujourd'hui, Miami Beach sort de sa torpeur, réveillée par une nouvelle génération de touristes venus des Amériques ou d'Europe.

La plage, bondée pratiquement toute l'année, s'étend derrière les façades ininterrompues des hôtels opulents qui bordent Collins Avenue. Des conservateurs se sont battus pour réhabiliter l'incomparable succession d'hôtels Art déco de F. Scott Fitzgerald, obtenant un certain succès. Les parcs ont été nettoyés et réaménagés. South Beach est devenu le lieu où il faut absolument être vu. Là, plus que partout ailleurs, la limite entre la mode dernier cri et le mauvais goût est très floue.

Tous les chemins mènent à Miami Beach

Miami Beach est un groupe d'îles relié au continent par un réseau de *causeways* (chaussées) qui enjambent Biscayne Bay. La route Interstate 195 emprunte Julia Tuttle Causeway qui dessert Arthur Godfrey Road. Venetian Causeway relie les îles du même nom entre elles, pour devenir ensuite Dade Boulevard. Mais la route la plus agréable est l'autoroute A1A qui débouche sur MacArthur Causeway, menant sur 5th Street au sud.

De **Watson Island Park** — du nom du maire James Watson, qui arriva à Miami en 1898 et fut réélu à deux reprises —, on peut se rendre dans les îles des Bahamas à bord d'un hydravion des **Chalk's International Airlines**, une très ancienne compagnie aérienne. Un héliport, sur l'île, permet également de survoler la ville en hélicoptère.

Watson Island offre une vue dégagée sur les bateaux de croisière qui traversent la baie. En se tournant vers Miami, on aperçoit de belles résidences secondaires au milieu de palmiers rescapés de l'ouragan Andrew.

MacArthur Causeway devient 5th Street dans Miami Beach. Heureusement, les projets de rénovation n'ont pas rayé de la carte des lieux légendaires comme le **Fifth Street Gym**, au coin de Washington Street et de 5th Street, où Mohammed Ali s'entraînait pour ses premiers championnats, et le **Joe's Stone Crab Restaurant**, au 227 Biscayne Street, un bâtiment en bois de cyprès, en tuile et en stuc où l'on savoure, en saison, de succulentes pinces de homards.

Art Deco District

Les quelque 800 immeubles qui forment l'**Art Deco District** sont regroupés au nord de 5th Street, aux alentours

A gauche, le front de mer Ocean Drive de South Beach ; à droite, un habitant retraité du quartier.

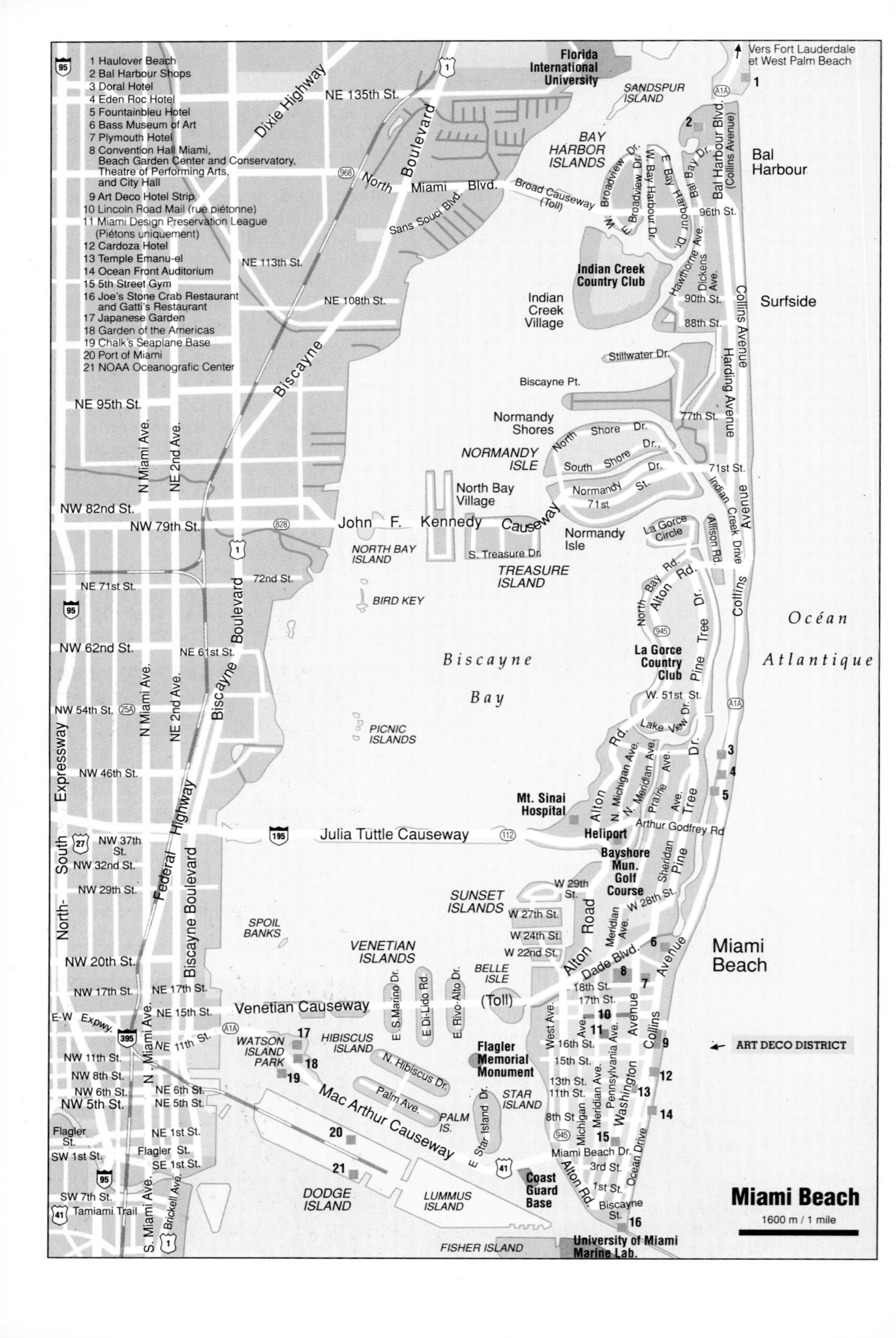

1 Haulover Beach
2 Bal Harbour Shops
3 Doral Hotel
4 Eden Roc Hotel
5 Fountainbleu Hotel
6 Bass Museum of Art
7 Plymouth Hotel
8 Convention Hall Miami, Beach Garden Center and Conservatory, Theatre of Performing Arts, and City Hall
9 Art Deco Hotel Strip
10 Lincoln Road Mail (rue piétonne)
11 Miami Design Preservation League (Piétons uniquement)
12 Cardoza Hotel
13 Temple Emanu-el
14 Ocean Front Auditorium
15 5th Street Gym
16 Joe's Stone Crab Restaurant and Gatti's Restaurant
17 Japanese Garden
18 Garden of the Americas
19 Chalk's Seaplane Base
20 Port of Miami
21 NOAA Oceanografic Center
Vers Fort Lauderdale et West Palm Beach
Florida International University
SANDSPUR ISLAND
BAY HARBOR ISLANDS
Bal Harbour
Indian Creek Country Club
Indian Creek Village
Surfside
Biscayne Pt.
Normandy Shores
NORMANDY ISLE
North Bay Village
Normandy Isle
NORTH BAY ISLAND
TREASURE ISLAND
BIRD KEY
Biscayne Bay
Océan Atlantique
La Gorce Country Club
PICNIC ISLANDS
Mt. Sinai Hospital
Heliport
Bayshore Mun. Golf Course
SUNSET ISLANDS
SPOIL BANKS
VENETIAN ISLANDS
BELLE ISLE
Miami Beach
ART DECO DISTRICT
WATSON ISLAND PARK
HIBISCUS ISLAND
Flagler Memorial Monument
STAR ISLAND
PALM IS.
DODGE ISLAND
LUMMUS ISLAND
Coast Guard Base
FISHER ISLAND
University of Miami Marine Lab.
Dixie Highway
NE 135th St.
North Miami Blvd.
Biscayne Boulevard
Broad Causeway (Toll)
Sans Souci Blvd.
NE 113th St.
NE 108th St.
NE 95th St.
NW 82nd St.
NW 79th St.
John F. Kennedy Causeway
72nd St.
NE 71st St.
NW 62nd St.
NE 61st St.
NW 54th St.
NW 46th St.
Julia Tuttle Causeway
NW 37th St.
NW 32nd St.
NW 29th St.
North-South Expressway
Federal Highway
NW 20th St.
NW 17th St.
NE 17th St.
Venetian Causeway
(Toll)
NE 15th St.
E-W Expwy.
NE 11th St.
NW 11th St.
NW 8th St.
NW 6th St.
NW 5th St.
NE 6th St.
NE 5th St.
NE 1st St.
Flagler St.
SW 1st St.
SE 1st St.
SW 7th St.
Tamiami Trail
N Miami Ave.
NE 2nd Ave.
S. Miami Ave.
Brickell Ave.
Mac Arthur Causeway
Collins Avenue
Harding Avenue
Bal Harbour Blvd. (Collins Avenue)
96th St.
90th St.
88th St.
77th St.
71st St.
Stillwater Dr.
North Shore Dr.
South Shore Dr.
Normandy St. 71st
Indian Creek Drive
Allison Rd.
La Gorce Circle
S. Treasure Dr.
North Bay Rd.
Alton Rd.
Pine Tree Dr.
W. 51st St.
Lake View Dr.
Arthur Godfrey Rd
W 29th St.
W 28th St.
W 27th St.
W 24th St.
W 22nd St.
Alton Road
Dade Blvd.
18th St.
17th St.
16th St.
15th St.
13th St.
11th St.
8th St
Washington Avenue
Meridian Ave.
Pennsylvania Ave.
Michigan Ave.
West Ave.
Ocean Drive
Miami Beach Dr.
3rd St.
1st St.
Biscayne St.
E. S.Marino Dr.
E Di-Lido Rd.
E. Rivo-Alto Dr.
N. Hibiscus Dr.
Palm Ave.
E Star Island Dr.
Miami Beach
1600 m / 1 mile

de **Flamingo Park**. Ce furent les premières constructions du XXe siècle à figurer sur le Registre national des monuments historiques. L'ensemble des bâtiments pastel a connu ses heures de gloire dans les années folles. Ensuite, Miami Beach connut une période creuse et, depuis la reprise de l'activité touristique, le quartier vit un regain de popularité. Certains voulaient raser ces édifices à moitié délabrés pour faire place à des établissements modernes, mais une association fut fondée pour favoriser la restauration du quartier. Au siège de l'association **Miami Design Preservation League**, au 1630 Euclid Avenue, des passionnés se feront un plaisir de guider les visiteurs intéressés et de leur faire découvrir dans le détail les panneaux de verre, les fenêtres rondes évoquant des hublots, les balustrades tubulaires aux motifs géométriques, les angles arrondis et les façades pastel qui donnent à ces réalisations des années 1930 leur aspect si caractéristique.

Le **Cardozo Hotel**, au 1300 Ocean Drive, a été rénové. Dans la même rue, les façades d'hôtels comme celles du **Cavalier**, du **Leslie** ou du **Park Central** ont été ravalées. Les trois établissements donnent sur l'Ocean Front Promenade de **Lummus Park**. Les étonnantes bâtisses roses du Centre de surveillance de la plage sont aussi un héritage de l'époque Art déco. Les murs intérieurs sont ornés de flamants roses, de néréides, de sirènes et d'oiseaux tropicaux.

Certains édifices relèvent d'un style aux lignes aérodynamiques appelé *Streamline Moderne* et rappellent les formes des voitures des années 1950. Des établissements tels que l'**Avalon**, l'**Edison**, le **Clevelander**, l'**Adrian** ou le **Royal Palm** se succèdent sur Ocean Drive ainsi que le **Warsaw Ballroom** aux angles arrondis. L'architecture du dôme du **Temple Emanuel** a plutôt des allures de Moyen-Orient. Le **Spanish Village**, sur Española Way, se distingue par ses arcades mauresques et ses arrière-cours. Nombre de ces lieux ont servi de cadre à la série télévisée *Miami Vice*. L'auberge de jeunesse **Miami Beach International Youth Hostel**, également connue sous le nom de Clay Hotel, fait partie du village espagnol et de nombreux touristes européens aiment à s'y retrouver.

A droite, du bon temps aussi pour les petits.

Sophistication ou rusticité

Ces derniers temps, avec l'engouement des touristes pour l'Art Deco District, des dizaines de restaurants de classe, et des cafés plus ou moins sophistiqués, sont apparus. Le **News Café**, le **Stuart's** et le **Café des Arts**, tous situés sur Ocean Drive, font partie des endroits très fréquentés par les photographes européens, les mannequins et autres vedettes.

L'**Irish House**, sur Alton Road, est un bar moins touristique où l'on rencontre les habitants du quartier. La nourriture y est relativement rustique. Le **Club Duce**, sur 14th Street, étonne par sa clientèle très hétéroclite allant des motards aux travestis.

Lincoln Road Mall, à l'intersection de Collins Avenue et de 16th Street, est une zone commerçante piétonne

LE STYLE ART DÉCO

Arborant toutes les couleurs de l'arc-en-ciel, les bâtiments Art déco de Miami Beach ont été construits pour stimuler l'humeur de l'Amérique et offrir un peu de distraction pendant la Grande Dépression. Près de soixante ans plus tard, des conservateurs affirment que ces immeubles sont les monuments les plus révélateurs des États-Unis. Pour l'industrie touristique de Miami, ils deviennent des chantres de l'« État du Soleil », grâce à leur couleur « flamant rose », si caractéristique.

Les racines de l'Art déco remontent à 1901, date de la création de la Société des artistes décorateurs à Paris. Ces derniers ont cherché à allier la production industrielle de masse aux arts décoratifs. On y retrouve des influences du style Bauhaus, du cubisme et du constructivisme. De l'architecture, l'esthétique Art déco s'étendit rapidement à l'ameublement, à la céramique et à la joaillerie.

En 1925, ce style fait son entrée officielle toujours à Paris, lors de l'Exposition internationale des Arts décoratifs et industriels modernes. L'appellation «Art déco» n'apparaîtra qu'en 1966, lors de la rétrospective de l'événement parisien de 1925.

Les caractéristiques du style Art déco sont réunies sous la dénomination *Streamline Moderne*. On privilégie les lignes évoquant la vitesse : angles arrondis, formes géométriques, rayures, toits plats. Ces formes s'inspirent des théories de l'aérodynamisme alors en vogue et déjà appliqué au dessin des carrosseries de voitures, des paquebots et des avions. On affectionne tout particulièrement les lignes verticales très marquées, les verres très épais et, pour la première fois, les éclairages au néon. Dans les années 1920, on y inclut des motifs égyptiens, liés à la célébration de la découverte du tombeau de Toutankhamon.

Entre les deux guerres, près de 500 bâtisses Art déco sont construites dans le sud de Miami Beach, ce qui personnalise le quartier de manière unique.

Aujourd'hui, on parle même d'un style floridien, le «Tropical Deco». Les extérieurs de stuc assez lourds se prêtent bien aux couleurs tropicales, rappelant la douceur du climat de la région. Les vitres peintes s'ornent de sirènes, d'hippocampes et de vagues, évoquant le monde aquatique. Des motifs comme le flamant rose, l'aigrette et le pélican sont ainsi devenus très populaires. Au-dessus des fenêtres s'avancent des pare-soleil, lames de béton qu'on appelle ici *eyebrows* (« sourcils »).

Les quelques décennies qui suivirent connurent l'âge d'or des hôtels de style Art déco. Dans les années 1960, on constate un déclin de l'activité hôtelière. La peinture des façades dont on avait multiplié les couches commença à s'écailler et plusieurs hôtels, jadis célèbres, devinrent de simples immeubles de retraités, à loyer modéré.

En 1976, la création de la Miami Design Preservation League entend mettre un frein aux démolitions de ces bâtiments et encourager leur restauration. En 1979, le quartier Art déco, approximativement situé entre 6th et 23rd Streets, le long de l'océan, est classé monument historique, devenant le seul ensemble architectural du XXe siècle bénéficiant de cette classification. De nombreux hôtels de South Beach sont alors rénovés et certains revêtent des couleurs de dessin animé, du pêche un peu criard au bleu lavande ou turquoise.

Aujourd'hui, les immeubles de Miami Beach sont la plus grande concentration architecturale Art déco dans le monde.

qui a été récemment rénovée. Les galeries d'art, restaurants et cinémas côtoient des magasins de souvenirs pas toujours de première jeunesse. C'est aussi le quartier général du **Miami City Ballet** et du **New World Symphony** de Miami. L'ancien cinéma **Colony Theater** accueille maintenant des spectacles. Le **Bass Museum of Art**, sur Collins Avenue, est un musée modeste qui présente un intérêt par la diversité de sa collection de tableaux européens et de tapisseries flamandes du XVIe siècle.

Retour dans le passé

Remonter au nord Collins Avenue, c'est en quelque sorte passer en revue les différentes périodes architecturales du XXe siècle. Le style coloré des années 1930 fait place à des constructions plus ternes, parfois m'as-tu-vu, et toujours gigantesques des années 1950. L'aïeul de cette époque, l'hôtel **Fontainebleau** — que les gens du coin prononcent « faontaine blou » (*fountain blue* signifiant fontaine bleue) —, jouit d'un regain de popularité depuis sa rénovation et son rachat par la chaîne Hilton. Il possède 1 224 chambres et sa piscine est dotée d'un îlot planté de huit palmiers et de chutes d'eau déferlant sur les baigneurs ravis. Bars et restaurants surgissent à chaque détour de ce paysage tropical. Sans nécessairement résider à l'hôtel, on peut garer sa voiture sur **Indian Beach** et se promener à pied dans les alentours.

L'hôtel **Eden Roc** a également bénéficié d'une cure de rajeunissement, tout comme le **Sans Souci**, le **Seville** et le **Versailles**. Ces rénovations ont coûté de véritables fortunes à leurs propriétaires, qui suivaient la politique des années 1960. Celle-ci consistait à entasser le plus grand nombre d'habitants dans des immeubles du bord de mer, semblables à des cages à lapins.

Si l'on souhaite avoir un aperçu des quartiers les plus cossus, il faut bifurquer vers North Bay Road. Carl Fisher, dont le **Fisher Park** perpétue le souvenir, aménagea spécialement ce secteur

Café aux couleurs du style Art déco.

de Miami Beach pour les habitants les plus fortunés. Il résidait lui-même au n° 5020 de la rue. Des stars du show business y ont également élu domicile.

De nombreuses résidences construites entre 1922 et 1924 reflètent le luxe de l'époque (colonnes corinthiennes, balcons, motifs décoratifs en stuc...). La maison du n° 4750 North Bay Road possède une tour de guet en brique et un puits à souhaits, dans lequel on lance des pièces pour exaucer un vœu. A proximité de la grille d'entrée ont été installées des annexes pour l'hébergement des domestiques. Si on pénètre à bicyclette dans ces quartiers surveillés, il ne faut pas se laisser intimider par le gardien. Le public a le droit de passer.

Collins Avenue continue au nord, traverse **Surfside** et longe **North Shore Ocean Park**, une oasis pavillonnaire plantée d'arbres. Une promenade sur les planches ravit piétons et cyclistes. **Bal Harbour** possède des hôtels très modernes et un centre commercial de boutiques de luxe.

En passant le pont sur Baker's Haulover Cut, on arrive à **Haulover Beach Park** et ses 3 km de plages. Croisières en bateau ou tours en hélicoptère, surf, golf et pêche hauturière sont autant de possibilités de loisirs qui s'offrent aux touristes.

Avant de quitter Miami Beach, un arrêt chez **Wolfie's**, **Pumperniks** ou **Rascal House** semble nécessaire afin de goûter aux spécialités juives de la ville. Des restaurants et des boucheries casher, ainsi que des librairies hébraïques témoignent de la présence d'une importante communauté juive.

Un détour par le sud

A proximité de Miami s'étendent des champs qui contrastent véritablement avec la métropole. Ils font du comté de Dade l'un des cent premiers comtés des États-Unis en ce qui concerne la production agricole. De nombreuses fermes proposent aux gens de faire leur propre cueillette durant la saison des récoltes, surtout dans la région des Redlands (les « terres rouges »), dans les Everglades.

La région de **Homestead** et **Florida City** est devenue le premier producteur de produits maraîchers du pays. On y cultive essentiellement des pommes de terre, des tomates, des concombres, des petits pois, des avocats, des fraises et des limes. Le sol y est très argileux mais il est amélioré à l'aide de nombreux engrais.

Le comté de Dade a malheureusement été très durement touché par l'ouragan Andrew, en 1992. Petit à petit, ses régions agricoles se remettent à flot mais il faudra des années à Homestead et à Florida City pour replanter et retrouver leur production d'antan.

Coral Castle est l'une des rares curiosités locales qui a survécu à la tempête. Accessible par la route US 1 (ou Dixie Highway), au nord de Homestead, ce château fantaisiste fut construit par Edward Leedskalnin, un immigré letton, entre 1925 et 1940. Le visiteur sera étonné par le mobilier de pierre ainsi que par une massive porte battante de neuf tonnes.

A gauche, tour à l'architecture fastueuse ; à droite, Ocean Drive, le front de mer de Miami Beach.

720

BLACK FIN 32

DE FORT LAUDERDALE A LAKE WORTH

Trois routes principales quittent Miami par le nord. L'Interstate 95 est rapide et gratuite. La plus agréable est vraisemblablement l'autoroute A1A qui longe la côte avec quelques détours. Elle traverse plusieurs stations balnéaires et découvre une vue imprenable sur l'océan Atlantique. Cependant, les bouchons y sont fréquents. On peut rejoindre, par les terres, la route US 1, plus pratique que la A1A qui contourne les bras de mer.

Un fort bâti dans un marais

En découvrant la beauté des plages et des environs de Fort Lauderdale, on a peine à croire qu'il y a moins d'un siècle s'y étendait un marais sinistre, dépourvu de toute habitation. Lors de la guerre contre les Séminoles, un fort y fut construit auquel on donna le nom du major William Lauderdale. L'édifice en bois, abandonné après le départ de la garnison en 1857, pourrit sur place durant deux décennies. Fut construite ensuite au même emplacement une *House of Refuge*, poste de secours pour les marins naufragés. Tout autour s'étend une zone marécageuse de palétuviers qui servait de cachette aux esclaves en fuite et aux déserteurs.

Puis le chemin de fer de Flagler vint transformer le paysage au début du siècle. La ville prit forme en 1911. Comme la côte marécageuse était peu propice au développement immobilier, les notables eurent l'intelligence de préserver ces étendues de sable et de situer hôtels et commerces de l'autre côté de l'actuelle A1A. Aujourd'hui, se promener le long de cette célèbre plage d'une dizaine de kilomètres est un vrai bonheur, et certainement l'atout principal de la station.

Pour transformer les mangroves en terrains à bâtir convoités, Charles Green Rodes mit en place un réseau de canaux parallèles, créant une série de bandes de terre reliées entre elles par des ponts. Ces aménagements valurent à Fort Lauderdale le surnom de « Venise américaine ». La ville possède plus de 400 km de canaux, de rivières et de baies, naturels ou artificiels, bordés de demeures aux jardins ravissants.

Le centre-ville est propre et bien délimité. De nombreux bureaux s'y sont installés. Le **Broward Center for the Performing Arts** (grande salle de spectacles) constitue un pôle culturel et peut contenir jusqu'à 2 700 spectateurs. **Fort Lauderdale Museum of Fine Arts** (« musée des Beaux-Arts ») présente une collection d'estampes, de tableaux et de sculptures dignes d'intérêt. Le **Museum of Discovery and Science** organise des expositions éducatives très didactiques. Ces lieux sont desservis par **Riverwalk** qui est un quartier de parcs et de promenades bordant la New River.

A l'est de Riverwalk, **Stranahan House** — maison du pionnier Frank Stranahan —, bâtie en 1913 et entièrement restaurée, abrite aujourd'hui un musée. A l'autre bout du tunnel, **Las Olas Boulevard** a un certain charme avec ses pavés et ses lampadaires rétro. Magasins raffinés, restaurants et galeries d'art s'y succèdent.

Vacances de printemps sur le Strip

Las Olas East traverse le quartier des boîtes de nuit surnommé « **The Strip** » et rendu célèbre par un film des années 1960. Cette partie du front de mer attire traditionnellement les étudiants durant les congés de printemps. Dans les années 1970 affluèrent filles et garçons faisant du « Strip » une boîte de nuit géante sur la plage où l'alcool coulait à flots. Mais dans les années 1980, les habitants et les autorités n'ont plus toléré le bruit, la saleté et les bagarres et ils ont tenté de mettre fin à ces rassemblements nocturnes. Des bars durent fermer et la consommation d'alcool dans des lieux publics fut interdite. Des arrestations eurent lieu et l'information circula sur les campus universitaires. Les étudiants migrèrent vers Daytona Beach, plus au nord.

Les allées et venues de bateaux offrent un spectacle familier aux habitants de Fort Lauderdale.

Pourtant, Fort Lauderdale séduit encore des milliers d'étudiants qui viennent pour les vacances. L'**Elbo Room**, qui eut son heure de gloire, existe toujours, bien que les gérants disent que « l'ambiance est aujourd'hui bien différente».

Un rassemblement estudiantin avec des activités nautiques, le Collegiate Aquatique Forum, est à l'origine de cette immigration printanière. Événement unique en son genre lorsqu'il eut lieu pour la première fois en 1935, dans le casino et à la piscine de la ville. Le bouche-à-oreille fonctionna parmi les étudiants, et ils vinrent, d'abord timidement, puis par vagues. La ville remplaça l'ancienne piscine par le **Swimming Hall of Fame**. Entièrement refait en 1993, l'endroit est devenu très à la mode. Quatre piscines, une bibliothèque, une galerie d'art complètent un hall où sont exposés trophées et souvenirs d'athlètes d'hier et d'aujourd'hui.

Bien que Fort Lauderdale ait perdu de sa popularité, la cité attire toujours les noctambules. Ils sont près de 35 000 à fréquenter les établissements du comté de Broward. Dernièrement, les hauts lieux de la vie nocturne ont déménagé sur **Commercial Boulevard** et sur les rives de l'**Intracoastal Waterway**. Le **Confetti** est un bar où les serveurs font des tours de magie et dont la discothèque est très animée.

Les amateurs de hors-bord se retrouvent au **Shooters**, un saloon en bordure d'eau. Le week-end, le **Coconuts** et ses concerts attirent une foule considérable. Si l'on préfère des lieux plus tamisés et plus élégants, on se rendra volontiers au **Stan's**, au **Down Under** ou à la **Casa Vecchia** qui sont parmi les boîtes les plus anciennes. Ouvert depuis 1956, le **Bob Thonton's Mai Kai** organise des soirées particulièrement appréciées des touristes. On y vient également en famille savourer un cocktail assis dans un jardin tropical en regardant danser des Polynésiens.

Un paradis nautique

Fort Lauderdale se vante d'attirer plus de bateaux de plaisance que partout

Intersection de Las Olas et de la A1A : un quartier fréquenté par les étudiants.

ailleurs en Floride. Ils viennent jeter l'ancre à **Bahia Mar** où fut érigé le fort qui donna son nom à la ville. En 1949, il fit place à une superbe marina. L'hôtel **Yankee Clipper** évoque un bateau de croisière.

Les vrais navigateurs partent de **Port Everglades** — accessible par la route en prenant vers l'est la State Road 84 jusqu'au bout. Cet ancien lac peu profond fut relié à l'Atlantique en 1928.

Les Floridiens sont friands de spectacles aquatiques parmi lesquels **Ocean World**, près du Marriott Hotel sur East 17th Street. Sur la State Road 7, près Stirline Road, on peut visiter le **Seminole Indian Village**. Autre curiosité de Fort Lauderdale, la *Jungle Queen* est un bateau à aubes qui navigue sur la New River — trois départs par jour depuis le Bahia Mar Yacht Basin — et sur lequel on peut dîner.

Au nord de la plage, derrière une série de pancartes indiquant « plage privée », se trouve **Bonnet House**. C'est là qu'Evelyn Barlett, âgée de plus de cent ans, se retire l'hiver venu. Elle partagea avec un peintre cette maison, véritable lubie d'artiste décorée d'antiquités hors du commun. La demeure contient une collection de petits bibelots et elle est ouverte au public de mai à novembre.

La ville de **Davie**, au sud-ouest, organise des tours en *airboat* (embarcation caractéristique des marais floridiens) jusqu'à la lisière des Everglades, partant de **Sawgrass Recreation Area**, près d'Alligator Alley et de la route US 27.

Dania et **Hollywood** sont deux stations balnéaires entre Miami et Fort Lauderdale. Dania Beach Boulevard rappelle l'époque où les palétuviers bordaient la route et s'étalaient généreusement alentour. Le boulevard aboutit à une plage de 800 m de long et à **Dania Fishing Pier** (l'embarcadère). En continuant vers le nord, on arrive à **John U. Lloyd Beach Recreation Area**, une zone de 100 ha située sur une étroite bande de terre qui longe un bout de la côte Est.

Hollywood, bien que fondée par un Californien, n'a rien en commun avec

Véliplanchiste le long des côtes de la Floride du Sud.

son homonyme de la côte Ouest. La promenade qui longe la mer est le principal attrait de la station. Elle se termine par **Ocean Walk**, un complexe de restaurants, bars, boutiques et cinémas. En hiver, Hollywood Beach est devenue la destination favorite des Québécois, ce qui a motivé la communauté locale à apprendre le français.

En remontant la côte sur la A1A

La route côtière, au nord de Fort Lauderdale, ne manque pas d'intérêt. Les stations semblent s'emboîter les unes dans les autres jusqu'à **Pompano Beach**. La route longe la côte sur 40 km jusqu'à l'Intracoastal Waterway.

Bien que Pompano soit devenue très vite une station balnéaire composée de résidences secondaires, elle n'en demeure pas moins un centre agricole important et un gros producteur de légumes en Floride. En hiver, le **Pompano Beach Farmer's Market** grouille déjà de maraîchers, de distributeurs et de ménagères qui marchandent les prix bien avant que le soleil ne se lève.

Le **Deerfield Island Park**, l'un des 288 parcs du comté de Broward, est accessible uniquement par bateau. On peut y randonner sur un chemin balisé, jouer au tennis ou se promener dans les 23 ha de verdure en toute tranquillité.

Suivre ensuite NE 24th Street et les panneaux du cercle nautique de la Federal Highway à **Cap's Dock**. La *S. S. Dramamine* transborde les gens sur l'île où se trouve **Cap's Place**, situé au **Lighthouse Point**, un des premiers restaurants de la région. « Cap Knight », un vétéran de la guerre hispano-américaine et trafiquant d'alcool à ses heures, ouvrit ici le **Club Unique** dans les années 1920, en aménageant des barges échouées et une drague abandonnée. Les clients atteignaient la cachette en bateau pour jouer de l'argent et défier la prohibition. Des invités célèbres vinrent se mêler à l'enfer du jeu tels que le duc de Windsor, Franklin D. Roosevelt, Jack Dempsey et Winston Churchill. Une atmosphère très particulière y règne encore.

Bill Stewart's Riverview Restaurant lui ressemble par son atmosphère et son passé. Cet ancien entrepôt, situé sous le pont de Hillsboro Boulevard, fut transformé en maison de jeu dans les années 1930. Les gangsters de l'époque fréquentaient les lieux, et Al Capone avait même envisagé d'acheter l'île voisine, quand il fut accusé de fraude fiscale. L'île, qui porte encore le nom de Capone, est aujourd'hui un parc naturel que l'on visite en bateau.

En direction du nord, après avoir laissé derrière soi les kilomètres d'immeubles qui bordent la A1A, on atteint **Boca Raton**. L'architecte Addison Mizner voulut en faire une ville romantique parcourue de canaux artificiels sur lesquels voguerait une flotte de gondoles. Mais les canaux ne furent jamais achevés, et la seule gondole importée d'Italie ne survécut pas à la Grande Dépression. **Camino Real**, une fosse comblée embellie de grands palmiers, est maintenant une rue qui mène au **Boca Raton Hotel**.

Connu autrefois sous le nom de **Cloister Inn**, l'hôtel représente l'une des plus grandes réalisations de Mizner. Les loggias, les porches, les patios carrelés et les fontaines sculptées de la section d'origine — ouverte en 1962 — reflètent l'opulence des années 1920. Boca Raton s'est développé autour de l'hôtel, comme un village à l'ombre d'une demeure seigneuriale. Cette station chic s'offre même le luxe de posséder une équipe de polo meilleure que celle de Palm Beach. Seul l'impétueuse équipe anglaise du prince Philip et les habiles cavaliers argentins surpasseraient, dit-on, l'équipe de Boca Raton dans le maniement du maillet. Les matchs de polo ont lieu tous les dimanches, de janvier à avril.

Delray Beach doit son nom au terme espagnol *del rayo*, signifiant « du rayon ». Cette ville balnéaire plus modeste peut paraître plus agréable aux touristes qui se sentent mal à l'aise dans les stations somptueuses qui jalonnent la côte. Le **Morikami Park Museum** familiarise le public avec l'art japonais et présente une collection de bonsaïs.

Fin prêts pour le polo, à Boca Raton.

PALM BEACH

Palm Beach est une enclave où la richesse rivalise avec la puissance. On considère fréquemment cette ville floridienne comme un havre réservé aux nantis qui ne savent quoi faire de leur argent ! Elle symbolise en quelque sorte le rêve américain.

Il se peut que cette image déplaise à certains. Et les gens de passage doivent être avertis que les résidents ne les affectionnent pas particulièrement. S'ils sont tolérés, les touristes ne sont pas exactement les bienvenus. Pourtant, si l'on sait se montrer discret devant cet étalage excessif de luxe, le séjour devient fascinant.

Il est préférable de visiter Palm Beach durant la saison mondaine, entre le Thanksgiving Day (dernier jeudi de novembre) et Pâques. Pour plus de discrétion, il est toutefois conseillé de laisser son appareil-photo dans la voiture, de ne pas dévisager les habitués du restaurant **Petite Marmite** et de ne pas épier les palaces par-dessus les haies. Il faut également savoir qu'on ne peut pas se garer n'importe où (c'est-à-dire presque nulle part) et qu'il est interdit de tendre un fil à linge dans son jardin, par exemple, pour préserver l'image de la ville.

Nés pour être millionnaires

La migration annuelle des capitaux inaugure une saison de soirées de galas, de goûters, de bals de charité et, en période électorale, de cocktails politiques. Certaines personnes sont prêtes à payer très cher leur couvert pour être invitées à quelque bal prestigieux. Mais une contribution plus importante encore est nécessaire pour assister aux réunions politiques de ceux qui recherchent, entre autres, l'investiture de leur parti pour l'élection présidentielle.

L'histoire débute en 1878, lorsque des marins espagnols échouèrent sur la grève déserte avec une cargaison de noix de coco qu'ils cédèrent à un insulaire, pour vingt dollars. L'homme revendit les noix de coco à ses voisins. Ces derniers les plantèrent dans le sable et elles donnèrent vie aux nombreux palmiers qui agrémentent la plage. Peu de temps après, Henry Flagler fit passer son chemin de fer dans sa toute nouvelle propriété. Il transforma Palm Beach en un domaine pour ses amis fortunés. L'architecte Mizner y ajouta sa touche d'extravagance avec ses flèches espagnoles, ses jardins, ses places et ses arcades.

Tout comme Flagler, les riches familles comme les Rockefeller, les Gould, les Vanderbilt, les ducs et les duchesses s'entichèrent de Palm Beach. Ils résidaient à l'hôtel Royal Poinciana, un impressionnant édifice de bois qui, naturellement, était le plus grand établissement de l'époque. Des Noirs conduisaient cette riche clientèle au sein du domaine, dans des « afromobiles à pédales ! » Cakewalk Night était le lieu des festivités ; des Noirs faisaient danser des invités toujours sur leur trente-et-un et chantaient des négro-spirituals. L'hôtel n'existe plus, mais son souvenir est toujours présent.

A gauche, Mar-A-Lago ; à droite, bassin sophistiqué comme on en trouve dans les propriétés alentour.

L'opulence sans limite

On entre dans Palm Beach par la route A1A. Les panonceaux aux couleurs criardes et les enseignes au néon des hôtels disparaissent, laissant place à des rues propres et ordonnées. Les édifices protégés par de hauts murs et des haies touffues sont, généralement, des hôtels particuliers ou des résidences secondaires. C'est à bord d'une modeste voiture de location que l'on attirera les regards plutôt que dans une limousine ou une voiture de sport. Pour se promener à bord d'un modèle Rolls Royce de 1958 sans en être le propriétaire, il faut se renseigner auprès de **Classic Motor Tours**, sur **Poinciana Plaza**.

South Ocean Boulevard longe **Mar-A-Lago**, la plus grande demeure de la ville, domaine de style mauresque de feu Marjorie Merriweather Post, héritière d'un magnat du secteur agro-alimentaire. On en aperçoit les plus hautes tours au nord du Southern Boulevard Bridge. Les 7 ha de terrain, son golf et ses 117 pièces ont été estimés à vingt millions de dollars minimum. John Lennon était le propriétaire du 702 South Ocean Boulevard et la bâtisse voisine a appartenu à Woolworth Donahue, légataire du fondateur d'une chaîne de magasins très connue aux États-Unis.

En tournant à gauche, on débouche sur **Worth Avenue**, une artère qui équivaut à Bond Street, à Londres ou au faubourg Saint-Honoré, à Paris. Les magasins des plus grandes marques, tels Courrèges, Hermès ou Gucci y ont pignon sur rue.

Pour obtenir une table à la **Petite Marmite**, il faut arriver avant midi. L'établissement accueille de nombreuses célébrités et ses prix peuvent parfois décourager. Les jeunes gens riches fréquentent le **Chuck and Harold's**, dont la terrasse, qui donne sur Royal Poinciana Way, rappelle les cafés parisiens.

The Esplanade est un centre commercial de deux étages autour d'une cour. On peut y déjeuner dans un autre restaurant à la mode, le **Café l'Europe**.

Une salle de bains fastueuse qui reflète le luxe des demeures de Palm Beach.

Derrière les haies de ficus

La vieille demeure de Flagler, construite en 1901, est aujourd'hui un musée — **The Henry Morrison Flagler Museum** — dédié à son ancien propriétaire. Henry Flagler y vécut quatre ans en compagnie de sa troisième épouse. Les pièces et une grande partie du mobilier d'origine ont été restaurées et l'un des wagons du célèbre chemin de fer est exposé dans la cour, derrière la maison.

The Breakers, hôtel bâti à l'initiative de Flagler, dresse sa façade royale de l'autre côté de de la rue. L'établissement a connu des hauts et des bas, et subi deux incendies mais il demeure un hôtel de grande classe. De majestueuses arcades vénitiennes conduisent dans le hall, des canapés confortables et des tapis persans ornent les couloirs et la salle à manger circulaire est éclairée par une immense ouverture vitrée au plafond, des fenêtres cathédrales et un superbe lustre en bronze.

Le nord de Palm Beach ne dépare pas le reste de la ville. Le domaine des Kennedy se situe juste après le n° 1075 N Ocean Boulevard. John Kennedy, alors jeune sénateur, y écrivit ses *Mémoires de guerre* après une participation héroïque à la Seconde Guerre mondiale. Devenu président des États-Unis, il séjourna régulièrement à Palm Beach en hiver.

Durant les années 1980, Palm Beach a connu un regain de popularité grâce à l'afflux d'étrangers fortunés. Parmi ces nouveaux venus figuraient le Français Robert de Balkany et sa femme, la princesse Maria Gabriella de Savoie, et feu Arndt Krupp von Bohlen und Halbach, de la grande famille industrielle Krupp.

On pourra suivre l'Ocean Boulevard jusqu'au bout, vers le nord, et se garer pour se diriger à pied vers les docks de Palm Beach, d'où le spectacle du lever de soleil est exceptionnel.

Les matchs de polo, sport favori de Palm Beach, ont pour cadre le **Palm Beach Polo and Country Club** et le

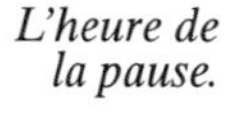

L'heure de la pause.

Royal Palm Polo Club de Boca Raton. Quelques-uns des tournois les plus importants ont attiré ici des joueurs aussi illustres que le prince Charles d'Angleterre. Les matchs se jouent sur plus de vingt terrains de polo, d'octobre à juillet. Mais l'atmosphère n'a rien de comparable avec celle du traditionnel base-ball du dimanche après-midi. Alors, les marchands ambulants proposent champagne et foie gras au lieu des hot dogs et de la bière habituellement de rigueur en de telles occasions.

Retour à la « réalité »

West Palm Beach, située de l'autre côté de Lake Worth, fut conçue par Henry Flagler pour loger le personnel, les jardiniers et autres journaliers. Tous ces employés travaillaient dur pour que Palm Beach puisse garder son image de ville luxueuse pendant que leurs employeurs donnaient des réceptions, allaient faire des achats, jouaient au polo et amassaient toujours plus d'argent.

Le centre-ville de West Palm Beach est plutôt morose et sans prétention mais apporte une note de fraîcheur après l'étouffante Palm Beach. Un nouvel hôtel confortable, le **Palm Hotel**, s'y est installé

Non loin, **Belle Glade** et **Clewiston** sont aujourd'hui de véritables centres de l'industrie de la canne à sucre dont les champs envahissent le comté. La production est telle qu'elle pourrait subvenir aux besoins de 15,7 millions d'Américains pendant une année entière. Il faut goûter à la sève délicieuse que l'on suce à même la canne à sucre. Le bâtiment, l'immobilier et la finance sont les autres activités économiques dominantes.

Palm Beach Gardens abritent le siège de l'Association des golfeurs professionnels (PGA) qui possède quatre terrains de golf et un **Golf Hall of Fame**, situé dans Palm Beach Gardens. Ces derniers accueillent également l'Association nationale de croquet qui organise chaque année des tournois internationaux.

Cornelius Vanderbilt (à l'extrême-droite) et ses amis, devant le somptueux hôtel Royal Poinciana, en 1896.

A 24 km à l'ouest du centre-ville s'étendent les 260 ha du **Lion Country Safari**, une reconstitution du veld africain où l'on circule en voiture au milieu d'animaux en liberté.

On peut aller cueillir ses agrumes à **Anthony Groves**, sur la route SR 7. Quelque 17 000 citronniers et orangers y fleurissent en hiver. Au sud du lac Worth, **Knollwood Groves** propose un parcours en chemin de fer.

Étoiles célestes et terrestres

L'autoroute A1A bifurque vers la plage pour gagner le Blue Heron Boulevard que l'on suit entre les hauts immeubles de **Singer Island** jusqu'à **Jupiter**. Cette ville était autrefois le terminus du Celestial Railroad, un chemin de fer de 13 km qui doit son nom, non pas au centre spatial Kennedy, trop lointain pour avoir influencé la dénomination de la ligne, mais aux stations qu'il desservait : Junon, Neptune, Mars, Vénus et Jupiter. Le chemin de fer de Flagler, quant à lui, ne fit que contourner la péninsule de Jupiter, et c'est la raison pour laquelle celle-ci resta à l'écart du développement économique que connut la région. Un monument à Jupiter marque l'emplacement de la ligne de chemin de fer « céleste », aujourd'hui désaffectée.

Afin de surplomber le Gulf Stream — véritable fleuve dans l'océan Atlantique —, on peut grimper en haut du phare en briques rouges qui domine la côte. Pour étancher sa soif, on se rendra ensuite chez **Harpoon Louie's**. En visitant la maison de **Harry Du Bois**, on peut avoir un aperçu de la vie à l'époque du propriétaire des lieux.

Jupiter doit, en partie, sa célébrité à l'acteur Burt Reynolds qui y grandit. Son père, un ancien shérif de la ville, a dirigé longtemps le **Burt Reynolds Ranch Tack and Feed Store**, sur Jupiter Farms Road, près de l'Indiantown Road. L'acteur et son épouse reviennent de temps en temps y faire une visite. Le **Jupiter Theater**,

The Breakers, à Palm Beach, est un véritable palace.

qui, autrefois, s'appelait le **Burt Reynolds Theater**, accueille aujourd'hui des spectacles de qualité avec des têtes d'affiche illustres comme Sally Fields, Farrah Fawcett, Carol Burnett, Martin Sheen, etc.

Les habitations de **Jupiter Island** abritent les milliardaires qui sont allergiques au faste de Palm Beach, mais qui n'apprécient pas davantage la curiosité des touristes. Ici, on ne trouve ni hôtels, ni stations-service à foison ou autre structure typiquement destinées aux vacanciers. Et la police enlève le moindre véhicule qui s'écarte des rues principales pour s'aventurer dans les voies privées plus étroites. Malgré tous ces obstacles chargés de dissuader les non-résidents, Jupiter Island vaut le détour.

On peut ensuite quitter la route US 1 pour la route SR 707, en passant sous une voûte de feuillage. Les pins australiens, les grands palmiers et les fuchsias touffus cachent la plupart des maisons. Des yachts luxueux se succèdent le long du rivage. C'est dans ce lieu protégé que Jackie Kennedy et ses enfants se réfugièrent après l'assassinat du président. En 1961, un juge confirma les arrêtés restrictifs de la municipalité de Jupiter Island par ces propos : *« [Elle] a été faite d'un seul moule et n'a aucun équivalent ailleurs. Pour beaucoup, elle apparaît comme une ville morte alors que c'est au contraire une ville bien vivante, où la vie est paisible, amicale et harmonieuse. La ville ne veut pas de ce que beaucoup d'autres ont, mais ces agglomérations gagneraient à avoir un peu plus de ce qu'elle possède et veut garder : son isolement, sa solitude et sa paix. »*

Rivières, tortues et rochers

A 8 km au nord de Jupiter, dans le comté de Martin, **Jonathan Dickinson State Park** abrite la dernière rivière sauvage de la Floride du Sud-Est. En pagayant sur la Loxahatchee River, on peut rencontrer des alligators et des aigles chauves, qui sont rares de nos jours. En suivant le cours supérieur de

Vue générale de la ville avec, en premier plan, le pont Poinciana.

la rivière en canoë, ou avec le bateau *Loxahatchee Queen*, on arrive au **Trapper Nelson's Camp**. Trapper était un personnage populaire qui faisait des numéros étonnants, dans le zoo qu'il avait créé, et dans lequel étaient organisés des spectacles. Ce centre d'attractions le rendit millionnaire mais les services vétérinaires firent fermer le zoo et Trapper se retira du monde, décourageant les curieux à coups de feu. Quand la police le retrouva mort d'une balle dans la tête, certains pensèrent qu'il s'agissait de représailles. Il avait, en effet, empêché la conclusion d'une affaire foncière dont l'enjeu représentait plusieurs millions de dollars.

Les 3 870 ha de Dickinson Park s'étendent sur de hautes dunes qui culminent à 26 m, à **Hobe Mountain**. C'est le point le plus élevé de la Floride du Sud. C'est là que Jonathan Dickinson fit naufrage, en 1696. Les Indiens le dépouillèrent totalement mais il parvint à s'enfuir vers Saint Augustine.

Les voiliers qui symbolisent richesse et évasion font rêver.

Saint Lucie River se divise en deux bras à Stuart. Elle forme, avec la **Caloosahatchee River**, l'**Okeechobee Waterway**, empruntée chaque année par des milliers de bateaux. *MV East Chop*, de la compagnie Hyline Cruises, permet de découvrir les contrées sauvages de la Saint Lucie River. La croisière remonte jusqu'au lac Okeechobee, à travers des vergers d'orangers et de citronniers.

Les tortues de mer de **Jensen Beach** sont bien connues des touristes. Elles sortent de l'océan durant les nuits de mai et déposent leurs œufs sur la grève.

Le **House of Refuge Museum** fut construit sur les falaises rocheuses de **Hutchinson Island**. C'est le seul centre de sauvetage encore debout sur les six bâtis voilà plus d'un siècle.

Sang Yick Farm, à l'ouest de **Hobe Sound**, est la plus grande plantation chinoise de légumes de Floride. Son principal intérêt est qu'on y cultive une grande variété de produits exotiques inhabituels.

Une bien curieuse hôtellerie

Après s'être consacré pendant des décennies à l'agrumiculture, **Fort Pierce** s'est tourné vers le tourisme en se dotant d'hôtels de plus en plus nombreux et de terrains de camping modernes. A partir de la route SR 707 ou de l'autoroute A1A, en prenant la direction de Fort Pierce, on peut suivre d'appréciables circuits touristiques.

Un complexe d'aspect délabré, appelé **Driftwood Inn** d'après l'auberge de bois flottant bâtie par l'entrepreneur Waldo Sexton, constitue la principale curiosité de **Vero Beach**. On y a adjoint, depuis, une résidence d'appartements en copropriété. Les touristes peuvent encore s'accommoder d'une collation dans la salle à manger d'origine ou se promener à travers cet enchevêtrement architectural improvisé, à l'allure d'épave abandonnée. Cette construction en bois, usée par les intempéries, donne l'impression qu'une simple pichenette suffirait pour qu'elle s'écroule. Et pourtant, depuis les années 1930, elle résiste à l'assaut des vagues et des ouragans.

Chaque chambre, dans la partie d'origine, est unique en son genre. Une série de fenêtres dépareillées, sur un côté, en renforce le caractère étrange. Des canons provenant de vaisseaux espagnols coulés au large, des carreaux de faïence peints à la main, des chaînes rouillées et une kyrielle de cloches (tant appréciées par Sexton), décorent les couloirs et les pièces. Une statue de Miguel de Cervantes, l'auteur de *Don Quichotte*, accueille les visiteurs à l'entrée principale. Elle a été sculptée d'une seule pièce dans du noyer.

L'**Ocean Grill**, un restaurant à proximité de la plage, est une autre réalisation de Sexton. Les fenêtres du bar sont balayées par les embruns. De Vero Beach, une passerelle installée au bout de Dahlia Lane permet de pénétrer dans le cimetière de l'**Indian River Island Sanctuary**.

A 21 km au nord de la ville, près de Sebastian, et au milieu de l'Indian River, **Pelican Island** abrite la réserve naturelle la plus ancienne de la Nation, créée en 1905. C'est sur ces 2 832 ha que viennent se reproduire les pélicans au corps si peu élégant mais au vol si gracieux. On peut louer un bateau pour s'en approcher, mais il est interdit d'aborder sur l'île.

Sebastian Inlet Park est un endroit réputé pour la pêche. **McLarty State Museum** se trouve sur le site d'un ancien camp de négriers espagnols. Les archéologues pensent que le tumulus indien près de l'anse pourrait contenir les ossements de pionniers européens venus s'installer en Floride. Les naufragés rescapés auraient vécu au sein de la tribu des Indiens ais au moins trois ans avant la fondation de Saint Augustine. Selon certains documents espagnols, deux hommes recueillis par un bateau français affirmèrent avoir été capturés par les Indiens en 1562. Par ailleurs, une grande croix réalisée avec des coquilles de conques fut trouvée sur le tombeau d'un chef de la tribu disparue, ce qui tend à prouver que le christianisme leur avait été enseigné.

A gauche, Palm Beach, royaume des golfeurs ; à droite, la montgolfière, moyen original de découvrir la contrée.

N27126
GROUNDS
WAY • TAMPA • U.S.A.

LE LAC OKEECHOBEE ET SES ENVIRONS

La partie intérieure du sud de la Floride gravite autour du vaste **lac Okeechobee**. C'est une région de Crackers, aussi tranquille et retirée que certaines zones dépeuplées des États-Unis. Les cow-boys et les Indiens y élèvent du bétail et y cultivent la canne à sucre, tout en pratiquant la pêche et la chasse. Les travailleurs saisonniers vont et viennent.

Pour s'y rendre à partir de Miami, emprunter la route US 27 qui remonte à travers les Everglades et les champs de canne à sucre. En provenance de West Palm Beach, prendre les routes US 441 ou US 98 qui traversent quelques villes fantômes — mais il ne faut pas hésiter à bifurquer sur les petites routes, quand on les trouve.

Le grand réservoir

Le nom du lac Okeechobee, d'origine indienne, signifie « grande eau » : avec 1 950 km², le lac est le plus grand de Floride. C'est aussi le deuxième réservoir d'eau douce. Il constitue à la fois un atout et une malédiction pour les riverains.

Les premiers colons installés à **LaBelle** et à **Clewiston** subirent deux ouragans qui soulevèrent les eaux du lac et les déversèrent dans les champs et sur leurs maisons. Plus de 1 800 personnes périrent au cours de ces catastrophes.

Un système de digues, de stations de pompage, d'exutoires et de canaux permet de maîtriser les excès, et, grâce à ces installations, les marais environnants peuvent être exploités (culture des légumes et de la canne à sucre). Autour du lac sont disséminés réserves et lieux de pêche. Le US Army Corps of Engineers contrôle le niveau de l'eau sur une superficie de 7 800 km². Des écologistes prétendent que cette opération de contrôle des eaux a altéré les Everglades. En effet, le parc naturel et les villes du sud de la Floride ont été récemment menacés de sécheresse en raison de la baisse du niveau de l'eau du lac. Un pompage excessif pour les besoins d'une population de plus en plus nombreuse sur la Côte dorée (*Gold Coast*) provoque son assèchement.

De Belle Clade à Clewiston par la route US 27, Okeechobee n'est pas bien visible : la digue Hoover, de 10,5 m de haut, obstrue la vue.

Clewiston abrite le quartier général de la US Sugar Corporation, la plus grande sucrerie du Sud. **Clewiston Inn** est un hôtel plaisant. Les promoteurs locaux aiment à dire que Clewiston est « la plus douce des villes des États-Unis », jouant sur la double signification de *sweet* (« doux » ou « sucré »). D'innombrables panneaux indiquant le restaurant **Old South Bar-B-Q Ranch** jalonnent la US 27. Le **Swamp Cabbage Festival**, qui se déroule chaque année, attire orchestres folkloriques et fabricants de galoches nécessaires à la pratique d'une danse populaire qui consiste à frapper du pied et à agiter les bras énergiquement.

De célèbres concours de tracteurs animent la région agricole du sud de la Floride.

Moore Haven, sur la Caloosahatchee River, rassemble routiers et pêcheurs de perches. Une écluse ouvre un passage entre le lac et Fort Myers, à 80 km de là, à l'ouest. C'est le maillon final d'une série de canaux reliant l'océan Atlantique au golfe du Mexique.

En remontant la route SR 78 vers la ville d'Okeechobee, on passe par **Calusa Lodge**, un établissement où se réunissent les chasseurs et les pêcheurs, dont les trophées ornent les murs. Les Séminoles de la proche réserve de **Brighton** viennent souvent y déjeuner. Ils ont fait de l'élevage du bétail une activité prospère.

Okeechobee est une grande ville sur la rive nord du lac. On pratique ici la culture de légumes sur des milliers d'hectares de marécages drainés. La ville organise, pour des milliers d'amateurs de friture, le Speekled Perch Festival le deuxième samedi de mars. La fête du Travail est le jour du Cattlemen's Association Rodeo qui se déroule à l'est du lac près d'**Indiantown**.

De la nature à l'artisanat

A l'ouest du lac, la route US 27 conduit à deux curiosités qui comptent parmi les premières attractions touristiques de la région. **Gatorland** offre l'occasion d'approcher et d'observer des reptiles, des paons et des ratons laveurs et les alligators qui ont donné leur nom au parc.

Une succession d'arbres incite à s'arrêter au **Cypress Knee Museum** fondé par Tom Gaskins. Ce musée est situé au nord de Fisheating Creek, à Palmdale, de l'autre côté de la route US 27. En 1934, Gaskins commença à amasser les *knees*, racines noueuses aux formes particulières qui font penser à de petites sculptures. Il a conservé ses plus belles pièces dans son musée. Gaskins explique le procédé de conservation des racines et comment, en suçant la sève, on peut s'en nourrir. Les touristes pourront rapporter de leur voyage un *cypress knee* en souvenir de la Floride sauvage.

Pulvérisation d'insecticide sur un champ de canne à sucre, près d'Okeechobee.

Bird
Observation Area

LES EVERGLADES

Si l'on avait souhaité préserver les trésors naturels du pays lors de l'élaboration de la Constitution, on aurait dû fermer les frontières du nord de la Floride et faire de l'État entier un parc national. Ce ne fut pas le cas mais, heureusement, on intervint à temps avant que les pelleteuses et les bulldozers ne détruisent tout. En 1947, l'**Everglades National Park**, qui s'étend sur 560 000 ha — soit une grande partie de la pointe sud de la Floride —, fut créé.

A la différence du Grand Canyon, des chutes du Niagara, du parc de Yellowstone ou d'autres joyaux nationaux, les Everglades ne comblent pas toujours le visiteur de vues majestueuses. Au contraire, l'océan d'herbe qui s'étend à perte de vue, avec pour seul ornement des îlots de végétation appelées *hammocks*, des groupes de cyprès et de pins épars ou des palétuviers, peut paraître monotone.

Pages précédentes : oiseaux caractéristiques des Everglades (voir p. 364). A gauche, partie de pêche dans les marécages ; ci-dessous, un tour en airboat.

Mais il faut passer outre et continuer vers le sud dans la péninsule de Floride, car l'association fascinante de la terre et de l'eau, d'une flore et d'une faune de type tropical ou tempéré font des Everglades un véritable laboratoire naturel.

Le parc national des Everglades englobe en partie un lent cours d'eau baptisé Pa-hay-okee (« les eaux verdoyantes ») par les Indiens. Un géographe anglais le surnomma Glades River. L'actuelle dénomination s'est répandue au XIXe siècle.

Pour trouver la source de la River of Grass — « rivière d'herbe » —, remonter vers le nord en direction de la Kissimmee Valley, où les lacs du centre de la Floride alimentent celui d'Okeechobee qui, à son tour, approvisionne les Everglades.

Un environnement fragile

La Glades River coule sur 320 km. Elle atteint 112 km de large et seulement 15 cm de profondeur avec des écarts suivant les saisons. En surface, les eaux coulent vers le golfe du Mexique alors qu'en sous-sol, elles s'infiltrent dans des strates de calcaire poreux, s'écoulant vers la côte atlantique, de Fort Lauderdale à Long Pine Key où elle se déverse dans l'océan.

Les Everglades sont un lieu exceptionnel. Près de 300 variétés d'oiseaux, 600 espèces de poissons et d'innombrables mammifères y cohabitent. On dénombre 45 espèces de plantes endémiques. Malheureusement, toutes ces richesses naturelles pourraient bien disparaître de la surface du globe. Certains spécialistes affirment qu'il suffirait de quelques décennies seulement avant que l'homme n'altère irréversiblement l'environnement fragile des Everglades. Des digues et un réseau de 2 400 km de canaux s'enchevêtrent sur la Glades River, jadis au cours libre, empêchant les fluctuations naturelles du niveau de l'eau. La brigade de l'Army Corps of Engineers a déréglé les cycles naturels en ouvrant les vannes : en hiver, les champs sont submergés quand le fleuve devrait être à sec, et en été, au moment où les pluies d'orage torrentielles devraient inonder le sud de la Floride, le débit est réduit. Le riche humus, formé il y a des milliers d'années par la décomposition de graminées, a été enterré et permet la culture de canne à sucre et de légumes qui, bien que prolifique, bouleverse aussi l'équilibre fragile de la nature. Les villes peuplées de la Côte dorée et de la côte occidentale au sud exploitent à outrance la couche aquifère et drainent des réserves précieuses pour leurs machines à laver, leurs piscines et leurs toilettes... Le niveau de la Glades River est parfois si bas au printemps que ses environs s'embrasent régulièrement, détruisant graminées et arbres, chassant la faune.

Un garde du parc régional de Shark Valley avance que les Everglades pourraient mourir d'ici vingt ans. *« C'est un environnement extrêmement fragile. La présence de l'eau et les cycles naturels ont été perturbés par l'homme. Le parc doit maintenant se contenter de l'eau qui est d'abord passée par la ville. »*

La nature aussi peut faire des ravages

On a comparé l'environnement des Everglades à une tapisserie : *« Nous avons une image faite d'éléments tissés entre eux. Chaque élément composant cette image a une signification. Tout ici est important, l'eau, la structure rocheuse, la vie végétale. Chaque élément dépend d'un autre pour sa survie. Si le niveau de l'eau reste continuellement bas, tout risque de mourir. Si les fluctuations ne sont pas naturelles, le phytoplancton disparaîtra et les petits organismes qui s'en nourrissent mourront tandis que les plus gros, qui dépendent de cette algue pour survivre, n'auront plus rien à manger. La chaîne alimentaire sera brisée. »*

Les Everglades ont évolué pendant six millions d'années, influencés par l'action de la mer et la formation du calcaire. Et il aura fallu moins d'un siècle à l'espèce humaine pour entreprendre la destruction du parc national. L'homme en est l'ennemi numéro

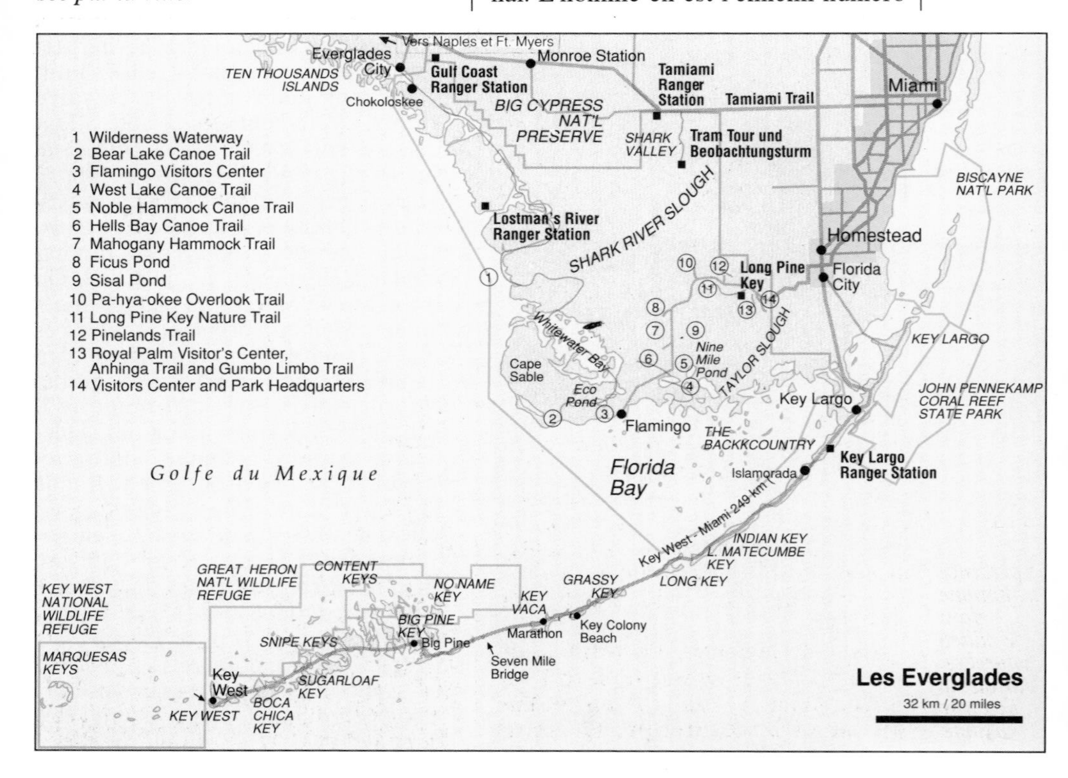

un. Il y a deux mille ans déjà, arrivèrent les premiers Indiens, qui implantèrent des *hammocks* (des îlots végétaux). Pourtant, les Calusas ont su vivre la plupart du temps en harmonie avec la nature.

Le premier homme blanc à avoir parcouru les Everglades était un Espagnol, Hernando Escalante de Fontaneda, qui arriva dans les îles des Keys après un naufrage et vécut parmi les Indiens pendant dix-sept ans. Il décrivit la vie des Calusas, des Tequestas et des Mayaimis dans les Glades et dans le sud de la Floride. Ce n'est que dans les années 1880 que les hommes commençèrent à drainer ce qu'ils considéraient comme un marécage inutile. Le gouverneur Napoleon Bonaparte Broward incita le gouvernement à œuvrer et, vers 1909, le canal de Miami, reliant la métropole au lac Okeechobee, devint l'axe principal du réseau de canaux qui parcourent les Everglades. Les ouragans de 1926 et de 1928 qui firent déborder le lac Okeechobee décidèrent l'Army Corps of Engineers à entreprendre la construction de la Hoover Dike en 1930. Les travaux de cette digue s'achevèrent quarante ans plus tard

Ironie du sort, un autre ouragan, qui inonda le comté de Dade en 1947, aggrava le chaos produit par la construction incontrôlée de la digue et des canaux dans les Everglades. Cela entraîna la création du Swiftmud, le prédécesseur de l'actuel South Florida Water Management District — organisme de gestion des eaux du sud de la Floride.

Dans le même temps, les efforts conjugés de plusieurs associations pour limiter le massacre des oiseaux amenèrent le président Truman, en 1947, à décider de conférer à la région le statut de parc national. Mais les Everglades dépendent aussi de la survie des écosystèmes environnants : la Big Cypress National Preserve, réserve naturelle voisine, fut fondée en 1974.

En 1992, le souffle dévastateur de l'ouragan Andrew mit le parc à sac occasionnant des dégâts sur 56 km. Au fur et à mesure que les vents balayaient tout sur leur passage, l'écosystème des Glades était pris dans un tourbillon aux conséquences irréversibles. Des forêts de palétuviers, de pins et de palmiers furent déracinées. Des milliers d'oiseaux furent emportés ou durent fuir. Les mammifères, les reptiles et les poissons périrent par milliers ou se retrouvèrent sans abri, leur habitat naturel ayant été détruit par le cyclone.

Les écosystèmes des Glades

Plusieurs écosystèmes sont nécessaires à la survie des Everglades.

Le **hardwood hammock** ressemble à une grande « île » d'arbres au bois dur. On pourrait le comparer à un château sur une motte entourée d'un fossé. Des buttes d'humus élevées et sèches (certaines atteignent près de 1 m) fournissent une base pour la croissance de palmiers Pinot, de figuiers, d'acajous des Antilles, de *gombo limbo* et d'espèces ligneuses à feuilles satinées. Pendant la

La présence de l'homme dans le milieu naturel est parfois un peu trop voyante.

saison humide, le lynx, le cerf, la loutre, le raton laveur, l'opossum y trouvent refuge.

Les **heads** sont des îlots plus bas où poussent le *cocoplum*, le laurier commun et des magnolias.

Les **saules**, aux longues branches pleurant dans les eaux profondes, entourent certains *hammocks*. Vus du ciel, ils ressemblent à des anneaux avec leur trou d'eau appelé le « trou de l'alligator ». Et pour cause. Ces animaux vivent à l'abri des arbres s'y nourrissent (une fois toutes les deux ou trois semaines) et s'immergent pour échapper au soleil brûlant.

Les **prairies de laîche** (herbe coupante) forment une étendue de mince végétation frangée d'épineux qui semblent dominer les Everglades.

Les **marécages d'eau douce**, comme celui de la Shark River Valley, servent de réservoirs et de voies d'approvisionnement. Ils contribuent à la survie des plantes et des animaux pendant la saison sèche.

Les **pins** poussent dans les endroits surélevés où affleurent des couches de calcaire. Le feu est en fait essentiel à leur existence parce qu'il nettoie toute végétation susceptible de leur nuire.

Les écosystèmes de **cyprès** renferment des variétés chauves et rabougries. Recouverts de mousse, les cyprès confèrent aux Glades leur allure de marécage.

Les **prés-salés** sont composés d'espèces halophiles, comme les cactus, les yuccas et les figuiers de Barbarie. Les lapins de marécage y bondissent çà et là.

L'**estuaire de mangroves** borde la partie sud-ouest des Glades. Il joue le rôle de barrière côtière contre les orages violents. La feuille de palétuvier nourrit les animaux microscopiques qui, à leur tour, sont mangés par des plus gros qui sont finalement engloutis par les poissons.

Pour apprendre à identifier la flore caractéristique des Everglades et mieux comprendre l'univers de la « Rivière d'Herbe », on peut s'adresser au Visitor Center situé à l'entrée principale du parc national, sur la route SR 27, à l'ouest de Homestead.

Circuler dans les Everglades

Le National Park Service n'a aménagé, fort heureusement, qu'une seule route pavée au cœur des Everglades, et a connecté les voies secondaires à des pistes ou des chemins en bois. Certaines zones restent inexplorées, parce qu'elles n'étaient pas utiles au confort de l'homme.

La SR 9336 est la principale route qui pénètre dans les Everglades et qui permette d'en ressortir 60 km plus loin, à son extrémité sud-ouest à **Flamingo**. Mais même si l'on souhaite rester dans sa voiture, un détour s'impose vers d'autres Visitor's Centers, pistes ou postes d'observation disséminés le long de la route.

Le **Royal Palm Visitor Center**, à 3 km de l'entrée du parc, propose un parcours facile sur une piste à travers un *hammock* d'espèces ligneuses appelées *gombo limbo*. Fougères et plantes épiphytes se côtoient dans un décor semblable à celui de la forêt tropicale humide. En examinant

Une gallinule violette d'Amérique sortie de ses marécages.

soigneusement les branches des arbres, on peut voir l'escargot luisant *Liguus* que l'on ne retrouve qu'à Cuba. L'**Anhinga Trail** est un chemin en bois au milieu des saules, à l'extrémité du **Tailor Slough**. Il est conseillé de rester sur ses gardes car certains morceaux de bois qui semblent flotter sur l'eau sont bien des alligators ! Pour éviter les méfaits des piqûres de moustiques, de taons et d'autres petites bêtes très vicieuses pendant la saison humide, il ne faut pas oublier de se badigeonner de produits insecticides.

Long Pine Key est parcourue par une piste naturelle de 11 km qui sillonne une forêt de pins. Des terrains de camping et des aires de pique-nique y ont été aménagés. Après avoir passé le **Rock Reef Pass**, on se dirige vers **Pa-hay-okee Overlook**, une tour d'observation dressée dans un *hammock* bordé de cyprès et entouré d'un marais d'eau douce. En se promenant sur les sentiers en bois, on peut observer une centaine d'espèces de graminées des Everglades. L'herbe coupante (ou laîche), n'est pas une graminée mais un carex.

Le grand héron bleu est l'une des nombreuses espèces magnifiques du parc.

Mahogany Hammock Trail serpente sous des acajous qui sont parmi les plus grands des États-Unis. Quelques palmiers paurotis, atteignant parfois 9 m de haut, bordent **Paurotis Pond**, un marais à la faune abondante. Le **Nine Mile Pond** se trouve dans une prairie humide et un estuaire de mangrove.

En continuant plus bas, les pagayeurs seront ravis. Le **Noble Hammock Canoe Trail** propose un itinéraire qui serpente sur 4 km dans les palétuviers, mais le **Hell's Bay Trail** est plus approprié pour les canoéistes entraînés et parcourt 8 km d'une partie plus sauvage des Everglades. Mais ramer une journée entière n'est pas rare. Il est préférable de demander aux rangers (les gardes forestiers) les itinéraires les plus intéressants et appropriés au niveau de chacun. Le sentier du **West Lake** traverse des étendues de laîche. Des crevettes roses se nourrissent et se reproduisent

parmi les palétuviers pour, une fois adultes, migrer vers le golfe du Mexique.

Flamingo et ses environs

Jadis simple village de pêcheurs isolé, accessible seulement par bateau, **Flamingo** est aujourd'hui une communauté qui veille sur le tourisme dans le parc national des Everglades. On peut y camper ou séjourner dans le motel **Flamingo Lodge**. Il est conseillé de réserver en haute saison (en hiver et au printemps).

Le poste des gardes forestiers (*ranger station*) ou la réception du motel donnent tous les renseignements sur le programme des activités proposées dans la région. Il est également judicieux de s'informer sur l'équipement dont on doit se pourvoir. Il est possible de louer un *houseboat*, embarcation entièrement aménagée et équipée pour faire une croisière confortable, pendant plusieurs jours, sur les canaux.

La **Flamingo Marina** clôt, au sud, une voie d'eau de 160 km, le **Wilderness Waterway**, qui commence à l'extrémité du parc, à Everglades City. La voie d'eau coule par **Chokoloskee Island**, la **Lopez River**, la **Sunday Bay**, l'**Alligator Bay**, la **Big Lostman's Bay**, la **Cabbage Island**, la **Wood River** et la **Shark River**. A **Canepatch**, des cultures de canne à sucre poussent au milieu de citronniers sauvages, de bananiers et de papayers, ce qui attesterait la présence de campements indiens calusa et séminoles, qui survécurent jusqu'en 1928.

La **Shark River** (« rivière des requins »), à l'ouest du parc, est l'un des lieux de pêche les plus réputés du parc, comptant 45 espèces de poisson, parmi lesquelles le brochet de mer, le rouget grondin, la truite de mer, le tarpon argenté ou encore le vivaneau et le mérou. **Gunboat Island**, « l'île de la Canonnière », doit son nom à sa forme. L'énorme **Whitewater Bay** se déverse dans le **Buttonwood Canal** qui conduit à Flamingo Marina.

Immobiles à la surface de l'eau, les alligators ressemblent à des morceaux de bois qui flottent.

Bien entendu, Flamingo propose aussi des excursions et des promenades plus courtes. Des bateaux mènent sur le rivage de sable blanc de **Cape Sable**. On peut aussi faire un tour en bateau autour des îles des Keys dans la **Florida Bay**. Les limites du parc atteignent l'**Intracoastal Waterway**, à quelques kilomètres seulement au nord des Keys. Le camping sauvage est autorisé sur l'île de **North Nest Key**, sur les **Rabbit Keys** et sur les **North Sandy Keys**.

L'**Eco-pond**, un étang situé non loin de Flamingo Inn, abrite des ibis, des hérons, des balbuzards pêcheurs, des aigrettes et d'autres oiseaux. Mais les plus remarquables sont les spatules roses que les premiers colons ont confondu avec des flamants roses, d'où le nom donné à la localité.

Les environs de Flamingo disposent de quelques pistes de randonnée bien entretenues : **Snake Bight**, dans des plantations tropicales, mène, à un chemin en bois qui domine Florida Bay ; **Rowdy Bend**, où la mousse et les broméliacées rouge vif ont envahi la nature ; **Christian Point**, avec ses broméliacées sauvages géantes acrochées aux arbres ; et **Bear Lake**, un sentier submergé par les eaux d'un lac émanant du **Homestead Canal**.

De l'autre côté de Loop Road

Une autre route pénètre dans le parc national des Everglades. A partir de Homestead, prendre au nord de la route US 27, et se diriger ensuite vers l'ouest sur la route **Tamiami Trail** à environ 80 km. L'entrée de la **Shark Valley** fait face au **Miccosukee Village and Culture Center** (« village et centre culturel indiens »). En été, une bonne partie du marais est submergée. Mais en hiver, le parc organise une promenade en petit tram à travers la prairie de laîche. Il mène jusqu'à la tour d'observation, au pied de laquelle se rassemblent les alligators.

On peut emprunter la piste de tram à pied ou à bicyclette. En marchant silencieusement sur l'**Otter Cave**

Un ranger du parc national des Everglades a pris un raccourci dans le marais.

Hammock Nature Trail, on peut observer, dans le chenal qui borde le sentier, des loutres qui dévorent des grenouilles vivantes. Les petits jets d'eau indiquent probablement la présence d'orphies.

A partir de l'entrée de Shark Valley, sur la route Tamiami Trail vers l'ouest, on traverse une réserve miccosukee. L'occasion se présentera sans doute de monter à bord d'un *airboat* (embarcation typique des Everglades) piloté par un Indien.

La Tamiami Trail finit par se diviser : en bifurquant à gauche, à travers **Pinecrest** en direction de l'Everglades Nature Center, on se trouve sur ce que l'on appelle la « Loop Road ». En tournant à droite, on atteint **Everglades City** par la Big Cypress National Preserve (en quittant la route SR 29). Cette ville est reliée par bateau aux **Ten Thousand Islands** et à une partie de l'estuaire marin des Everglades. Des excursions sur l'eau sont organisées au départ de la **Gulf Coast Ranger Station** (un poste de gardes forestiers). Pendant l'été, des croisières dans le nord de **Chokoloskee Bay** permettent d'observer plus de 20 000 oiseaux. Il est possible de louer les services d'un guide pour une partie de pêche.

La réserve nationale de **Big Cypress** se rapproche plus de l'image traditionnelle d'un marais que des Everglades. Elle comprend des îles de sable plantées de pins, des marécages et de vastes plantations de cyprès nains émergeant de l'eau et de la boue à hauteur du genou. Les cyprès chauves géants qui caractérisaient autrefois la région ont été presque entièrement abattus par les bûcherons pour la fabrication de tonneaux, de coques de bateaux et de cercueils. Les quelques spécimens qui ont survécu sont vieux d'environ 700 ans.

Une crête parsemée d'îlots de végétation et de cyprès sépare les Glades du **Big Cypress Swamp**. Ce dernier est un marais qui couvre 6 000 km^2, dont 22 800 ha ont été classés réserve nationale. En randonnant au cœur du Big Cypress Swamp, on apercevra peut-être, dans la marne humide, les traces d'une panthère de Floride, espèce en voie de disparition, ou d'un ours noir. Le milan des marais est également une espèce floridienne en danger de même que le tantale d'Amérique. Cette zone accueillait autrefois deux millions d'échassiers mais les chasseurs de plumes ont réduit ce nombre à quelques centaines de milliers à la fin du siècle dernier. En dépit des lois protégeant le gibier d'eau, on dénombrait, vers le milieu des années 1970, seulement 200 000 échassiers.

Le déclin fut particulièrement alarmant chez les tantales d'Amérique. On en comptait encore 50 000 dans les années 1930 contre 10 000 aujourd'hui. L'un des meilleurs endroits pour les observer est le marais de **Corkscrew**, sur la route SR 846.

Corkscrew mérite un détour à tous points de vue. Sauvé des bûcherons grâce à la pression de citoyens motivés et de la National Audubon Society en 1954, il couvre désormais une superficie de 4 400 ha. On pénètre par un ponton en bois dans la plus grande plantation de cyprès chauves des États-Unis. On peut observer les divers écosystèmes communs aux Everglades et au Big Cypress Swamp : bas-fonds boisés de pins, prairie humide, saules, îlots de végétation tropicale ou *hammocks* couverts de plantes ligneuses et de marécages.

Non loin de Corkscrew Swamp, **Janes Scenic Drive** est, comme son nom l'indique, une route pittoresque qui part de la SR 837, non loin d'une ancienne voie ferrée, et qui chemine vers la magnifique **Fakahatchee Strand**, la seule forêt au monde mêlant palmiers royaux et cyprès. On pourra également y admirer la plus grande concentration d'orchidées indigènes d'Amérique du Nord. Environ 44 variétés y ont été répertoriées, parmi lesquelles la catopsis, qui ne pousse nulle part ailleurs.

De retour sur la route SR 837, on se dirigera, au sud, vers la route US 41 — ou Tamiami Trail —, à l'ouest de laquelle se situent la **Marco Island** et la station balnéaire **Naples** dont la réputation n'est plus à faire. En continuant tout droit, on trouvera le Visitor Center de la ville d'Everglades.

Une piste submergée dans le Big Cypress Swamp.

LES ÎLES DES KEYS

L'archipel des Keys prolonge la péninsule de Floride vers le sud-ouest. Un chapelet de 43 îles s'égrène sur plus de 200 km pour se terminer à Key West, située à 150 km de La Havane.

Il y a deux manières de rejoindre les Keys à partir de la Floride continentale. La plus lente mais aussi la plus pittoresque consiste à suivre l'autoroute US 1 au sud de Homestead, puis à tourner à gauche après Florida City, terminus méridional de l'autoroute à péage.

Le pont s'arrête au nord de Key Largo. Une bifurcation à droite, sur la route SR 905, traverse des *hammocks* (îlot de végétation) de cornouillers de Jamaïque, de gordonie, de lysiloma plumeux et d'acajous, jusqu'à ce que la route revienne vers l'US 1. En tournant à gauche sur la 905, on arrive à l'extrémité de l'île.

Au-delà, les canotiers peuvent continuer sur 25 îles, à l'intérieur du **Biscayne National Park**. Des informations sur les croisière peuvent être obtenues auprès de l'administration du parc à **Convoy Point**, à 15 km à l'est de Homestead, sur le continent, ou au poste de garde sur **Elliott Key**, au nord de Key Largo. Mais il faut être vigilant : les nombreux naufrages qui eurent lieu dans cette zone depuis le XVIe siècle attestent la difficulté du canotage dans les Keys. La région a été un repaire de pirates et les capitaines des bateaux devaient constamment être sur leurs gardes, pour déjouer l'infâme Black Caesar dont les pillages prirent fin au début du XIXe siècle. Sans rancune, son nom fut donné au passage entre les îles Elliott et Old Rhodes.

On peut éviter le pont à péage en laissant de côté la bifurcation au sud de Florida City. La route est toute droite sur l'US 1 par Jewish Creek.

Une succession de ponts enjambe **Barnes Sound** et **Lake Surprise**. Le pipeline qui longe certaines portions de l'US 1, transporte l'eau douce destinée à l'archipel. Les monticules de boue sur les poteaux électriques sont des nids de balbuzards pêcheurs.

A gauche, illustration de l'architecture si typique des îles des Keys ; à droite, départ pour la pêche.

Au moment où la route nationale marque un virage à droite, on s'engage dans les Keys. La route s'achève à **Key West**, qui a la réputation d'être anticonformiste et anticonservatrice.

Tout comme les Everglades, les Keys n'éblouiront pas immédiatement le touriste. Il est préférable de garer sa voiture et de se promener à bicyclette ou même en bateau pour apprécier pleinement l'air doux et non pollué. Le plaisir sera total si l'on est un amateur de plongée ou un pêcheur à la ligne.

Plongée à Key Largo

Dans le film *Key Largo*, Humphrey Bogart, Lauren Bacall et Edward G. Robinson affrontaient un ouragan. Le seul vestige de l'époque du film est le **Caribbean Club Bar**, près du MM (Mile Mark, abréviation équivalente au point kilométrique) 104. Des autochtones prétendent que le tournage s'effectua dans un autre bar des environs, détruit par un incendie. On dit encore que seules trois minutes du

film furent vraiment tournées à Key Largo car les stars de Hollywood et toute l'équipe étaient incommodées par les moustiques et les mouches de sable.

Aujourd'hui, l'homme a su résoudre le problème des insectes sur Key Largo, bien que le progrès arrive lentement jusque-là. L'île dispose d'une salle de cinéma seulement depuis 1980. Des supermarchés, des boutiques de cadeaux et une échoppe vendant des fritures s'y sont installés.

La conque est la reine des Keys. Le lycée de Key West a même appelé son équipe de football les Fighting Conchs. A l'intérieur de la coquille — ornement courant sur les tables et symbole de l'océan pour les marins d'eau douce — se niche un gastéropode. On n'oubliera pas d'en goûter la saveur en beignets, en soupe ou en salade avec une pointe d'épices. Si l'on préfère admirer ces mollusques dans leur milieu naturel, on peut en contempler sur le seul récif de corail vivant d'Amérique du Nord, à Key Largo.

Les nombreux clubs de plongée qui bordent l'US 1 proposent des cours accélérés pour former des plongeurs certifiés en quelques jours. Ils organisent aussi des sorties sous-marines et louent le matériel nécessaire.

Le **John Pennekamp Coral Reef State Park**, au milieu des Keys, propose des activités moins coûteuses, notamment des sorties avec masque et tuba et des promenades en bateau à fond en verre ainsi que des plongées autonomes.

Premier parc sous-marin des États-Unis, **Pennekamp** s'étend sur 2 km² de récif vivant. Il comprend une bande de 33 km de long et de 6 km de large faisant partie de la barrière de corail qui commence à Fort Lauderdale et se termine non loin des Keys australes. La jungle aquatique abrite 40 types de coraux et 650 espèces de poissons. Les visiteurs du parc pourront poser toutes leurs questions à l'instructeur de plongée qui les mènera au *Discovery*. Ce bateau organise plusieurs fois par jour des excursions à plus de 4 km au large

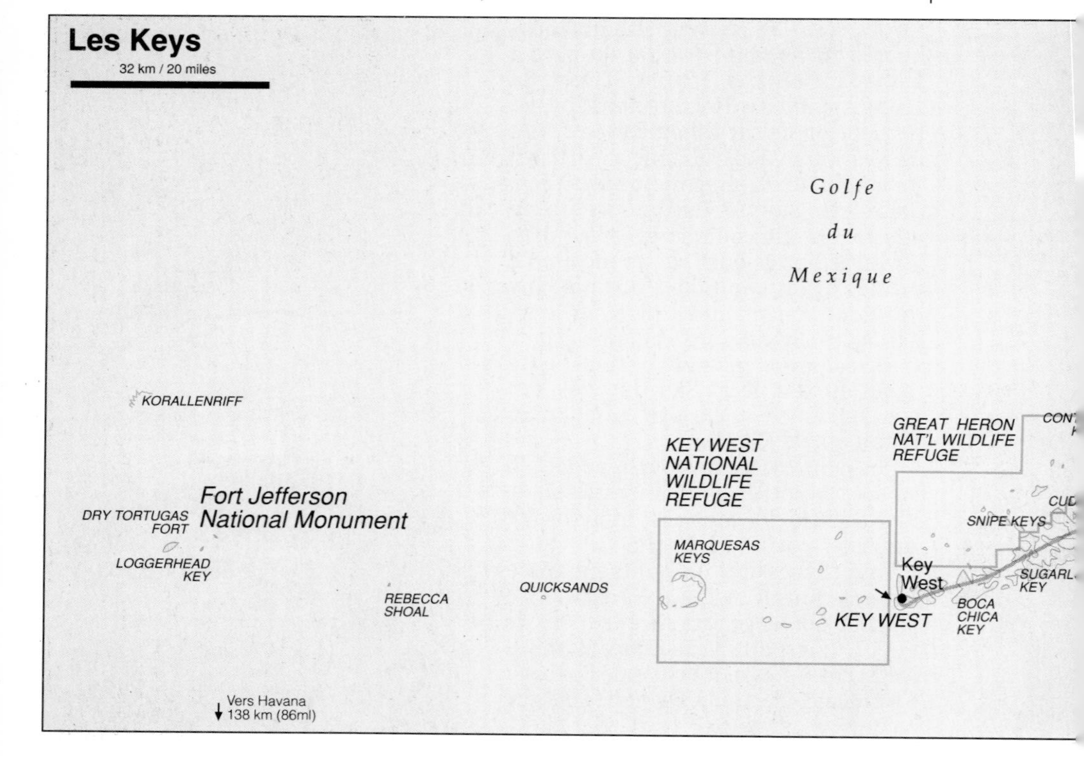

pour ceux qui souhaitent découvrir le récif de plus près. A **Molasses Reef**, les passagers peuvent descendre dans la coque pour observer la vie sous-marine à travers des hublots. Des poissons-perroquets rongent du corail tandis que des barracudas découvrent leurs dents inquiétantes.

Un bateau plus petit et plus rapide, *El Capitán*, emmène les plus hardis plus loin, pour des sorties avec tuba (il suffit de savoir nager). Des plongeurs expérimentés prêtent l'équipement et initient les novices. Le règlement du parc interdit formellement le ramassage de corail ou même qu'on le touche. Les bateaux doivent s'ancrer à l'écart du corail car la moindre pression peut tuer ce tissu vivant qui recouvre le récif.

Ce dernier fut sérieusement endommagé dans les années 1930 et 1940, lorsqu'on détachait le corail à la dynamite et à la barre à mine pour alimenter les étagères des magasins de souvenirs. Des scientifiques spécialisés dans le monde marin, et des protecteurs de l'environnement ont réussi à obtenir la classification de « parc sous-marin » en 1960.

Les **Key Largo Dry Rocks**, situés à 8 km de North Sound Creek, abritent le *Christ of the Deep*. Cette réplique du *Christ des Abysses* de Guido Galletti (en mer Méditerranée, au large de Gênes) mesure 2,70 m et se trouve à 6 m de profondeur, dans une vallée naturelle entourée de récifs de corail.

A Key Largo fut construit le premier « motel » sous l'eau, **Jules Undersea Lodge**, au MM 103, accessible à la nage. Bifurquer à gauche au Burger King, puis suivre les panneaux vers le **Pilot House Restaurant**, réputé pour ses fruits de mer et son dessert au citron maison, le *Key lime pie*.

Pêche dans les Matecumbe Keys

L'autoroute US 1 continue par **Rock Harbor** et rejoint **Tavernier**, port d'attache d'une immense flotte de récupération du XVIIIe siècle, qui

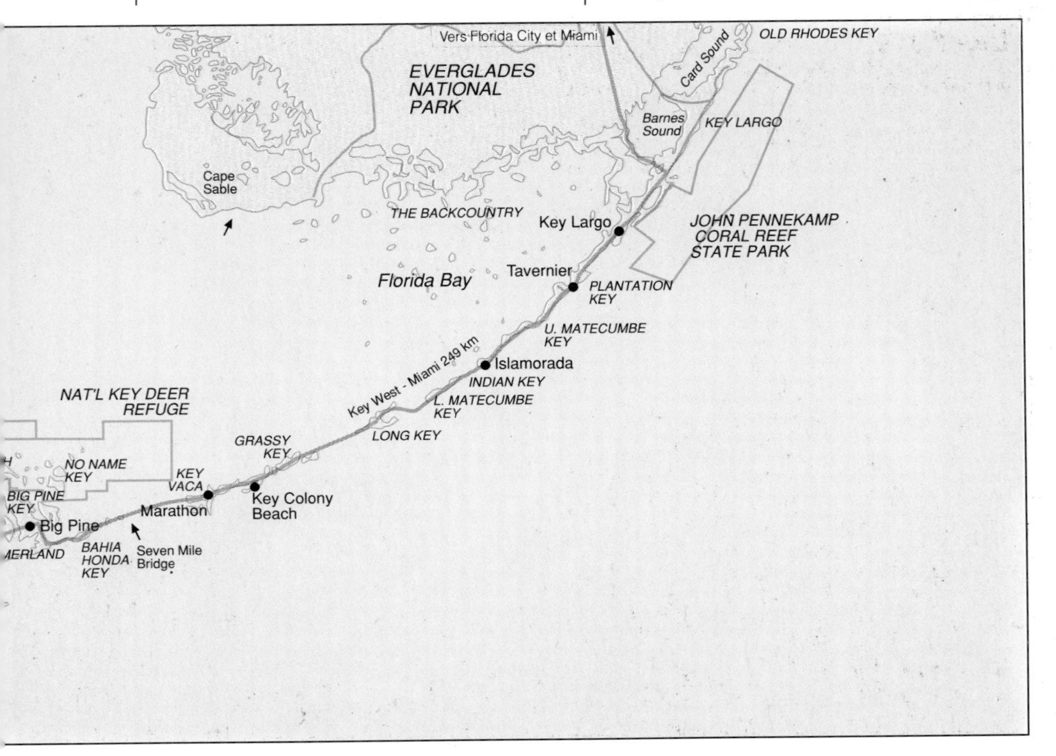

naviguait non loin des récifs et proposait de remorquer les épaves. La Coral Shores School, située sur le côté droit de la route, sur **Plantation Key**, fait office à la fois d'école primaire et de lycée pour les élèves des *upper Keys* (îles supérieures).

Au-delà de Snake Creek, les nombreux motels de **Windley Key** pratiquent des prix très raisonnables. Le sentiment de solitude que suscitent ces petites îles perdues au milieu du océan s'estompe quand on traverse le pont au-dessus de Whale Harbor en direction d'**Upper Matecumbe Key**. Des navires parfaitement équipés rappellent que la pêche au gros est l'activité majeure dans la région. Si l'on a les moyens et l'envie de ramener un grand pèlerin ou un albula, on s'y arrêtera pendant quelques jours.

La ville d'**Islamorada** se considère comme la capitale de la pêche sportive. Ce nom, qui signifie « île pourpre » en espagnol, lui fut donné par un explorateur à la vue des innombrables escargots de mer violets (*Janthina janthina*) accrochés aux rochers du littoral.

Cheeca Lodge, près du MM 82, propose un hébergement de qualité. Le bâtiment principal comporte de vastes chambres dont les lits pourraient contenir trois personnes. Le cyclone Donna détruisit la première auberge située à cet emplacement en 1960, et c'est sa plage réputée — elles sont rares dans les Keys — qui incita la propriétaire à reconstruire la résidence. Non loin, au MM 84,5, le **Holiday Isle Resort** loue des pavillons et possède un terrain de golf où le green fait place au sable.

Bien que les habitués soulignent que l'âge d'or de la pêche est révolu, si l'on écoute les passionnés, on imaginera sans difficulté le poisson-épieu et le tarpon se précipitant sur l'hameçon. *« C'était un paradis !* disent-ils. *Le poisson abondait. »* Ils déplorent que l'Army Corps of Engineers ait altéré l'irrigation naturelle de la Floride et que le nombre de poissons ait beaucoup baissé, notamment dans les eaux

Dans l'obscurité des profondeurs, à Pennekamp.

délimitées par les bords du golfe face aux Everglades, à 30 km au nord d'Islamorada.

Pourtant, les pêcheurs affluent toujours. L'ancien président George Bush vint y séjourner quand il était encore en exercice, pour pratiquer son sport favori, et le vice-président Al Gore fit de même après avoir été élu, en 1992.

Il est conseillé de louer, à plusieurs, un bateau et un guide pour une journée de pêche, car cela coûte entre 200 et 500 dollars. Quand on fait une belle prise, on doit s'acquitter d'une somme particulièrement élevée. Et si l'on rechigne à payer, les guides rejettent le poisson à la mer. L'opération sera moins onéreuse sur des bateaux qui embarquent de grands groupes.

Pour ceux qui préfèrent observer les poissons sans les attraper, le **Theater of the Sea** organise des excursions quotidiennes dans une grotte de coraux. La ville d'Islamorada possède une **Spanish Mission House**, dotée d'une galerie d'art et d'un monument dédié aux quelque 600 personnes tuées par l'ouragan de 1935. Le baromètre était descendu jusqu'à la plus basse pression jamais enregistrée en Occident.

Après une rude journée sur l'océan, les pêcheurs se réunissent dans les bars et les nombreux bons restaurants de la région. Au **Harbor Bar**, situé derrière la marina de Whale Harbor, on peut écouter (ou narrer) des histoires de pêche. Le **Green Turtle**, le **Ziggy's Conch Inn** et le **Marker 88** sont également des restaurants à recommander. Le buffet de fruits de mer du **Coral Grill** est surtout apprécié des touristes et peu fréquenté par les autochtones.

Pour ceux qui ne sont pas des amateurs de produits de la mer, rendez-vous chez **Erik's**, sur la droite, au niveau du pont sur Windley Key (au MM 85,5). Le restaurant est aménagé sur une péniche mais la décoration intérieure rappelle plutôt celle d'un chalet avec des cheminées et un plafond voûté. L'établissement est souvent fréquenté par des célébrités. Après le

Le bar Sloppy Joe's.

dîner, des bars très « couleur locale » proposent des spectacles, comme celui de Whale Harbor Inn, au MM 83,5.

Promenades singulières et merveilleuses

D'autres ponts conduisent à **Lower Matecumbe Key**, lieu d'embarcation pour des excursions vers Indian et Lignumvitae Keys, accessibles en bateau seulement. Un ferry pouvant accueillir 26 personnes fait le trajet tous les jours sauf le mardi et le mercredi.

Indian Key, d'une superficie de 4 ha, ne laisse rien entrevoir de son paysage et de son histoire remarquables aux bateaux de passage. Mais ceux qui s'aventureront sur ses pistes découvriront les traces des Indiens calusa qui y ont, dit-on, massacré quatre cents Français en 1770. Jacob Housman transforma plus tard l'île en un port animé et lieu de résidence. En 1836, il déclara l'île capitale du comté de Dade.

Les fondations de la ville de **Housman** et ses citernes d'eau sont aujourd'hui envahies par une végétation tropicale luxuriante. Tout fut détruit le 7 août 1840, lors d'une attaque du chef Chekika et de cent de ses braves. Housman est enterré sur l'île. Au détour d'une piste, on aperçoit sa tombe que des vandales ont pillée.

La végétation tropicale offre l'opportunité d'une promenade étonnante. Une tour d'observation permet de découvrir des plantes séculaires qui créent presque une ambiance de film de science-fiction. En mai, des papillons blancs migrent depuis l'Amérique du Sud.

De retour sur le pont de l'Overseas Highway, à hauteur de l'extrémité nord-est de Lower Matecumbe, s'étend **Lignumvitae Key**, qui doit son nom à un arbre dur comme de la pierre. Pour un prix modique, la ranger Jeanne Parks et son équipe montrent les *gombo limbos* appelés communément « arbres-touristes » — en raison de leur peau rouge qui desquame —, et les grandes plantations de gaïacs (*Lignumvitae*), ou

Terrain de golf à Cheeca.

« bois de vie », considérés par les Espagnols comme une plante régénérante. Ils mettent le visiteur en garde contre l'arbre à poison semblable au gaïac. Tous les types de mangroves poussent ici : la mangrove à palétuvier rouge, peu haute (dont les racines en forme d'échasse aspirent l'eau de mer et en rejetent le sel) ; la mangrove noire, plus imposante (dont les racines émergent verticalement du sol) et la mangrove blanche, aux feuilles arrondies, utilisées comme combustible. En dépit de leurs noms, toutes les mangroves ont un feuillage vert.

Des oiseaux, des goglus aux balbuzards pêcheurs, prospèrent sur l'île dont le monument le plus étonnant est un mur de pierre de 900 m édifié à la main.

Le Territoire de Zane Grey

Des Matecumbes en allant vers **Long Key**, l'US 1 découvre des paysages marins à couper le souffle. A Long Key, une agréable aire de divertissement dispose d'excellents emplacements de camping et d'une plage où l'on peut nager en toute sécurité. On y trouve aussi une tour d'observation, un ponton en bois et un sentier naturel, Golden Orb Weaver, qui tire son nom des grandes araignées inoffensives qui tissent leur toile dans les arbres. Le romancier du Far West, Zane Grey se retira ici pour pêcher en toute sérénité. Une crique qui mène à Long Key Blight porte son nom.

Long Key n'a pas grand-chose en commun avec le tourisme de masse. La vie y est tranquille et le fait que près de 200 résidents permanents n'aient encore qu'un téléviseur noir et blanc est très significatif.

Le Sea World Marine Park a aménagé un **Shark Institute** (Institut des requins), proche de la station **Lime Tree Bay Resort**. On peut voir nombre des spécimens de l'institut (lui-même non accessible au public) — requins-citrons, requins-tigres, requins-taureaux, requins-marteaux et poissons-scies... — au Sea World, dans

Vue aérienne de Key Largo.

la Floride centrale. Les requins ont été capturés au large de Long Key, dans un rayon de 8 km.

Grassy Key est devenue célèbre grâce à l'un des meilleurs éléments de son école de dressage, le dauphin Flipper, héros d'une série télévisée. **Hawk's Cay Resort** (la seule station quatre étoiles de toutes les Keys) est l'unique endroit des Keys où les hôtes peuvent nager au milieu de dauphins en liberté, moyennant quelques dollars bien entendu. Grassy Key se trouve à l'autre bout du Long Key Viaduct, un pont qui contourne les petites îles de **Duck Key** et **Conch Key**.

A partir de ce point, les noms et les caractéristiques de chaque île sont moins connus, comme **Key Colony Beach** et **Crawl Key** (une déformation du mot hollandais *kraal*, qui signifie « élevage de tortues de mer »). La civilisation semble loin. Puis, la ville de **Marathon** sur **Key Vaca** surgit et l'impression s'envole !

Le Seven Mile Bridge

Marathon, ville de 10000 habitants et communauté urbaine où se retrouvent les ouvriers de Pennsylvanie, évoque une station balnéaire.

Knight's Key sert d'accès à l'une des plus grandes merveilles techniques du pays, le pont **Seven Mile Bridge** qui mesure un peu moins de 11 km et dont le tracé est quasi-rectiligne, avec une courbe à **Pigeon Key**. Il représente le couronnement de la bataille menée par Henry Morrison Flagler contre la nature et les éléments lors de la construction de l'Overseas Railroad. Sept cents hommes trouvèrent la mort sur ce chantier qui fut mené à son terme lorsque Flagler, alors âgé de quatre-vingt-deux ans, conduisit le premier train jusqu'à Key West, le 22 janvier 1912 (depuis jour de la grande fête de cette ville).

L'ouragan de 1935 mit la voie ferrée hors d'usage. L'État la remplaça par une route en utilisant les ponts et les fondations de Flagler. Le Seven Mile Bridge, une structure étonnamment étroite, a été supplanté par un pont moderne plus court.

A gauche, l'exploitation des belles prises dans les Keys ; à droite, auberge de style caraïbe.

Le magnifique trajet au-dessus du golfe du Mexique et de l'océan Atlantique passe tout près d'**Ohio Key**, rebaptisée « Sunshine Key ». Continuer vers **Bahia Honda** où le vieux pont, parallèle au nouveau, rappelle le passé.

Une grande île peuplée de petits cerfs

Bahia Honda, qui signifie « baie profonde » en espagnol, marque la frontière orientale du **National Key Deer Refuge**. Des ponts enjambent des bandes de terre et mènent à **Big Pine Key**, une île qui vient en seconde position pour sa taille après Key Largo. Suivre les panneaux vers le bureau du refuge sur Watson Boulevard, pour découvrir des étangs d'eau douce et des plantations de pins des Caraïbes, qui poussent dans le corail fossile et le calcaire oolithique formant Big Pine. Ils donnent l'impression que l'on est sur le continent. Cette île est si différente des autres que certains géologues pensent qu'elle fit partie des Appalaches.

Une variété de cerf de très petite taille, une sous-espèce du cerf à queue blanche de Virginie, vit sur cette île. Il mesure de 65 à 80 cm de haut, jusqu'à 95 cm de long et pèse de 13 à 50 kg. Les naturalistes expliquent que ces animaux ont sans doute migré vers les Keys en passant par un isthme rejoignant les îles à l'époque glaciaire et y furent retenus quand le glacier fondit. Les chasseurs et les promoteurs avaient contribué à réduire leur nombre à cinquante en 1947, mais les efforts du refuge ont fait augmenter leur population à quatre cents. Deux tiers des cerfs vivent à Big Pine et à **No Name Keys**, mais quelques-uns ont été aperçus sur quatorze îles voisines. Les meilleurs moments pour les observer sont tôt le matin ou en fin d'après-midi.

Le bivouac est interdit sur Big Pine. Presque au bout de la route SR 94, un sentier naturel, **Pine Woods Nature Trail**, passe par Hardwood Watson Hammock. Au sud se trouve une ancienne carrière de pierre, appelée Blue Hole, qui regorge d'eau douce. Les alligators se cachent ici et les cerfs viennent s'y abreuver.

Une vitrine aquatique

Avant de quitter Big Pine, les passionnés de plongée peuvent entreprendre une excursion en bateau à **Looe Key Reef**, à environ 11 km au sud-ouest. Les plongeurs professionnels considèrent ce lieu comme l'une des plus extraordinaires vitrines aquatiques qui soient.

Plus loin, sur l'Overseas Highway, les **Torch Keys** doivent leur nom aux arbres flamboyants. En quittant **Little Torch Key**, on accède à une île privée qui abrite la très exclusive et onéreuse station balnéaire **Little Palm Island**. On y arrive en ferry au départ d'Overseas Highway sur Little Torch Key. Little Palm est composée de quatorze villas au toit de chaume destinées à une clientèle haut de gamme. Le restaurant de la station est cependant ouvert à tous.

A **Summerland**, les routes transversales sont pittoresques et **Cudjoe Key** dispose d'emplacements de camping modernes pour de grandes caravanes. Sur **Sugar Loaf Key** se dresse une haute tour en bois qui fut construite pendant la Première Guerre mondiale pour servir de refuge aux chauves-souris, importées dans l'espoir de régler les problèmes posés par les moustiques. Mais une fois lâchées, les chauves-souris ne revinrent plus. La mer et les îles au nord de Sugar Loaf font partie du **Great White Heron National Wildlife Refuge**.

Les **Saddlebunch Keys** sont une simple succession de mangroves. **Big Coppit**, **Rockland** et **East Rockland** abritent les hommes d'une base aérienne américaine sur **Boca Chica**. **Stock Island**, autrefois centre d'élevage de bétail et de lévriers, est maintenant une banlieue de Key West et abrite le **Tennessee Williams Fine Arts Center** (un centre des beaux-arts à la mémoire de l'illustre écrivain).

Après le dernier pont, on arrive au bout de la route sur l'île mythique de **Key West**.

A gauche, intérieur d'influence hispanique ; à droite, bronzage sur le pont d'un voilier.

AU BOUT DE LA ROUTE, L'ÉTRANGE KEY WEST

« Key West était une ville où il fallait faire un choix. Elle a toujours été la favorite des pirates. »

Thomas McGuane, *Ninety-two in the Shade* (*Trente-trois degrés à l'ombre*)

L'arrivée sur Key West est aussi prosaïque que celle de n'importe quelle autre île en Floride. L'autoroute US 1 conduit les voitures à une intersection qui se scinde en deux boulevards, Roosevelt nord et Roosevelt sud. Le deuxième borde l'Atlantique sur la gauche et passe devant des salines aujourd'hui inexploitées, pour aboutir à un groupe de baraques en ciment, abandonnées. Le boulevard nord débouche dans Searstown, une station balnéaire moderne bien équipée.

Puis le profil de la ville change. Des vitrines éclairées au néon alternent avec de belles demeures noyées sous les fleurs roses des frangipaniers. D'innombrables chats errent dans les rues. L'ambiance très américaine des fast-foods et des maisons blanches impeccables fait place à une atmosphère qui n'est ni tout à fait celle des Bahamas, ni tout à fait celle de Cuba.

On arrive ensuite sur Duval Street qui sépare la vieille ville en deux. Des bars, des magasins et des maisons (restaurées ou délabrées) juxtaposent leurs couleurs discordantes que la ville intègre bien néanmoins. La population est aussi variée que la gamme des couleurs, allant des survivants hippies aux couples homosexuels, en passant par les pêcheurs au visage buriné et les cadres aux tenues dernier cri.

L'île des ossements

Le caractère unique de Key West est dû en grande partie à son rôle historique de refuge de transitaires. La

Des randonneurs saluent le crépuscule à Mallory Pier.

proximité des États-Unis et des Antilles lui a fait subir de nombreuses influences culturelles, mais son isolement relatif lui a permis de se développer à sa propre manière.

Les Indiens calusa sont parvenus jusqu'à cette petite île à 160 km de la péninsule de Floride et à 145 km de Cuba. Des traces d'occupants antérieurs ont été découvertes. L'historien et journaliste Wright Langley a mis au jour des ossements humains, ce qui a ravivé la controverse sur la présence d'une tribu cannibale à Key West.

Vers le milieu du XVIIIe siècle, des explorateurs espagnols affirmaient déjà avoir trouvé des ossements et leur récit est sans doute à l'origine du nom espagnol Caya Hueso, « l'île des ossements ». Le nom anglais de l'île, Key West, pourrait venir de l'appellation espagnole — surtout qu'il y a d'autres îles plus à l'ouest.

Outre les Calusa, qui manifestaient de l'hostilité à l'égard des Européens, les pirates faisaient de l'île un lieu risqué. Ainsi, un jeune officier de la cavalerie espagnole — qui avait reçu Key West en concession par son gouverneur en 1815 — fut bien content de s'en débarrasser : il vendit peu cher cette possession six ans plus tard à J. Simonton, un homme d'affaires d'Alabama. Le gouvernement américain s'interposa vers 1822, après que Simonton eut partagé ses biens. Le commandant David Porter mena la première expédition navale et mit fin à la piraterie. La construction d'une base navale et d'un phare et la fondation de la ville de Key West suivirent.

Des immigrés cubains introduisirent des fabriques de cigares et implantèrent leur riche culture. Les marques de Key West devinrent presque plus recherchées que celles de La Havane. Parallèlement, les pêcheurs d'éponges se multiplièrent.

L'économie de l'île était surtout fondée sur la récupération d'épaves. Récifs traîtres, bancs de sable et intempéries faisaient des eaux environnantes un cimetière marin chargé de trésors caraïbes, sud-américains et européens.

Le commerce devint si lucratif et les naufrages si fréquents que les tribunaux cherchèrent à mettre un terme à ces opérations. En effet, les capitaines de certains navires conspiraient avec les équipages afin qu'ils consentent à faire échouer leurs bateaux, puis ils se partageaient le butin. Pendant ce temps, le gouvernement américain déversait des millions dans l'économie. Toute cette activité contribua à faire augmenter la population, qui atteignit 18 000 âmes en 1888, faisant de Key West la ville la plus peuplée de Floride. Elle devint aussi la ville la plus riche des États-Unis par tête d'habitant et le resta jusqu'au début du siècle. L'achèvement de l'Overseas Railroad, en 1912, ajouta un autre facteur de prospérité économique : le tourisme.

Pourtant, vers 1930, Key West dut faire face à la crise. Le krach de 1929, associé à la fermeture de la base navale et à la maladie des éponges, amorça un déclin qui connut son point culminant avec la destruction de la voie ferrée par l'ouragan de 1935. Les difficultés obligèrent les fabricants de cigares à se replier vers Tampa. La population diminua. Mais les « Bubbas », ces résidents permanents qui forment l'essentiel des « Conchs » (surnom donné aux habitants de Key West), restèrent sur place et se mirent au travail.

Quartier libre à Key West

La Seconde Guerre mondiale servit de catalyseur quand la marine réoccupa ses installations dans l'île. Le président Harry S. Truman fit construire sa « petite Maison-Blanche » sur la base. La crise des missiles cubains et l'invasion de la baie des Cochons sous la présidence de John F. Kennedy amenèrent une nouvelle prospérité grâce au budget de la défense. Bien qu'elle soit moins présente que par le passé, la US Navy occupe toujours près d'un quart de la superficie de l'île. Mais le tourisme, la pêche aux crevettes et la restauration sont maintenant les principales activités de Key West.

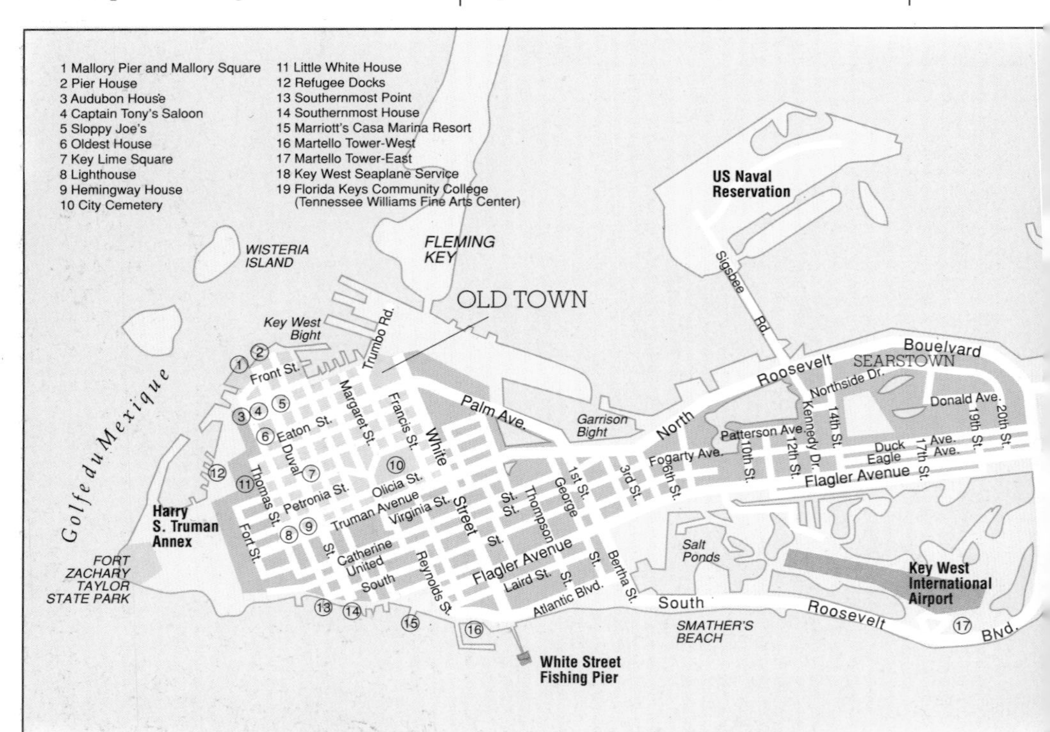

Suivre un plan précis pour découvrir Key West n'est pas très judicieux. Sans manquer de visiter la maison de Hemingway, de prendre le train *conch* et de boire une margarita chez **Sloppy Joe's**, il faut aussi faire une halte au **Half Shell Raw Bar** où l'on croise souvent de vieux Conchs. A **Mallory Pier**, on se laissera charmer par un joueur de banjo ou un accordéoniste.

Pour apprécier Key West, il faut y séjourner. L'île est bien équipée ; des demeures restaurées ont ouvert leurs portes. Le **Marriott's Casa Marina Hotel** de style Renaissance espagnole, sur Reynolds Street, est un des nombreux édifices de Flagler, cossu et entièrement rénové. **Pier House**, à l'extrémité nord de Duval Street, offre un cadre plus moderne avec duplex et balcons donnant sur une plage privée. De l'autre côté de la rue, **Ocean Key House** est un autre hôtel aux suites de luxe et à l'atmosphère tropicale.

Une fois installé, on a le choix entre deux excellents moyens pour visiter la ville : le vénérable train *conch* ou le plus récent Old Town Trolley. Tous deux explorent les rues en une heure et demie. Des guides décrivent aussi la ville sous tous ses aspects.

Un autre moyen de découvrir les rues est de regarder le **Key West Picture Show**, un film primé qui dure quarante minutes et relate le charme de la ville à travers une satire de récits de voyages des années 1950. Il est projeté à divers moments au Conch General Store de Mallory Market.

Sur les traces de Hemingway

On peut étancher sa soif au **Captain Tony's Saloon**, situé au 428 Greene Street, créé en 1933 et qui appartint d'abord à « Sloppy Joe» Russel, compagnon de pêche de Hemingway. L'intérieur, tapissé de reliques, de cartes de visite jaunies et de coupures de journaux, replonge le client dans l'époque légendaire où Hemingway venait se reposer ici devant un verre de rhum ou faire un bras de fer après une journée passée devant sa machine

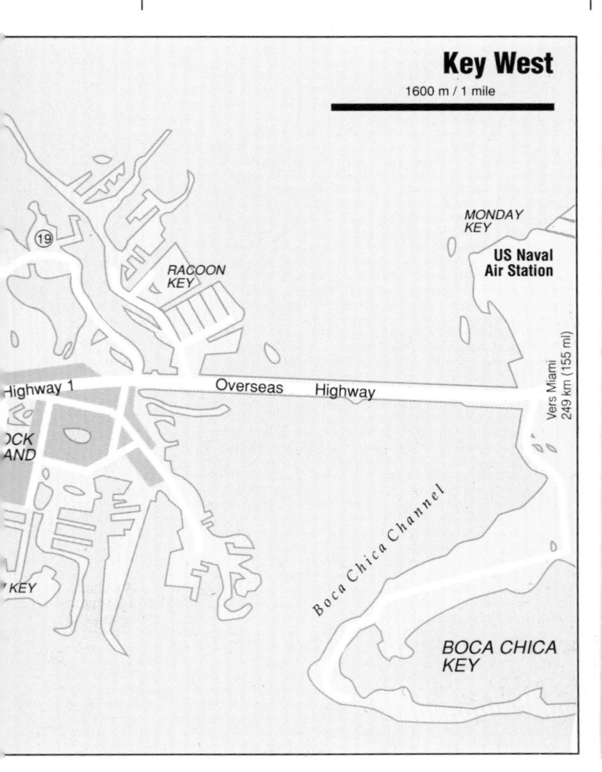

Ernest Hemingway en compagnie de son fils Bumpy, en 1928.

à écrire ou à la pêche. Le bar se targue d'être le plus ancien de Floride. Il doit son nom actuel à Tony, véritable figure de l'île, ancien maire et vieux capitaine.

Le bar **Sloppy Joe's** n'est qu'à quelques pas de là, au coin de Greene Street et de Duval Street. Hemingway patronna cet établissement, comme l'annonce sans vergogne l'inscription sur la façade, et l'appela le Midget Bar. De vieilles photos et des souvenirs plus ou moins authentiques rappellent la présence du grand écrivain. Des parachutes sans rapport avec le personnage sont accrochés au plafond et donnent à l'intérieur du bar l'aspect d'une tente arabe. Le soir, la musique est forte, comme l'aime le public.

Avant un moment de détente dans les bars qui rappellent Hemingway, il est indispensable de consacrer une journée à cet auteur. Sa maison, **Hemingway House**, se trouve à l'angle de Whitehead Street et d'Olivia Street. Il l'acheta en 1931, y vécut et y travailla pendant dix ans avant de déménager à Cuba. C'est dans le bureau du deuxième étage qu'il écrivit *Pour qui sonne le glas ?*, *L'Adieu aux armes* et *Les Neiges du Kilimandjaro*. Le personnage de Hemingway est encore très présent sur l'île et nombreux sont ceux qui portent une barbe fournie poivre et sel en souvenir de « Papa » ou du « Mahatma », comme il était surnommé.

Key West doit une partie de sa célébrité à de nombreux autres génies de la littérature qui y séjournèrent. Le dramaturge lauréat du prix Pulitzer, Tennessee Williams, auteur de *La Ménagerie de verre*, d'*Un tramway nommé désir* et de *La Chatte sur un toit brûlant*, vécut ici pendant trente-quatre ans, jusqu'à sa mort, en 1983. Il mena une vie paisible dans sa maison proche de Duncan Street et de Leon Street. John Dos Passos appartient également au groupe des découvreurs illustres de Key West. Thomas McGuane, James Leo Herlihy, Gore Vidal et Carson McCullers vinrent eux aussi flairer l'esprit créatif qui émanait des rues.

Le bureau de Ernest Hemingway, alias « Papa ».

Pourtant, la jeune génération associe plus facilement la ville aux airs inspirés des Bahamas de la pop star Jimmy Buffett et de son Coral Reef Band. Buffet dispose maintenant d'une adresse permanente à Key West et joue au **Margaritaville Café** sur Duval Street.

John James Audubon vient en tête de la liste des peintres qui fréquentèrent l'île. Pourtant, le peintre naturaliste ne passa que quelques semaines à Key West pour étudier et dessiner les innombrables espèces d'oiseaux. **Audubon House**, où il fit son court séjour, a été rénovée et est ouverte au public. Elle se trouve près de Greene et de Whitehead et date de 1830. Elle renferme des meubles d'époque, parmi lesquels des meubles Chippendale provenant pour la plupart de bateaux naufragés.

A gauche, Captain Tony et son vieux copain ; à droite, la borne signalant le point le plus méridional de la Floride.

Les Conch Houses

Les Conchs ne désignent pas seulement les coquillages et les habitants des Keys mais aussi des maisons. Heureusement, les habitants de Key West ont une passion pour la restauration de leurs maisons anciennes, pour la plupart des propriétés privées, ce qui a transformé l'île en un musée vivant de l'architecture.

Il n'y a pas à proprement parler de définition précise de l'architecture des Conch Houses. Tout édifice typique de Key West est une Conch House, surtout s'il est doté d'un balcon tarabiscoté et d'une grande véranda. Le style de ces maisons réunit dans une même construction l'*Early American* de Nouvelle-Angleterre, le style colonial britannique des Bahamas et les tendances françaises et espagnoles de La Nouvelle-Orléans. Ces maisons ont des volets, disposent de citernes d'eau douce et de petits orifices carrés dans le toit (appelés *scuttles*) afin de laisser l'air chaud s'échapper.

Les Conch Houses furent bâties au XIXe siècle, généralement par des charpentiers de marine qui n'avaient jamais construit de maison auparavant. Les meilleurs exemples sont au cœur

de la vieille ville. Sur Caroline Street, plusieurs demeures anciennes devinrent des bureaux. La **Captain George Carey House**, au n° 410, évoque le style des Bahamas, tout comme celle du n° 310. La **George A. T. Roberts House**, au n° 313, avec ses poincianas d'un rouge éclatant, sa véranda double et ses boiseries sophistiquées, illustre bien l'architecture *conch*. La célèbre **Red Door Inn**, à l'angle de William Street, est devenue une légende car c'était un haut lieu de prostitution, de boisson et de jeux. Il est conseillé de clore sa promenade par Whitehead Street et ses maisons colorées.

Les amateurs du style Gingerbread (qui évoque les décorations fantaisistes des pains d'épices) admireront une maison à deux étages sur Duval Street, près de **La Terraza De Marti Restaurant**, que les autochtones appellent « La-Te-Da ». Les boiseries travaillées font apparaître des bouteilles, des cœurs et des piques, symboles déguisés pour indiquer aux marins que l'on trouvait ici du vin, des femmes et des jeux.

La fête au crépuscule

Mais plus que les objets et les ornements, ce sont les habitants qui donnent leur réelle couleur aux lieux. Les Conchs sont gais et modestes. Et il semble que les derniers hippies ont élu domicile ici, comme dans une réserve. Ils continuent à porter des chemises chamarrées et un bandeau dans leurs cheveux longs et on reconnaît leurs maisons, peintes de couleurs vives. En fait, ils vivent comme si les années 1960 n'étaient pas révolues. Les homosexuels, en nombre important, sont totalement intégrés dans la population de Key West. Ils affichent un style qui leur est propre et ce sont eux qui dirigent la plupart des boutiques et des restaurants. La population totale atteint 35 000 habitants, mais l'île semble mêler plus de nationalités, de cultures et de styles de vie que la plupart des métropoles.

Pour observer ce monde étonnant, il n'y a pas de meilleur moment que le crépuscule. Le soleil ne se couche pas

Un aperçu des nombreuses Conch Houses.

simplement ici : il offre, chaque soir, un extraordinaire spectacle dans une lumière pourpre sur le golfe du Mexique, derrière des jongleurs, des cracheurs de feu, des acrobates, des joueurs de banjo, des vendeurs de gâteau, des pirates à la jambe de bois, et autres personnages étonnants.

La fête commence à **Mallory Pier** juste avant que le soleil ne descende à l'horizon, vers 18 h. Le carnaval miniature prend parfois le pas sur l'attraction principale.

Si l'on associe plus volontiers le coucher du soleil à la notion de tranquillité, on pourra se relaxer comme le font la plupart des habitants. Certains boivent du vin, d'autres fument de la marijuana... en toute illégalité. La proximité de l'Amérique du Sud, de la Jamaïque ou du Mexique font de la Floride l'accès principal de la drogue aux États-Unis. Les services des narcotiques passent la côte au peigne fin et les plus belles prises de drogue ont été réalisées ici. Key West est particulièrement vulnérable et a toujours eu la réputation d'être un lieu où débarquent plus fréquemment qu'ailleurs alcools de contrebande, clandestins et marijuana. En effet, les trafiquants ingénieux parviennent à faire passer la drogue par voie de mer. De grosses « balles » de marijuana sont larguées dans l'océan et échouent sur le rivage. On a parfois assisté à la même fièvre pour le ramassage de ces balles que jadis pour la récupération des trésors des bateaux naufragés.

Bars et restaurants

Si l'on veut boire un verre au soleil couchant, on peut monter à bord d'un *house-boat* (bateau aménagé) ancré à Mallory Pier.

L'atmosphère qui règne dans les restaurants de Key West est plutôt exotique, mais les plats justifient rarement leurs prix élevés. **Le Buttery**, le **Café Marquesa**, le **Café des Artistes**, le **Louie's Backyard** et l'**Antonia's** (les noms peuvent changer) servent des repas dans des demeures élégamment

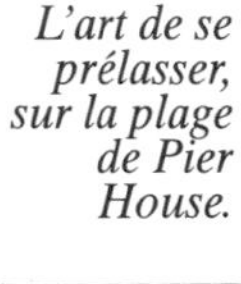

L'art de se prélasser, sur la plage de Pier House.

rénovées, parfois climatisées, ou en terrasse. **Pier House** est un restaurant avec un bon rapport qualité-prix et son cadre en bord de mer est romantique.

Dans un environnement peu formel, le **Half Shell Raw Bar**, sur le port, au pied de Margaret Street, propose ses huîtres et autres fruits de mer crus à des prix raisonnables. Les spécialités cubaines, le *picadillo* (un plat de bœuf), la soupe aux fèves et le *café con leche* (café au lait), peuvent être dégustées à **La Cacique**, sur Duval Street.

Les bars recommandés, outre Captain Tony's et Sloppy Joe's, sont **Bull & Whistle**, reconnaissable à son enseigne murale, **Havana Docks**, un bistro un peu désuet en bord de mer, **Copa**, une boîte de nuit très appréciée au sein de la communauté homosexuelle, **Green Parrot** et **Coconuts**, qui a une jolie vue sur La Concha Hotel.

A la découverte de la ville

Le touriste qui considère les vacances comme une course aux curiosités ne risque pas de se sentir frustré à Key West. **Mallory Square** est un point de départ classique. C'est le lieu autour duquel la ville s'est développée et, plus récemment, celui autour duquel elle renaquit. On peut se procurer des dépliants et obtenir des renseignements à **Hospitality House** qui était, à la fin du XIXe siècle, un guichet pour les passagers et le fret. **Waterfront House**, qui date de 1850, et **Harbor House**, de 1892, sont aussi toutes proches.

Il y a vingt ans, les vieux quartiers de Mallory Square et de Duval Street étaient à l'abandon. Les autochtones avaient déserté les maisons de divertissements ainsi que leurs habitations pour loger dans des immeubles modernes en béton aux extrémités de l'île. Aujourd'hui, les entrepreneurs ont fait des efforts pour renouer avec le charme du passé. On peut passer des jours à explorer **Pirate's Alley**, **Key Lime Square** et **Grunt Bone Alley**.

Les curiosités réparties autour de la ville comprennent les **Martello Towers**, qui font partie des fortifications de la

L'homme-iguane promène ses compagnons sur Duval Street.

frontière sud des États-Unis édifiées au XIXe siècle. La tour Martello orientale abrite le **Key West Art and Historical Society Museum** (musée de la Société d'histoire et des arts). Non loin de là, **Fort Zachary Taylor** se dessine sur la pointe sud-ouest de l'île.

L'**Oldest House**, au 322 Duval Street, attire les amateurs d'antiquités et le phare (**Lighthouse**) érigé en 1846, au croisement des Truman et Thomas Avenues, abrite un musée militaire.

Le **Southernmost Point** (point le plus au sud), au bout de Duval Street, a perdu son titre au profit d'un endroit d'Hawaii. L'immigré chinois Jim Kee commença à vendre des coquillages ici à la fin des années 1930 et ses descendants continuent cette activité. Tout près de là se trouve **Southernmost House**, une demeure privée très cossue.

« Je vous avais bien dit que j'étais malade », épitaphe sur le mur du cimetière.

Même le **City Cemetery** (cimetière) bordé par Francis, Angela et Olivia Streets, mérite une visite. Y figurent un monument dédié aux hommes qui moururent à bord du « **USS Maine** » à La Havane, en 1898, et la statue d'un *Key deer* (un cerf nain) qui indique la tombe de l'animal. Le cimetière a été l'objet d'une controverse en raison de l'habitude locale de réemployer les tombes. Les habitants de Key West ont rassemblé des squelettes au cours des soixante dernières années et les ont enterrés plus profondément pour gagner de la place. Les autorités affirment que 100 000 corps sont enterrés sur 15 000 emplacements dans une partie du cimetière.

Il est conseillé de visiter la base navale abandonnée, **US Naval Base**, à bord du train *conch* ou du trolley. Elle englobe la « petite Maison-Blanche » du président Truman, le poste de commandement du président Kennedy lors de l'invasion de la baie des Cochons et les entrepôts de débarquement des réfugiés. La plupart des 125 000 Cubains qui ont fui leur pays depuis 1980 sur des embarcations de fortune ont débarqué ici. **San Carlos Institute** est à la fois un musée, un théâtre et un centre culturel dédié à la présence cubaine à Key West.

Les touristes à la recherche de souvenirs représentatifs de la ville pourront aller à **Key West Hand Print Fabrics**, au 529 Front Street. Des travailleurs cubains décorent des tissus de motifs tropicaux à la peinture acrylique. Un pâté de maisons plus loin, la **Key West Fragrance Factory** vend des parfums composés sur place.

Les puristes trouvent cet artisanat bien trop commercial. Pourtant, même la population locale s'adapte bien aux nouvelles tendances comme si c'était une autre phase de l'histoire de leur île qui commençait.

Les îles les plus éloignées

L'Overseas Highway, « l'autoroute par-dessus les mers », finit à Key West mais la Floride s'étend encore plus loin. Les eaux bleu de cobalt à l'ouest sont peuplées d'îles bien plus surprenantes que Key West. Le simple fait de s'y rendre représente déjà une aventure. Plusieurs avions assurant une liaison au-delà des Keys les plus méridionales en offrent un bel aperçu.

Les pilotes de **Key West Seaplane Service** (à Murray's Marina sur Stock Island) ralentissent pour permettre aux passagers de jouir de la vue sur les **Quicksands**, des bancs de sable aux formes surprenantes. Non loin de là, un cercle d'îles appelé les **Marquesas** est considéré comme le seul atoll de l'océan Atlantique (alors qu'elles sont en réalité dans le golfe du Mexique). C'est à **Rebecca Shoal** que le chasseur de trésors Mel Fisher trouva le navire espagnol *Nuestra Señora de Atocha*, qui fit naufrage en 1622.

La vue la plus impressionnante est celle de la fin du vol de trente-cinq minutes au-dessus des **Tortugas**, à 108 km de Key West. Du ciel, on croirait voir un morceau d'une ville perdue de l'Atlantide, surgie de la mer. La forteresse hexagonale est le « Gibraltar du golfe », **Fort Jefferson**. Alors que l'avion amorce sa descente pour atterrir, on s'aperçoit qu'elle forme la majeure partie des 8 ha de **Garden Key**. Sa construction a commencé en 1846 et s'est poursuivie pendant trente ans sans être pour autant achevée. Les troupes fédérales occupèrent le fort en 1861 pour l'empêcher de tomber aux mains des confédérés pendant la guerre civile. Après le conflit, il servit de prison.

Parmi les détenus figuraient quatre hommes liés à l'assassinat d'Abraham Lincoln. Le plus célèbre d'entre eux était en fait innocent : le docteur Samuel A. Mudd soigna la jambe cassée de John Wilkes Booth, sans savoir que ce dernier venait de tirer sur Lincoln. Mudd fut accusé de conspiration et condamné aux travaux forcés. Pendant une épidémie de fièvre jaune qui toucha les Tortugas en 1867, il travailla sans relâche pour soigner les malades et bénéficia d'une libération anticipée, deux ans plus tard.

Le fort est aujourd'hui classé monument national. On peut flâner sur ses remparts et imaginer ce que pouvait signifier d'être emprisonné derrière ses murs d'une épaisseur de plus de 2 m et de 15 m de hauteur, coupés du monde non seulement par un fossé mais également par l'océan.

L'enseigne du Bull & Whistle Bar, qui semble sortir du mur.

On pourra séjourner dans des campings peu aménagés ainsi que sur une plage de sable retirée. Il est conseillé d'emporter son pique-nique et son maillot de bain car les eaux invitent à la baignade. Bien qu'elles soient victimes d'une chasse effrénée, on peut apercevoir des tortues géantes — c'est elles qui inspirèrent le nom de *Tortugas* donnés aux îles par Ponce de Léon.

Plus loin à l'ouest, **Loggerhead Key**, île de l'extrémité de la Floride, abrite un phare vieux de cent trente ans et toujours en activité.

Frégates et sternes

Le meilleur moment pour se rendre dans les îles Tortugas est avril ou mai, mais il faut accepter d'être entouré d'innombrables observateurs d'oiseaux équipés de leurs appareils photo.

A l'est de Fort Jefferson, **Bush Key** accueille des milliers de sternes fuligineuses venues chaque année des Caraïbes, de la partie centre-ouest de l'Atlantique et aussi d'Afrique de l'Ouest. Elles se dirigent sur Bush Key au printemps pour pondre leurs œufs dans le sable chaud. Les parents se relaient pour protéger du soleil leur œuf unique. Les jeunes sternes parcourent près de 15000 km pour regagner l'Afrique de l'Ouest, et, ne reviennent sur la petite île de Bush Key qu'à l'âge de quatre ans.

Parmi les autres espèces exceptionnelles pouvant être observées sur l'île, les noddis bruns, ou noddis niais, espèce typique des zones tropicales, volent au ras de l'eau pour attraper le menu fretin poussé à la surface par de plus gros poissons. On remarquera aussi les gigantesques frégates, les plus aériens des oiseaux aquatiques, dont l'envergure atteint 2 m environ. Leur vol est à la fois gracieux et spectaculaire et elles peuvent pacourir en planant des distances considérables. On reconnaît les mâles à leur poche pectorale rouge vif qu'ils gonflent lors de la parade nuptiale.

Piste d'atterrissage à Garden Key.

MOTEL
BAR
GOOD
FOOD
ESERT INN
DESERT INN
MOTEL

LA CÔTE EST

En roulant au nord de Melbourne, sur la côte Est de la Floride, on peut suivre les flux migratoires des touristes qui alimentent la ruée vers la Côte dorée, Miami et Fort Lauderdale. En descendant cette partie du littoral, les premières dizaines de milliers de vacanciers arrivèrent en Floride en un flot continu sur la rive atlantique en ne laissant que quelques oasis tous les vingt kilomètres environ. Ils finirent par s'établir plus bas dans la partie est de l'État, une région de Floride qui fut pendant de nombreuses années le seul lieu de villégiature valable à leurs yeux.

Cependant, on retrouve, sur la partie de la côte qui s'étend de Melbourne à Jacksonville, tous les archétypes du tourisme et les traces de toutes les périodes de l'histoire de ce qui est devenu la mecque des loisirs. Emprunter cet itinéraire équivaut à un voyage aller et retour dans le temps. Selon la manière choisie pour parcourir ces 320 km côtiers, on découvre la Floride d'hier, d'aujourd'hui ou de demain.

Si l'on commence par Melbourne et Cape Canaveral, le parcours mène au cœur de la vie sauvage de Merritt Island, dans la ville vieillotte de Cocoa, puis à New Smyrna Beach, qui, en dépit de son nom, fait partie des plus anciennes agglomérations du pays. La vitesse de croisière s'accélère alors qu'on se dirige au nord vers Daytona Beach, connue pour son circuit de courses auto-moto. La visite de Saint Augustine mérite que l'on ralentisse pour en apprécier les rues étroites bordées de maisons qui datent de la naissance des États-Unis. Afin d'achever son périple tranquillement, on se rendra à 50 km au nord de Jacksonville sur les plages de sable blanc d'Amelia Island.

Au nord de Melbourne, on a le choix entre trois routes fédérales. L'autoroute A1A, une vieille route typique et parfois frustrante qui serpente le long de la côte, permet souvent de voir l'océan Atlantique miroitant au loin, inaccessible. La route US 1, plus traditionnelle mais assez aléatoire, remonte directement la côte en passant par de plus petites villes ; elle permet de découvrir la Floride sous tous ses aspects. L'itinéraire de Tomorrow (« Demain »), l'Interstate 95, est un axe très récent, rapide et doté de quatre voies mais il ne donne à l'automobiliste que des impressions fugitives d'un paysage qui défile avec monotonie dans une succession d'arbres, de voitures et d'échangeurs.

Pages précédentes : un point d'arrêt typique sur le bord de la route. A gauche, un serpent de charme au Daytona Bike Week.

LA CÔTE DE L'ESPACE

Melbourne est un lieu idéal pour commencer une excursion. La ville est entourée de communautés urbaines disposées en étoile, qui combinent à la fois la nostalgie d'hier, la modernité actuelle et la technologie de demain.

Le pays de Melbourne fut longtemps la terre d'asile des premiers habitants de Floride, les Indiens des tribus ais et timucuan. Le premier exploitant qui s'installa à Melbourne était un fonctionnaire envoyé après la guerre civile pour inspecter le territoire de Floride. Il devait décider si l'accueil d'une colonie de plusieurs milliers d'esclaves affranchis était possible. Son rapport fut défavorable mais son opinion personnelle était bien différente. Il s'installa en Floride, tout d'abord dans un secteur qui correspond maintenant au centre de Miami et plus tard dans un lieu appelé Eau Gallie. Ce toponyme provient à la fois du français et du dialecte indien. En effet, *chippewa gallie* signifie « rocailleux » et désigne le calcaire friable de couleur blanche, fait de débris de coquillages marins et de coraux, qui sert de matériau de construction en Floride.

Vers 1893, la route de la côte orientale de la Floride s'étendit au sud jusqu'à Eau Gallie. S'ensuivit une période de croissance constante jusqu'à la construction, après la Seconde Guerre mondiale, de **Patrick Air Force Base**. Sur cette base militaire sont exposés des missiles. En 1890, une seconde communauté se développa à proximité qui, en 1969, fusionna avec Eau Gallie et prit le nom de Melbourne.

A gauche, une navette spatiale est amenée vers la plateforme de lancement du Space Center ; à droite, prêts pour la baignade.

Aujourd'hui, Melbourne propose toutes sortes d'attractions. Elle compte 7 terrains de golf publics, de nombreux lieux pour pêcher en eau douce et en mer, des pistes cyclables, plusieurs parcs et sentiers pédestres, divers musées, auxquels s'ajoute le **Houser's Zoo** où vivent plus de 100 espèces d'animaux. La chambre de commerce locale organise un circuit qui passe par 50 sites historiques. Le **Brevard Art Center and Museum** dispose d'une galerie spéciale pour les mal-voyants.

Le **Florida Institute of Technology** (institut technologique) de Melbourne abrite un jardin botanique où se côtoient plus de 300 espèces de plantes à feuillage tropical qui prospèrent au bord d'un cours d'eau tranquille. L'accès est gratuit.

Modernisme et nature font bon ménage dans toute cette portion de la côte orientale de la Floride. A quelques kilomètres au nord de Melbourne, **Rockledge** est l'une des plus anciennes stations hivernales. Elle fut aménagée en 1837 et tire son nom des corniches rocheuses qui surplombent l'**Indian River**. La région est connue pour ses belles résidences anciennes qui survivent aux méfaits du temps et du vent depuis des décennies.

Au nord de **Cocoa Beach** sur l'A1A, la ville de **Cape Canaveral** englobe **Port Canaveral**, un port maritime profond qui donne au centre de la Floride un accès pour le chargement du

pétrole, du ciment, du bois de construction et du poisson. On remarquera peut-être le mouillage inhabituel de sous-marins atomiques qui disparaissent au cours des tests de lancement de missiles Polaris et Poséidon.

En route pour les étoiles

A mi-chemin entre Cocoa et Cocoa Beach, **Merritt Island** est une île flanquée par la **Banana River** d'un côté et l'**Indian River** de l'autre. Elle comprend une piste d'atterrissage bien entretenue, un aérodrome pour les avions privés et un vaste centre commercial.

Au nord et à l'est des pistes d'atterrissage, à proximité du **Kennedy Space Center's Spaceport USA**, **Merritt Island National Wildlife Refuge** — zone naturelle protégée — s'étend sur 56 147 ha.

On peut visiter le centre spatial en empruntant la route touristique de la NASA (SR 405). A l'entrée principale, les visiteurs prennent un ticket qui donne accès au **Visitors' Center**, un véritable musée du programme spatial américain.

Le Visitor's Center est aussi le point de départ de circuits dans le vaste complexe spatial. Des bus climatisés conduisent au gigantesque **Vehicle Assembly Building** (« bâtiment de montage des véhicules »), l'un des plus grands du monde, ainsi qu'aux plates-formes de lancement des navettes spatiales. Pour plus de détails sur le Kennedy Space Center, se reporter à la page 113.

Les passionnés pourront observer les vaisseaux spatiaux et les fusées qui pointent vers le ciel. De hauts missiles Titan de courte portée sont visibles à **Patrick Air Force Base**. Des sites d'expositions similaires donnent directement sur l'A1A. Mais le Kennedy Space Center reste le haut lieu du vol dans l'espace et son intérêt est inégalé.

Quand une navette décolle de l'**Eastern Test Range** et qu'elle est encore à faible altitude, elle offre une vision

Le Vehicle Assembly Building (VAB) domine le Kennedy Space Center et le Merritt Island Wildlife Refuge qui le jouxte.

spectaculaire de l'aventure spatiale tout au long de la côte, aux environs de Melbourne.

Le visiteur est toujours impressionné de constater à quel point la nature peut s'accommoder de l'œuvre de l'homme. La faune en liberté dans cette zone restée sauvage contraste avec la base spaciale si moderne. Le Merritt Island Refuge, qui borde le Kennedy Center, abrite plus de 250 espèces d'oiseaux, dont la plupart sont menacées d'extinction. Parmi elles, l'aigle à tête blanche compte parmi les oiseaux les plus étonnants de Floride. Dans les grands pins qui bordent les voies traversant la réserve, on aperçoit les nids du rapace aux proportions gigantesques. Autrefois, on dénombrait entre quinze et vingt couples d'aigles à tête blanche sur Merritt Island. Aujourd'hui, ils sont tout au plus 5 couples à construire leur nid dans la réserve.

Qu'y a-t-il au programme ?

Les observateurs d'oiseaux estiment à 70 000 le nombre de canards qui s'abritent à Merrit Island. Cette population de passage comprend 23 espèces qui migrent vers la réserve depuis leur lieu de nidification, situé plus au nord, chaque hiver. Une espèce indigène, le canard moucheté de Floride, y niche aussi.

Une abondance de poissons

Comme sur presque toute la côte orientale, les eaux du large sont réputées pour abonder de truites, de rougets grondins, de tambours, de cavailles, de pèlerins et de brochets de mer. Les plages de la côte de Canaveral offrent de belles occasions de pêcher au large. Des prises records ont été signalées à partir de **Canaveral Pier**, un promontoire artificiel construit dans l'océan Atlantique à Cocoa Beach. Les eaux profondes sont peuplées de mérous, de carrelets, de maquereaux et de lampris tachetés, entre autres. La pêche est réglementée pour les poissons d'eau douce et d'eau salée et pour certains coquillages et crabes.

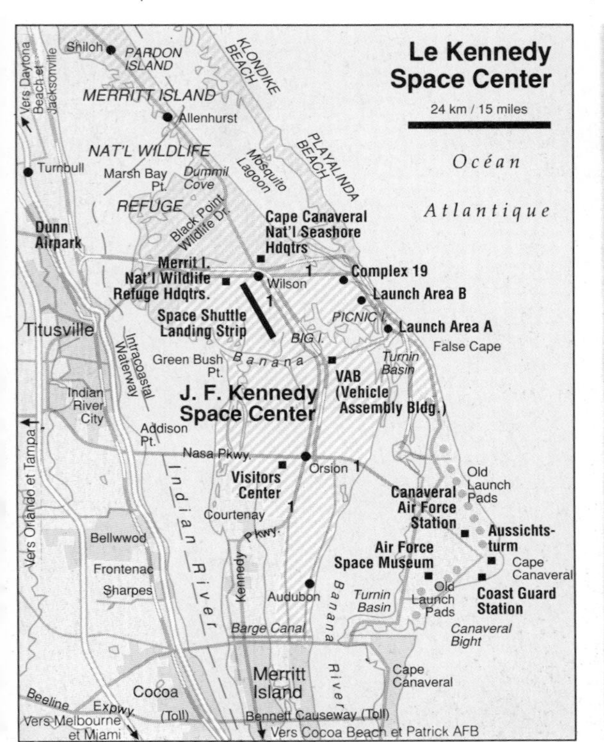

Le poisson-chat est une créature marine étrange que l'on attrape sans moulinet. Ses nageoires pectorales robustes, près de la tête, lui permettent de se propulser hors de l'eau. On les voit souvent ramper comme des serpents sur les pelouses et les routes de la côte orientale et du centre de la Floride. Originaires du sud-est asiatique et échappés des fermes d'élevage situées près de Boca Raton au début des années 1960, ces poissons ont des branchies qui leur permettent de respirer en terrain sec.

Entre juin et août, pendant la pleine lune, un spectacle nocturne extraordinaire s'improvise sur les plages désertes, au moment où les tortues de mer géantes reviennent sur terre, creusent leurs nids et pondent leurs œufs. Trois espèces enterrent ainsi leurs œufs le long de la côte orientale. La plus commune est la caouane dont le poids oscille entre 90 kg et 135 kg, mais il peut atteindre 225 kg. C'est aussi l'une des créatures marines les plus anciennes : son origine remonte à plus de 10000 ans. Occasionnellement, les tortues-luths qui peuvent peser jusqu'à 320 kg, et les tortues vertes, plus petites, échouent aussi sur les plages. Les animaux passent une bonne partie de leur vie en mer et ne reviennent sur la terre ferme que pour pondre. Ces tortues sont des espèces protégées, il est formellement interdit de les attraper et de les toucher. Mais on peut observer leurs « nids » où s'ammoncellent jusqu'à 100 œufs. Le passage des adultes se repère par les traces qu'elles laissent sur le sable. Quand les œufs éclosent, après environ huit semaines, les petits suivent le chemin périlleux qui mènera les plus chanceux jusque dans les vagues. Les autres, les plus nombreux, constituent la proie des mouettes ou des ratons-laveurs. Il arrive aussi que les prédateurs s'en prennent directement aux nids. Le soleil cuisant constitue également un grand danger, sans compter les gros poissons, une fois que les petits ont réussi à pénétrer dans l'eau.

Une sauterelle et son ennemi numéro un.

Cocoa, une ville au nord de Melbourne, contraste avec l'agitation du Kennedy Space Center par son calme et sa décontraction. Cocoa a vu sa population s'accroître avec les installations aérospatiales, mais la communauté a su préserver son charme et son caractère pittoresque.

Des hectares consacrés à l'élevage

L'immense **Deseret Ranch**, qui s'étend sur 12 640 ha, à l'ouest de Melbourne, est devenu la propriété de l'Église de Jésus-Christ des saints des derniers jours, au cours des années 1950. Cette propriété est si vaste que toutes les routes allant de Melbourne et de ses environs à Walt Disney World la traversent.

Les principales productions du ranch sont le bœuf, le bois d'œuvre et les citrons — avec environ 800 ha de citronniers et plus de 5 000 têtes de bétail indien brahma. Ces animaux se sont particulièrement bien adaptés au climat floridien car ils sont les seuls à avoir des glandes sudoripares. Ils résistent donc mieux aux maladies qui déciment si souvent les cheptels anglais.

Outre l'élevage et les plantations d'agrumes, Deseret comprend 65 résidences, emploie 95 personnes et comprend aussi 275 chevaux, des cerfs, des dindes, des cailles, des panthères, des ours, des alligators et des serpents.

La région d'Indian River

Lorsqu'on continue vers le nord à partir de la côte de Cape Canaveral, le paysage commence à ressembler à la Floride d'autrefois. On compte moins d'immeubles et davantage de maisons nichées dans les dunes et entourées de graminées maritimes et de palmiers nains. En remontant la route US 1 qui passe par **Mims**, **Scottsmoor** et **Oak Hill**, on longe sur le trajet du retour **Canaveral Seashore** sur la droite, et l'Intracoastal Waterway sur la gauche.

Avant de parvenir jusque-là, toutefois, on passe par **New Smyrna Beach**,

Les grands élevages de bovins donnent aux ranchs de Floride un air de far-west. Un cow-boy cracker rafraîchit son bétail.

une petite commune charmante qui incite les motocyclistes à quitter le bitume brûlant pour faire une balade sur l'une des plus belles plages de sable dur du monde.

New Smyrna Beach dispose de 13 km de larges plages de sable sur lesquelles on peut rouler, se garer et s'installer pour prendre des bains de soleil. A marée basse, elles peuvent atteindre jusqu'à 200 m de large. Les zones de baignade surveillées sont entretenues toute l'année.

New Smyrna Beach comporte, dit-on, la plage la plus sûre du monde. La présence des énormes bancs de récifs situés entre 40 et 65 km au large dans l'Atlantique constitue un obstacle aux dangereux courants sous-marins qui pourraient emporter les nageurs imprudents. C'est aussi l'une des colonies les plus anciennes d'Amérique du Nord. Des monceaux de coquillages amassés et retrouvés autour de la ville indiquent que plusieurs générations d'Indiens y vécurent. Le site historique de **Turtle Mound** (« tumulus de la tortue »), qui domine le fleuve et l'Océan, est le plus haut point de la côte à des kilomètres alentour.

On rapporte que le village indien de Caparaca se trouvait autrefois sur le site de l'actuel New Smyrna Beach et les historiens prétendent qu'en 1513, Ponce de León, après avoir subi un ouragan au large de ce qui est aujourd'hui Cape Canaveral, y trouva refuge et nourriture avant d'être attaqué par des Indiens et repoussé vers son bateau. Le bras de mer que Ponce visita, appelé Río de la Cruz par les Espagnols, est, croit-on, ce que les premiers habitants nommèrent *The Mosquitos* en raison de la présence de moustiques. En 1926, il devint officiellement **Ponce de Léon Inlet**.

La première colonie s'installa ici en 1767. Cette communauté, conduite par le Dr Andrew Turnbull, un médecin écossais, comprenait 1 500 Grecs, Italiens et Minorquins à la recherche d'un nouveau territoire à cultiver. Le nom de New Smyrna fut donné à la colonie d'après la ville de Smyrne qui était le lieu de naissance de la femme du Dr Turnbull. La localité fut dispersée en 1777 en raison d'un manque de ressources et d'intrigues politiques.

Pendant les dix années de son existence, un système d'irrigation et de canaux de drainage fut construit ; il est encore utilisé de nos jours. Les ruines de puits, de fondations et de fosses à indigo, encore visibles, prouvent l'ampleur des activités des colons. La principale attraction de la ville réside d'ailleurs dans son passé. La construction des actuelles **Turnbull Ruins** et **Sugar Mill Ruins** remonte aux années 1830. Les bâtiments furent incendiés par des Indiens séminoles cinquante ans plus tard.

Un trajet agréable, sur l'A1A, passe devant des maisons luxueuses sur pilotis en direction des dunes balayées par le vent. Il marque l'entrée de Canaveral National Seashore. Au-delà s'étendent 40 km de côtes sauvages. En continuant en direction de Daytona, on pourra admirer Ponce de León Inlet et son phare en brique rouge de 52 m de haut, auquel on accède uniquement à pied.

A gauche, la prise du jour ; à droite, la NASA en action, Miami vue par satellite.

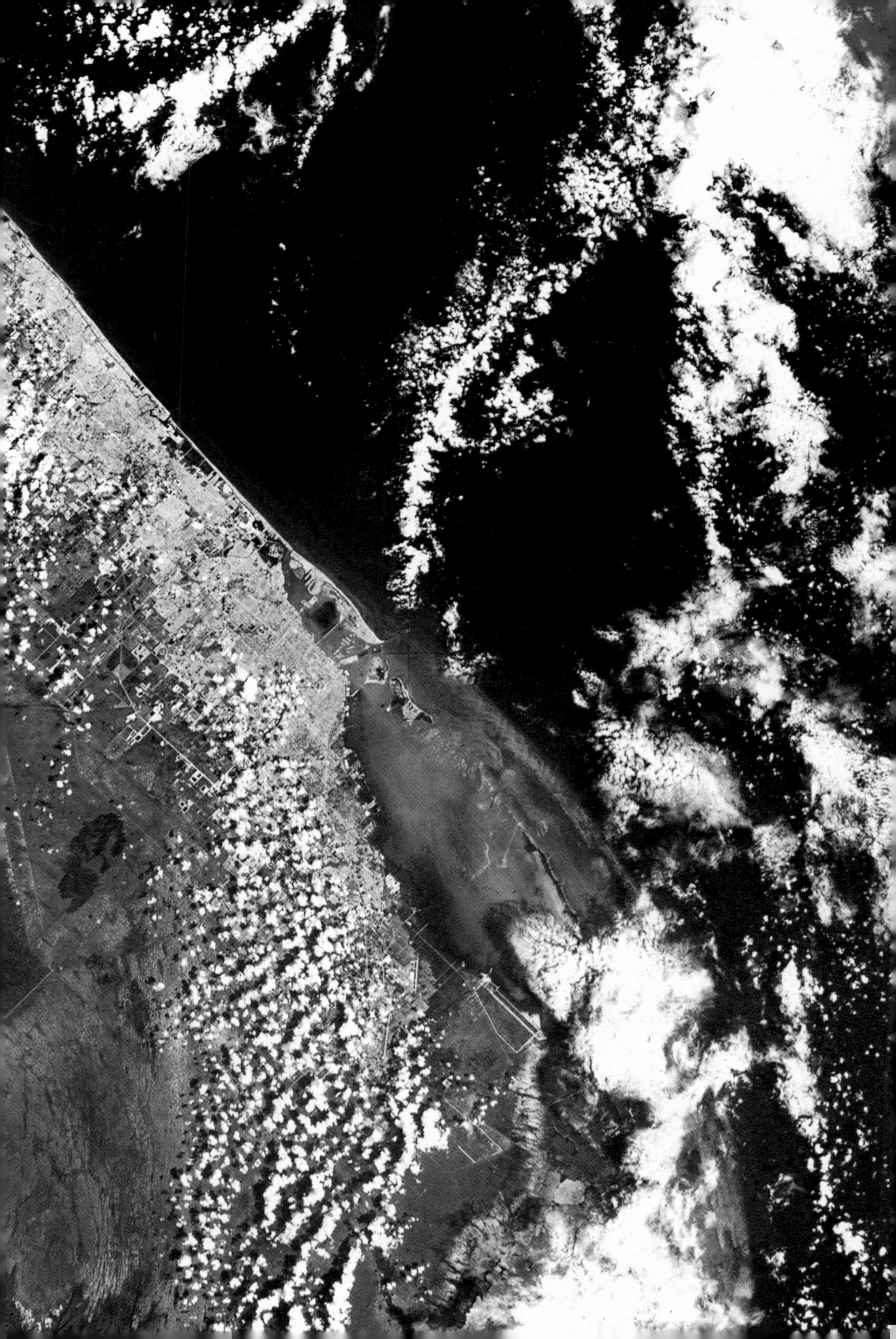

Jantzen

DAYTONA BEACH

Au nord de New Smyrna Beach, tout est à une plus grande échelle. L'étendue de sable y est encore plus vaste, proposant des divertissements encore plus nombreux, des promenades sur les planches encore plus longues, des dunes plus abondantes. **Daytona Beach** représente un paradis pour les étudiants, un lieu de rencontre pour les filles et les garçons à Pâques.

La belle plage uniforme de 37 km de long atteint 150 m en son point le plus large. Sur les 37 km, 27 sont accessibles aux véhicules motorisés. La vitesse maximale autorisée est de 15 km/h. Un petit péage pour accéder à la plage permet un meilleur contrôle de la circulation. De ce fait, le nombre d'accidents dus à la présence des voitures a diminué.

Paradoxalement, Daytona Beach fut tout d'abord un lieu de courses de vitesse. Entre 1902 et 1935, treize records de course automobile furent battus sur la plage par des as du volant tels que Barney Oldfield et sir Henry Seagrave. Sir Malcolm Campbell améliora ses performances à cinq reprises, avec un record de 457 km/h enregistré dans sa célèbre *Bluebird*, une voiture pesant 5 t.

A gauche, enseigne kitsch d'un magasin de maillots de bain.

Daytona Beach et Ormond Beach

3,2 km / 2 miles

1 The Casements
2 Boardwalk
3 Bethune Cookman College
4 Jai-alai Fronton
5 Daytona International Speedway
6 Daytona Beach Kennel Club

Dans les années 1950, des pilotes de stock-car commencèrent à s'affronter sur une piste ovale tracée dans les dunes à Ponce de León Inlet, à l'extrémité sud de la plage. En 1959, au moment où les voitures devinrent plus puissantes et les foules de spectateurs plus nombreuses, la course automobile fut transférée sur bitume au **Daytona International Speedway**, un circuit de 34,5 km, considéré par beaucoup comme le plus rapide du monde. Aujourd'hui, en janvier, l'Association internationale de sport automobile y organise ses finales de championnats. Les stock-cars atteignent fréquemment près de 300 km/h.

D'autres épreuves réputées s'y déroulent. La Goody's 300 et la Firecracker 400 ont lieu en juillet et de nombreuses autres courses en février comme la Nascar 200 et le grand événement, la Daytona 500. Des courses de motos sont également organisées en mars et en octobre.

Le vrombissement des voitures de course tranche avec le calme du Daytona d'autrefois. Cette ville fut colonisée en 1767, mais, au début des années 1800, des colons anglais des Bahamas implantèrent des cultures d'indigo et de canne à sucre sur la **Halifax River**, un cours d'eau qui se confond avec l'Intracoastal Waterway et qui traverse la ville.

Dans la région, on procédait à l'abattage des chênes verts, dont les troncs descendaient le fleuve au fil de l'eau et le bois était chargé sur des schooners avant d'être transporté en Angleterre pour approvisionner les chantiers navals. Lors de la guerre séminole de 1835, les Indiens vainquirent et aucun colon n'habita l'endroit avant la fin du siècle. Puis, les Blancs réintégrèrent le lieu qu'ils nommèrent Daytona, s'inspirant du nom de l'un des premiers arrivants, Mathias Day.

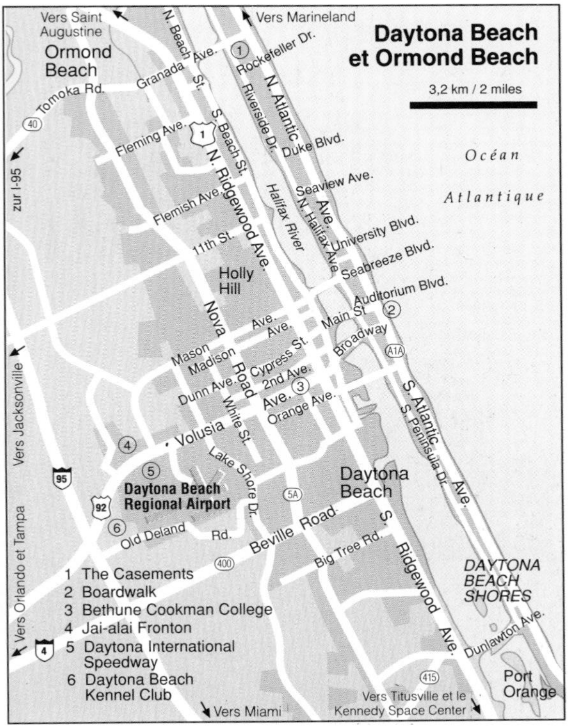

Migration estudiantine

Si l'on aime la tranquillité, il est préférable d'éviter Daytona Beach au printemps. En revanche, si l'on désire goûter à l'ambiance estudiantine, on peut se mêler aux jeunes qui, lassés des examens et affamés de soleil, envahissent l'endroit. D'une manière générale, les vacances printanières rapportent des millions de dollars à n'importe quelle ville de Floride pourvue d'une plage, mais Daytona semble bien l'emporter sur toutes les autres, y compris Fort Lauderdale. On estime en effet qu'entre la première semaine de mars et Pâques, plus de 500 000 étudiants viennent ici trouver refuge, comme des oiseaux migrateurs.

Il faut dire que la ville bénéficie également de la proximité des parcs à thèmes d'Orlando. Elle est particulièrement accueillante pour les futurs diplômés, leur offrant des réductions dans la plupart des 16 000 chambres d'hôtels et organisant des soirées à des tarifs défiant toute concurrence. Et le fait que, dans les hôtels, on demande aux étudiants une caution pour dommages matériels donne une idée de l'ambiance qui y règne.

Tout le long de **Boardwalk**, qui est une promenade de planches, on trouvera différents lieux de divertissement. La boîte de nuit la plus fréquentée pendant les vacances de Pâques est située en bord de mer et s'appelle **Top of the Boardwalk Discotheque**.

Le **Finky's**, sur Grand View Avenue, près de Seabreeze, est un bar de style texan. On peut aussi danser au **701 South**, un bar à cocktails très prisé. Tout contribue à une atmosphère de plaisir et de détente.

La retraite de Rockefeller

A quelques kilomètres au nord, **Ormond Beach** était autrefois considérée comme une ville de millionnaires. On connaît mal ses premiers colons, peut-être des victimes d'un des nombreux naufrages du XVIIe siècle.

En 1804, l'Espagne concéda des terrains à des colons anglais vivant aux Bahamas. Parmi eux figurait le capitaine James Ormond, qui fit l'acquisition d'un terrain de 673 ha au bord de la Halifax River, et Charles Bulow, dont la plantation de 1 000 ha fut détruite pendant les guerres avec les Indiens Séminoles. Les ruines de la sucrerie de Bulow sont encore visibles au nord de la ville.

Le climat joua un rôle important dans la colonisation d'Ormond Beach. En 1873, la Corbin Lock Company of New Britain, dans le Connecticut, ordonna la création d'une station de repos pour ses employés atteints de tuberculose. Il la fit implanter à l'ouest de Halifax et une douzaine de familles s'y installèrent. Ils nommèrent l'endroit New Britain. En 1880, on opta pour le nom d'« Ormond », lorsque l'endroit devint une véritable commune.

A la fin du XIXe siècle, l'implantation de l'**Ormond Hotel**, l'achèvement d'un pont sur le fleuve et l'extension du Flagler East Coast Railroad attirèrent les millionnaires Vanderbilt, Astor et Gould. John D. Rockefeller Sr y fit

Les conducteurs du dimanche sur la plage de Daytona Beach...

construire une résidence où il passa vingt hivers et mourut, en 1937, âgé de 97 ans. Sa maison, **The Casements**, et le vieil Ormond Hotel sont maintenant des repères historiques.

Outre l'argent et la célébrité, les riches visiteurs amenèrent aussi, avec eux, l'automobile. Ils testaient leur nouveau buggy sur la vaste plage, laquelle offrait, à cette époque, une surface plus unie que les routes de la région.

Bientôt, on expérimenta de nouveaux véhicules construits spécialement pour la vitesse et pilotés par MM. Chevrolet, Olds, Dureya, Ford, Oldfield, Winton, etc. Ils battirent des records depuis les 91 km/h pour R. E. Olds et Alexander Winton en 1902 tout d'abord, jusqu'aux 457 km/h (7,5 km/min), en 1935, de sir Malcolm Campbell.

Pour évoquer ces moments historiques, un défilé de voitures anciennes a lieu chaque année pour Thanksgiving. La Turkey Rod Run, parade semblable à la précédente, est organisée à la même période de l'année. Un marché aux puces (**Flea Market**) permet aux amateurs d'acheter, de vendre ou de troquer leurs précieux véhicules dont certains atteignent 100 000 dollars.

A Ormond Beach, pour se diriger vers le nord, on peut emprunter au choix la route US 1, l'A1A ou bien faire un détour par l'Interstate 95. L'A1A conduit au **comté de Flagler** et vers des lieux moins explorés de la côte. Elle passe aussi par **Flagler Beach**, **Beverly Beach**, **Painters Hill** et deux parcs fédéraux (le comté en dénombre trois) : la flore de **Washington Oaks Garden Park** est très variée. La route A1A mène aussi à **Marineland of Florida**, l'une des attractions les plus anciennes de l'État, qui regroupe deux grands **océanariums** où des plongeurs évoluent au milieu de requins, un pavillon consacré à l'anguille électrique et l'**Aquarius Theatre**, dans lequel six démonstrations quotidiennes mettent en scène des marsouins.

..étaient déjà une curiosité dans les années 1920.

STREET IN ST. AUGUSTINE.

COPYRIGHTED 1882.

SAINT AUGUSTINE

Une escale à 20 km environ au nord de Daytona Beach transporte le visiteur quatre cents ans en arrière dans un site riche en archéologie appelé **Saint Augustine**.

Cette petite ville s'enorgueillit du titre de «la plus ancienne cité de la Nation». Elle fut, en effet, la première colonie permanente occupée par des Européens aux États-Unis puisque Jamestown, en Virginie, fut établie quarante-deux ans plus tard. Saint Augustine existait depuis cinquante-cinq ans quand les premiers pèlerins arrivèrent en Nouvelle-Angleterre.

Aujourd'hui, le tourisme représente l'activité principale. On peut se promener en calèche et les cochers commentent l'histoire de la ville et de ses principaux sites. Un petit train parcourt aussi les ruelles. Enfin, des croisières de 1 h 15 sur le *Victory II* permettent de découvrir la ville et **Matanzas Bay**.

A gauche, cette carte postale de 1882 représente une ruelle de Saint Augustine qui a très peu changé.

Toute la ville baigne dans l'Histoire. On peut commencer sa visite par **The Fountain of Youth**, un parc où, dit-on, Ponce de León chercha en vain la source de Jouvence. Après une arche en pierre, on trouvera une source jaillissante. Beaucoup en goûtent l'eau pour vérifier la légende.

Les premiers hôtels de Flagler, pionnier du chemin de fer, au coin de Cordova Street et de King Street comprenaient l'Alcazar, devenu le **Lightner Museum** et **City Hall Complex**, et le Ponce de Léon qui abrite aujourd'hui le **Flagler College**. Dans ses années prospères, ce dernier hôtel, avec ses tours jumelles de 50 m de haut, comptait plus de 400 chambres. Chacune possédait une cheminée incrustée de marbre et des rotondes décorées de cariatides et de gargouilles. Son architecture Renaissance espagnole fut qualifiée par les spécialistes de «luxe babylonien».

Le fondateur de la ville, Pedro Menéndez de Avilés, célébra par une messe la création de la première

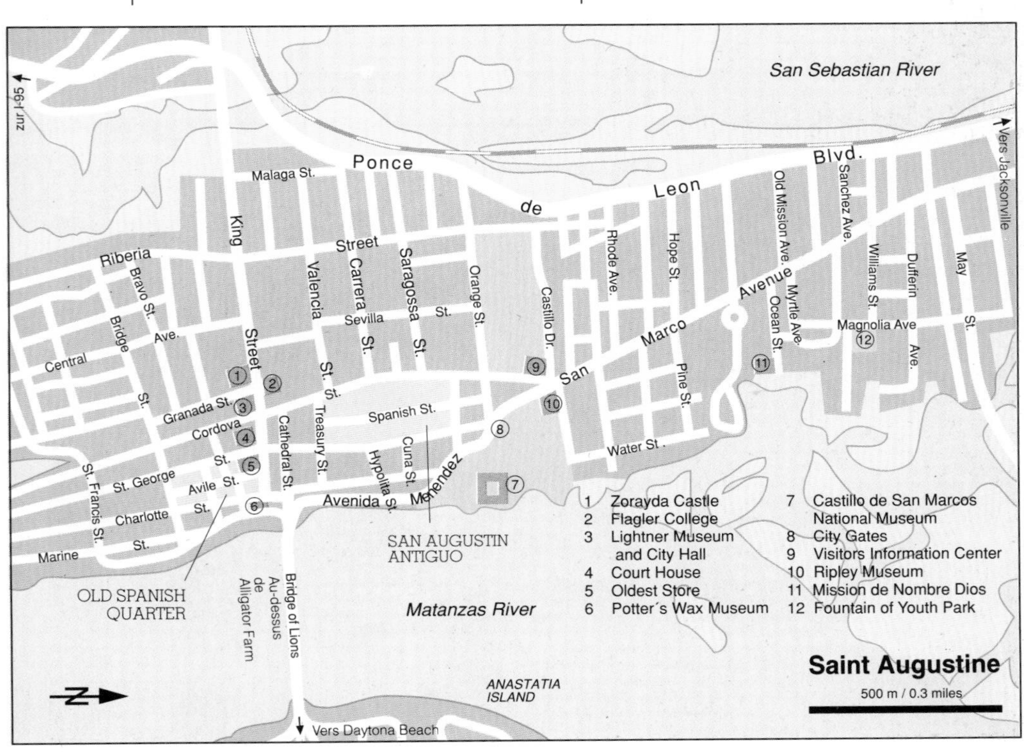

communauté du Nouveau Monde non loin de l'actuelle Ocean Avenue. La croix en acier de 62 m de haut qui se dresse sur **Nombre de Dios** marque l'emplacement de ce site.

La plus vieille maison de la plus ancienne cité

La plus vieille maison (**Oldest House**) de la ville, dans l'étroite Saint Francis Street, a été restaurée. On peut y admirer son mobilier ancien, ses murs épais construits dans la pierre de la région, son patio. Les guides en costume traditionnel répondront à toutes vos questions. La maison conjugue les influences architecturales espagnole, anglaise et américaine. Le rez-de-chaussée, datant de la période espagnole, est en pierre travaillée provenant d'Anastasia Island et transportée sur le Bridge of Lions vers Matanzas Bay. Le deuxième étage, une adjonction de style anglais, est en bois. Des fouilles archéologiques ont démontré que cette bâtisse a été habitée depuis le début du XVIIe siècle. L'actuelle construction repose sur une structure plus ancienne de chaume et de bois.

Une visite de Saint Augustine serait incomplète sans un arrêt à la forteresse massive qui domine la baie, le **Castillo de San Marcos** et son avant-poste, le **Fort Matanzas**, à 22 km au sud. Construit entre 1672 et 1695 par les Espagnols, ce fort immense et symétrique est entouré d'un fossé. Ses murs fortifiés ont 9 m de haut et 4,8 m d'épaisseur à leur base. La forteresse, que l'on prétendait imprenable, fut assiégée à cinq reprises.

Le service des parcs nationaux a reconstruit la **Cubo Line**, un ouvrage défensif en terre qui entoure la partie nord de la ville et l'historique **City Gate** («porte de la ville»). L'ancienne prison, **Old Jail**, qui date de 1890, a été transformée en musée sur le thème des crimes de l'Histoire. On peut y voir des armes, des reconstitutions des quartiers du shérif, etc. On peut également visiter le **Spanish Military Hospital**, entièrement restauré.

Des calèches font découvrir la vieille ville.

Alligators et acteurs

Au 4 Artillery Lane, l'**Oldest Store**, un grand magasin évoquant l'atmosphère du début du siècle, constitue une autre curiosité. Les quelque 100 000 articles qu'il propose rappellent le temps des bottines et des corsets lacés. Dans la collection du musée de cire, **Potter's Wax Museum**, figurent près de 150 célébrités de tous les temps. Le **Ripley's Believe It or Not Museum** est un musée rempli d'objets singuliers provenant de près de 200 pays.

Saint Augustine Alligator Farm, sur la route A1A, est un autre lieu d'attractions qui ne remonte pas à hier puisqu'elle fut ouverte en 1893. Cette « ferme des alligators » propose toutes les heures des spectacles de lutte d'alligators.

Le quartier espagnol (**Spanish Quarter**), sur St George Street, est une reconstruction surprenante d'un village colonial espagnol du XVIIIe siècle. Fort heureusement, la circulation automobile n'est pas autorisée dans les ruelles bordées de jolies boutiques et de maisons anciennes. On y pénètre à pied ou en calèche.

Plus au sud, au carrefour de Granada et King Streets, se touve **Zorayda Castle**. Cette imposante construction est une réplique du fameux Alhambra de Grenade, en Espagne.

Après toutes ces visites, on aura peut-être envie de se reposer ou de se divertir en regardant Cross and Sword, l'histoire de la fondation de Saint Augustine. Cette pièce est jouée dans un amphithéâtre naturel creusé dans une colline. Écrit par Paul Green, auteur récompensé du prix Pulitzer, le spectacle, un peu pompeux, a lieu chaque jour, sauf le dimanche, de mi-juin à la fête du Travail, le premier lundi de septembre aux États-Unis.

A propos des nombreux immeubles modernes qui empiètent sur la ville ancienne, un journaliste du *New York Times* écrivit un jour ironiquement : *« D'ici cent ans, un entrepreneur déclarera que la ville possède les plus anciens immeubles d'Amérique. »*

Les rues de la plus ancienne ville des États-Unis, la nuit.

JACKSONVILLE, ENTOURÉE D'EAU

Le voyage dans le Nord se poursuit à travers d'autres villes-plages qui jouèrent un rôle important dans le développement de la Floride. En atteignant la **Saint Johns River**, l'un des rares fleuves coulant vers le nord du pays, bifurquer vers l'intérieur, à 8 km de l'embouchure, en direction de Fort Caroline, fondé par des huguenots en 1562. Comme les forts de Saint Augustine, **Fort Caroline** a connu des guerres, des massacres menés tantôt par les Blancs tantôt par les Indiens. Les premiers colons français et espagnols se combattaient sous prétexte de piraterie ou de maraudage et n'avaient aucun scrupule à tuer hommes, femmes et enfants.

Fort Caroline n'existe plus. La plaine qui marque son emplacement et qui dominait la St Johns River fut érodée lors du dragage du fleuve, en 1880. Cependant, les murs épais ont été partiellement reconstitués d'après les plans de Jacques Le Moyne, qui datent du XVIe siècle.

A **Jacksonville Beach**, une jetée de 360 m s'avance dans l'Atlantique et accueille un **Flag Pavilion** où l'on hisse les drapeaux des cinquante et un États. Le week-end, **Mayport Naval Station**, une base navale qui abrite les porte-avions américains, propose des promenades en bateau. Dans l'enceinte de la base navale se dresse un phare historique, le **Saint Johns Lighthouse**. La Navy (la Marine) le considère comme un danger pour les avions, mais ne peut rien contre lui car il est inscrit au National Register of Historical Places (classé monument historique).

On peut également faire la chasse aux fantômes. Les esprits des marins d'autrefois habiteraient, dit-on, la **King House**, un établissement centenaire, à Mayport.

La ville de **Jacksonville**, située à l'intérieur du pays, est, avec une surface de 2120 km², la plus étendue des

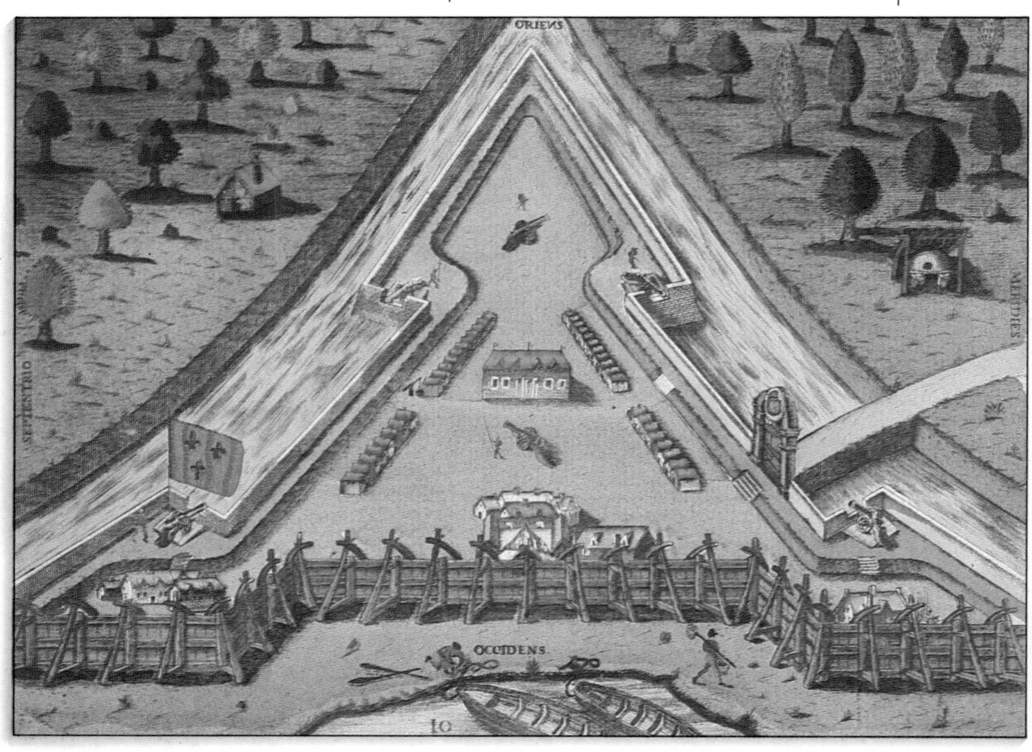

Le Français Le Moyne a exécuté ce dessin de Fort Caroline en 1564.

États-Unis (depuis son unification, en 1968). Sa population atteint presque un million d'habitants. Elle s'enorgueillit aussi de posséder l'un des plus hauts immeubles de Floride : l'**Independent Life Insurance Company Building** qui comprend 37 étages et mesure 160 m de haut.

Elle s'étend sur les deux rives de la St Johns River et, à la différence de la plupart des villes de Floride, les saisons y sont marquées bien que le temps reste clément. Elle ville peut accueillir ses visiteurs dans plus de 12 000 chambres d'hôtels et près de 1 000 restaurants. Pour les amateurs de football américain, Jacksonville dispose d'un stade (**Gator Bowl**) de 70 000 places.

Jacksonville, une métropole vivante

Des topographes élaborèrent le site de la cité en 1822, au carrefour d'un chemin emprunté depuis longtemps par le bétail et qui était appelé Cow Ford par les Anglais, Wacca Pilatka par les Indiens. Malgré un incendie qui ravagea 2 400 immeubles en 1901, la moitié de la ville, et qui fit 10 000 sans-abri, la ville continua de croître.

Elle prospéra en tant que porte de la première région touristique de Floride, St Johns River, décrite dans le chapitre suivant. L'un de ses résidents célèbres, le compositeur Frederick Delius, captivé par les chants des travailleurs noirs, introduisit leurs rythmes dans ses compositions (notamment dans *Florida Suite*). Sa maison, située à **Jacksonville University**, est ouverte au public.

Jacksonville Port est l'un des plus actifs de la région sud-est. On y verra peut-être débarquer les milliers de voitures importées du Japon.

Devant les bâtiments du chemin de fer, sur le parking du **Prime Osborn Convention Center**, on peut admirer une machine à vapeur de 1919, la **Seaboard Coastline Locomotive**.

Jacksonville Zoo, l'un des plus beaux du Sud, abrite plus de 225 espèces

Le port de Jacksonville reste actif la nuit.

animales. Dans les quartiers nord de Jacksonville, sur Bush Drive, au niveau de l'Interstate 95, se trouve l'**Anheuser Bush Brewery**, une brasserie réputée.

Au sud de Jacksonville, l'**Alexander Brest Planetarium** attend les amateurs d'étoiles et **Treaty Oak** les amoureux de la nature. Le chêne de **Jessie Ball du Pont Park** est âgé, dit-on, de huit cents ans. D'après la légende, l'arbre devint un lieu de réunion durant les négociations de paix entre Indiens et colons blancs. Ce chêne de 20 m de haut est sans doute le plus vieux de la côte orientale de Floride. Son diamètre est de 1,60 m et son envergure de 54 m. Et il continue de grandir sur Prudential Drive, à l'angle de South Main Street.

Sur les rives nord de la St Johns River, le **Jacksonville Landing** regroupe des boutiques, des restaurants et des bars et constitue, dans le centre-ville, un quartier animé.

La **Friendship Fountain** (« fontaine de l'amitié ») est une grande et haute fontaine de 36 m de hauteur et ses jets propulsent 64 345 l d'eau par minute. Elle est éclairée de feux multicolores la nuit.

Sous huit drapeaux

En direction de la frontière avec l'État de Georgie, la route A1A traverse l'Intracoastal Waterway sur **Amelia Island**, une île située à 51 km au nord-est de Jacksonville. Son extrémité sud fait partie de la station **Amelia Island Plantation** (360 ha) et l'extrémité nord appartient à **Fernandina Beach**.

L'île appelée **Isle of Eight Flags** possède un riche passé. Elle a vu, plantés sur son sol, huit différents drapeaux : français, espagnol, anglais, Patriotes américains, Croix-Verte de Floride (d'autres patriotes), mexicain, confédérés et américain. Mais, l'île a survécu, intacte.

La ville de Fernandina Beach a procédé récemment à la restauration de 30 pâtés de bâtiments de la vieille ville (**Old Town**). Les maisons et les immeubles du quartier de **Centre Street**, datant des années 1850, ont un air victorien. Leurs balustrades dentelées de style Gingerbread, leurs fenêtres Tiffany, leurs pignons, leurs tourelles témoignent du talent des artisans. Ne pas manquer d'admirer **Baily House**, **Tabby House**, **Villa las Palmas** et **Fairbank's Folly**.

Dans les années 1870-1880, Fernandina était un important port maritime de la côte Est et l'une des villes les plus riches de l'État. C'était également un arrêt de la première ligne de chemin de fer qui traversa l'État jusqu'à Cedar Key, à l'ouest. Aujourd'hui, l'ancien **depot** (« entrepôt ») est occupé par la chambre de commerce.

Toute la région, et en particulier la côte et les rives de la St Johns River, fut la première destination touristique de Floride. De riches Yankees venaient passer leurs congés ici : les Carnegie, les Rockefeller, les Baker, les Goodyear, les Ferguson, les Pulitzer et les Morgan étaient des habitués.

Sur la pointe nord de l'île, **Fort Clinch** garde l'entrée du **Fernandina Beach Harbor**. Le premier week-end de chaque mois, on remet en scène l'occupation du fort de 1864 au cours de représentations costumées.

Amelia Island Plantation dispose de trois parcours de golf, de pistes cyclables et de jogging, de centres d'équitation, bien desservis par les transports. Il y a aussi des étangs dans lesquels seuls les enfants de moins de douze ans sont autorisés à pêcher.

Le Festival des crevettes de l'île est, chaque premier week-end de mai, un événement local d'importance. La pêche à la crevette est une industrie prospère à Amelia Island et se pratique sur l'un des récifs de la barrière de corail. Le festival comprend des expositions d'artisanat, de musique folklorique et des dégustations de crevettes accommodées de diverses manières.

En se promenant sur Amelia Island, on remarquera la qualité inhabituelle du sable blanc. Ce sont des fragments de quartz des Appalaches balayés par la mer vers le sud.

Le périple de la côte orientale s'achève. Au-delà de Fort Clinch, **Cumberland Sound**, puis **Cumberland Island** sont visibles des remparts de Fort Clinch.

Un bain rafraîchissant dans l'océan.

EMPORIU
CARDS

CINEMA
CAMERA
POLAROID
CENTER

LA FLORIDE CENTRALE

Les régions parsemées de lacs et de cours d'eau de la Floride centrale attirent depuis longtemps les touristes désireux d'échapper à la réalité quotidienne. Ils sont d'abord venus découvrir les jardins magnifiques tout embaumés de plantes et de fleurs, les poissons tropicaux ou les bandes d'alligators léthargiques qu'il est possible d'observer à moins d'un mètre de distance. C'est alors que Mickey Mouse, la célèbre souris de Hollywood, est venue s'établir dans la contrée, donnant naissance à un formidable complexe touristique, dont l'ampleur et la diversité restent inégalées.

Les touristes ont eu tôt fait d'affluer dans ce nouveau parc d'attractions pour expérimenter les plaisirs et les frissons que leur réserve la technologie moderne mise au service des loisirs. Des plaisirs simples comme ceux que procure la pêche se sont effacés devant des ordinateurs capables de ressusciter les présidents des États-Unis disparus et des entraîneurs qui apprennent le basket-ball à des marsouins.

Inévitablement, Disney World remporte la palme des parcs d'attractions de la Floride centrale et, de ce fait, mérite qu'on lui consacre un chapitre entier avec des informations sur les capacités d'accueil pour ceux qui désirent séjourner et visiter en long, en large et en travers chacun des sites gérés par l'entreprise Disney. Les autres parcs d'attractions — Sea World, Universal Studios, Wet' N' Wild, Ripley's Believe It or Not, Cypress Gardens, etc. — seront traités dans le chapitre sur Orlando et ses satellites.

Avec l'explosion des parcs à thèmes, Orlando, synonyme de Disney dans de nombreux esprits, est aujourd'hui devenue une métropole dynamique qui peut recevoir plus de touristes que Miami Beach. Des exemples d'architecture Art déco et de style Belle Époque résistent au développement urbain, noyés entre les tours et les centres commerciaux. Le Winter Park, situé à la périphérie de la ville, est un lieu propice à une échappée tranquille.

Mais le centre de la Floride n'est pas seulement un lieu de divertissement : c'est aussi une contrée agricole, surtout dans la partie nord-ouest de la région, avec des plantations d'agrumes, des ranchs destinés à l'élevage et des haras dans les environs d'Ocala. Les amateurs de nature pourront se promener dans l'Ocala National Forest, une forêt où coulent des sources chaudes et où l'on peut pratiquer le canoë, ou faire des randonnées dans le Highlands Hammock State Park. La Floride centrale regorge de possibilités pour des activités de tous les genres, de la balade dans les marais de cyprès à l'attraction de la fusée dans le noir sans oublier la cueillette des oranges. Le choix ne manque pas.

Pages précédentes : les 5 000 membres de Disney World réunis à l'occasion du dixième anniversaire du parc. A gauche, M. et Mme Mouse.

WALT DISNEY WORLD

En 1967, l'État de Floride accorda à une société privée l'autorisation de transformer 110 km^2 de terrains marécageux en un domaine unique au monde, le **Reedy Creek Improvement District**. Ce nom, emprunté à la voie navigable bordant les terres, donne une fausse idée de sa nature, de son envergure et de l'influence qu'il exerce en Floride. En fait, le Reedy Creek Improvement District est connu dans le monde entier sous le nom de **Walt Disney World Vacation Kingdom**. Depuis 1971, plus de 300 millions de touristes ont visité ce parc d'attractions géant.

A gauche, le train de Big Thunder Mountain, dans rontierland ; ci-dessous, n client ravi.

Reedy Creek est organisée comme une unité administrative normale, habilitée à faire construire des routes, creuser des canaux, aménager des lacs et possèdant son propre service d'ordre.

Ses deux villes, **Bay Lake** et **Lake Buena Vista**, sont calquées sur les autres municipalités de Floride, ont chacune leur maire. Sourd aux critiques que suscitent parfois ses vastes pouvoirs, Reedy Creek est à l'avant-garde de la technologie dans de nombreux secteurs, dont celui du traitement des eaux usées et de la téléphonie. Le district est fier de posséder une flotte importante, transportant dix millions de passagers par an sur plus de 400 bateaux, notamment des sous-marins, des vapeurs à aubes et des vedettes. Les touristes sont véhiculés sur terre par un monorail aérien, climatisé et silencieux, régi par ordinateur.

Les divertissements sont régulièrement enrichis de nouveautés. La dernière grosse création est l'adjonction d'un nouveau site sur le thème du cinéma, le **Disney-MGM Studios Theme Park**, qui concurrence directement Universal Studios. Des ateliers de travail — également acessibles au public — se trouvent dans le parc au milieu d'attractions qui reconstituent des extraits de films légendaires, mettent en scènes des stars mythiques ou jouent avec les trucages.

Quand Mickey célébra son soixantième anniversaire, en 1988, Walt Disney World fêta l'événement avec le **Mickey Birthdayland**, site de divertissements continus. Un ballon de 18 m de haut représentant la célèbre souris balisait l'endroit où, dans la **Mickey's Memory Room**, des films de Mickey depuis le début de sa carrière étaient projetés.

L'expansion continuelle suppose non seulement la mise en place d'attractions et d'aventures nouvelles mais également de nouveaux hôtels. En 1989, **Pleasure Island**, un centre aquatique qui s'étend sur 22 ha, a ouvert ses portes au public qui vient s'amuser dans les différents bassins ou sur de grands toboggans. On peut aussi y essayer la plongée en apnée et le surf. Le **Grand Floridian Beach Resort** est un site hôtelier évoquant le bord de mer.

L'héritage d'un personnage légendaire

Tout nouvel arrivant est frappé par la grandeur de Walt Disney World, surtout s'il connaît Disneyland, en Californie, premier parc du genre, de

100 ha seulement. L'industrie touristique de Floride gravite autour de Walt Disney World. La plupart des touristes qui visitent l'État y passent à un moment ou un autre. Le complexe comprend notamment Sea World et Hotel World.

Le légendaire Walt Disney jeta son dévolu sur la Floride centrale dès 1963, mais tint ses plans secrets jusqu'à l'acquisition du terrain. Quand, en 1965, il rendit enfin publiques ses intentions, certains terrains locaux valant 450 dollars l'hectare prirent immédiatement de la plus-value. Disney mourut en décembre 1966, mais ses successeurs réalisèrent son rêve. Neuf mille personnes s'attelèrent au projet. Walt Disney World ouvrit ses portes en 1971. Seule la chute d'une bombe atomique en Floride centrale aurait pu produire un changement plus brutal et d'une plus grande ampleur.

Pour certains, ces changements n'ont pas toujours été bénéfiques. La population locale a considérablement augmenté depuis 1960. L'afflux humain s'est traduit inévitablement par une circulation accrue, plus d'impôts, de nouvelles habitations et l'apparition de nombreux hôtels. Mais d'autres apprécient que Walt Disney World ait développé dans la région une industrie lucrative et non polluante. Ils sont reconnaissants à la société d'avoir consacré un tiers de la superficie du parc à une réserve sauvage et d'avoir respecté la flore floridienne en aménageant les autres zones, sans hésiter à bannir tout panneau publicitaire — une disposition que d'autres administrations n'ont pas envisagée au détriment de leur propre environnement. Si le parc d'attractions a été à la fois une source de profits et de problèmes, on peut se demander finalement ce que représenterait l'industrie touristique de la Floride aujourd'hui, sans Mickey.

Un passeport pour Disney

Il faut compter quatre ou cinq jours pleins pour explorer toutes les curiosités du parc, la meilleure solution étant

Mickey inspectant la construction de Disney World, en 1971.

de se procurer un *passport* (forfait) valable cinq jours pour en profiter pleinement.

Pour faciliter les déplacements d'une extrémité à l'autre du parc, le plus commode est de loger au **Contemporary Resort** (1 052 chambres) ou au **Polynesian Village** (855 chambres). Ce dernier organise des spectacles exotiques. Des cascades alimentent un plan d'eau éclairé par des torches.

Le monorail traverse le hall même du Contemporary au design futuriste. Des passages piétonniers surplombent le monorail et le **Grand Canyon Concourse** où s'alignent restaurants et magasins. Une fresque murale composée de 18 000 carreaux représente la vie dans le (véritable) Grand Canyon. D'un côté, les chambres de l'hôtel donnent sur **Bay Lake** — lac d'abord complètement asséché puis rempli à nouveau et empoissonné —, de l'autre côté, elles donnent sur **Seven Seas Lagoon**, un lac artificiel relié à Bay Lake par un aqueduc construit au-dessus de la route.

Le monorail amène les passagers au cœur de l'hôtel Contemporary.

Les prix pratiqués par les hôtels flanquant **Magic Kingdom** sont plus élevés qu'ailleurs, mais on peut loger jusqu'à cinq par chambre, ce qui rend le séjour plus abordable. Cependant, il est nécessaire de réserver longtemps à l'avance — parfois des années pour les périodes très prisées. Selon l'administration Disney, les périodes creuses sont en automne et en décembre, en janvier et en mai. Les vendredis et les dimanches sont des jours de moindre affluence, en dehors des vacances.

La **Disney Inn** possède 288 chambres et le terrain de camping de Fort Wilderness propose 1 190 emplacements pour tentes et caravanes. Un peu plus loin, mais toujours dans les limites du centre, à **Lake Buena Vista**, six hôtels, gérés par de grandes chaînes, totalisent 3 558 chambres. On peut également y louer des villas. Ceux qui souhaitent passer leurs vacances à l'écart peuvent opter pour les **Treehouses**.

Entre la sortie de Walt Disney World et Orlando, des hôtels moins chers se succèdent tout au long de la route

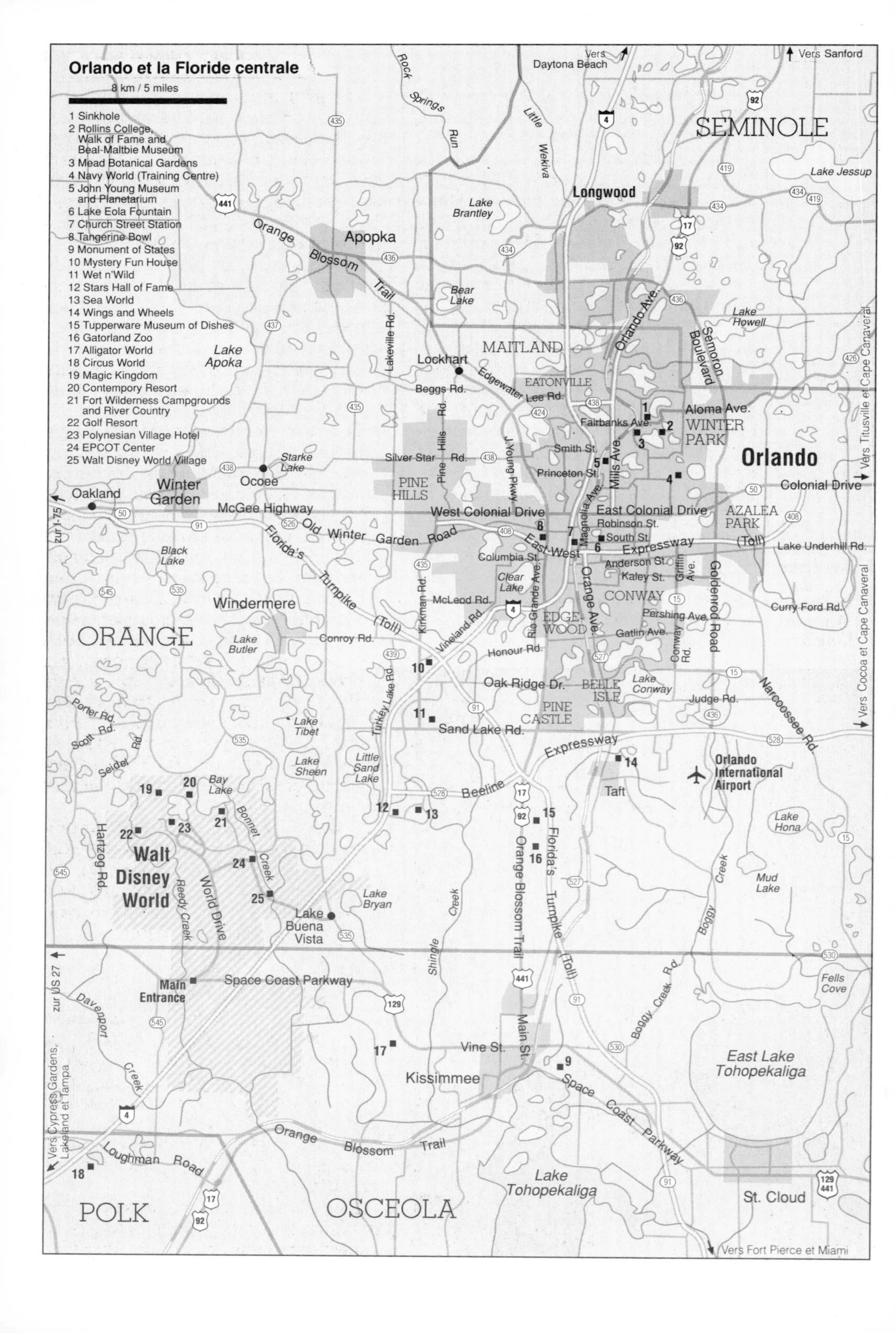

Orlando et la Floride centrale
8 km / 5 miles
1 Sinkhole
2 Rollins College, Walk of Fame and Beal-Maltbie Museum
3 Mead Botanical Gardens
4 Navy World (Training Centre)
5 John Young Museum and Planetarium
6 Lake Eola Fountain
7 Church Street Station
8 Tangerine Bowl
9 Monument of States
10 Mystery Fun House
11 Wet n'Wild
12 Stars Hall of Fame
13 Sea World
14 Wings and Wheels
15 Tupperware Museum of Dishes
16 Gatorland Zoo
17 Alligator World
18 Circus World
19 Magic Kingdom
20 Contempory Resort
21 Fort Wilderness Campgrounds and River Country
22 Golf Resort
23 Polynesian Village Hotel
24 EPCOT Center
25 Walt Disney World Village
Vers Daytona Beach
Vers Sanford
SEMINOLE
Longwood
Apopka
MAITLAND
EATONVILLE
WINTER PARK
Orlando
Vers Titusville et Cape Canaveral
Lockhart
PINE HILLS
Oakland
Winter Garden
Ocoee
zur I-75
AZALEA PARK
CONWAY
EDGEWOOD
BELLE ISLE
PINE CASTLE
Windermere
ORANGE
Vers Cocoa et Cape Canaveral
Orlando International Airport
Taft
Walt Disney World
Main Entrance
Lake Buena Vista
Kissimmee
zur US 27
Vers Cypress Gardens, Lakeland et Tampa
East Lake Tohopekaliga
Lake Tohopekaliga
St. Cloud
POLK
OSCEOLA
Vers Fort Pierce et Miami

Interstate 4 (I-4). Nombre d'entre eux assurent des navettes avec le parc. A proximité, la US Highway 192 propose 9 000 chambres.

Après avoir quitté la I-4, il faut encore un bon moment avant d'atteindre les grilles du parc. Pour être au fait de l'actualité du *kingdom* («royaume»), régler son poste sur la fréquence locale de Disney World. A moins de descendre dans un hôtel, continuer jusqu'au parking de 12 000 places après avoir passé l'entrée. Pour aider les visiteurs à retrouver leur voiture, chaque emplacement porte le nom d'un personnage de Disney. Les enfants s'en souviendront. Un tram amène ensuite le touriste jusqu'aux guichets. Enfin, il ne reste plus qu'à monter, au choix, dans le monorail ou à bord d'un ferry-boat pour pénétrer dans le **Magic Kingdom**.

A l'entrée du site même, on est sur **Main Street, USA**. Le style victorien des devantures de magasins évoque une station balnéaire de la côte Est, du début du siècle.

Bay Lake, dans le Disney Vacation Kingdom.

Déjeuner au château

On trouvera, dans un véritable dédale de boutiques, toutes sortes de choses à acheter : animaux empaillés, disques, livres, appareils photo, bonbons, porcelaines, tabac et souvenirs des célèbres créatures des dessins animés. Un **cinéma** projette des classiques du cinéma muet, et un barbier devant sa boutique propose un rasage «à l'ancienne» ou un massage facial. Toutes ces boutiques s'alignent le long de la grand-rue qui mène au **Cindirella Castle** («château de Cendrillon»), au cœur du Magic Kingdom.

Ciselé comme un magnifique joyau, le château tape à l'œil. Ses flèches dorées s'élèvent à 55 m au-dessus des douves. Véritable édifice de conte de fées, il s'inspire de celui de Neuschwanstein, construit par le roi Louis II de Bavière. Il a été réalisé avec un soin minutieux. Les gargouilles sculptées en haut des tours restent malheureusement invisibles pour les touristes. Mais à l'intérieur, on peut admirer des colonnes ornées d'oiseaux et de souris, reproductions fidèles des animaux du célèbre film de Walt Disney. Des mosaïques murales illustrent des scènes du film. Un artiste italien passa dix huit mois à assembler les 500 000 carreaux qui les composent, utilisant feuille d'or et verre teinté.

Dans le hall, un escalier tournant mène au **King Stefan's Banquet Hall** (salle de banquet), où s'affairent des serveurs en costume. Les repas sont à un prix raisonnable, mais il est conseillé de réserver de bonne heure.

Un bain de foule

Les allées qui mènent aux six parties du Magic Kingdom partent toutes du château. Pour éviter la foule et profiter au maximum des lieux, il est préférable d'arriver dès l'ouverture. Sinon, attendre midi, lorsque les gens déjeunent. En arrivant au début ou en fin de journée, on s'épargnera les longues files d'attente.

Il est conseillé d'organiser sa visite en parcourant le site dans le sens des aiguilles d'une montre, d'Adventureland

à Frontierland, Liberty Square, Fantasyland et Tomorrowland, ou l'inverse. Chaque thème est illustré minutieusement. Ainsi, à Frontierland, on a planté des prosopis, arbres typiques du sud-ouest du pays, pour parfaire le décor du **Pecos Bill Cafe**. Quand aux souvenirs que l'on peut rapporter, ils sont innombrables. A **Liberty Square**, on peut même acheter un service en argent de 13 000 dollars.

Les oiseaux enchantés

On entre à **Adventureland** par un pont en bois orné d'effigies tiki (sculptures polynésiennes). L'immense arbre qui supporte la **Swiss Family Robinson Tree House** dissimule 200 t de béton et d'acier. Ses branches d'une envergure de 27 m sont recouvertes de 800 000 feuilles en plastique.

L'**Enchanted Tiki Birds Pavilion** (le « pavillon enchantés des oiseaux tiki »), dont le style s'inspire de l'architecture de Bali et de Bornéo, est un perchoir exotique pour le concert des oiseaux tropicaux. Ce sont en réalité des « animatroniques » créés par les esprits imaginatifs de Disney World. L'audio-animatronique fait appel à une technique complexe qui permet, grâce à l'ordinateur, d'animer de façon très réaliste des personnages en trois dimensions, en mêlant les voix, la musique et les sons.

La **Jungle Cruise** (« croisière de la jungle ») transporte le visiteur — sans risques — dans des aventures périlleuses sur un fleuve digne de l'Amazone. Avec les **pirates des Caraïbes**, on revivra l'époque où les boucaniers écumaient les côtes américaines. Gare aux boulets de canon !

« Poussières de l'Ouest garanties »

Frontierland, pays du Far West, n'est plus loin. Des bateaux à aubes, grandeur nature, rappellent ceux qui descendaient jadis le Mississippi. Quelques arpents du désert de l'Arizona ont été reconstitués pour servir de cadre au **Big Thunder Mountain Railroad**, un train fou, qui roule bruyamment, à 50 km/h, dans un paysage où se succèdent formations rocheuses rougeâtres, canyons et geysers bouillonnants. Le matériel minier devant la station de chargement est authentique et provient de mines abandonnées du Nevada et de l'Arizona.

Si tout ici paraît crasseux, c'est volontaire. *« Nous essayons de faire en sorte que la saleté paraisse authentique »*, dit l'un des responsables des services d'entretien.

Le **Country Bear Jamboree** utilise aussi la technique animatronique dans l'abri des ours. Ces derniers entonnent des classiques de la musique country. L'expression faciale du bison, de l'élan et de l'orignal valent le détour.

L'histoire américaine

L'utilisation la plus impressionnante de l'audio-animatronique est dans le **Hall of Presidents**, à Liberty Square. Un film de 15 min, projeté sur un immense écran, retrace l'histoire de la Constitution américaine. Puis le rideau

A gauche, un spectre joue de l'orgue dans le manoir hanté ; à droite, la satisfaction d'une journée bien remplie à Disney World.

se lève sur une scène troublante. Chacun des présidents fait un signe de la tête ou un geste de la main en reconnaissant son nom, dans la lumière des projecteurs. Tandis qu'Abraham Lincoln prononce un discours, ses collègues se grattent le nez, bavardent, tapent nerveusement du pied et bâillent même en coulisse. L'automate de Lincoln est animé par 47 mouvements distincts du corps et 15 expressions faciales.

Le style de Liberty Square est particulier, avec des fenêtres aux vitres remplies de bulles d'air. Le décor correspond à celui du Nouveau Monde au XVIIIe siècle. La **Diamond Horsehoe Revue** présente, comme à l'époque, un spectacle de variétés dans un saloon ; il est prudent de réserver avant 9 h 30.

Le **Haunted Mansion** (« manoir hanté ») est perché sur une hauteur dominant **Tom Sawyer Island**. L'atmosphère dépasse de loin tout ce que les trains fantômes des foires classiques réservent habituellement. Après une première frayeur dans une pièce aux murs qui se dérobent, des chariots transportent le visiteur à travers des corridors dotés de moult effets spéciaux. On assistera, notamment, à une réception dont les protagonistes, jurerait-on, sont de véritables ectoplasmes.

Sous-marin et vaisseau spatial

Fantasyland est le royaume par excellence de Walt Disney. Blanche-Neige, Cendrillon, Dumbo (l'éléphant volant), Peter Pan et Pinocchio s'y promènent. Mettre un nom sur chaque visage ravira petits et grands, et le jeu n'est pas toujours facile. Le **Small World** propose un tour en bateau à travers le monde par le biais de saynètes animées par des centaines de poupées costumées.

Des sous-marins spacieux conçus sur le modèle du *Nautilus* évoquent l'univers de Jules Verne de *Vingt mille lieues sous les mers* (**20,000 Leagues Under the Sea**). Parmi les animaux marins animatroniques, un calmar géant tentera d'avaler votre bateau.

Vol au-dessus de Tomorrowland.

Enfin, on approche l'entrée de **Tomorrowland** («pays de demain»). Il fut créé à l'origine pour Disneyland, dans les années 1950; nombre des concepts jugés futuristes à l'époque sont maintenant devenus des réalités et cette partie mériterait presque d'être rebaptisée «Todayland» («pays d'aujourd'hui»). La structure, semblable à une gigantesque tente, abrite **Space Mountain**. On entre dans un tunnel, dans lequel des ouvertures animées font patienter les visiteurs, avant de débarquer sur une lointaine planète. Des météores et des astéroïdes planent dangereusement dans le ciel. Des fusées attendent les volontaires. L'obscurité fait qu'il est impossible de distinguer les pentes et les virages de ces montagnes russes de l'espace, ce qui augmente les frissons et l'illusion de traverser le cosmos à toute allure.

Une partie du parc est invisible par les touristes car elle est sous leurs pieds. Le Magic Kingdom est bâti sur des catacombes appelées **The Utilidor System**. C'est là que réside le cerveau du site. Une multitude de personnes travaillent sous terre pour assurer la magie en surface.

Epcot Center

Le génial Walt Disney avait un rêve ambitieux. Après l'avoir tenu secret, il rendit public un projet de construire l'Experimental Prototype Community Of Tomorrow (prototype expérimental de la ville du futur). Dans son optique, il s'agissait d'une ville sous un dôme, à l'abri de la pollution, où 20 000 personnes pourraient travailler et vivre. Des constructions futuristes de verre et de métal furent bâties sur un terrain de presque 300 ha. Les successeurs de Disney décidèrent de poursuivre ce projet en modifiant l'idée initiale. Pour que l'aventure soit financièrement viable, **Epcot Center** ne devait pas être une vraie ville, mais l'illustration d'un thème qui s'ajouterait à ceux déjà existants. En octobre 1982, le «parc de l'homme pensant» vit le jour, donnant naissance à une nouvelle ère Disney.

Le monorail passe devant Spaceship Earth, à Epcot Center.

Ceux qui connaissent le Magic Kingdom découvriront une atmosphère différente à Epcot. Il n'y a ici nulle chevauchée à donner le frisson, et les célèbres personnages des dessins animés ne déambulent pas dans les rues. Les prouesses technologiques surpassent celles du premier parc. **Future World** (le « monde du futur ») et **World Showcase** (la « vitrine du monde ») sont les deux thèmes illustrés.

On pénètre dans Epcot Center et Future World par une sphère monolithique baptisée **Spaceship Earth** (« vaisseau spatial Terre »). Posée sur trois énormes piliers, elle s'élève à 55 m du sol, ce qui représente la hauteur d'un immeuble de 17 étages. C'est la première géode jamais construite, selon les créateurs d'Epcot Center.

Spaceship Earth convie le visiteur à un voyage dans le temps — passé, présent et futur — au cours duquel sera expliquée l'évolution des communications. **CommuniCore** forme le cœur de Futur World. Différentes animations permettent de voir, de toucher et d'entendre le proche futur. **Epcot Computer Central** illustre le rôle des ordinateurs dans la société moderne. Du vaisseau spatial, on accède à tous les secteurs de Future World.

Future World

Sept « pavillons » encerclent CommuniCore. **The Universe of Energy**, parrainé par la société Exxon, est une reconstitution en trois dimensions de l'époque préhistorique avec des dinosaures, des tremblements de terre et des volcans en éruption. Une animation permet de comprendre la formation des combustibles fossiles. Sur le toit du pavillon, 80 000 cellules solaires alimentent en énergie six véhicules pouvant transporter 100 passagers à la fois. **Horizons**, une initiative de la General Electric, tente d'imaginer le mode de vie familial du XXIe siècle. A l'intérieur de l'« Omnisphère » de huit étages, on est immergé dans une vision du futur. C'est à travers le **World of Motion** (« monde du mouvement »)

Journey Into Imagination est l'occasion d'explorer les tunnels lumineux.

que la General Motors a choisi de transporter le visiteur. Des tableaux amusants retracent l'évolution des moyens de locomotion avec spécimens à l'appui. **Journey Into Imagination** (« voyage dans l'imaginaire ») est une exploration du domaine de la créativité. C'est l'attraction qui rencontre le plus grand succès. Deux personnages, Dreamfinder et Figment (littéralement « Inventeur de rêves » et « Produit de l'imagination »), guident les visiteurs à travers le monde des arts, de la littérature, des sciences et techniques, du cinéma et de bien d'autres choses encore, le tout parrainé par Kodak. Le **Land Pavilion**, que la société Kraft consacre à l'agriculture, est la plus vaste attraction d'Epcot. On y visite une forêt tropicale, un désert, une prairie américaine et une ferme écologique. **Living Seas** (les « mers vivantes ») emmène les visiteurs sur une base sous-marine, au fond d'un grand bassin contenant 25 millions de litres d'eau salée. **Wonders of Life**, parrainé par Metropolitan Life Insurance Co., propose une visite guidée dans le système immunitaire du corps humain. Cranium Command est une attraction où des personnages, les Brain Pilots (les « pilotes du cerveau »), incarnent les fonctions de l'esprit.

World Showcase

Un large trottoir de couleur rose encercle la lagune au centre d'Epcot et relie le Future World au World Showcase. Huit pays étrangers, outre les États-Unis, ont choisi d'illustrer leur culture par la réplique en miniature d'un monument célèbre et par des produits ou des manifestations typiques.

Le Mexique est dominé par une **pyramide aztèque**. Une promenade en bateau sur la **rivière du Temps** donne un aperçu de l'histoire du pays. Le restaurant propose une cuisine semblable à celle du San Angel de Mexico.

La Norvège est illustrée par une promenade sur l'eau mouvementée du **Maelström**, avec un détour par un **village viking**. On peut également visiter un village norvégien.

La réplique du temple du Ciel de Pékin, au pavillon chinois du World Showcase.

La Chine a choisi de reproduire à plus petite échelle le **temple du Ciel** de Pékin. Un documentaire sur écran panoramique révèle un pays moderne et captivant. Des chevaux en terre cuite originaires de Hsian et des fragments de la Grande Muraille comptent parmi les objets exposés.

L'Allemagne recrée l'atmosphère de l'**Oktoberfest**, la célèbre fête de la bière de Munich. Des boutiques vendent de la porcelaine de Hutschenreuther.

L'Italie propose une réplique du campanile de la **place Saint-Marc**. Le restaurant romain **Alfredo** se charge de calmer les appétits.

L'**American Adventure** propose un éclairage fascinant de l'histoire des États-Unis, avec des reproductions audio-animatroniques de Benjamin Franklin et Mark Twain.

Un *torii* (portique sacré) rouge vermillon donne accès au Japon et à une charmante **pagode**, réplique du temple Horyuji de Nara (VIIe siècle). Des jardins de bonsaïs flanquent l'édifice.

Neuf tonnes de céramique artisanale d'Afrique du Nord ont été nécessaires à la construction d'un **minaret Koutoubia** pour représenter le Maroc.

Une petite **tour Eiffel** a été érigée sur le « sol » de France. Trois cuisiniers parisiens se partagent l'élaboration des délices proposés par le restaurant **Les Chefs de France**.

Le Royaume-Uni a reconstitué un pub, le **Rose and Crown**, auquel rien ne manque, pas même le jeu de fléchettes. Le bar est en acajou verni. On y sert du *beef*, du *kidney pie* et de la Guinness.

Le Canada est représenté par l'**hôtel du Canada**, réplique du château Laurier, à Ottawa. Un film, projeté sur un écran panoramique, transporte les spectateurs dans le Grand Nord.

Des activités sans fin

La **Main Street Electrical Parade** scintille de tous ses feux à certaines époques de l'année, dont la saison des vacances. Dragons et bateaux flottent sur le Seven Seas Lagoon durant l'**Electrical Water Pageant**, spectacle nocturne qui a lieu presque tous les soirs. Durant les soirs d'été et pendant les vacances, les feux d'artifice transportent la magie des lieux de la terre vers le ciel. Pour terminer, citons encore : les magasins du **Walt Disney World Village**, au bord du lac Buena Vista ; **Discovery Island**, à Bay Lake (une exception au royaume de Disney car l'île est une réserve sauvage où vivent, en toute quiétude, de vrais oiseaux et où poussent des plantes tropicales) ; **River Country**, que l'on peut descendre comme des rapides ou en se laissant glisser sur des toboggans aquatiques de 80 m de long ; **Fort Wilderness Resort**, qui possède des terrains de camping et propose aux noctambules l'animation du Pioneer Hall ; l'**Empress Lilly Riverboat**, ainsi nommé en l'honneur de Mme Disney et qui comprend trois restaurants. Un orchestre Dixieland anime les soirées. S'ajoutent à tout cela le **Topiary** (jardin topiaire) présentant des serpents de mer, des chameaux, des champignons et des personnages de dessins animés créés à partir de plantes.

A gauche, la preuve d'un bon moment ; à droite, les feux d'artifice concluent un jour merveilleux au château.

ORLANDO ET SES SATELLITES

Grâce à la grande diversité des parcs d'attractions, créés pour la plupart dans le sillage de Walt Disney World, les activités qui s'offrent aux touristes de la Floride centrale sont très variées.

A **Sea World**, des pingouins, des phoques et des épaulards bien dressés se donnent en spectacle tandis que des dauphins transportent des skieurs nautiques. Le Cap'n Kids World, récente création, est un parc d'attractions qui se trouve non loin du **Florida Festival**.

Universal Studios recrée un peu Hollywood en Floride avec ses authentiques plateaux de cinéma. Des visites guidées sont organisées. De nombreuses attractions divertissent les touristes sur le thème du cinéma, avec effets spéciaux à l'appui. On pourra revivre le rugissement inimitable de King Kong, les frissons des *Dents de la mer* ou rencontrer E. T.

A gauche, à Sea World, on fait même du ski nautique sur le dos des dauphins. Ci-dessous, Shamu, la baleine tueuse.

King Henry's Feast et Mardi Gras proposent un menu fixe dans un cadre particulier. **King Henry's Feast** invite ses convives à la cour du roi Henry VIII avec ses bouffons, jongleurs et autres saltimbanques qui animent les lieux. **Mardi Gras** transporte ses clients en Louisiane, au son d'un orchestre dixieland des plus dynamiques.

Wet'n'Wild est l'un des nombreux parcs aquatiques où l'on ne vient pas tant pour nager que pour se laisser porter par des vagues artificielles, se reposer dans un bassin à bulles, glisser dans des toboggans (certains mesurent 20 m de haut et 120 m de long) ou descendre des chutes d'eau de 100 m sur une chambre à air.

The Mystery Fun House réserve des rires et des frissons aux jeunes et aux moins jeunes. Elle possède l'un des terrains de golf miniature les plus fantaisistes de Floride.

Ripley's Believe It Or Not expose des curiosités aussi diverses qu'un morceau du mur de Berlin, une galerie de torture ou un portrait du peintre Vincent Van Gogh composé de 3 000 cartes postales.

L'aïeul de tous

Bien avant Disney World, deux endroits paradisiaques ont contribué à faire de la Floride un haut lieu du tourisme. Dans les années 1930, la famille de Dick Pope aménagea des jardins plantés de cyprès, ornés de fleurs, parsemés d'étangs et de grottes sur les rives d'un lac, à Winter Haven. En 1942, ils baptisèrent les lieux du nom de **Cypress Gardens** et eurent l'idée d'y organiser des spectacles de ski nautique. Depuis 1946, quatre représentations quotidiennes ravissent des spectateurs du monde entier. Dans les années 1950, Esther Williams, l'actrice championne de natation vint tourner ici dans une superproduction aquatique et musicale. Les jardins de Cypress Gardens ont merveilleusement bien vieilli et continuent d'attirer les foules. Tous les ans, en juin, s'y déroulent des championnats mondiaux de ski nautique. Southern Crossroads et Living Forest sont de récentes créations.

KingHenry's

Silver Springs se trouve à la lisière d'Ocala National Forest. Des bateaux à fond de verre parcourent les eaux transparentes où abondent des poissons très colorés. Sur chaque embarcation, des histoires sur certains lieux de Silver Springs comme **Devil's Kitchen**, **Bridal Chamber** ou **Blue Grotto** sont contées aux passagers.

Au **World of Reptiles** (le « monde des reptiles »), on peut voir comment des experts maîtrisent les serpents. Un autre bateau promène les touristes dans **Lost River Voyage**, et le tour en 4x4 de **Jeep Safari** est amusant et mouvementé.

La métamorphose d'une ville assoupie

D'après les historiens, la ville d'**Orlando** doit son nom au soldat Orlando Reeves, tué par une flèche indienne en protégeant une colonie installée dans cette région.

Orlando a été la première ville à bénéficier (ou à pâtir, selon certains) de la multiplication des parcs d'attractions en Floride centrale. Ce vieux bourg assoupi, qui se contentait de vivre de la production d'agrumes, s'est métamorphosé en véritable mégalopole, et passa de 5 000 chambres d'hôtel autrefois à plus de 77 000 actuellement, dépassant, Honolulu et Miami Beach. Orlando est aujourd'hui l'une des métropoles américaines qui se développe le plus rapidement.

La fiévreuse activité immobilière se concentre à l'ouest d'Orlando. Le centre-ville continue de croître à un rythme raisonnable, se peuplant de hauts immeubles. Le soir, des calèches proposent des promenades très agréables autour de **Lake Eola**.

Deux nouveaux centres commerciaux, **Church Street Market** et **Church Street Exchange**, se succèdent. Au troisième étage de ce dernier se trouve une grande salle de jeux où les serveuses circulent en patins à roulettes.

Pour admirer l'architecture d'Orlando, on peut commencer sa visite par **Orange Avenue**, où l'on remarquera en particulier la façade Belle Époque du **Kress Building**, le style égyptien de la **First National Bank** (vers 1929), et le style Art déco de **McCrory's Five and Dime**, qui date de 1906. Dans **Church Street**, trois immeubles en briques rouges reflètent le style victorien. C'est dans cette rue que l'activité immobilière s'est réveillée avec la construction du complexe **Rosie O'Grady's Goodtime Emporium**, dans le vieil **Orlando Hotel**, en face de Church Street Station. Parmi les bars, les restaurants et les boutiques du centre O'Grady, **Phineas Phogg's Balloon Works** propose des vols en montgolfière, avec champagne à la clé, au-dessus de la Floride centrale. **Lili Marlene's Aviators Pub and Restaurant** se trouve dans le vieux Strand Hotel.

Une publicité involontaire

Le charme banlieusard de **Winter Park** a toujours attiré les initiés. Mais c'est sans l'avoir cherché que ce lieu

A gauche, le restaurant King Henry's. A droite, le centre-ville d'Orlando.

est devenu un centre touristique international en 1981 : un affaissement de terrain a englouti presque deux rues entières. Une mini-industrie touristique s'est développée autour de ce trou de 100 m de diamètre et 30 m de profondeur situé au nord de Fairbanks Avenue, près de Denning Drive.

Rollins College, construit en 1885 à Winter Park, est bordé par une promenade, **Walk of Fame**, le long de laquelle 800 plaques indiquent le lieu de naissance de célébrités. Le **Beal-Maltbie Museum** renferme une importante collection de coquillages. **Little Europe**, sur Park Avenue, est un quartier de magasins de luxe et de boutiques à la mode. Le plus grand festival artistique du sud des États-Unis se tient en mars, dans le parc au centre de la ville.

Agréable et sans prétention, **Central Florida Zoological Park** s'insère dans un aménagement paysager, au croisement des routes US 17 et 92, à Sanford, à l'est d'Orlando.

Oranges, pamplemousses, mandarines...

La Floride produit 70 % de la production nationale d'oranges, de pamplemousses, de citrons, de limes, de mandarines, de clémentines et de kumquats, soit une récolte de 2 milliards de dollars par an. A perte de vue, ce ne sont que des rangées bien ordonnées d'arbres fruitiers. Les comtés d'**Orange** et de **Polk** totalisent à eux seuls plus de 120 000 ha sur les 336 000 consacrés à l'agrumiculture en Floride.

Les citrons, originaires d'Extrême-Orient, furent introduits en Floride à l'époque des premières expéditions espagnoles. La production commerciale commença à se structurer dans la dernière partie du XIXe siècle, lorsqu'un émigré chinois du nom de Lue Gim Gong réussit à développer une variété d'orange résistant au gel. Elle porte désormais son nom et se cultive toujours le long de l'**Indian River**. Lue fut nommé citoyen d'honneur par les

Dick Pope dans ses Cypress Gardens en compagnie d'« Anna Tampana ».

habitants de **De Land**, sa ville d'adoption, au nord d'Orlando. Les agrumes sont encore la principale ressource de la localité, même si De Land doit son renom à la **Stetson University**. Non loin de là, **Hontoon Island State Park** est accessible par bateau de la route SR 44. On peut y voir un tumulus élevé par les Indiens timucuan.

Par temps clair, la vue embrasse un tiers des orangeraies de Floride, du sommet de la **Florida Citrus Tower**, une tour de 60 m de haut sur la route US 27, à **Clermont**, au nord-ouest de Disney World. Au pied de la tour, un maraîcher vend des fruits. A Winter Haven, on peut s'approvisionner au **Florida Citrus Showcase** et à **Lake Wales**, au **Donald Duck Citrus World**.

Au printemps, quand les arbres sont en fleurs, un agréable parfum envahit l'atmosphère. En hiver, les agrumiculteurs doivent rester vigilants quant aux températures matinales bien que le climat soit relativement doux. En 1983, 1985 puis en 1990, des records de froid ont été atteints, mais les fermiers avertis ont pu s'organiser pour éviter le danger.

Les cow-boys de Kissimmee

A 16 km à l'est de Disney World, la ville de **Kissimmee** est la capitale du bétail. La Floride se range parmi les dix premiers États producteurs de bœuf. Quelque 200 ranchs prospèrent à l'intérieur des terres plates et broussailleuses de l'État. Avec leurs bottes à éperons et leur visage crasseux, les vachers montent à cheval et manient le lasso avec autant de dextérité que les cow-boys de l'Ouest.

C'est à Kissimmee que la **Florida Cattleman's Association** (« association des éleveurs de Floride ») a son siège. Si l'on n'est pas trop exigeant sur la qualité du service, c'est ici que l'on mangera la meilleure viande de bœuf de la région. En juillet, les cow-boys rivalisent d'adresse — ou de malchance — lors du Silver Spurs Rodeo. Un autre rodéo se tient en hiver durant le Kissimmee Valley Livestock Show.

Une mer d'oranges pour une usine de jus de fruits.

A **Lakefront Park**, le **Monument of States** vaut le détour. C'est une sorte de pyramide de 15 m de haut qui comprend 21 paliers, et dont le socle est en forme de quadrilatère. Sa réalisation, à l'initiative du Kissimmee All States Tourist Club, prit deux ans. Chaque État, ainsi que 21 pays étrangers, ont apporté leur pierre à ce monument qui en compte plus de 1 500. Les noms des particuliers qui ont offert les sacs de ciment sont inscrits à la base de la structure.

Le **Museum of Dishes** (« musée des récipients ») des **Tupperware International World Headquarters** est moins connu mais tout aussi original.

Divers ranchs sont répartis dans le paysage vallonné de la région d'**Ocala**, au nord d'Orlando. D'anciens champions comme Carry Back, Foolish Pleasure, Needles et Affirmed sont nés ici.

Des centaines d'élevages de pur-sang jalonnent la route US 301 et ses abords. Seuls la Californie et le Kentucky possèdent davantage de paddocks. La campagne offre un cadre idéal pour les centres équestres, les haras et les prairies clôturées. A l'occasion, on peut assister au dressage et à l'entraînement des chevaux. Des tableaux, rappelant la mémoire de chevaux de course célèbres tapissent les murs du **Hall of Fame** de l'association des éleveurs de pur-sang de Floride, sise dans le **Golden Hills Golf and Turf Club** (à 12 km à l'ouest d'Ocala, par la route US 27).

Les chevaux de Floride ont commencé à faire parler d'eux lors de la victoire de Needles, en 1956, dans le derby du Kentucky. Le sol calcaire, l'air pur et l'eau en abondance ont, par la suite, favorisé l'implantation des élevages. Les chevaux arabes ont fait leur apparition plus récemment.

De nombreux ranchs ouvrent leurs portes aux visiteurs. A **Fairview Farm**, près de **Candler**, on entraîne les chevaux dans un lac. **Just a Farm**, près de **Dunnelon**, **Flamingo Farm**, à **Reddick**, et **Another Episode Farm**, près de **Fellowship**, sont également ouvertes

Chasse à courre au pays des pur-sang (Ocala).

au public. Pour les visites, il faut se présenter au bureau ou à la résidence même de chaque établissement.

Pour pénétrer dans la luxuriante **Ocala National Forest**, prendre la route SR 40, à l'est de la ville. Cette forêt subtropicale de 150 000 ha est peuplée de cerfs et possède une quantité impressionnante de pins de sable. Se renseigner sur place pour connaître la date de l'ouverture de la chasse au cerf et à l'ours.

Le centre de loisirs le plus important de la forêt est **Salt Springs**, accessible par les routes SR 40 et 314. Les meilleurs endroits pour faire du canotage sont **Alexander Springs** et **Juniper Springs**. On peut rejoindre en canot la **St Johns River** en passant par **Lake George**.

L'**Oklawaha River** borde Ocala National Forest à l'ouest. Des tableaux anciens ont immortalisé la venue du général Ulysses S. Grant. La bourgade du même nom, près du **Lake Weir**, devint tristement célèbre le 16 janvier 1935, lorsque quinze agents du FBI encerclèrent une maison dans laquelle s'étaient cachés deux dangereux criminels, une femme et son fils, qui, avec leur « gang », terrorisaient la population locale en kidnappant, en volant et en assassinant. Les habitants savent indiquer où se trouve la maison, toujours debout, mais l'impact des balles (plus de 1 500 auraient été tirées) n'est plus visible.

Suivre la route SR 19 qui traverse la forêt du nord au sud jusqu'aux villages d'**Umatilla** et d'**Eustis**. Le paysage est superbe. Le lieu appelé **Lake** regroupe environ 1 300 des 30 000 lacs de Floride. Les randonneurs pourront découvrir la forêt en empruntant la piste **Florida Hiking Trail**.

Juste au sud, **Lake Apopka** est le deuxième de l'État par sa taille. On y pêche d'excellentes perches. La ville voisine, **Apopka**, tire son nom d'un mot indien signifiant littéralement l'« endroit où on mange des pommes de terre ». **Lake Wales**, situé à 76 m au-dessus du niveau de la mer, constitue l'un des plus hauts plissements

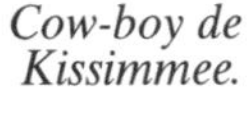

Cow-boy de Kissimmee.

géologiques de Floride. Au sommet d'**Iron Mountain**, une grande tour (Singing Tower) en marbre et en corail, haute de 60 m, évoque une cathédrale. Edward Bok, émigré hollandais et ancien rédacteur en chef du *Ladies Home Journal*, fit don de cette **Singing Tower** à l'État en 1929. Il est enterré au pied du monument. Lorsque les 53 cloches carillonnent, c'est un véritable enchantement.

Spook Hill, la « colline qui donne froid dans le dos », se dresse sur Fifth Avenue à Lake Wales. Elle est ainsi nommée car un phénomène d'illusion optique fait que lorsqu'on arrête sa voiture au pied de la colline, on a l'impression qu'elle remonte la pente toute seule. A **Masterpiece Gardens** est exposée une mosaïque de 300 000 pièces reproduisant la Cène. Dans l'amphithéâtre, la troupe dirigée par Josef Meier joue une pièce religieuse intitulée *Black Hills Passion*. Le spectacle reste à l'affiche de février à mars. On trouvera le gîte et le couvert au **Chalet Suzanne** (routes US 27 et 27 A). Le style varié des chambres — marocain, mexicain, italien et indien — ne manque pas de charme et d'originalité.

En continuant sur la route US 27, au sud du lac Wales, on arrivera à **Sebring**, localité célèbre pour ses courses d'automobiles.

En quittant la US 27, à l'ouest de la ville, on s'engage dans la jungle humide de **Highlands Hammock State Park**. D'excellents sentiers de randonnée conduisent à travers des marais de cyprès. Prendre, à l'ouest, la route SR 70 en direction d'**Arcadia** (terre de cow-boys et de rodéos), puis, au nord, suivre la US 17 jusqu'à **Bartow**, pour gagner la **Bone Valley**, cœur de l'industrie minière des phosphates de Floride. Cette industrie nécessaire à l'économie de l'État a suscité de vives critiques des écologistes. Que l'on prenne la route SR 60 dans un sens ou un autre, on passera par des paysages lunaires de dunes et de cratères remplis de vase ou d'eau puante.

La Floride produit 25 % des phosphates utilisés dans le monde. Les gisements proviennent des dépôts alluviaux charriés par la mer aux temps préhistoriques et qui se fixèrent dans le sol quand la mer se retira. Le phosphate sert essentiellement d'engrais pour l'agriculture, et on ne saurait s'en passer même s'il est parfois polluant. Pour leur défense, les sociétés minières arguënt que cette industrie rapporte 3 milliards et demi de dollars par an à l'État. Pour visiter une exploitation, se rendre au bureau du **Florida Phosphate Council**, à Lakeland.

Les travaux d'assèchement permettent de déterrer des animaux fossiles datant du pléistocène, tels des mammouths, des smilodons et des requins géants — d'où le nom de Bone Valley (la « vallée des ossements »). Certains de ces squelettes sont exposés à Bartow, à la **Bone Valley Exposition**.

Frank Lloyd Wright

Lakeland, située au nord de Bartow, est une ville ouvrière. Les visiteurs s'intéresseront sans doute principalement au **Florida Southern College**, qui donne sur McDonald Street et Ingraham Avenue. Les étudiants bénéficient ici d'un environnement exceptionnel dû à l'architecte Frank Lloyd Wright. Sa première réalisation, futuriste pour l'époque, fut la construction de l'**Annie Pfeiffer Chapel**, en 1938. Dans le bâtiment administratif du Florida Southern College, des cartes détaillées sont à disposition pour aider le visiteur à se retrouver dans cet univers architectural grandiose. En parcourant l'esplanade entre les immeubles, on pourra admirer les carreaux de verre coloré, véritable prisme d'où jaillissent des arcs-en-ciel.

Avant de quitter la Floride centrale, il est indispensable de goûter à la cuisine familiale du Sud en s'arrêtant au restaurant Branch Ranch (suivre les indications de l'I-4 jusqu'à Branch Forbes Road). La famille Branch a converti sa maison en salles à manger en 1956. Depuis, nombreux sont les clients qui sont devenus de véritables fans. Commander un plat de poulet frit, de travers de porc ou même de homard, puis se délecter d'okra d'aubergines... afin de quitter la région rassasié.

Un archéologue examine les alluvions anciennes mises au jour par une exploitation minière de phosphate.

LE NORD DE LA FLORIDE

Au milieu d'une forêt de pins qui semble interminable, un panneau résume en trois mots l'histoire contemporaine de cette région encore peu explorée et peu développée. « Ultime frontière de Floride », proclame l'écriteau apposé par un promoteur immobilier désireux d'appâter les pionniers d'aujourd'hui. S'il veut donner l'impression que les étendues du Nord vivent et évoluent à un rythme plus lent que le reste de la Floride, cela est sans doute correct. Et si l'inscription sous-entend que les derniers trésors cachés de l'État — plages vierges, rivières sinueuses et espaces inexploités dans les terres — attendent d'être découverts, on peut aussi y croire.

Mais, si le panneau suggère une région sans passé intéressant, attendant les premiers signes de civilisation, alors il y a méprise. Ce sont en effet ces forêts de pins qui attirèrent les premiers colons espagnols et qui furent le théâtre de guerres civiles et internationales. C'est également là que certains s'enrichirent considérablement, sans pour autant pouvoir garder leurs fortunes.

Le passé de cette région n'est pas inexistant, bien au contraire. Pensacola, par exemple, est devenue une métropole dynamique bien qu'elle ait subi, à cinq reprises, des invasions. Des endroits comme Magnolia, Saint Joseph et New Port, autrefois des communautés prospères dotées d'hôtels sophistiqués et de résidences calmes, ont disparu de la surface du globe à cause des incendies, des épidémies ou des tempêtes. Le charme du Vieux Sud de Madison et l'atmosphère académique de Gainesville datent d'avant la guerre civile. L'héritage de toute cette région est inscrit dans un succès soudain, obtenu grâce à l'abondance du bois de construction, du coton et des citrons, et qui fut suivi d'une faillite si irréversible que les souvenirs des jours glorieux sont bien minces.

Le nord de la Floride est aujourd'hui un pays de contrastes, parsemé de grandes villes cosmopolites comme Pensacola et Tallahassee, mais à prédominance rurale dans le Panhandle, cette région en forme de queue de casserole — ce que son nom signifie d'ailleurs — qui s'étend entre les deux grandes villes. Comme partout en Floride, le Nord possède des côtes appréciées des touristes mais moins nombreuses, et la plupart des plages de sable fin sont encore vierges ou peu construites.

Pages précédentes : brume matinale dans la région de Suwannee River. A gauche, les tricycles des retraités, plus stables que les bicyclettes.

PRINCE ALBERT
CRIMP CUT

LE PANHANDLE

Pensacola, ville du littoral, combine le charme du Vieux Sud, son héritage espagnol et de larges installations navales. Elle est située à la lisière occidentale de l'État, à plus de 960 km de Miami.

Longtemps boudée par les touristes, Pensacola est un peu la ville oubliée de la Floride. Même les résidents les plus cosmopolites de l'État l'associent au sud de l'Alabama. Les livres d'histoire semblent ignorer qu'elle fut la première colonie d'Amérique. C'est Saint Augustine qui a bénéficié, à sa place, de la gloire et des touristes en tant que « plus vieille colonie ».

La localité fut colonisée en 1559, soit six ans avant Saint Augustine. Mais Don Tristán de Luna ainsi que 1 500 colons ont dû abandonner ce lieu deux ans plus tard en raison des ouragans et des Indiens Creek. Ce n'est qu'en 1752 que la ville fut colonisée de nouveau après deux incursions espagnoles en 1698 et en 1722. Depuis sa création, les drapeaux de cinq pays flottent sur la **Plaza Ferdinand VII**, un parc du centre-ville qui porte le nom du roi d'Espagne. Pensacola fut ballottée entre les nations. En effet, elle changea 17 fois d'administration en trois cents ans.

Mais Pensacola se souvient, elle, de son passé qu'elle offre aux vacanciers, ainsi que ses kilomètres de plages et de dunes. Les touristes du nord du pays n'ont pas encore découvert Santa Rosa Island mais l'île est fréquentée depuis longtemps déjà par des vacanciers venant d'Alabama ou du Mississippi.

Pour les touristes qui recherchent autre chose que le soleil, la ville compte de nombreux bâtiments chargés d'histoire. Deux quartiers proches du centre ont été préservés : aux musées, aux anciens champs de bataille et aux forts s'ajoute le cimetière Saint Michael, dont les tombes du XVIIIe siècle portent des inscriptions espagnoles. Beaucoup de rues se nomment d'ailleurs Intendencia, Zaragossa et Cervantes...

A gauche, un fermier du Panhandle fait la pause ; à droite, la cueillette des fraises.

Avec une population de 300 000 habitants, Pensacola est la plus grande ville du Panhandle. Elle dispose de bons restaurants de poisson. Le centre-ville est animé et des distractions telles que les courses de lévriers et de stock-cars sont souvent proposées en été. La vie nocturne, des boîtes de jazz aux shows érotiques de **Trader John's**, fréquentés par les marins de la Naval Air Station toute proche, est assez riche.

La ville est un véritable melting-pot : les Espagnols, les Français, les Britanniques, les Américains, les confédérés et la Navy (la « Marine ») y ont exercé leur influence pendant quatre siècles.

Le printemps à Seville Square

Chaque année en mai, la ville célèbre la Fiesta of Five Flags pour évoquer son histoire : des parades, des expositions d'art et des concours sont organisés ainsi qu'une reconstitution, par les habitants, de l'arrivée de Don Tristán

de Luna, en 1559. Cette période de fête est idéale pour visiter Pensacola, non seulement en raison des nombreux spectacles mais aussi parce que le mois de mai bénéficie d'un climat agréable dans cette région. Le festival a lieu dans le quartier de **Seville Square** (« place de Séville ») qui fut baptisé sur l'ordre de Ferdinand VI « Panzacola ». Ce nom, modifié par la suite, serait d'origine indienne et signifierait « hommes à cheveux longs ».

Aujourd'hui, la place proche de Pensacola Bay se trouve au centre d'un quartier de boutiques spécialisées et de restaurants traditionnels entièrement restaurés. Plusieurs musées retracent l'histoire de la ville et ses étapes glorieuses. La place est un lieu idéal pour flâner à pied.

La plus renommée des maisons rénovées (toutes sont ouvertes au public) est, bien entendu, « The Oldest House » (« la plus vieille maison »). Également appelée **Lavalle House**, elle fait partie du **Pensacola Historic Village**, quartier qui comprend également le **T. T. Wentworth Jr Museum**, ancien hôtel de ville. On ne connaît pas la date exacte de sa construction, mais, selon les historiens, la maison illustre bien le style créole français du XVIIIe siècle. Plus robuste que celle des résidences modernes, son ossature de bois a été complétée par des murs de brique sur lequel on a appliqué un enduit.

D'autres maisons anciennes ont été aménagées en magasins d'antiquités ou d'articles traditionnels comme les patchworks. Certaines d'entre elles abritent de charmants restaurants. Le **Pensacola Art Center**, installé dans une ancienne prison, se trouve au milieu de ce quartier.

Seville Quarter est le lieu de ralliement des noctambules. Il se trouve en bordure du quartier, dans un immeuble restauré du XIXe siècle. **Rosie O'Grady's Goodtime Emporium**, une boîte de jazz dans laquelle les serveurs dansent et chantent, est la plus célèbre.

Le port de Pensacola après l'ouragan de 1906.

« Un désert vaste et affreux »

Si la plupart des maisons situées dans les zones protégées de Seville Square furent construites après la guerre civile, l'histoire du quartier commença avec la guerre d'Indépendance. La place (*square*) faisait alors partie intégrante d'une prison anglaise. Les Britanniques occupaient aussi **Fort George**, dont les ruines subsistent sur Palafox Street. Ils perdirent Pensacola en 1781, après un siège qui dura un mois et fut dirigé par Bernardo de Galvez, un chef militaire espagnol. La victoire permit non seulement aux Espagnols de reprendre la province mais bloqua tout accès à l'Amérique pour les Britanniques et poussa plus au nord les tenants de l'Indépendance.

Quatre décennies plus tard, les Américains, conduits par Andrew Jackson, marchaient sur Pensacola pour réclamer la Floride. Jackson, le premier gouverneur de l'État, essaya de convaincre les Espagnols de nettoyer les rues et les forts qu'il trouvait horriblement sales. Sa femme Rachel fut choquée de l'atmosphère de vice qui régnait, et écrivit à des amis : *« Comment vous expliquer dans quelle terre païenne je me trouve ? Je me sens comme dans un vaste désert affreux, loin de mes amis. »*

Les Jackson passèrent deux mois à Pensacola. Puis ils laissèrent la tâche de gouverner la cité « païenne » à un subordonné qui détourna ensuite le trésor de la ville.

L'humiliation de Geronimo

Seville Square n'est pas le seul endroit de Pensacola où le passé soit encore très présent. De l'autre côté de la baie, **Fort Pickens**, une place forte construite en étoile, ponctuée à chaque angle par un bastion, fut élevée en cinq ans. Ici, les fantômes de la guerre civile côtoient celui d'un valeureux chef indien.

Au début de la guerre entre États, Fort Pickens, situé sur Santa Rosa Island, entra en conflit avec **Fort Barrancas**, sur la côte, à quelques kilomètres de là. Des Américains s'opposaient à des Américains, des rebelles à des Yankees. Certains historiens prétendent que les premiers coups de feu de ce tragique conflit national furent tirés ici et non pas à Fort Sumter, en Caroline du Sud. Finalement, les soldats de l'Union en poste à l'artillerie de Fort Pickens triomphèrent des confédérés à Barrancas, et la ville de Pensacola tomba aux mains de l'Union.

Les deux forts peuvent se visiter. A 2,5 km à l'est de Pickens, le sentier **Dune Nature Trail** serpente à travers des dunes spectaculaires. Barrancas, construit par les Espagnols et fortifié ensuite par les Anglais, se dresse sur le territoire de la Naval Air Station.

Fort Pickens fut la prison de Geronimo, le célèbre chef apache qui refusait de se soumettre à l'homme blanc. Les soldats l'enfermèrent et il resta enchaîné de 1886 à 1888. Le dimanche après-midi, Geronimo devait supporter les railleries des riches habitants de Pensacola qui se distrayaient en gagnant Fort Pickens en bateau pour aller l'humilier.

Totem sans tabou.

C'était le temps de l'âge d'or du bois de charpente, quand la ville exportait 60 000 km de poutres chaque année. Sans songer au jour où le bois se ferait rare, les résidents firent construire de vastes demeures. Aujourd'hui, les dizaines de maisons datant de cette époque se trouvent dans **North Hill Preservation District**, près du centre-ville. Beaucoup ont été restaurées, d'autres vont l'être bientôt. Ces maisons illustrent les styles classique, « Queen Anne » ou « Mission espagnole ». Souvent, on ne peut les admirer que de l'extérieur car la plupart sont des résidences privées.

Cette période prospère favorisa aussi la construction du chemin de fer dans la ville, grâce à W. D. Chipley, un de ses habitants. Après avoir relié Pensacola à l'est de la Floride par voie ferrée, Chipley s'attacha à promouvoir la ville. Il qualifia celle-ci de « Naples de la Floride » et assura aux gens du Nord que *« son air fortifiant était bénéfique, hiver comme été, sauf pendant les épidémies »*.

Mais la faillite succéda à la croissance. Le bois s'épuisa. Les navires étrangers désertèrent le port et la construction navale devint un secteur en perte de vitesse. Sans la marine et l'invention de l'aviation, Pensacola aurait été totalement ruinée. Elle accueillit la première **Naval Air Station** d'Amérique en 1914. Aujourd'hui, c'est la plus grande base aérienne du monde. Tous les exercices de la Navy à terre et en mer y ont lieu. Elle est le plus gros employeur de la ville (9 000 civils en plus des 10 000 marins qui y sont stationnés).

Blue Angels et Bell Bottoms

A l'ouest de la ville, à **Sherman Field**, les visiteurs verront le siège des Blue Angels (« Anges bleus »), un escadron d'acrobates aériens réputés pour la précision de leurs démonstrations. Les Blue Angels se produisent lors des deux shows annuels de la région. Fort Barrancas et le **Naval Aviation Museum** se trouvent sur la base même.

Derniers préparatifs avant le décollage.

L'exposition regroupe 40 avions, un module spatial Skylab et rappelle des anecdotes liées à certains exploits.

En traversant la baie de l'autre côté de la base, on découvrira l'atout naturel majeur de Pensacola : ses plages de sable immaculé. Sur **Santa Rosa Island**, une île au large, le rivage de sable et la mer sont protégés car ils appartiennent au **Gulf Islands National Seashore**. A partir de Pensacola Beach, à l'ouest de Fort Pickens, s'étire, sur 15 km, une étendue de sable, de chênes verts et de chênes maritimes. Les visiteurs pourront bivouaquer sur des sites prévus à cet effet et se promener sur les pistes pour explorer la nature.

Dans l'autre direction, sur la route SR 399, la station de Pensacola Beach rappelle Miami en raison de la forme en croissant de la côte et de ses hôtels élevés. Plus à l'est, la route continue en bordure de mer.

Pensacola est *« La »* ville militaire du Panhandle, mais l'US Air Force (l'« armée de l'air ») possède deux autres bases à l'est : **Eglin** et **Tyndall**.

Eglin est la plus grande des trois bases militaires de la région. Elle commence à l'est de Pensacola et s'étend sur 81 km le long de la côte. C'est aussi la plus grande base aérienne américaine puisqu'elle occupe 1 875 km^2.

Eglin s'enorgueillit également de posséder le plus gros laboratoire expérimental consacré à l'environnement, mais celui-ci n'est pas ouvert au public. Au **McKinley Climatic Laboratory**, les scientifiques peuvent défier le temps. On peut y produire 1 m de neige en vingt-quatre heures, reconstituer une mousson tropicale, simuler un climat désertique ou une atmosphère de jungle.

La base de Tyndall, qui est plus petite, se trouve à l'est de Panama City. Elle dispense des formations de vol au personnel de l'armée de l'air, débutant ou initié. Tyndall fut créée au moment de l'entrée des États-Unis dans la Seconde Guerre mondiale et compta parmi ses premiers gradés un élève artilleur célèbre, l'acteur Clark Gable.

Escadrille sur fond d'azur.

Forêts, chutes d'eau et cavernes : l'intérieur du Panhandle

L'Interstate 10, une autoroute dont l'accès est limité, sort de Pensacola, traverse le centre du Panhandle et conduit en moins de quatre heures à Tallahassee. Le paysage se compose essentiellement de petites fermes et de pins.

La plus vaste des quatre forêts d'État de Floride s'étend au nord-est de Pensacola. **Blackwater River State Forest** couvre 732 000 ha et offre des possibilités d'excursion, de camping, de canotage et de pêche. **Red Ground Trail**, un axe commercial majeur jadis utilisé par les Indiens, est devenu un sentier de randonnée et a donné son nom à un centre sur l'environnement où les visiteurs peuvent se familiariser avec les plantes et les animaux de la région.

A l'est de Blackwater, sur l'autoroute US Highway 331, près de la frontière avec l'Alabama (non loin de la ville de Florala), le point le plus haut de la Floride culmine à seulement 103 m (l'« État du Soleil » est assez plat). Suivre la flèche pour aller visiter une église désaffectée sur **Britton Hill**.

Bien que la Floride compte de nombreux cours d'eau, le pays manque de relief et, de ce fait, les cascades se font rares. Tant et si bien qu'un parc d'attractions fédéral de 61 ha a été créé dans les environs des **Falling Waters**, des cascades de 24 m de hauteur, situées à 5 km de Chipley sur la route SR 77A.

A 6 km au nord de Wewahitchka sur la SR 71, un centre d'attractions de 16 ha, **Dead Lakes**, présente une atmosphère différente. On y découvrira une forêt de cyprès, de chênes et de pins, inondée par les eaux abondantes de la Chipola River.

A mi-chemin sur l'axe qui mène à Tallahassee, on peut faire une halte dans un autre parc d'attractions qui s'enfonce à 20 m sous terre. **Florida Caverns State Park**, au nord de Marianna, est un labyrinthe de

Porcs en liberté dans la campagne du Panhandle.

calcaire formé par des créatures marines à coquille dure, des siècles avant la période glaciaire, quand toute la Floride était immergée. Le sol et la voûte sont décorés de projections cristallines. Au fil des années, certaines ont pris des formes d'animaux, d'oiseaux, de fruits, de fleurs et d'êtres humains. L'une de ces configurations fait penser à un grand orgue. Des « salles » entières sont visibles : la salle des Cascades, la salle de la Cathédrale et la salle des Mariages.

A l'est de Marianna, **Torreya State Park** est essentiellement fréquenté par les campeurs et les pêcheurs. Les habitants de la région prétendent que le parc fut le site du jardin d'Éden et en veulent pour preuve l'arbre fort rare dont le nom a été donné au parc. Le torreya, aussi appelé « bois de gopher », aurait été utilisé par Noé pour construire son arche au moment où Dieu, courroucé, inonda la Terre. Cet arbre pousse sur les rives de l'Apalachicola, le fleuve qui traverse le parc.

De Bagdad à Sumatra

On s'écarte rarement de l'Interstate qui relie Pensacola à Tallahassee, même si les panneaux signalant Bagdad et Two Egg font rêver. En réalité, ces localités n'ont souvent à offrir que leur nom exotique !

A **Bagdad**, port jadis prospère, une société avait adopté ce nom en mémoire des *Mille et Une Nuits* et, de fait, la ville est située entre deux cours d'eau, sur une péninsule verdoyante, comme son homonyme asiatique.

Sur la route US 90, la localité de **Milton** s'appelait autrefois Scratch Ankle (« cheville écorchée »). Ce qualificatif avertissait les passants de la présence de nombreux buissons épineux qui irritaient les chevilles. La plupart essayaient d'échapper au paiement des taxes dues au bureau de l'import-export à Pensacola. Chaque année, le dernier jeudi de mars, des habitants de Milton commémorent cet épisode du début du XIXe siècle lors du Scratch Ankle Festival.

Une vieille femme au labour.

Lorsqu'on approche Tallahassee, des panneaux indiquent les villes de **Sumatra** et **Sopchoppy**. Sumatra doit son nom à la variété de tabac autrefois cultivée dans la région, semblable à celle qui pousse sur l'île de l'archipel indonésien. Sopchoppy provient vraisemblablement d'un mot indien signifiant « long et sinueux » et qui décrit sans doute la Sopchoppy River avoisinante.

Dunes et pêcheurs : la côte du Panhandle

Si l'on n'est pas trop pressé, il est plus agréable de partir de Pensacola pour emprunter la route SR 399 vers l'est, le long de l'île Santa Rosa, pour rejoindre, plus loin, la route US 98. Cet itinéraire passe par des lieux de villégiature fort attrayants.

Au-delà des immeubles et des hôtels de Pensacola Beach s'étendent des kilomètres de dunes ondoyantes couvertes de magnolias nains. Ce parcours est le début du **Miracle Strip**, une succession de plages en courbe allant de Pensacola à Panama City. Il est encore peu exploré par les touristes. Il s'intègre également dans le **Gulf Islands National Seashore** qui s'étire sur 240 km vers l'ouest, de Pensacola à Gulfport, dans le Mississippi.

Les localités sont de plus en plus petites. Elles comprennent une succession de plages : Oriole, Woodlawn, Navarre, Grayton, Seagrove.

Fort Walton Beach est la première grande ville du littoral que l'on traverse après avoir rejoint la route US 98. La proximité des bases militaires a entraîné une prolifération de bars, de parcs d'attractions et même de mini-golfs. Les tarifs des divertissements de plage sont restés dans les limites du raisonnable en raison de la solde peu élevée des militaires.

Fort Walton connut très tôt une vocation militaire en accueillant la garnison dont elle a gardé le nom. Le fort servait d'abri pendant les guerres séminoles. Son sable cache encore de nombreux vestiges de l'occupation des tribus Pensacola, Apalachicola et Apalachee.

Plus loin sur la route US 98, on gagne **Destin**, également appelé le « village des pêcheurs les plus chanceux » et qui doit son nom à un capitaine de bateau. Les eaux y changent de couleur, passant du vert pâle au bleu cobalt, là où la baie de Choctawhatchee donne sur le golfe du Mexique. Sa réputation en matière de pêche vient de la proximité de De Soto Canyon, à environ 50 km au large, où abordent des marlins et des pèlerins. Cette station, jadis très tranquille, est aujourd'hui envahie par de hautes constructions qui altèrent son cachet.

Du haut des immeubles, on peut apercevoir au loin une belle demeure du Sud, située à 2 km au nord de l'autoroute 98, à **Point Washington**. Cette maison à colonnes blanches fut construite en bois de pin et de cyprès à la fin du siècle dernier par un industriel du bois. Situé sur Choctawhatchee Bay, elle est devenue un centre social de la région. Elle a été remeublée avec des antiquités, parmi

Sculpture de sable sur une plage de Floride.

lesquelles une horloge de parquet âgée de 200 ans et un lit en merisier du XVIIe siècle. Elle est ouverte au public.

En retournant vers la route US 98, on bifurque sur la route secondaire SR 283 qui conduit vers la SR 30A. On peut garer son véhicule près de **Seagrove Beach** d'où l'on part faire une excursion dans les dunes vers les eaux cristallines du golfe et ses plages de sable aveuglant. En février ou mars, par beau temps, les kilomètres d'étendues de sable sont déserts. Seules quelques pistes de buggy (sorte de petite voiture tout terrain à toit ouvert) et des empreintes laissées par les oiseaux rompent l'uniformité du sable.

En rentrant d'un après-midi de retraite solitaire, les voyageurs souhaiteront peut-être continuer sur la route US 98 et gagner à l'est **Panama City Beach**, où se succèdent parcours de golf « Goony » et magasins de souvenirs. Plus au sud, Cooney Island est très calme en hiver lorsque le vent froid se lève mais, l'été venu, tout reprend vie.

Redneck Riviera

Les sudistes de Géorgie et d'Alabama qui possèdent une résidence d'été ou réservent d'une année sur l'autre sur le Miracle Mile sont si nombreux que Panama City Beach est devenue le cœur de Redneck Riviera. Ici, nombreux sont les lieux de divertissement comme les établissements où l'on écoute de la musique country ou le **Christian Music Hall**, dont la forme évoque l'arche de Noé.

De nombreuses activités sont possibles : voler en hélicoptère, conduire un buggy, faire du surf ou glisser sur un toboggan. Les amateurs de jeux vidéo trouveront aussi leur bonheur. On peut terminer sa visite au **Zoo World** ou aller voir les dauphins et les otaries du **Gulf World Aquarium**.

En dépit de l'agitation, il est conseillé de passer une nuit ici plutôt que de séjourner à **Panama City** qui se situe sur le continent de l'autre côté de la baie Saint Andrew et où les fumées des papeteries peuvent être incommodantes.

Le sable du Miracle Strip a l'aspect de la neige.

Le fondateur de cette cité, remarquant que celle-ci se trouvait à mi-chemin entre Chicago et la ville de Panama, en emprunta le nom.

Plusieurs parcs où il fait bon se promener sont à une distance raisonnable de Panama City. Au **Washington County Kennel Club** ont lieu des courses de lévriers (de mai à septembre).

Les stations balnéaires se raréfient après Panama City à partir de l'endroit où la côte devient plus accidentée. Les villes sont moins étendues et la vie nocturne y est plus calme. En revanche, elles se trouvent dans une région riche du point de vue de la nature et de l'histoire.

La première commune d'importance est **Port Saint Joe**, que l'on ne peut pas vraiment qualifier de lieu animé. Fondé dans les années 1820, Port Saint Joe est l'endroit qui accueillit la première convention de la Constitution en 1838-1839. Un musée relate l'événement.

Port Saint Joe s'appelait à l'origine Saint Joseph. Toutefois, ce nom pieux correspondait mal au caractère aventurier de la commune qui était considérée comme « la plus riche et la plus perverse du Sud-Est ». La ville était devenue un port important pour le commerce du coton et disposait, outre les équipements portuaires appropriés, de casinos et de champs de courses. Elle comptait également de splendides demeures dans ses quartiers résidentiels. La fièvre jaune mit fin à cette opulence et les trois quarts de la population périt en une année. Puis, un feu de forêt ravagea la ville et un raz-de-marée porta le coup final en l'enterrant sous le sable.

En faisant un détour au sud, puis à l'est sur la route SR 30E, on admirera la beauté du littoral de **Cape San Blas**, notamment au coucher de soleil.

Au sud-est de Port Saint Joe, l'**île Saint Vincent**, qui couvre 5 200 ha, est une réserve animale d'une étonnante beauté. D'innombrables animaux originaires de l'île ou que l'on a introduits, comme le cerf sambar (importé d'Inde), et les tortues caouannes,

Constructions sur pilotis au Miracle Mile.

vivent parmi les cerfs à queue blanche et les dindes sauvages. Jadis utilisée comme réserve de chasse privée, Saint Vincent appartient maintenant au gouvernement fédéral. On y accède uniquement par bateau.

Apalachicola Bay : huîtres, glace et crustacés

A 40 km à l'est de Port Saint Joe s'étend le vieux port cotonnier d'**Apalachicola** dont le nom évoque les huîtres. Apalachicola Bay fournit 90 % de la production annuelle d'huîtres de Floride sur plus de 4000 ha de parcs très bien entretenus. On peut voir les ostréiculteurs ramasser les huîtres tout près du rivage. Ils utilisent des pinces pour prélever les coquillages qu'ils élèvent dans une eau saumâtre.

Apalachicola est fière d'un de ses médecins qui rendit la chaleur plus supportable en inventant la réfrigération, la fabrication des glaçons et l'air conditionné. Vers 1840, alors qu'il participait à la lutte contre la malaria dans la région, le Dr John Gorrie parvint à mettre au point une machine qui conservait la fraîcheur dans la chambre de ses patients. Ses contemporains le raillèrent. Un journal nordiste se moqua d'un « excentrique d'Apalachicola qui prétend savoir faire de la glace aussi bien que Dieu Tout-puissant ». Gorrie obtint un brevet pour son invention mais jusqu'à sa mort, en 1851, aucun crédit pour son œuvre ne fut versé. Un musée lui est consacré et expose une réplique de sa première machine à glace. L'original est à la Smithsonian Institution à Washington D.C. et une statue du médecin se dresse dans le Hall of Fame du Capitole.

En empruntant le pont qui porte le nom du médecin et qui conduit à l'est d'Apalachicola, au-delà de la baie, on passe du fuseau horaire central au fuseau de l'Est (il ne faut pas oublier d'avancer sa montre d'une heure). Pour deux dollars, on gagne l'**île Saint George** où un parc national s'étend sur 15 km de plages inexplorées.

Pêche des crabes bleus à Apalachicola.

Carrabelle, à 50 km à l'est sur la côte, autrefois port actif grâce à l'industrie du bois, est maintenant une petite ville dont l'économie repose sur la pêche commerciale.

En réalité, le tourisme n'est qu'une activité secondaire sur une bonne partie du littoral du Panhandle. Le commerce des fruits de mer est plus lucratif. Dans les petits ports que l'on traversera sur l'US 98, on verra des bateaux partir à la pêche de la crevette dans le golfe du Mexique.

Le mulet sert d'appât... pour les électeurs

Dans le domaine de la pêche côtière, la plus étonnante des prises est celle du mulet, un poisson se nourrissant exclusivement de végétaux et qui se déplace en banc. Ce poisson délicieux a des sens si aiguisés que le moindre mouvement de l'eau l'effraie et le fait fuir. Les pêcheurs se servent d'embarcations longues et étroites afin d'accéder aux eaux peu profondes où circulent les mulets. En déployant leurs filets en demi-cercle, ils attendent qu'un banc s'y heurte, referment le cercle autour des poissons frétillants et remontent le filet à la main. De nombreuses industries côtières du Panhandle traitent et fument le mulet pour l'exportation.

Depuis des décennies, les candidats aux élections ont fait du mulet le plat principal des banquets politiques. Si les compétiteurs des autres régions réunissent leur électorat potentiel grâce à une centaine de menus appropriés, dans le nord de la Floride, le mulet frit reste la seule façon de rassembler des voix !

Au-delà de Carrabelle, la route côtière passe par des localités plus petites. Une bifurcation à droite, sur la SR 370, conduit à des plages bordées de maisons sur pilotis. La route se termine à **Alligator Point**.

En retournant vers la route US 98, on peut faire un autre détour à **Spring Creek**, à la hauteur de la route SR 367. C'est le premier des nombreux villages de pêcheurs dominant la région appelée la « Grande Courbe » (Big Bend) de Floride, car c'est là où le Panhandle décrit un arc de cercle.

Si la pêche commerciale paraît si importante dans l'économie de localités comme Apalachicola, Carrabelle et Spring Creek, c'est que les marécages et les forêts denses du nord rendent la culture du sol impossible. Il est vrai que Carrabelle se trouve près de 28 000 ha non cultivables appelés **Tate's Hell Swamp**. Les 80 ha au nord de ce marais font partie du parc national de Torreya, un site merveilleux.

Endroit étrange au nom bizarre, Tate's Hell couvre une bonne partie du comté de Franklin. D'après les fossiles découverts, ces terres inhospitalières, lieu de reproduction du mocassin d'eau, un serpent mortel, sont marécageuses depuis probablement un millénaire. On y a identifié des arbres de plus de 600 ans.

Le nom singulier de l'enclave provient de la légende du Vieux Tate, un chasseur qui disparut dans ses dédales il y a presque un siècle, alors

Un monument singulier dans le soleil de Floride.

qu'il était à la recherche d'une panthère qui avait tué son cheptel. Il lui fallut une semaine pour retrouver son chemin, épreuve terrifiante au cours de laquelle il fut mordu par un serpent. Une chanson folklorique relate la fin de l'histoire :

Voici les paroles que prononça Tate lorsqu'il fut découvert :

« On m'appelle le Vieux Tate, amis, et je reviens de l'enfer ! »

Ces quelques mots sont bien les seuls qu'il put dire.

Alors son âme s'envola, le Vieux Tate venait de mourir.

Le marais débouche sur un autre vaste domaine aux recoins isolés, l'**Apalachicola National Forest**. Cette forêt couvre 22 800 ha et s'étend jusqu'aux abords de l'aéroport municipal de Tallahassee. C'est la plus grande des trois forêts nationales de Floride.

Les touristes aventureux seront tentés d'explorer la réserve de **Bradwell Bay Wilderness**. L'endroit ne forme pas réellement une baie mais constitue un terrain légèrement surélevé dont certaines parties sont encore submergées ou envahies par des broussailles. La législation fédérale y interdit l'exploitation forestière car le site fait partie d'un ensemble de territoires isolés qu'il est préférable de laisser à l'état sauvage. Les aventuriers y sont les bienvenus mais il faut s'attendre à une randonnée difficile.

La partie inférieure de l'**Ochlockonee River** serpente à travers la forêt nationale d'Apalachicola et permet aux canoéistes de ramer à travers les pins et les cyprès où la faune est abondante. Un parcours commence à 32 km à l'ouest de Tallahassee et continue en aval, sur plus de 100 km, vers Ochlockonee River State Park, sur la route US 319, au sud de Sopchoppy, entre Carrabelle et Spring Creek. Le cours supérieur du fleuve se déverse dans le lac Talquin à l'ouest de Tallahassee, à 115 km de sa source, près de Thomasville en Géorgie.

Une bonne prise.

LE CHARME DE LA CAPITALE : TALLAHASSEE

Tallahassee, la ville la plus importante du Panhandle, se trouve au sein de vastes forêts. Ce joyau isolé composé de demeures anciennes et de bureaux modernes, fut fondé en 1823 dans le seul but de devenir la capitale de la Floride.

A cette époque, le sud de la péninsule était une jungle impressionnante. La population se concentrait au nord, aux alentours des deux communautés les plus importantes, Pensacola et Saint Augustine. Chacune souhaitait accueillir le siège du gouvernement territorial. Aussi, des explorateurs quittèrent les deux cités rivales pour trouver un endroit convenant à tous. Ils se retrouvèrent près de l'actuelle Tallahassee et furent enthousiasmés par le paysage ondoyant et les cascades superbes qui ponctuaient le relief accentué de la région. Autrefois composé de seulement trois cabanes en bois pour accueillir les législateurs du territoire, le lieu a gardé le nom donné par les Indiens signifiant « vieille ville » ou « vieux champs » pour baptiser la ville à naître.

La somptueuse Goodwood Plantation à Tallahassee.

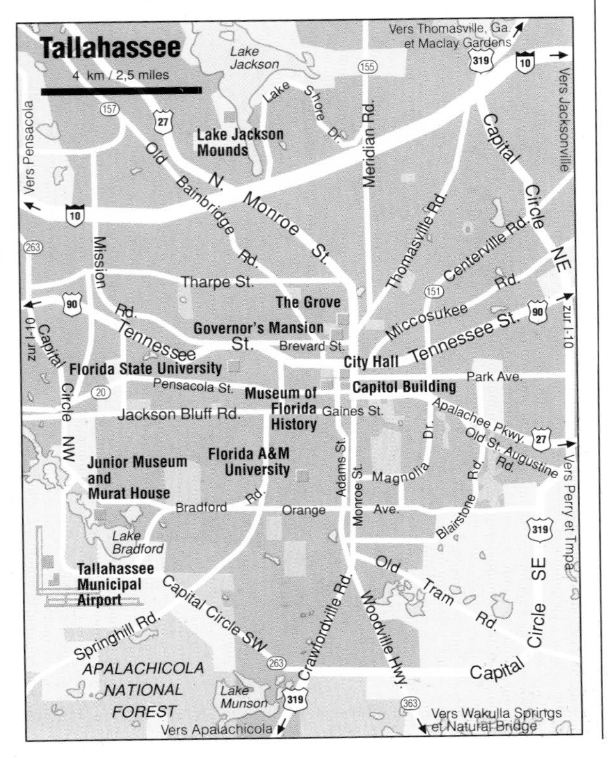

Tallahassee s'est beaucoup transformée depuis sa fondation, mais elle reste une ville gouvernementale. L'horizon est dominé par un capitole qui s'élève au-dessus d'une colline.

Au premier coup d'œil, la capitale donne l'impression d'une cité bureaucratique mais Tallahassee a su œuvrer pour conserver sa beauté naturelle et son atmosphère de petite ville en dépit d'une population croissante.

Dans cette agglomération de 120 000 habitants, les styles ancien et moderne se mêlent plaisamment. La ville regorge de villas du Vieux Sud et de demeures de planteurs restaurées. Certaines donnent sur des rues bordées de chênes sombres au tronc recouvert de mousse. Au printemps, les rues resplendissent de fleurs quand les cornouillers et les azalées s'épanouissent.

Un ascenseur conduit à la plateforme d'observation située au vingt-deuxième étage du **Florida State Capitol**, d'où l'on a une vue plongeante sur la ville et ses environs, noyés dans une mer d'arbres.

Pour découvrir tout ce qui se cache sous ce couvert, on peut visiter le **Museum of Florida History** dans le R. A. Gray Building, deux pâtés de maisons plus loin, à l'ouest du capitole. Ouvert tous les jours excepté le jour de Noël, le musée présente des collections qui retracent le développement géographique de l'État.

Si Tallahassee n'est pas un lieu auquel les textes historiques américains se réfèrent souvent, elle a parfois été mise en vedette au niveau national. Vers 1530, l'explorateur espagnol Hernando de Soto vint chercher de l'or dans cette région. Accompagné de ses troupes, il célébra une messe de Noël à l'occasion de son premier hiver dans le Nouveau Monde sur les rives de **Lake Jackson**, au nord de Tallahassee.

Aujourd'hui, le lac Jackson est réputé comme l'un des meilleurs lieux du pays pour pêcher le bar. Il est possible d'y louer des bungalows, des bateaux et des équipements pour la pêche. A l'ouest du lac s'étend un petit parc national où s'élèvent des tumulus indiens.

Après la visite de De Soto, les Européens abandonnèrent Tallahassee pendant deux siècles, à l'exclusion d'une mission espagnole à Saint Augustine qui faisait du commerce avec les Indiens Apalachee.

Quand la Floride devint américaine, Tallahassee était plus connue pour les personnages qu'elle avait attirés que pour ses événements locaux. Le Congrès alloua un territoire des environs à La Fayette en remerciement des services rendus pendant la guerre d'Indépendance. Le neveu de Napoléon, le prince Achille Murat, possédait une résidence à Tallahassee, où il rencontra sa future épouse, une petite-nièce de George Washington. On peut visiter la maison du prince. La ville a la chance de compter dans ses quartiers des demeures magnifiques construites par des citadins éminents avant et après la guerre civile. La plus remarquable est **The Grove**, achevée en 1836 par le cinquième gouverneur territorial, Richard Keith Call, et située près de la résidence du gouverneur de l'État, sur North Adams Street. On peut admirer la plupart de cette dizaine de bâtisses au cours de visites guidées.

Quand la guerre civile fut déclarée, les législateurs de Tallahassee décidèrent de renoncer au statut d'État qu'ils avaient établi moins de seize ans auparavant. Bien que le rôle de l'État dans ce conflit sanglant fût de fournir des hommes et des vivres pour les batailles qui faisaient rage au nord, des troupes de l'Union tentèrent d'occuper la capitale vers la fin du conflit. Du plus jeune au plus vieux habitant, tout Tallahassee se coalisa pour arrêter l'invasion des « Yankees ». Les troupes de l'Union étaient déjà en position de faiblesse quand les confédérés les surprirent à

Deux amies profitent du climat printanier.

Natural Bridge, à 16 km au sud-est de la ville, et les obligèrent à battre en retraite, Tallahassee restant ainsi la seule capitale rebelle à l'est du Mississippi. Les troupes fédérales revinrent toutefois quelques semaines après, vers la fin de la guerre.

Une version postérieure du capitole de l'époque de la guerre civile est en cours de restauration au pied de l'édifice qui le remplace.

Les cols blancs de Tallahassee ont fait la prospérité de la ville. Mais sa véritable richesse se trouve au nord, dans une douzaine de plantations qui sont maintenant des réserves de chasse. **Horseshoe Plantation**, un domaine de 5 000 ha où Bing Crosby et le duc de Windsor vinrent chasser le cerf et la caille, a été vendue récemment pour 21 millions de dollars.

Ces plantations pourvoyaient autrefois aux besoins matériels des richissimes. La seule exception est **Killearn**, devenue un parc national (proche de la ville sur la route US 319 North). Son propriétaire, Alfred Maclay, réalisa un jardin fabuleux où il planta des camélias, des azalées, des palmiers et d'autres plantes indigènes et exotiques autour d'un petit lac. **Maclay Gardens State Park** propose aussi des aires de baignade et de pique-nique et on peut y suivre des visites guidées.

Chaque année, en octobre, le Killearn Country Club organise un tournoi de golf professionnel. Il y a un fronton de pelote basque à 45 min, à l'ouest de la ville par la route Interstate 10. Sur cette même voie, à l'est, se trouve le Jefferson County Kennel Club qui organise des courses de lévriers.

Le soir, Tallahassee est relativement tranquille. Quelques bars animent la vie nocturne sur **Tennessee Street** près de **Florida State University**. La deuxième université d'État de Floride s'étend sur un campus vallonné et ombragé où des constructions anciennes côtoient des bâtisses plus récentes. L'université se vante d'avoir accueilli des étudiants qui devinrent

Les nordistes battent en retraite à la bataille de Natural Bridge.

illustres comme Burt Reynolds et Faye Dunaway. Si l'on se trouve à Tallahassee en automne, on peut aller voir jouer l'équipe séminole de football américain : elle compte parmi les meilleures du pays.

Près de l'aéroport municipal, le **Junior Museum** rend hommage à la vie des pionniers en Floride. Ce musée englobe 16 ha de nature et une ferme de 1880.

Le véritable Black Lagoon

Pour explorer la campagne autour de Tallahassee, se diriger vers le sud sur la route SR 363. Jusqu'à la route 267, continuer vers l'ouest sur **Wakulla Springs**, où un parc entoure des sources que l'on peut admirer moyennant un faible droit d'entrée.

Le parc comprend 1 600 ha de forêt de plantes ligneuses et de pins offerts par feu Edward Ball, un homme politique qui joua un rôle clé dans la Floride du XXe siècle. Il avait épousé une fille de la famille Du Pont de Nemours et il investit son capital dans un empire de deux milliards de dollars en Floride. Une excursion en bateau conduit en amont, là où des alligators paressent sur les rives et où des anhingas sèchent leurs ailes sur les branches des cyprès. L'endroit servit de cadre au film hollywoodien *The Creature from the Black Lagoon* dans les années 1950.

On peut nager dans les eaux rafraîchissantes des sources. Il est conseillé de faire une pause dans le pavillon de style mauresque dont les portes sont couvertes de céramiques. Les poutres de l'entrée ont été ornées de motifs toltèques et aztèques par un immigré allemand, connu pour avoir décoré des châteaux de l'empereur Guillaume.

De retour sur la route SR 363, en se dirigeant vers le sud, on gagne la ville de **Saint Marks**. Ce port fluvial est un haut lieu de la pêche en eau douce et de la pêche en mer. A **Posey's**, on pourra aller déguster des huîtres dans l'un des nombreux bars qui bordent le rivage (la saison des huîtres dure du mois de septembre au mois d'avril).

Fort San Marcos de Apalachee, l'un des premiers avant-postes espagnols de la côte et lieu de rassemblement des expéditions d'A. Jackson en territoire indien hostile, est devenu un musée.

A une heure de route à l'est de Saint Marks, sur la route US 98, on arrive à **Perry**, un carrefour important pour la circulation vers le sud et le centre de la Floride. L'US 19, la voie la plus directe entre Tallahassee et la baie de Tampa, à 400 km de là, passe aussi par Perry mais ne permet pas d'apprécier les curiosités locales.

Perry, une ville de 10 000 habitants, se proclame « capitale arboricole du Sud ». L'économie de toute la partie nord de l'État, et d'ici plus particulièrement, dépend de l'exploitation du bois. Perry est au cœur d'un royaume forestier qui commence au bord du golfe et s'étend assez loin à l'intérieur des terres. Le comté de Taylor consacre 90 % de sa superficie de 275 200 ha à l'exploitation du bois, ce qui explique une production impressionnante.

Un Indien séminole de Floride chevauche la mascotte de l'équipe de Renegade

A L'INTÉRIEUR DES TERRES

Au sud de Perry, la route US 19 dessert un chapelet de petits villages isolés du bord de mer, si sauvages et si envahis par la végétation qu'on a appelé cette région la Côte cachée. C'est un havre de paix qui a échappé au développement désordonné de l'État. Mais, pour découvrir ces villages, il faut emprunter des routes secondaires pavées à partir de l'US 19. On reviendra sur la route principale avant de se diriger vers le prochain village (à moins que l'on ne préfère s'aventurer sur les chemins non balisés).

Le paysage s'apparente à la brousse. Les localités de Suwannee, Horseshoe Beach, Jug Island, Fish Creek et Keaton Beach, non loin de l'extrémité nord de cette bande de terre, proposent des hébergements et la route SR 361 les relie à Perry et à **Steinhatchee**. Cette ville, située sur le cours d'eau du même nom, est une destination très populaire et est réputée pour ses restaurants de fruits de mer.

Le palais de justice de Monticello.

Dans l'économie de la région, la pêche vient en seconde position après l'industrie du bois mais, le trafic de la marijuana n'est pas négligeable non plus. La difficulté de contrôler cette côte abandonnée en a fait un paradis pour les trafiquants de drogue de Colombie et de Jamaïque.

La partie nord, en direction de Tallahassee, compte peu de villes et les routes se font plus rares.

Au pays de Dixie

Si l'on souhaite éviter cette côte isolée en quittant Tallahassee et se diriger vers les bois vallonnés qui s'étendent entre la capitale et Jacksonville, à 270 km à l'est, il faut prendre le temps de choisir son itinéraire. Les touristes qui ont l'ouïe fine entendront peut-être un air de banjo, typique de la musique « dixie », et ne manqueront pas de s'éloigner de l'Interstate 10 par l'US 90, qui offre de beaux panoramas, pour s'autoriser des détours.

La première étape est **Monticello**. Le palais de justice situé sur la place principale de la ville est inspiré de la maison de Thomas Jefferson en Virginie. La ville compte de nombreux édifices historiques, parmi lesquels l'**Opéra de Monticello** construit en 1890. D'anciennes maisons sudistes rappellent l'apogée de la ville en tant que centre commercial pour les plantations de coton environnantes. L'anthonome du cotonnier provenant du Mexique mit fin à cette ère.

Monticello, comme Tallahassee, est fière d'avoir compté le prince Murat parmi ses résidents. Les visiteurs de sa plantation cotonnière rapportent qu'il était un chef au goût imprévisible qui se faisait servir des mets tels que des oreilles de mouton, de la viande de busard et de la queue d'alligator — ce dernier connaissant un nouvel engouement dans les menus de Floride.

Les amateurs d'architecture doivent faire coïncider leur périple avec le Tour of Homes, événement qui se déroule chaque année au printemps.

C'est le seul moment où certaines demeures privées sont ouvertes au public. Mais si le concours des cracheurs de pépins intéresse plus que les demeures, il ne faut pas manquer le Watermelon Festival, en juin, célébrant la culture de la pastèque, qui remplaça le coton. A 48 km à l'est, sur l'US 90, un exemple plus typique du charme du Sud peut être admiré à **Madison**. **Wardlaw-Smith House**, une demeure blanche aux allures d'*Autant en emporte le vent*, occupe tout un bloc de la rue principale. Ce bel exemple d'architecture d'avant la guerre civile a été classé.

Un parc commémorant la Confédération s'étend au cœur de la ville. **Confederate Memorial Park**, sur l'US 90, est aménagé à l'emplacement d'une « baraque » qui protégeait la population contre les Séminoles pendant les guerres.

« Way down upon the Peedee River »

La route US 90 enjambe la **Suwannee River** que le compositeur Stephen Foster immortalisa après en avoir déformé le nom pour la rime.

Le **centre culturel populaire Stephen Foster** a été créé à **White Springs**, à l'endroit où la route SR 136 rejoint l'US 41, à l'est de Live Oak. On peut faire des promenades sur un bateau appelé *Belle of the Suwannee* ou aller écouter un carillon composé de 93 cloches qui joue un pot-pourri de morceaux célèbres de Foster comme *Oh, Susannah*.

En mai, à White Springs sur les rives de la Suwannee River, se déroule le Florida Folk Festival. On peut assister à des baptêmes dans le fleuve, déguster des spécialités ou écouter des chansons du folklore local.

Au début du XXe siècle, White Springs était réputée pour ses sources chaudes. Elles avaient, dit-on, des vertus thérapeutiques et les visiteurs affluaient pour boire l'eau ou se baigner. La station disposait de plusieurs hôtels, d'une patinoire et de théâtres. Tout ce qu'il en reste est le bassin abandonné qui retenait les eaux salutaires.

La Suwannee prend sa source dans le marais Okefenokee, en Géorgie, et serpente à travers le centre de la Floride pour se jeter dans le golfe du Mexique, à la hauteur de la ville de la côte cachée qui porte le même nom, **Suwannee**. Avec ses eaux couleur de cuivre et ses cyprès à l'état sauvage, le fleuve est réputé auprès des auteurs de chansons, mais aussi des canoéistes, des plongeurs et des nageurs.

Quatre parcs nationaux s'étendent à proximité des rives de la Suwannee River et de son affluent le Santa Fe. Les terrains de camping privés et les appontements se succèdent tous les 8 km environ. Dans **Suwannee River State Park**, au niveau de l'US 90, à 32 km à l'est de Madison, on peut pratiquer la navigation, la pêche et le camping. **Ichetucknee Springs**, à 6,4 km au nord-ouest de Fort White, a aménagé des aires de pique-nique et des zones adaptées à la natation et à la plongée. **O'Leno**, à 32 km au sud de Lake City, dispose de terrains de camping équipés ainsi

Le lamantin, en voie de disparition, évolue encore dans les rivières.

que de sentiers naturels et de lieux de pêche. **Manatee Springs**, à l'ouest de Chiefland, propose également divers services. En tout, neuf parcs nationaux occupent la partie nord de la Floride. La plupart englobent des rivières, des lacs ou des sources que l'on peut approcher par voie d'eau. Leur exploration en canoë ne présente aucun danger mais il est conseillé d'être accompagné d'une personne expérimentée. Les loueurs de canoë sont nombreux et permettent souvent aux intéressés de rendre leur embarcation à d'autres endroits prédéterminés en aval. Le *tubing* est une autre méthode peu coûteuse : il s'agit de se glisser à l'intérieur d'un tuyau et de se laisser flotter au gré du courant.

La **Santa Fe River**, l'affluent pittoresque de la Suwannee River, est truffée de grottes sous l'eau, véritables paradis pour les plongeurs. On peut louer l'équipement ou prendre des cours dans de superbes endroits comme **Ginnie Springs** et **Peacock Springs**. On pourra s'extasier devant la beauté des grottes immergées qui sont de véritables labyrinthes, mais il faut être entraîné avant de s'adonner à ce sport risqué. Chaque année, on déplore une dizaine de noyades.

Alligator Town, USA

Lake City est un autre centre d'intérêt sur l'US 90, après la vallée de la Suwannee. C'est l'une des villes de Floride dont l'existence est liée à celle des grandes autoroutes. La convergence toute proche des routes Interstate 10 et 75 fait de Lake City un carrefour de routiers.

Lake City est aussi un accès vers l'**Osceola National Forest**, qui s'étend sur une superficie de 62 800 ha. La forêt englobe le site d'une des deux grandes batailles de la guerre civile, **Ocean Pond** (l'autre étant Natural Bridge), près d'Olustee. Chaque année, en février, plus de 500 personnes venant de tous les États-Unis reconstituent la victoire des Confédérés en 1864.

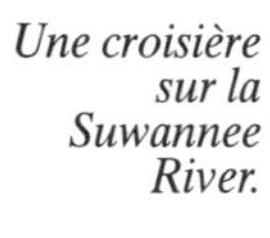

Une croisière sur la Suwannee River.

Au-delà de la forêt, l'US 90 passe par une succession de petites villes avant d'atteindre Jacksonville et de traverser **St Johns River**, un large cours d'eau qui marque la frontière est de la région. Le commandant Cousteau y tourna un film sur les lamantins, dont l'espèce est menacée. La rivière est l'une des rares à couler du sud vers le nord.

Les localités alignées le long de l'US 17 virent leur fortune, rapidement acquise, disparaître au fur et à mesure que l'industrie et les immigrés descendaient plus au sud.

Ici, la navigation et les citronniers créèrent les premières richesses. Vers le milieu et la fin du XIXe siècle, les bateaux à vapeur naviguaient sur la St Johns River et transportaient des touristes venus du nord vers les beaux hôtels et les clubs de chasse à des endroits comme Mandarin, Enterprise, Palatka et Green Cove Springs. Les bateaux à aubes suivaient le même trajet que les explorateurs français et espagnols des siècles précédents. Parmi les résidents célèbres, Harriet Beecher Stowe, l'auteur de *La Case de l'oncle Tom*, avait une maison à Mandarin, qui fut ravagée par le feu.

Des résidences cossues ont été restaurées, principalement à **Green Cove Springs**. Puis vint l'ère du chemin de fer qui immobilisa les bateaux à vapeur. Une série de gelées anéantit les cultures d'agrumes. Les touristes et les plantations fruitières se déplacèrent vers le sud.

A partir de Palatka, devenue la « capitale mondiale de la pêche du bar », un plaisant itinéraire, à l'ouest sur la route SR 20, permet de découvrir des localités rurales et de se diriger vers Gainesville où se trouve l'**université de Floride** qui dispose d'un campus de 800 ha et accueille 30 000 étudiants. Ce vaste centre d'éducation fut créé en 1854 au moment où la Floride acquit le statut d'État et reçut une subvention fédérale pour établir deux séminaires. East Florida Seminary devint plus tard l'université de Floride, tandis que West Florida Seminary fut le précurseur de Florida State University de Tallahassee. Les deux universités sont des rivales traditionnelles tant dans le domaine de l'enseignement que dans celui du sport.

Le quartier de l'université regorge de restaurants, de discothèques et de tavernes. Pour avoir un aperçu du folklore local, on peut s'arrêter au **Lillian's Music Store** dans le centre-ville sur 1st Street, un bar très apprécié des étudiants, de leurs professeurs et aussi des hommes d'affaires et des artisans du coin. Ceux qui recherchent davantage une occupation intellectuelle pourront se rendre à la galerie d'art de l'école qui présente régulièrement des expositions. Le célèbre **Hippodrome** propose des représentations théâtrales.

La maison de l'écrivain Marjorie Kinnan Rawlings se trouve à **Cross Creek**, une localité rurale à 33 km au sud-est de Gainesville, sur la route SR 325. Cet environnement représentait une source d'inspiration pour ses livres parmi lesquels *The Yearling* qui obtint le prix Pulitzer. Elle s'installa dans ce cadre pastoral en 1928 afin d'échapper à l'agitation de New York, sa ville natale, et elle raconta sa vie parmi les gens de la campagne. Elle est enterrée à quelques kilomètres de là, à **Island Grove**.

A l'ouest de Cross Creek, **Micanopy** est une communauté qui fut peut-être peuplée avant Saint Augustine. Elle a changé plusieurs fois de nom et subi un ou deux déplacements géographiques. Au XIXe siècle, ce lieu de villégiature et d'agrumiculture connut des difficultés. La ville est actuellement en cours de restauration.

Plus à l'ouest, à la hauteur de l'US 41, **Payne's Prairie** est une vaste étendue d'herbe. Elle englobait autrefois un lac qui était un territoire indien depuis 7 000 ans av. J.-C. Un troupeau de bisons évoque ceux qui furent jadis chassés jusqu'à l'extinction. Des visites guidées de la réserve sont organisées.

The Devil's Millhopper est l'un des nombreux « effondrements » de Floride, au nord-ouest de Gainesville. Il est particulièrement remarquable, couvrant une superficie de 2 ha et atteignant une profondeur de 30 m. Une forêt subtropicale et exotique le recouvre.

Paysage de Cross Creek.

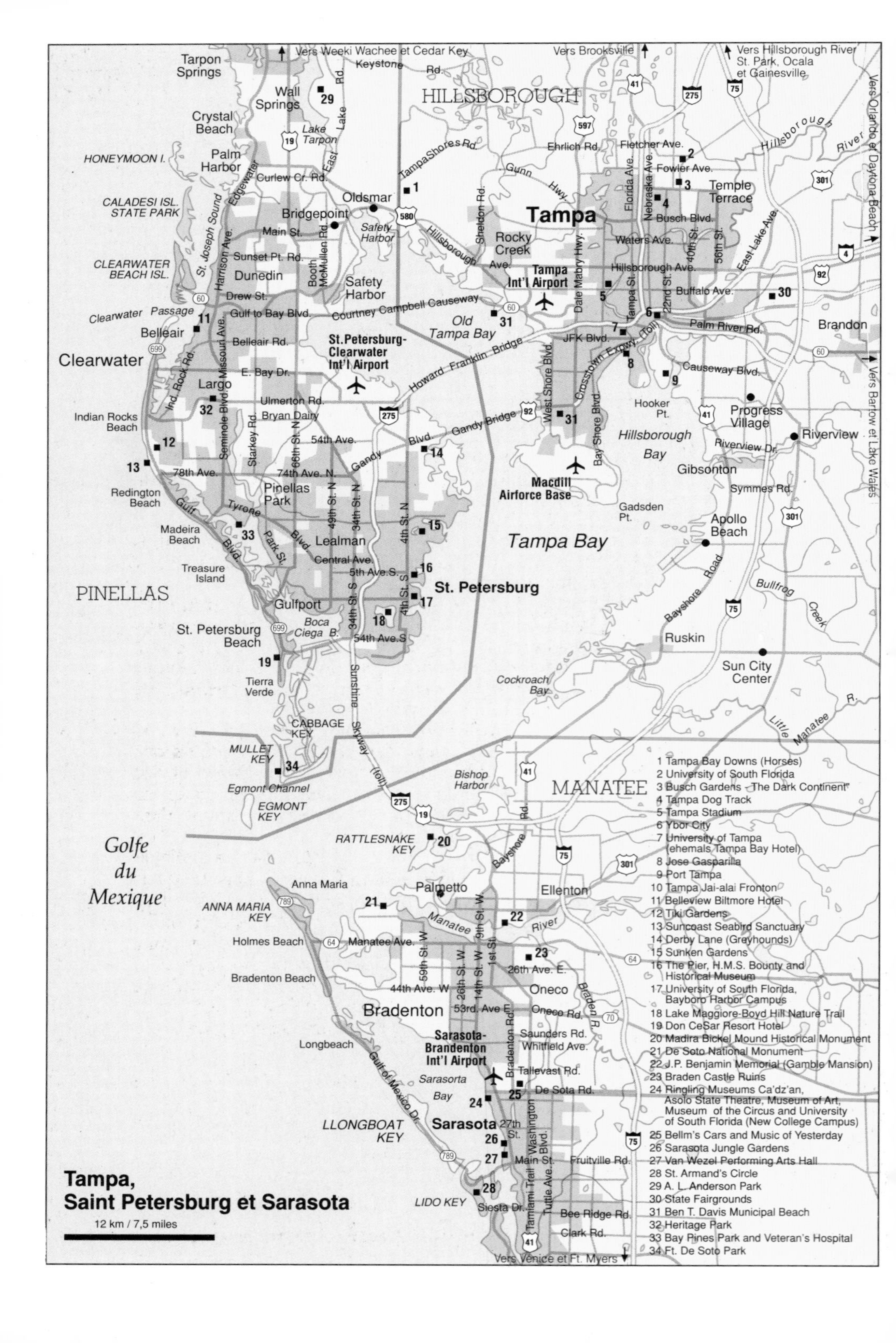
Tampa,
Saint Petersburg et Sarasota
12 km / 7,5 miles
Vers Weeki Wachee et Cedar Key
Vers Brooksville
Vers Hillsborough River St. Park, Ocala et Gainesville
Vers Orlando et Daytona Beach
Vers Barlow et Lake Wales
Vers Venice et Ft. Myers
HILLSBOROUGH
PINELLAS
MANATEE
Golfe du Mexique
Tampa Bay
Old Tampa Bay
Hillsborough Bay
Tampa
St. Petersburg
Clearwater
Sarasota
Bradenton
Tarpon Springs
Wall Springs
Crystal Beach
Palm Harbor
HONEYMOON I.
CALADESI ISL. STATE PARK
CLEARWATER BEACH ISL.
Dunedin
Oldsmar
Bridgepoint
Safety Harbor
Belleair
Largo
Indian Rocks Beach
Redington Beach
Madeira Beach
Treasure Island
Pinellas Park
Lealman
Gulfport
St. Petersburg Beach
Tierra Verde
CABBAGE KEY
MULLET KEY
EGMONT KEY
Egmont Channel
Boca Ciega B.
Rocky Creek
Tampa Int'l Airport
St.Petersburg-Clearwater Int'l Airport
Macdill Airforce Base
Temple Terrace
Brandon
Progress Village
Riverview
Gibsonton
Apollo Beach
Ruskin
Sun City Center
Hooker Pt.
Gadsden Pt.
Cockroach Bay
Bishop Harbor
RATTLESNAKE KEY
Anna Maria
ANNA MARIA KEY
Holmes Beach
Bradenton Beach
Palmetto
Ellenton
Oneco
Longbeach
Sarasota-Brandenton Int'l Airport
Sarasorta Bay
LLONGBOAT KEY
LIDO KEY
Howard Franklin Bridge
Gandy Bridge
Courtney Campbell Causeway
Sunshine Skyway (toll)
Crosstown Expwy. (toll)
1 Tampa Bay Downs (Horses)
2 University of South Florida
3 Busch Gardens "The Dark Continent"
4 Tampa Dog Track
5 Tampa Stadium
6 Ybor City
7 University of Tampa (ehemals Tampa Bay Hotel)
8 Jose Gasparilla
9 Port Tampa
10 Tampa Jai-alai Fronton
11 Belleview Biltmore Hotel
12 Tiki Gardens
13 Suncoast Seabird Sanctuary
14 Derby Lane (Greyhounds)
15 Sunken Gardens
16 The Pier, H.M.S. Bounty and Historical Museum
17 University of South Florida, Bayboro Harbor Campus
18 Lake Maggiore-Boyd Hill Nature Trail
19 Don CeSar Resort Hotel
20 Madira Bickel Mound Historical Monument
21 De Soto National Monument
22 J.P. Benjamin Memorial (Gamble Mansion)
23 Braden Castle Ruins
24 Ringling Museums Ca'dz'an, Asolo State Theatre, Museum of Art, Museum of the Circus and University of South Florida (New College Campus)
25 Bellm's Cars and Music of Yesterday
26 Sarasota Jungle Gardens
27 Van Wezel Performing Arts Hall
28 St. Armand's Circle
29 A. L. Anderson Park
30 State Fairgrounds
31 Ben T. Davis Municipal Beach
32 Heritage Park
33 Bay Pines Park and Veteran's Hospital
34 Ft. De Soto Park

LA CÔTE OUEST

Le golfe du Mexique caresse le sable blanc et fin de la côte ouest de la Floride. La mer relativement chaude ondoie paisiblement ou semble aussi lisse qu'une feuille de verre dans la moiteur de l'été. Des coquillages de toutes les couleurs et de toutes les formes sont balayés sur les plages par les marées et font le bonheur des touristes.

Mais ce calme contraste avec l'animation qui règne sur le rivage. Les nouveaux arrivants et les promoteurs immobiliers ont assiégé cette région jadis tranquille. De la métropole que forment Tampa et Saint Petersburg — une des villes américaines qui a connu une rapide croissance — à New Port Richey, au nord, et à Fort Myers, au sud, la côte Ouest ressemble de plus en plus aux fronts de mer de la côte Est (à Miami ou à Palm Beach, par exemple) avec des fermes de retraités, des complexes visant une clientèle jeune, des maisons sur pilotis et de grandes demeures ornées de stucs. Dans leur sillage sont apparus des complexes sportifs, des musées, des compagnies théâtrales, des centres religieux, des parcs d'attractions, des kilomètres de promenades et tout ce qui est susceptible de plaire au public.

Les touristes avides de culture seront comblés par le musée Salvador-Dalí de Saint Petersburg, qui contient la plus grande collection au monde des œuvres du peintre surréaliste. A Sarasota et à Venice, un célèbre amateur de saltimbanques, John Ringling, déploya tous les moyens pour développer le cirque par le biais de théâtres, de musées, d'écoles spécialisées et de festivals.

Les parcs à thème ont aussi leur place dans cette partie de la Floride. Les Busch Gardens de Tampa attirent plus de visiteurs que n'importe quel autre parc d'attractions, hormis Disney World et Sea World, bien sûr. Plus de 500 ha de terres ont été transformés en un mini-continent africain où l'on s'amuse et se promène comme dans une jungle.

On retrouve l'atmosphère de l'ancienne côte Ouest dans les villages de pêcheurs des environs de Cedar Key et du sud de Naples. Le quartier d'Ybor City à Tampa, fondé par un marchand de tabac à la fin du XIXe siècle, est toujours teinté de couleurs hispanisantes. Les magasins spécialisés et le musée sur la fabrication des cigares rappellent qu'à une époque, la Floride a accueilli une industrie du tabac florissante.

Les amateurs du style Art déco trouveront, dans le centre-ville de Tampa, des bâtiments qui prouvent que Miami Beach n'est pas la seule ville à avoir connu un renouveau architectural digne d'intérêt.

Pages précédentes : une vue des tours du quartier des affaires de Tampa à la nuit tombée.

TAMPA, VILLE MODERNE

Si l'arôme des cigares envahit encore quelques vieilles ruelles de **Tampa**, on y respire également comme un parfum de modernité. Les tours du quartier des affaires se dressent sur l'une des rives de la **Hillsborough River**. Les flèches impressionnantes de l'ancien Tampa Bay Hotel, transformé en université, prêtent leur charme à la rive opposée.

Les touristes ne font souvent que passer, en route pour Disney World ou pour les plages ensoleillées. S'ils s'y arrêtent, c'est souvent pour aller visiter Busch Gardens ou pour dîner au restaurant. Pourtant, la ville mérite davantage d'attention. Le problème est que les vacanciers s'attendent à trouver une plage de sable sur laquelle se poser mais Tampa a d'autres choses à offrir.

Tampa Bay, une anse très jolie mais polluée, et la péninsule du comté de Pinellas s'interposent entre la ville et le golfe du Mexique. L'immense baie en forme de serre d'oiseau voit transiter un trafic international représentant 51 millions de tonnes de marchandises par an. Tampa est le septième port des États-Unis. Le phosphate des mines voisines, les agrumes de la région, le bétail des ranchs de Floride, les fruits de mer et même des yachts, destinés à l'exportation, partent d'ici. On peut observer le déchargement des bananiers sur les docks de **Twiggs Street** et, en se rendant à **Hooker's Point**, à l'extrémité de Bermuda Avenue, on verra la plus grande flotte de bateaux de pêche aux crevettes de l'État.

Le monde ouvrier forme le noyau de la ville. Hommes et femmes roulent trois millions de cigares par jour dans les usines d'**Ybor City**, transportent des cuves de bière dans les deux grandes brasseries de la ville, cultivent des fraises, pilotent des pétroliers ou conditionnent des fruits de mer. Mais l'animation des bureaux témoigne, par la présence affairée d'avocats, d'architectes ou d'entrepreneurs, de l'importance du secteur tertiaire dans l'économie locale. Avec ses 300 000 habitants, Tampa est la troisième ville de Floride, après Jacksonville et Miami. C'est le centre d'une mégalopole de plus de deux millions d'habitants qui ne cesse de croître.

A gauche, Hillsborough Lodge, dans le centre-ville ; à droite, de l'exotisme jusque dans le maillot.

Des racines espagnoles

L'influence espagnole est ici plus subtile et plus raffinée que dans la communauté cubaine de Miami, de souche plus récente. Pour en trouver l'origine, il faut remonter au débarquement de Pánfilo de Narváez, en 1528. Mais l'implantation locale commença bien plus tard, avec la construction de Fort Brooke en 1824, destiné, avec d'autres bâtiments militaires, à mettre au pas les Indiens Séminoles. Tampa s'est véritablement développée avec l'arrivée à Hillsborough River, en 1884, du chemin de fer aux voies étroites de Henry Plant.

S'inspirant des réalisations de Henry Flagler sur la côte Est, Plant construisit le **Tampa Bay Hotel**. Ses minarets

inattendus, que surmontent les croissants islamiques, donnent un certain cachet à la ville. L'hôtel abrite à présent les bureaux administratifs de la **University of Tampa**, le long de Kennedy Boulevard. On peut également visiter le **Henry Plant Museum** qui expose la collection de meubles victoriens et d'objets d'art de Plant. Malgré le côté moyen-oriental de l'édifice, c'est un tribut supplémentaire aux ancêtres espagnols de Tampa, une reproduction à échelle réduite de l'Alhambra de Grenade.

La colonie cubaine

A l'époque où Plant finançait la construction de son chemin de fer de son hôtel, Vicente Martínez Ybor transférait sa fabrique de cigares de Key West à Tampa.

Aujourd'hui, **Ybor City** n'a plus grand-chose à voir avec l'époque où la population cubaine se passionnait pour les combats de coqs dans les rues, et se rassemblait pour entendre les discours enflammés du Cubain José Martí, qui s'efforçait de recruter des partisans et de recueillir des fonds pour lutter contre la domination espagnole. C'était également le temps où, durant la guerre hispano-américaine, Theodore Roosevelt traversait la ville à la tête des Rough Riders, juché sur son cheval Texas, flanqué de son chien et où les prostituées de Last Chance Street (la « rue de la dernière chance »), près des docks de Tampa, jouaient de leurs charmes pour aguicher les soldats.

Dans la rue, des marchands ambulants continuent de vendre des crabes à la sauce piquante et du café cubain ; certains cigares sont encore roulés à la main, selon les règles de l'art et, dans le quartier rénové d'Ybor City, les cris de « Cuba libre ! » pourraient bien retentir de nouveau — tout au moins dans les cafés. La restauration de la fabrique de cigares d'Ybor, au centre de la communauté cubaine, a entraîné dans son sillage celle d'autres immeubles classiques.

Fabrique de cigares d'Ybor City, vers 1910.

Pour s'y rendre, emprunter la route Interstate 4 pour Ybor City, puis prendre 21st Street vers le sud et 10th Street à l'ouest, puis de nouveau vers le sud sur 13th Street. La fabrique date de 1886. A l'époque, des centaines de travailleurs roulaient des cigares très prisés en répétant inlassablement les mêmes gestes, tandis qu'un lecteur, juché sur une plate-forme, les divertissait avec des extraits de poèmes, de livres et de journaux. Les ouvriers étaient censés garder bon moral et rester productifs. Puis, les immigrés italiens et allemands débarquèrent dans cette « colonie cubaine » afin de profiter du dynamisme de son économie.

L'industrialisation finit par contraindre la plupart des usines de cigares à fermer. La fabrique de Martínez a été fort heureusement sauvée de la démolition et entièrement restaurée. On y a adjoint des restaurants, des magasins d'antiquités et des boutiques qui vendent de très bons cigares. A l'heure du déjeuner, on retrouve les hommes d'affaires du quartier au **Rough Riders**, un restaurant au charme rustique, décoré avec de vieilles photos de Roosevelt et sa troupe de cavaliers. Dans le Stemmery, ajouté par Ybor en 1902 pour sécher les feuilles de tabac et en ôter les tiges, on peut encore voir des « puros » fabriqués à la main. L'**Ybor City State Museum**, qui abritait autrefois la Fertila Bakery, sur 9th Street, montre l'intérieur de maisons d'ouvriers du cigare, expose une collection de photos et d'objets divers en rapport avec l'industrie tabatière, et propose des visites guidées sur l'histoire d'Ybor City.

Il y a beaucoup plus de magasins sur 7th avenue. Certains vendent de la dentelle espagnole. Au dire des connaisseurs, les meilleurs sandwiches de Tampa sont préparés au **Silver Rong Cafe**. Le **Columbia Restaurant**, sur 21st street, est très connu. Construit en 1905 par Casimiro Hernández, cet établissement de 11 salles et 1 600 couverts sert des spécialités espagnoles dans une ambiance « flamenco ».

Ci-dessous, à gauche, scène de rue dans Ybor City ; à droite, gratte-ciel du centre-ville de Tampa.

Quand les pirates envahissent Tampa

Les nouveaux gratte-ciel comme ceux du complexe du **Hyatt Regency Hotel**, qui brillent au soleil en plein centre de Tampa, sont les plus hauts de la côte Ouest. A proximité, **Franklin Street Mall** est un centre commercial. Les façades des magasins **Hayman Jewelry Co.**, **Adams' City Hatters** et **Butler Shoes** sont tout à fait dans le style Art déco des années 1930. Le **Tampa Theater**, un cinéma restauré, programme des films classiques ou étrangers et, à l'occasion, des spectacles de variétés.

Le **Tampa Museum of Art**, situé derrière **Curtis Hixon Convention Hall**, organise des expositions artistiques et culturelles. Le **Museum of African-American Art**, sur Marion Street, fait partie des dix musées des États-Unis spécialisés dans l'art afro-américain. Au sud du centre-ville, les nouvelles boutiques de **Harbour Island** attirent de nombreux clients.

Sur Hillsborough River, les étudiants de l'université de Tampa pratiquent l'aviron. Au sud, Bayshore Boulevard constitue, à partir de Platt Street Bridge, un lieu de promenade en bordure d'eau bien connu des adeptes du jogging. A quai, on pourra voir un bateau de pirates.

Les **Rites of Spring** se déroulent en février. Il s'agit d'une fête durant laquelle les hommes d'affaires troquent tenue de ville et attaché-case contre des chemises à manches bouffantes, des bottes à boucles, des pistolets et des sabres — sans oublier les anneaux dans le nez et les balafres — et embarquent sur le *José Gasparilla* ancré le long du Tampa Yacht Club pour revivre l'attaque de la ville. Armé en 1954, ce grand bateau possède trois mâts de 30 m de haut. Stimulés par quelques bières, les vigies grimpent dans leurs nids-de-pie et les pirates hissent une multitude de pavillons, tirent une salve au canon et lèvent l'ancre pour remonter la côte jusqu'à l'embouchure de Hillsborough River, flanqués de centaines d'embarcations plus petites.

En débarquant, l'équipage du *José Gasparilla* se répand dans le centre-ville sous les acclamations de dizaines de milliers de spectateurs. Le maire « livre » la ville et ce jour est déclaré férié. En guise de projectiles, les boucaniers lancent des « doublons en or » et des coquilles vides à la foule en délire. Des parades ont lieu dans les rues.

La première incursion de l'équipage du *José Gasparilla* remonte à 1904. On raconte que le golfe du Mexique était jadis le repaire de boucaniers sanguinaires, et notamment d'un certain José Gaspar qui se livrait à des actes de pillage tout le long de la côte, n'hésitant pas à torturer ou à violer ses victimes. Si les livres d'histoire rapportent en effet que, en 1785, José prit la tête d'une mutinerie à bord du vaisseau espagnol *Florida Blanca* avant de devenir pirate, il n'existe aucune preuve de son existence. Il est probable que Gaspar, le forban, est né de l'imagination d'un pêcheur nommé Johnny Gomez, vers 1870. Gómez prétendait

L'équipage du José Gasparilla.

avoir navigué avec des pirates, dont Gaspar, pour mieux vendre ses cartes de trésors cachés. Les Rites of Spring sont également prétextes à des épreuves sportives et à des bals.

Le mois de février, décidément très animé, est aussi celui de la Florida State Fair, à l'est de Tampa. On y assiste à des concours de bétail et de chevaux, à des expositions et animations diverses.

La plus grande cave du monde

Les gourmets découvriront vite que les restaurants de Tampa comptent parmi les meilleurs de Floride. Le célèbre **Bern's Steak House** possède une extraordinaire carte des vins et propose un grand choix de viandes de bœuf. On raconte qu'environ un demi-million de bouteilles, représentant 7 000 variétés de vins, s'entassent dans la cave. Aucun autre restaurant au monde ne possède autant de bouteilles en réserve. On peut également goûter au caviar.

Si l'on a des goûts plus modestes, on peut aller au **Crawdaddy's**, sur la baie, non loin de Courtney Campbell Causeway, à côté du siège international de Shriner. On pourra goûter à l'alligator frit ou danser dans la discothèque.

Des long-courriers en provenance d'Europe, des Antilles, du Mexique, de l'Amérique du Sud et des États-Unis viennent se poser au **Tampa International Airport**. L'Association des usagers des lignes aériennes lui a décerné le titre de meilleur aéroport du pays. A l'extrémité sud de la ville, **MacDill Air Force Base** sert de base d'entraînement aux pilotes de combat.

Sur Fowler Avenue, au nord-est de Tampa, la **University of South Florida** héberge 25 000 étudiants sur un campus de 700 ha qui comprend un planétarium et une galerie d'art ouverts au public. La faculté des arts fait référence dans la recherche de nouvelles formes visuelles.

Les brasseurs du Busch Boulevard qui servent de la Budweiser ont eu plus d'imagination. Ils ont transformé les

Sculpture du Tampa Convention Center.

terres autour de leur brasserie en une Afrique miniature, peuplée d'animaux sauvages, de charmeurs de serpents et d'oiseaux tropicaux.

La colonie africaine

Le parc d'attractions de 120 ha qui s'est créé autour de Busch Brewery et **Busch Gardens** est consacré au **Dark Continent**, bien que ce terme ne plaise guère à la population noire. C'est aujourd'hui un parc de Floride qui attire énormément de touristes.

Tout commença avec Busch Gardens, un terrain au sud-ouest de l'usine, où l'on se rendait en famille pour observer les flamants roses, converser avec les perroquets et boire gratuitement de la bière à **Hospitality House**, après la visite de la brasserie. Découvrant les tonneaux de houblon, on apprenait les secrets de fabrication de la bière et comment le breuvage, après avoir été mis en bouteilles ou en cannettes, était emporté par des transporteurs sur des files ininterrompues.

Les Busch firent encore construire un restaurant, l'**Old Swiss House**, et ajoutèrent quelques animaux sauvages. Puis, se rendant compte que la Floride pouvait fort bien passer pour une plaine africaine, ils introduisirent d'autres bêtes et mirent en place un monorail pour la visite du parc. Busch pressentit que les gens étaient prêts à payer pour voir de près des zèbres, des girafes, des éléphants et des tigres déambuler en liberté. Emboîtant le pas à Walt Disney, il créa son propre parc d'attractions, baptisa du nom de **Serengeti Plain** son terrain peuplé d'une faune sauvage, **Lake Tanganyika** l'étang au milieu, **Nairobi** la petite ferme d'animaux, et **Stanleyville** la section du parc qui comporte un théâtre.

Les secteurs du **Maroc**, du **Congo** et de **Tombouctou** sont des aménagements plus récents. Le **Festhaus** (« salle des fêtes») ressemble à un avant-poste de la légion étrangère. On s'y restaure dans une ambiance digne des plus joyeuses brasseries allemandes.

L'équipe de football américain des Buccaneers.

Il faut citer également les inévitables attractions qui donnent le frisson, de la danse du scorpion aux contorsions du python. La croisière de la jungle fera découvrir de véritables bêtes vivantes, comme le proclame la publicité.

Après une journée moite dans la chaleur de la jungle, on peut se rafraîchir dans les lagunes et les chutes d'eau d'**Adventure Island**, face à 56th Street.

Tampa se plie aux goûts du public. Les lévriers courent à **Tampa Track**, les chevaux à **Tampa Bay Downs** et des équipes de football américain s'affrontent au **Tampa Stadium**.

La ville des forains

Longer Tampa Bay par la route US 41, vers le sud, peut donner une idée de l'activité industrielle de la région. Sur le front de mer, les cheminées des usines chimiques ont remplacé les palmiers. Après avoir traversé le pont qui enjambe **Alafia River**, on arrive à **Gibsonton**. Le **Giant's Fish Camp** donne le ton.

Un habitant de Gibsonton dorlote son animal favori.

Hommes à la peau d'alligator, femmes à barbe, nains, tous ces personnages sont à Gibsonton, quand ils ne sont pas sur les routes, attirés là par la proximité de **Sarasota**, où vécut le célèbre magnat du cirque John Ringling, au début du siècle.

Sauvage et beau

Au nord de Tampa, les amateurs de « naturel » pourront séjourner dans un des plus grands et des plus anciens centres de naturistes des États-Unis : **Lake Como** à **Lutz** sur la route US 41. Dans la ville voisine de **Port Richey** et dans d'autres lieux de nudisme non officialisés comme **Beer Can Island**, dans la baie de Tampa, cette pratique est courante.

Zephyrhills accueille régulièrement les championnats du monde de parachutisme. A une dizaine de kilomètres au sud, **Hillsborough River State Park** déploie ses vastes étendues de forêts et est traversé par un pont suspendu.

En remontant au nord par la route US 41, on arrive à **Brooksville**, au cœur d'un merveilleux paysage naturel. Le **Dogwood Trail**, charmant sentier de 32 km, conduit à **Chinsegut Hill National Wildlife Refuge** et à **Withlacoochee State Forest**. **Dade Battlefield State Historic Site**, à l'extrémité nord de la forêt, près de **Bushnell**, est un monument à la mémoire du major Dade et de sa troupe, massacrés ici en 1835, au début de la guerre contre les Séminoles.

Prendre la route SR 52, au nord de Zephyrhills, pour gagner **Saint Leo**. La ville appartient presque entièrement aux religieux, avec la présence du **Saint Leo College**, de **Saint Leo Abbey**, un monastère bénédictin, et du **Holy Name Priory**.

De Tampa, trois ponts mènent aux stations balnéaires de l'autre côté de la baie. Le **Howard Frankland Bridge** est le plus long et le plus emprunté car il prolonge l'Interstate 275. Le **Gandy Bridge** relie plus directement Tampa à Saint Petersburg. Le **Courtney Campbell Causeway**, qui commence près de l'aéroport international de Tampa, relie la ville à Clearwater.

SAINT PETERSBURG

Phénomène courant en Floride, Saint Petersburg doit son origine au prolongement du chemin de fer (jusqu'à la péninsule de Pinellas). En effet, en 1888, Peter Demens, un exilé russe, donna à la localité le nom de sa ville d'origine.

Saint Petersburg est, depuis toujours, l'antithèse de Tampa. Cette cité tranquille, qui s'est proclamée « ville du soleil », a la réputation d'être peuplée de personnes âgées, attirées par la douceur de son climat. Depuis 1910, le *Saint Petersburg Evening Independent* distribue même son journal gratuitement le jour qui suit une journée sans soleil ; il n'a été offert que 3,7 exemplaires en moyenne par an et on a déjà enregistré 765 jours de soleil d'affilée !

Mais la côte du Soleil a subi de profonds changements, si bien que même Saint Petersburg s'éloigne de son ancienne image. Les infrastructures touristiques et certaines initiatives (cinéma étranger et théâtre par l'American Stage Company, concerts en plein air, l'été, au William's Park Bandshell) essaient d'attirer une clientèle plus jeune et plus mobile.

A gauche, la jetée de « Saint Pete », sur la baie. Ci-dessous, les admirables Sunken Gardens.

L'ouverture de **Bayboro Harbor**, une branche de l'University of South Florida, a revitalisé le centre-ville. Les étudiants partagent les vieux hôtels et les pensions de famille avec les personnes âgées. La bibliothèque universitaire porte le nom de Nelson Poynter, un homme qui joua ici un rôle économiquement déterminant. Sa société de presse, située dans 1st Avenue South et 5th Street, publie entre autres le *St Petersburg Times*, un journal national très apprécié. Cette entreprise a été l'une des premières à reproduire, dans ses journaux, des photos en couleurs et des graphiques accrocheurs, sans rien sacrifier à l'éthique journalistique.

Bayfront, le front de mer, sur la baie, est particulièrement pittoresque. En arrivant sur le **Pier** (« jetée »), le panorama est merveilleux ; on pourra y admirer de nombreux voiliers aux noms exotiques. Une pyramide inversée, à l'extrémité de la jetée, surplombe la baie. Le restaurant qui y a été construit est devenu à la mode ; doté d'une terrasse sur le toit, il offre une vue très romantique.

Lors des régates de février, de superbes voiliers viennent s'aligner près du **Saint Petersburg Yacht Club**, un des plus célèbres clubs de régates du monde qui organise, entre autres, les fameuses Southern Ocean Racing Conferences (SORC), auxquelles participent les vainqueurs de l'America Cup. La première course fut lancée en 1930 entre Saint Petersburg et La Havane. Mais lorsque Fidel Castro prit le pouvoir, en 1959, la compétition fut abandonnée. Depuis 1961, les voiliers à la coque lisse et brillante traversent 600 km d'écume jusqu'à Fort Lauderdale et Nassau aux Bahamas. Une série de régates préliminaires se déroule dans une ambiance de fête. Puis les voiliers se rassemblent au large de **Pinellas Point** et, au signal donné, s'élancent dans la course.

L'illustrissime Dali

La ville de Saint Petersburg connaît actuellement une renaissance culturelle dont elle avait grand besoin. Dans un bâtiment élégant et spacieux, contigu au campus universitaire, a été réunie la plus importante collection au monde de tableaux du célèbre peintre espagnol Salvador Dali. Ouvert en 1982, le **Dali Museum** contient 93 tableaux, 200 aquarelles et dessins et 1 000 gravures exécutés par l'illustre artiste, parmi lesquels on compte trois chefs-d'œuvre : *La Découverte de Christophe Colomb*, *Le Conseil œcuménique* et *Le Toréador hallucinogène*. Cette étonnante collection a été rassemblée pendant quarante ans par deux passionnés et amis du peintre : A. Reynolds Morse, un styliste de Cleveland (Ohio) et sa femme, Eleanor.

En remontant vers le nord, à la sortie du musée, on arrive sur la baie. A proximité, sur 2nd Avenue, le **Saint Petersburg Historical Museum** abrite des collections historiques et de sciences naturelles, parmi lesquelles on découvrira des vestiges des cultures indiennes de Weedon Island et Safety Harbor.

Dans le **Vinoy Basin** tout proche, les amateurs de cinéma et de films d'épopée pourront visiter avec plaisir la réplique du célèbre *Bounty*, qui fut utilisée à Tahiti pour tourner *Les Révoltés du Bounty* avec Marlo Brando, un film produit par la MGM.

Le **Museum of Fine Arts**, à Beach Drive, renferme des collections européennes, orientales et américaines (peinture, arts décoratifs et photographie).

Le ticket d'entrée du Museum of Fine Arts permet de visiter trois autres édifices, **Grace S. Turner House**, **Lowe House** et le **Haas Museum**, situés sur 2nd Avenue South. Datant du XIXe siècle, ces demeures sont parmi les plus vieilles de la ville ; elles ont chacune été transformées en musées.

Le musée Dali, à Saint Petersburg.

Beach Drive a un air continental avec ses magasins de luxe et son centre commercial, **Plaza Mall** et **Peter's Place**, un très bon restaurant.

Bayfront Center accueille, chaque année, divers événements : des spectacles de Broadway, des concerts de musique folk — Bob Dylan vint même y chanter — et surtout, le tournage annuel des célèbres numéros de cirque du Ringling Brothers & Barnum & Bailey Circus pour la télévision.

Au nord de la jetée, le **Vinoy Hotel** dessine, à l'horizon, son impressionnante silhouette. Il accueillait autrefois des clients fortunés. L'établissement, aujourd'hui délabré, est devenu un repaire de vagabonds et la cible des vandales.

Mirror Lake, avec sa fontaine, est un lieu ombragé propre aux humeurs pensives. Au **Coliseum**, sur 4th Avenue North, on danse au rythme des Big Bands jadis dirigés par Glenn Miller.

Des concerts gratuits en plein air sont souvent donnés au **William's Park Badshell**. Tous les ans, lors du Festival of States, le kiosque à musique et le centre-ville s'animent au son des fanfares de lycées.

Loisirs souterrains.

De musique et d'eau

Le Festival of States de Saint Petersburg rassemble chaque année, en mars, une centaine d'orchestres scolaires de tout le pays et organise deux cents événements tels que parades, concerts, tournois de sports, feux d'artifice... Lorsqu'ils sont invités à y participer, les musiciens des fanfares passent l'hiver à trouver des financements pour leur voyage vers le sud. Tous s'entassent dans les hôtels du centre, échauffent leurs instruments face à la baie et concourent durant une semaine de fêtes. Plus de cent groupes défilent en musique dans les rues pour clore le festival.

Très tôt, Saint Petersburg eut, auprès des retraités yankees, la réputation d'une véritable station thermale. Mais des citoyens avisés s'emploient depuis plusieurs années à changer cette image de ville refuge des personnes malades ou âgées afin de rajeunir sa clientèle. « Doc » Webb, par exemple, a ouvert *The World's Largest Drugstore*, un grand complexe commercial moderne.

La ville de Saint Petersburg regroupe plusieurs quartiers intéressants : **Snell Isle**, avec ses rues tortueuses et ses grandes demeures, d'un goût douteux ; **Northeast**, avec ses maisons de styles espagnol et méditerranéen ; **The Pink Streets**, près de Pinellas Point et **The Jungle**. La végétation est si dense, vers la **Boca Ciega Bay**, qu'on distingue à peine les vieilles propriétés à travers les arbres et les plantes grimpantes.

Sunken Gardens, sur 4th Street, était à l'origine une ancienne fosse d'eau que George Turner a comblée, asséchée et aménagée il y a soixante-dix ans. Les 7000 variétés d'oiseaux tropicaux et de plantes exotiques qui le peuplent en font un jardin très agréable. Le sentier **Boyd Hill Nature Trail** longe le **Lake Maggiore**, près de 9th Street.

Lake Seminole, **Sawgrass** et **Bay Pines** sont également de jolis parcs. Bay Pines, qui s'étend sur la pinède du Veterans Administration Hospital, sert souvent de refuge à des aigles chauves. De vieux bâtiments ont été rénovés et transportés dans **Heritage Park**, à Walsingham, et sur 125th Street, dans le quartier de **Largo**.

La silhouette majestueuse du Rolyat Hotel, qui se trouve face au golf de Pasadena, abrite aujourd'hui la **Stetson Law School**.

A **Mullet Key**, à la limite sud de la ville, s'étend un autre parc, **Fort De Soto**. On peut faire le tour du fort et, de la plage, observer les pétroliers traversant lentement la baie, puis camper là pour la nuit.

La traversée de la **Boca Ciega Bay** était autrefois l'occasion d'une promenade magnifique avec pour seules vues le sable, la mer et les oiseaux. Mais, rapidement, dans les années 1970, les promoteurs immobiliers se sont emparés des lieux, transformant le paysage.

De même, l'île de **Tierra Verde**, située sur la route de Fort De Soto, était jadis envahie par la mangrove et peuplée d'animaux sauvages ; une jungle d'immeubles et de villas s'y dresse aujourd'hui. L'île était un tel paradis qu'un excentrique nommé Silas Dent y vécut heureux en ermite, dormant dans une hutte en feuilles de palmier, se nourrissant de poissons et d'oiseaux et jouant du banjo. Véritable légende de son vivant, il eut droit à une notice nécrologique dans le *New York Times* lorsqu'il mourut, en 1952.

Les plages du golfe

De l'autre côté de la Boca Ciega Bay, le chapelet d'îles en face du Pinellas County a résisté plus longtemps à l'invasion des promoteurs que les îles de la côte Est. Les premiers habitants s'étaient regroupés à Pass-a-Grille, à l'extrémité sud de Long Key, plus connu maintenant sous le nom de **Saint Petersburg Beach**, ainsi qu'à **Sand Key**, au nord, à proximité d'**Indian Rocks Beach**. Il est difficile d'imaginer que la faune, constituée de flamants roses, de sangliers sauvages, de tortues de mer, de cerfs et d'alligators, y était jadis plus nombreuse que les humains. Les habitants sont aujourd'hui plus de 40 000, un nombre qui grossit encore au printemps et pendant les vacances d'été.

En arrivant à **Pass-a-Grille**, qui a gardé le charme des petits villages de pêcheurs, tourner à gauche. Le palace rose qui se dresse sur la côte est le **Don Cesar Hotel**. Construit dans les années 1920 par T. J. Rowe, il fut très à la mode dans les années 1930 et connut ensuite des hauts et des bas. F. Scott Fitzgerald et sa femme Zelda comptent, paraît-il, parmi ses illustres hôtes. L'armée transforma l'édifice en centre de convalescence durant la Seconde Guerre mondiale. Il faillit être condamné à la démolition lorsqu'en 1972, il fut sauvé *in extremis* et rouvert au public en 1973 après avoir été restauré.

Ci-dessous, le Don Cesar Resort Hotel ; à droite, la bonne humeur d'une journée ensoleillée.

CLEARWATER ET SES ENVIRONS

En remontant le Gulf Boulevard vers le nord se succèdent de façon presque ininterrompue des hôtels, des immeubles, des fast-foods et des boutiques qui se distinguent à peine les uns des autres dans ce qui reste du paysage. Les propriétaires fonciers ont volontairement laissé la côte s'enlaidir jusqu'à Sand Key, alors que c'est la beauté des lieux qui attirait précisément les touristes. Ceux qui ont misé sur la plus-value immobilière ont fait un mauvais calcul, car elle est moins importante ici que dans des sites mieux protégés tels que Longboat Key, près de Sarasota.

Heureusement, il reste encore quelques-unes des plus belles plages de l'État, mais elles sont cachées derrière le béton et il faut emprunter les *public accesses* (accès publics) pour y arriver.

A Saint Petersburg Beach, on appréciera le cadre quelque peu excentrique du restaurant **Pelican Diner**, situé à l'angle du Gulf Boulevard et de la route A19A. Pour continuer la tournée des plages, partir de l'A19A et prendre vers le nord Blind Pass Road. **Treasure Island**, plus au nord, doit son nom aux légendes selon lesquelles des trésors seraient cachés dans les parages. **Sunset Beach** est une plage bordée d'immeubles qui semblent toujours plus nombreux d'année en année.

Un pont basculant relie Treasure Island à **Madeira Beach**, surnommée « Mad Beach » (« plage folle »). En s'éloignant en bateau de John's Pass Village, sur Madeira Beach, on trouve le très vivant « **Europa FunKruz** ». C'est un bateau de croisière sur lequel on peut dîner, danser ou jouer au casino. Dès que le navire atteint les eaux internationales du golfe du Mexique, les portes du casino s'ouvrent en grand et l'enfer du jeu commence. Les passagers embarquent deux fois par jour.

Célébration de l'Épiphanie à la cathédrale orthodoxe Saint-Nicolas à Tarpon.

Bird Key domine la mer, mais ce perchoir à oiseaux situé à John's Pass n'a rien d'original. En remontant plus au nord jusqu'au **Suncoast Seabird Sanctuary**, à **Indian Shores**, on entendra parler d'un homme qui a pris la défense des volatiles.

L'ami des oiseaux

Célèbre aux États-Unis et connu au-delà des frontières par ceux qui partagent sa passion, Ralph Heath soigne les oiseaux malades et blessés grâce aux dons qu'il reçoit du monde entier. Mais son sanctuaire ornithologique n'est pas seulement populaire auprès des humains : nombreux sont les oiseaux blessés qui s'y rendent d'eux-mêmes. Heath secourt également les oiseaux empêtrés dans les lignes des pêcheurs ou mutilés accidentellement par des gens peu réfléchis. La visite de son refuge est passionnante.

A **Indian Rocks Beach**, la lagune s'arrête au bord du Gulf Boulevard. Les eaux du golfe sont toutes proches à l'ouest, d'où le nom de «The Narrows» («le goulet») donné à l'endroit. Le chemin de fer transportait autrefois les voyageurs de Tampa jusqu'à la côte, ce qui explique qu'aujourd'hui encore, de nombreuses familles y possèdent une résidence secondaire. **Big Indian Rocks Pier** est un lieu idéal pour pêcher.

Le **Gulf Boulevard** continue vers le nord jusqu'à l'extrémité de **Sand Key**, traversant **Belleair Beach**, dont les imposantes demeures forment une barrière en front de mer. La beauté naturelle des lieux, jadis recouverts de sable et de pinèdes, n'est plus qu'une légende. Les promoteurs ont abusé de la situation et, aujourd'hui, les tours surgissent comme des champignons.

Clearwater Beach, à l'autre bout du pont à péage de Sand Key, est une station balnéaire qui jouit de plus en plus de la faveur des touristes canadiens, anglais et allemands. La longue plage de sable, tellement blanc qu'il en devient aveuglant en plein soleil, est bordée de quelques dunes.

Pêcheurs sur une jetée, à Clearwater.

Boatyard Village est une reconstitution d'un village de pêcheurs de la fin du XIXe siècle. Il donne sur une crique le long de Fairchild Drive. Des manifestations sont organisées dans les rues, et des restaurants ou des boutiques rappellent l'atmosphère commerçante du siècle dernier.

La ville résumée sur un mur

De l'autre côté du **Memorial Causeway**, Clearwater est le siège de l'administration du comté de Pinellas où la densité de population est la plus importante. La ville s'est développée autour du **Belleview Biltmore Hotel**, un édifice en bois à l'architecture classique, construit en 1897 par Henry Plant. Toujours debout, il donne sur la baie, derrière deux terrains de golf. On lui a adjoint des bâtiments modernes. Ce gigantesque hôtel en pin figure dans le Registre national des sites historiques.

Le **Fort Harrison** n'est plus ouvert au public. Cet ancien hôtel est à présent devenu un bastion de l'Église de scientologie. La secte controversée, fondée au début des années 1950 par L. Ron Hubbard, auteur de romans de science-fiction, compterait plusieurs millions d'adhérents à travers le monde.

Les peintures murales de l'artiste Steve Smith, en haut de l'**Utilities Building** de Chesnut and Prospect, donnent une vision d'ensemble de la ville. Smith a également décoré le hall de la bibliothèque de Saint Petersburg. Les locaux du *St Petersburg Times* et de l'*Evening Independent* sont alimentés en énergie par des panneaux solaires perchés sur le toit et par une éolienne qui allie le fonctionnel à l'artistique.

On peut ensuite se promener le long de la baie dans le quartier au charme vieillot de **Safety Harbor**. Un petit musée se trouve au sud de la rue principale, près d'un tumulus élevé par les Indiens timucuan.

Écossais et Grecs

Ce sont des immigrés écossais qui fondèrent la communauté de **Dunedin**, au nord de Clearwater. Tous les ans, au mois de mars, des musiciens en kilt et en tartan inaugurent, au son des cornemuses, le Highland Games Festival.

De **Dunedin Beach**, prendre le bateau pour gagner **Caladesi Island State Park** en traversant **Hurricane Pass**. Ces 567 ha de palmiers, de yuccas et de sable sont un véritable havre de paix. Le paysage qui s'offre au visiteur du haut des 20 m de la tour d'observation vaut le détour.

La route US 19 qui remonte au nord est de loin l'une des plus abominables de Floride. Le trafic y est très dense et le paysage n'est qu'une succession de parkings pour mobile homes, d'immeubles et de panneaux publicitaires. La route Alternate 19 est moins directe mais plus agréable. Les deux itinéraires aboutissent à une localité qui serait plus à sa place sur les bords de la mer Égée.

Tarpon Springs se développa sur l'Anclote River, au début du siècle, avec le prolongement du chemin de fer de Peter Demens. Les fonds marins de Key West recelant de moins en

Ouvrier d'un chantier naval de Tarpon Springs.

moins d'éponges, John Corcoris fit venir ses compatriotes de Grèce et des îles de la mer Égée pour explorer les eaux de Tarpon Springs. La quête se révéla fructueuse. Les Grecs se rendirent dans des endroits peu profonds et mirent à l'eau de petites embarcations pour cueillir les animaux avec de longues perches. Tarpon Springs ravit bientôt à Key West le titre de « capitale des éponges ».

Corcoris fut l'un des premiers à utiliser les anciens scaphandres dotés d'un casque en cuivre. Ces tenues de plongée peu commodes causèrent parfois la mort de jeunes Grecs. Mais cette pêche engendra un commerce extrêmement lucratif. Il commença à décliner dans les années 1940 à cause de la destruction d'une partie des lits. Par la suite, les éponges naturelles furent abandonnées au profit de matières synthétiques, meilleur marché.

Mais Tarpon Springs n'a rien renié de cet héritage grec. La plupart des touristes se dirigent tout droit vers les docks historiques, le long de **Dodecanese Boulevard**. Si les crevettes remplacent à présent les éponges, on verra encore quelques bateaux traditionnels, et peut-être apercevra-t-on les marins en train d'en nettoyer quelques-unes sur le pont. Il est possible d'embarquer sur un bateau pour assister à la démonstration d'un vieux Grec vêtu d'une tenue de plongée traditionnelle. La rumeur prétend que les pêcheurs glissent une éponge dans leur combinaison avant de plonger pour être sûrs de ne pas remonter bredouilles.

Un **Spongerama** renferme une collection d'objets et de photos datant de l'âge d'or de ce commerce. La **Sponge Exchange** (« bourse aux éponges »), construite en 1907, a en partie succombé au temps et aux démolisseurs professionnels.

Les propriétaires du **Louis Pappas' Riverside** (un restaurant à la mode qui sert une nourriture délicieuse dans un cadre extravagant) ont commencé à s'attaquer à l'Exchange en 1981, pour

Un pêcheur d'éponges dans les années 1930, à Tarpon Springs.

construire, à sa place, une boutique de souvenirs. Consternée à l'idée de voir ainsi disparaître une partie de son passé, la communauté hellénique a obtenu, par décision de justice, la suspension des travaux. Dans l'intervalle, le Parlement s'est enfin intéressé au sort de l'édifice historique, envisageant même de le faire acquérir par l'État. Mais les Pappas eurent le temps de démolir plusieurs pans de murs.

Les malédictions proférées par certains à l'encontre de ces derniers n'ont pas empêché leur restaurant de prospérer. On y sert d'énormes salades grecques, des moussakas, des baklavas et autres plats typiques ainsi que des fruits de mer. On peut tout autant essayer un des petits restaurants qui ne payent pas de mine mais dont la cuisine est délicieuse. Si l'on aime les danses orientales et l'ouzo, **Zorba's** est l'endroit idéal.

Outre la pêche des éponges, la construction navale a toujours représenté une activité importante à Tarpon Springs — comme c'est le cas un peu partout dans le comté de Pinellas. De petits constructeurs tel **Peer Lovfald Marine** travaillent uniquement sur commande, tandis que des géants comme **Irwin Yachts**, **Gulfstar** et **Watkins Yachts** ouvrent de grands chantiers dans les localités voisines.

La **cathédrale orthodoxe Saint-Nicolas**, sur Pinellas Avenue dans le centre-ville, a été érigée en 1943. Ses murs de style néo-byzantin sont recouverts d'icônes. L'**église universaliste**, sur le Grand Boulevard, contient une collection de tableaux du paysagiste George Inness Jr. La fête de l'Épiphanie est ici très populaire. L'archevêque de l'église orthodoxe grecque, venu en ville pour bénir les eaux de la région, lance un crucifix dans **Spring Bayou**. Des adolescents plongent dans les eaux glaciales pour le récupérer. Ils gagnent ainsi des bénédictions supplémentaires pour eux et leur famille. Juste avant le début des réjouissances, au son de la musique grecque, une colombe, symbole de l'Esprit saint, est lâchée dans les airs.

Harold et Dana Hurst devant leur station-service préhistorique.

Près de Tarpon Springs, par la route US 19, **Innisbrook** est une des plus belles stations de la région. Les agences touristiques organisent des séjours de rêve au milieu de trois terrains de golf, de courts de tennis et d'un magnifique paysage boisé. Au bord du **Lake Tarpon**, **A. L. Anderson Park** est un endroit charmant pour pique-niquer.

Les sirènes de Weeki Wachee

La route qui longe la côte Ouest en remontant vers le nord traverse en alternance de vieux villages assez calmes et des communes plus modernes et plus dynamiques. **New Port Richey** a connu une formidable croissance dans les années 1970 et 1980. Mais la ville est aujourd'hui victime d'un développement urbain anarchique et de la multiplication des autoroutes. Elle figure dans le *Guinness Book of World Records* pour son barbecue géant organisé tous les ans, lors du Chasco Festival, au bord de la **Pithlachascotee River**.

La circulation automobile et le nombre de boutiques se réduisent quand on arrive dans le **comté de Hernando**. Depuis 1947, des sirènes s'ébattent dans les eaux de **Weeki Wachee Spring**, accessibles par la route US 19, non loin du dinosaure en béton qui veille sur la station-service de Harold et Dana Hurst. Surnommée par les Indiens « Eaux qui serpentent », la rivière Weeki Wachee se casse en des chutes impressionnantes. Newton Perry, un homme-grenouille de la marine américaine, trouva les eaux si claires qu'il eut l'idée de monter un spectacle de ballets et d'acrobaties subaquatiques. Il engagea des jeunes femmes à qui il enseigna le contrôle de la respiration et qu'il déguisa en sirènes. C'est ainsi que naquit un parc d'attractions aux spectacles désormais célèbres.

Une croisière sur la rivière fera découvrir les charmes d'une forêt tropicale et une réserve pour les pélicans convalescents du Suncoast Seabird Sanctuary. Comme tout parc floridien

Façon radicale d'attraper la vague.

digne de ce nom, celui de Weeki Wachee contient des personnages en plastique, notamment le roi Neptune et sa suite. La seule (petite) plage à proximité est à **Pine Island Park**. Elle est accessible par la County Road 595. Les pêcheurs de crabes et de poissons lui préfèrent la jetée de **Bayport Park**.

Quand on roule vers le nord, la route US 19 devient plus agréable. On y croise parfois un cerf à la nuit tombante. La ville de **Chassahowitzka** marque l'entrée d'une réserve naturelle du même nom.

A **Crystal River**, on peut nager en compagnie de lamantins. Ces mammifères dociles, menacés de disparition, sont très imposants. Les eaux de **King's Bay** sont alimentées par une bonne centaine de sources. Le **Crystal River State Archeological Site** se trouve au cœur d'une vaste zone consacrée, voilà environ 1 600 ans, à des cérémonies indiennes. L'ouverture de près de 450 tombes a permis d'exhumer d'importants vestiges de cette époque.

Au nord de Crystal City, on aperçoit, de la route US 19, les écluses du **Cross Florida Barge Canal**, construction restée inachevée. Pour les écologistes, cet abandon des travaux constitue une victoire. Depuis 1818, les affréteurs tentent d'obtenir la construction d'un canal reliant le golfe du Mexique à l'océan Atlantique. Les travaux commencèrent dans les années 1930. Arguant des dommages que subissait l'Oklawaha River, les écologistes réussirent, en 1971, à convaincre le président Nixon de stopper la construction du canal. Le projet fut abandonné en 1976.

En prenant la route SR 24, à l'ouest, on continue sur 40 km avant d'arriver à **Cedar Key**. Les cèdres de la région, utilisés pour la fabrication de crayons, ont donné leur nom à cet archipel d'une centaine d'îlots. Le premier grand chemin de fer de Floride y aboutissait. Dévastée par un terrible ouragan en 1896, la ville ne retrouva jamais l'importance qu'elle avait. Le **Cedar Key State Museum** rassemble une documentation intéressante sur cette glorieuse mais éphémère époque.

Cedar Key est la destination favorite des amateurs de fruits de mer. On les retrouve dans les restaurants qui proposent, au menu, des steaks de tortue et des crabes accommodés avec une sauce particulièrement relevée. Les touristes sont des milliers à emprunter les ponts qui mènent à l'île, lors de l'Art Festival d'avril et du Seafood Festival d'octobre.

En redescendant vers le sud

Le **Sunshine Skyway** est une route surélevée qui rattache la péninsule de Pinellas à la côte Ouest, au sud de Saint Petersburg. Cette section à péage de 18 km comprend un pont de plus de 6 km de long qui s'élève à 76 m au-dessus de la mer. La hauteur fut prévue pour permettre aux pétroliers et aux cargos chargés de produits chimiques de passer en dessous pour entrer ou sortir de la baie. Ouvert à la circulation en 1954, l'ouvrage s'est révélé inapte à laisser le passage aux énormes bateaux de cette fin de XXe siècle. Le 9 mai 1980 au matin, durant une tempête, un cargo qui transportait du phosphate en grande quantité heurta la travée sud du Skyway. Celle-ci s'effondra en partie, entraînant avec elle, dans les eaux de la baie, un autocar, un camion et plusieurs voitures, tuant 35 personnes.

Aujourd'hui, un superbe pont suspendu a été reconstruit. Mais les habitants de la région ne sont pas prêts d'oublier cette tragédie.

Quelques mois seulement avant la catastrophe, le garde-côte *Blackthorne* heurta un cargo non loin du pont. L'embarcation coula ainsi que son équipage. Un monument a été érigé dans un parc au nord du pont, à la mémoire des victimes.

A l'ouest du pont, **Terra Ceia Island** abrite le **Madira Bickel Mound Historic Memorial**. Une peuplade d'Indiens primitifs aurait vécu ici du début de l'ère chrétienne au XVIIe siècle. Le tumulus de 6 m de haut qu'on peut voir à Weedon Island a été utilisé par des Indiens, de 700 av. J.-C. au XVe siècle.

Sirène scintillante de Weeki Wachee.

DE SARASOTA A EVERGLADES CITY

Au sud du Sunshine Skyway, des panneaux indiquent le **J. P. Benjamin Memorial** à **Ellenton**. Cette grande demeure blanche en bois, de style sudiste, fut construite par le major Gamble vers 1845. Il employait 300 esclaves sur les 1 600 ha de sa plantation de canne à sucre. A la fin de la guerre de Sécession, Judah P. Benjamin, l'ancien secrétaire d'État de la Confédération sudiste, vint y trouver refuge avant de s'enfuir en Angleterre. Ce monument à la mémoire d'un fugitif de l'armée vaincue peut surprendre. Mais la Floride consacre, de la même manière, un jour férié en l'honneur de Jefferson Davis, l'ancien président de la Confédération.

La population d'Ellenton a augmenté grâce à l'arrivée des mennonites. Les hommes barbus portant le chapeau caractéristique et les femmes vêtues à l'ancienne ont apporté un charme à cette ville, souvent associée, dans les esprits, à la communauté hollandaise de Pennsylvanie ou aux régions de l'Ohio et de l'Indiana, où vivent les amish.

Vers le sud, la route US 41 traverse **Palmetto** et la **Manatee River** qui doit son nom aux lamantins dont bon nombre a été tué par la circulation maritime. Elle aboutit, ensuite, à **Bradenton**. Durant la haute saison du printemps, les voitures roulent souvent au pas, de Skyway à **Fort Myers**, sur la US 41. L'ouverture de l'Interstate 75 a remédié en partie à cet inconvénient.

A l'embouchure de la Manatee River, un monument national perpétue le souvenir du débarquement, en 1539, de Hernando de Soto. Tous les ans, en mars, la ville de Bradenton s'octroie une semaine de fête pour célébrer cet événement historique. Les habitants, déguisés en aventuriers, reconstituent les exploits des conquistadores.

Les premiers colons vinrent s'établir près de la Manatee River, trois cents ans après l'arrivée de De Soto. L'un d'entre eux, le planteur de canne à sucre Joseph Braden, donna son nom à la ville. Les ruines du **Braden Castle** sont proches de la route SR 64. La région est essentiellement tournée vers l'agriculture (tomates et agrumes) et l'industrie agro-alimentaire. A 3 km à l'est de la US 41, sur 26th Avenue East, des trieurs et des conditionneurs de Mixon Fruit Farms s'affairent autour des oranges et des pamplemousses. L'entreprise expédie plus de 100 000 cageots par an.

Un centre culturel qui doit tout au cirque

La route US 41 conduit à Sarasota, mais celle qui traverse le chapelet d'îles, de l'autre côté de **Sarasota Bay**, est plus agréable. Prendre la route SR 64, à l'ouest de Bradenton, vers **Anna Maria Island**, puis au sud le Gulf Drive. En longeant les eaux azur du golfe, on passera par **Bradenton Beach**, station balnéaire ventée, et par la sélect **Longboat Key**. **Saint**

A gauche, sculptures Renaissance dans la cour du Ringling Museum ; à droite, les statues de Sarasota.

Armand's Circle, un regroupement circulaire de boutiques de luxe et de restaurants, doit son nom au Français Saint-Armand, premier propriétaire des lieux. Mais l'homme auquel l'un des boulevards emprunte le nom et dont une grande partie de la Floride garde encore le souvenir, c'est John Ringling, le célèbre magnat du cirque. **Lido Key** porte l'élégante marque de son estampille. On retrouve l'image des éléphants du cirque dans toute la ville.

Pour découvrir l'univers de John Ringling, reprendre la route US 41 en remontant vers le nord et passer le **Van Wezel Auditorium**, puis les **Sarasota Jungle Gardens**, sur Bayshore Road, pour atteindre le **Ca'd'zan**, un musée de l'art et du cirque, et l'**Asolo State Theater**.

Grâce aux millions que lui rapporta son « Greatest Show on Earth » (le « plus grand spectacle du monde ») et grâce à de judicieux investissements dans le pétrole, les chemins de fer et l'immobilier, John Ringling se fit construire une vaste résidence sur un domaine de 28 ha appelé Ca'd'zan (qui signifie la « maison de Jean » en dialecte vénitien) et dont le style s'inspire du palais des Doges de Venise. Les travaux furent achevés en 1926.

Ringling rassembla tant d'œuvres d'art qu'il décida d'adjoindre un musée à sa maison. Il s'inspira d'une villa florentine du XVe siècle. Le musée contient, entre autres, l'une des plus importantes collections de tableaux de Rubens. Un bronze du *David* de Michel-Ange trône dans la cour. Un édifice plus modeste abrite le musée du Cirque qui expose des affiches, des photos, et autres souvenirs afférents à l'histoire du cirque.

Sous l'influence de Ringling, Sarasota devint le centre culturel de la Floride. L'Asolo State Theater Company en est une bonne illustration. La troupe est célèbre dans tous les États-Unis. Elle joue plusieurs fois par an dans un théâtre italien du XVIIIe siècle. L'intérieur, initialement aménagé dans le château d'Asolo, en Italie, fut

Ca'd'zan, la résidence de Ringling, le roi du cirque.

démonté pièce par pièce, puis expédié en Floride en 1950, et reconstruit derrière le musée d'Art. La qualité de la troupe, des costumes, des décors et de la scène elle-même, a valu au théâtre de francs succès.

Diverses manifestations s'ajoutent à l'ambiance exceptionnelle créée par Ringling. Une foire artisanale annuelle attire de nombreux exposants et des acheteurs venus de tout le pays. Une foire médiévale a lieu en mars. Le cadre lui-même se prête au jeu des acteurs qui ressuscitent l'époque du roi Arthur. Des chevaliers en armure joutent sur la baie, des jeunes filles costumées folâtrent dans les jardins, des artisans tondent leurs moutons, filent du lin, taillent des flûtes et gravent des pierres, des ménestrels ambulants entonnent leurs couplets.

Au nord du musée, les bâtiments du campus du **New College**, rattaché à la University of South Florida, sont l'œuvre du célèbre architecte chinois Pei. L'école met l'accent sur la culture générale et les arts.

Le **Van Wezel Auditorium** programme des opéras, des concerts et des ballets. Des écrivains sont venus rechercher l'inspiration ici, notamment John D. MacDonald, un auteur de romans populaires vendus à plus de 23 millions d'exemplaires.

Les amoureux de la nature se retrouvent à **Myakka River State Park**, une vaste réserve, sur la route SR 72. On peut s'y promener en voiture ou à bicyclette en empruntant le circuit touristique de 11 km, ou opter pour une visite guidée en bateau et en train.

Sur South Palm Drive, on pourra s'arrêter au **Bellm's Cars and Music of Yesterday** (collection d'antiquités diverses) et visiter les jardins botaniques de **Marie Selby Botanical Gardens**.

Une ville de clowns

La ville de **Venice**, à 32 km au sud sur la route US 41, n'a pas échappé à l'emprise du cirque. C'est ici, sur Airport Avenue, que le John Ringling

Les Trois Mousquetaires, *à l'affiche de l'Asolo State Theater.*

and Barnum and Bailey Circus prend ses quartiers d'hiver. C'est aussi le moment, pour la troupe, de répéter ses numéros avant de reprendre la route.

Venice s'est développée parallèlement à l'essor de la Floride. La ville s'enorgueillit de ses larges rues et de ses grands parcs. Les sources thermales de **Warm Mineral Springs**, à 20 km au sud de Venice, vantent les vertus thérapeutiques de leurs eaux à 30 °C, riches en sodium, sulfate, chlorure. D'importantes fouilles archéologiques ont permis de mettre au jour des vestiges d'anciennes peuplades.

Les petites communes de **Punta Gorda** et de **Charlotte Harbor** restent à l'écart de la frénésie qui s'est emparée de la côte Ouest. Le **Ponce de León Park** rappelle le lieu où débarqua pour la seconde fois le découvreur de la Floride, et où il fut mortellement blessé lors d'une attaque indienne alors qu'il tentait d'établir un camp. Les docks de la vieille ville ont été transformés en un village de pêcheurs.

Charlotte Harbor est hanté par d'innombrables fantômes de pirates et d'aventuriers espagnols. Un pont à péage relie **Placida** à **Gasparilla Island**, l'île de José Gaspar, personnage mythique. **Boca Grande** est l'escale traditionnelle des yachts qui croisent dans les eaux du golfe.

Sur les traces d'un génie

La route US 41 ou l'Interstate 75 mènent dans la zone urbaine de **Fort Myers** et **Cape Coral**. Ce secteur a connu un essor spectaculaire dans les années 1970. Entre 1970 et 1979, la population a augmenté de 94,2 %, un essor dû principalement à l'arrivée d'Américains originaires des États du Nord-Est, venus passer leur retraite dans des lotissements.

Ce déferlement humain ne fait qu'ajouter du crédit à la prédiction de l'inventeur Thomas Edison, qui affirma en 1914 : *« Fort Myers est un endroit unique, et 90 millions de gens sont en passe de le découvrir. »* Thomas

Les futures étoiles du cirque s'entraînent au trapèze, à Sarasota.

Edison s'y fit construire une résidence d'hiver en 1886, à l'âge de 39 ans. Les médecins lui avaient recommandé le climat de la Floride pour sa santé. Il suivit leur conseil et vécut jusqu'à 84 ans. Il y perfectionna, dans son laboratoire, certaines de ses plus grandes inventions, dont le phonographe, le kinétoscope et le téléimprimeur. Les bambous des berges de la Caloosahatchee River et les solidagos de son jardin servirent à ses expériences, les premiers comme filaments de lampe à incandescence, les seconds pour la vulcanisation du caoutchouc.

L'**Edison Winter Home and Museum** occupe les deux côtés de McGregor Boulevard (SR 867). La présence de palmiers royaux plantés par l'inventeur détonne dans le paysage urbain. La maison et la pension de famille, qui figurent parmi les premiers bâtiments préfabriqués des États-Unis, furent construites dans le Maine et acheminées vers Fort Myers sur quatre goélettes. Des jardins tropicaux les entourent. Thomas Edison consacra environ 100 000 dollars à son jardin botanique. On y dénombre quelque 6 000 espèces, notamment des palmiers et des figuiers à feuilles satinées de Floride, des calebassiers d'Amérique du Sud et des canneliers d'Inde et de Malaisie. La première piscine moderne de Floride a été construite en 1900 avec le ciment Portland d'Edison et renforcée avec du bambou ; elle n'a jamais eu ni fuite ni fissure. Dans cet environnement paradisiaque, Thomas Edison invita ses célèbres amis Henry Ford et Harvey Firestone.

De l'autre côté de la rue, un musée contient des phonographes, des objets personnels, une collection d'automobiles et une mine d'inventions, au nombre desquelles 170 phonographes avec d'immenses pavillons peints à la main et, naturellement, des dizaines d'ampoules. Le laboratoire, au fond du musée, est fermé, la présence de certains produits chimiques posant quelques problèmes de conservation. Le figuier banian rapporté

Régates au large de Fort Myers.

d'Inde par Firestone en 1928 est devenu le plus gros de tout l'État de Floride. En 1947, Mme Edison a fait don de la propriété à la ville, la municipalité de Fort Myers s'étant engagée à en faire un musée à la mémoire de son mari, décédé en 1931. Chaque année, en février, la ville organise un spectacle de lumières en hommage à l'inventeur.

La **Shell Factory** plongera les visiteurs dans l'univers marin. Les amateurs pourront y acheter des souvenirs liés au monde de la mer. L'**Everglades Jungle Cruise** est une excursion de trois heures qui amène les touristes à la lisière des Everglades en remontant la **Caloosahatchee River**. Fort Myers constituait un retranchement durant la guerre contre les Séminoles, et la Caloosahatchee River était le principal accès au fort. De Fort Myers, on peut aussi se rendre dans deux îles où les charmes de la nature n'excluent pas les commodités de la vie moderne.

Les coquillages se ramassent à la pelle à Sanibel

Les autochtones résistèrent longtemps à la construction d'une digue reliant les îles **Sanibel** et **Captiva** au continent. Le conflit s'acheva par un jugement de la Cour suprême donnant raison aux ingénieurs des Ponts et Chaussées. Conséquence : depuis 1963, les voitures envahissent par milliers ces îles à l'écosystème fragile. Une exploitation anarchique des lieux menaça de transformer les îles Sanibel et Captiva en deux stations balnéaires quelconques, hérissées de hauts immeubles.

Mais, en 1974, l'île Sanibel cessa de faire partie du **comté de Lee**. Indépendante administrativement, elle refusa presque tous les nouveaux permis de construire et interdit même les visites guidées. Aujourd'hui, l'île est dotée de maisons, d'hôtels et de restaurants climatisés, ainsi que de quelques centres commerciaux et même d'un théâtre. La réserve **J. N. « Ding » Darling National Wildlife Refuge** doit son nom à un précurseur de l'écologie et auteur de bandes dessinées. Le spectacle des spatules roses aux ailes cramoisies, qui vont et viennent matin et soir par groupes aussi ordonnés qu'une escadrille de l'armée de l'air, constitue l'une des curiosités de la promenade de 9 km à travers la réserve. Grâce à leur bec aplati, les échassiers peuvent quêter leur nourriture dans les étangs peu profonds. C'est aussi ce qui permet de les distinguer des flamants roses. Cormorans, hérons, goélands, bécasseaux, aigrettes et vautours comptent aussi parmi les multiples espèces qui peuplent la réserve. À proximité, la **Sanibel-Captiva Conservation Foundation** se consacre à l'étude et à la protection de la nature.

La réserve J. N. « Ding » Darling National Wildlife Refuge est en général méconnue des touristes qui viennent essentiellement dans l'île Sanibel pour ses plages jonchées de coquillages. Aux yeux des collectionneurs, seules les plages de la baie de Jeffreys, en Afrique, et des îles Sulu, aux Philippines peuvent rivaliser. Pour

Ramasseurs de coquillages sur la plage de Sanibel.

éviter que l'île ne devienne elle-même une coquille vidée de sa substance, il est interdit de ramasser plus de deux coquillages vivants par espèce et par personne. Le meilleur moment pour arpenter la plage, armé de son seau et de son filet métallique, est le matin de bonne heure ou après une tempête ou encore une grande marée. Il sera bien difficile de ne pas écraser des mollusques en marchant, tant la plage en est recouverte. On deviendra alors un *shunter*, contraction de *shell hunter*, littéralement « chasseur de coquillages ».

Si l'on parvient à dénicher quelques perles rares tel le mitre royal de Floride à la coquille longue et pointue, on trouvera d'avides collectionneurs prêts à offrir leur chemise contre ces trésors. Les murex, les patelles ou berniques, les buccins, les nautiles, les porcelaines et les tulipes sont plus communs. Afin de mettre un nom sur ses trouvailles, il est conseillé de se procurer une liste de coquillages (en vente partout sur l'île).

Le monde renversé des Koreshans

Pour se rendre dans l'île Captiva, il suffit de passer le pont, celui qui enjambe **Blind Pass**. C'est là, selon la légende, que José Gaspar cacha son butin et retint captives des jeunes filles — d'où le nom de l'île. La **South Seas Plantation**, dans le nord de l'île, possède des maisons de style polynésien, des courts de tennis, une marina...

La prochaine étape sur la route US 41 ramène au temps des pionniers. En 1894, le visionnaire Cyrus Reed Teed quittait Chicago et conduisait ses disciples à **Estero**. Selon lui, la Terre était une sphère creuse dont le soleil occupait le centre, la vie s'étant développée sur ses parois internes. Le village restauré de **Koreshan State Historic Site** illustre le mode de vie de sa communauté. On peut y voir la façon dont Teed s'y prit pour « prouver » le bien-fondé de sa théorie. Si le mouvement ne fit jamais souche, les descendants des disciples de Teed

Une des plages de sable de Sanibel Island.

continuent de publier *The American Eagle* (« l'aigle américain ») et *The Flaming Sword* (« l'épée flamboyante »), un journal et un magazine fondés par les Koreshans.

Vers Alligator Alley

La route SR 901 qui part de Sanibel et passe par **Fort Myers Beach** et **Bonita Beach** n'est pas une voie rapide, mais elle est très agréable. Elle mène à **Naples**, une petite ville proprette à la démographie galopante, qui ne cesse de s'étendre avec la création de nouvelles banlieues sur le front de mer, de parcs pour les mobile homes ou de quartiers entiers de condominiums (immeubles d'appartements en copropriété).

Naples est soigneusement ordonnée et ses avenues aboutissent aux superbes plages de **Gulf Beaches**. Ceux qui aiment l'atmosphère des vieilles gares pourront se promener dans le **Naples Depot** dont les salles et les wagons restaurés hébergent des boutiques.

En retrait de la route US 41, les vieux baraquements de pêcheurs d'**Old Marine Market Place** ont été transformés en boutiques d'artisanat. On pourra boire un verre au **Merriman's Wharf**, un bistrot populaire du front de mer où se retrouve la population locale. A l'ouest du centre-ville, sur Pine Ridge Road, le **Frannie's Teddy Bear Museum** ravira les amateurs de peluches.

Naples est une étape obligée sur la route des Everglades (cf. p. 187) et un bon point de départ pour découvrir Big Cypress Swamp (cf. p. 194). Un charmant parc naturel, sur Merrimue Drive, s'étend au bord de la **Gordon River**. C'est aussi à partir de Naples que la US 41, connue sous le nom de « Tamiami Trail » (contraction de Tampa et de Miami), se dirige vers l'ouest pour traverser les vastes étendues herbeuses. Construite dans les années 1920, par des terrassiers en proie à la fièvre jaune, la route traverse les territoires rocailleux des Indiens Miccosukee et les terres cultivées des **Redlands** avant de rejoindre Calle Ocho, dans le quartier cubain de Little Havana, à Miami.

Il existe une autre possibilité pour traverser les marais : l'**Alligator Alley**, une route à péage plus récente.

Dans le **Mile-O-Mud Track**, à l'ouest de l'aéroport de Naples, se déroule, tous les ans, le World Championship Swamp Buggy Races, une épreuve sportive très populaire. Sur la ligne de départ, de gros véhicules au moteur gonflé vrombissent dans des nuages de vapeur et s'enfoncent dans la boue.

Les aigles de l'île Marco

Marco Island a fait l'objet d'une lutte acharnée entre écologistes et promoteurs immobiliers séduits par la beauté du site. Ces derniers ont gagné la bataille, s'engageant à respecter l'environnement. Certains considèrent que l'aménagement de l'île est un modèle pour toute la Floride. Les promoteurs ont même construit des nids d'aigles à l'ombre des condominiums pour encourager les oiseaux à rester, preuve, selon eux, de leur désir sincère de respecter l'équilibre entre habitat moderne et habitat naturel.

Marco, à l'extrémité nord de l'île, et **Goodland**, à l'opposé, sont deux anciens villages qui rappellent la Floride d'autrefois. Des fouilles entreprises dans la région ont mis au jour des sculptures, des outils, des masques et des armes utilisés par les Indiens Calusa qui vécurent ici vers 500 av. J.-C.

Pour explorer la mangrove enchevêtrée que constituent les **Ten Thousand Islands**, au sud de Marco Island, un bateau est nécessaire. Certains îlots ne sont peuplés que de quelques arbres. Il est prudent d'être accompagné par un guide, car même des navigateurs chevronnés se sont perdus dans ce véritable dédale. La mangrove frange une partie de la lisière occidentale de l'**Everglades National Park**. A l'ouest de Marco Island, les 2600 ha de marécages encore vierges du **Collier-Seminole State Park** sont le fruit de la rencontre de Big Cypress Swamp et des Everglades. Canotage, camping et pêche y sont réglementés. **Everglades City** est l'ultime avant-poste de la civilisation.

La vie dorée de South Seas Plantation, dans l'île Captiva.

INFORMATIONS PRATIQUES

Attention, à partir du 18 octobre 1996, le 00 *remplacera le* 19 *pour les appels de la France vers l'étranger et les numéros de téléphone de France passeront à 10 chiffres, ceux de Paris commençant par* 01 *(toutefois, de l'étranger vers la France, on omettra le* 0*).*

PRÉPARATIFS ET FORMALITÉS DE DÉPART

Passeport et visa

Les touristes européens qui souhaitent se rendre aux États-Unis peuvent bénéficier d'une exemption de visa sous certaines conditions : être munis d'un passeport valide pendant toute la durée de leur séjour qui n'excédera pas 90 jours ; effectuer soit un voyage touristique, soit un voyage d'affaires ; arriver aux États-Unis par air ou par mer avec un billet aller et retour ou un billet à destination d'un pays non limitrophe (ce qui n'interdit pas de faire escale dans un pays voisin). Les touristes arrivant par la route en provenance du Canada ou du Mexique n'ont pas à présenter un billet aller et retour mais doivent prouver qu'ils disposent de ressources financières suffisantes pour séjourner dans le pays.

Les personnes qui ne bénéficient pas de l'exemption de visa doivent en obtenir un temporaire auprès des services consulaires américains de leur pays d'origine.

• Ambassades et consulats des États-Unis

En France
- Ambassade
2, rue Gabriel, 75008 Paris, tél. (1) 42 96 12 02
- Consulat
2, rue Saint-Florentin, 75382 Paris Cedex 08, tél. (1) 36 70 14 88

Ouvert du lundi au vendredi de 8 h 45 à 11 h. Fermé pendant les jours fériés français et américains. Le service des visas donne également des renseignements par téléphone de 14 h à 17 h au *(1) 42 96 14 88.*

En Belgique
- Ambassade
27, bd du Régent, 1000 Bruxelles, tél. (02) 513 38 38, fax : (02) 511 27 25
- Consulat
64-68, Franrijklei, 200, tél. (3) 232 18 00

Au Canada
- Ambassade
100, Wellington St, K1P 5T1, Ontario, tél. (613) 238 53 35
- Consulat
BP 65, bureau de poste Desjardins, Montréal, Québec, H5B 1G1, tél. (514) 281 18 86

En Suisse
- Ambassade
93-95, Jubilaumstrasse, 3005 Berne, tél. (31) 43 70 11
- Consulat
11, route Pregny, Genève-Cambesy, tél. (22) 799 02 11

Vaccination

Aucun vaccin n'est exigé.

Vêtements a emporter

Les vêtements légers et clairs sont de rigueur en Floride. Le short et la tenue de sport conviennent aussi bien dans les parcs d'attractions qu'en ville. Seule, Palm Beach a osé se démarquer du style de vie traditionnel en imposant une certaine élégance vestimentaire. L'hiver, on supporte aisément un lainage ou une veste ; l'été, un imperméable ou un parapluie peuvent être utiles.

Le soir, les tenues formelles ne sont pas indispensables excepté dans les stations balnéaires les plus chics. Les hommes opteront alors pour une chemise ouverte et une veste sport, les femmes pour une robe de cocktail.

Climat

Dans son livre *Cross Creek*, Marjorie Rawlings écrivait que les saisons en Floride s'installaient et changeaient sans qu'on les remarque. En effet, il est difficile de distinguer le printemps de l'été et de l'automne, lequel ne déploie pas de couleurs splendides comme dans l'hémisphère nord mais se glisse dans l'hiver subrepticement. Les températures baissent en hiver et surprennent parfois les touristes venus en tenue légère. Mais la neige et le gel sont si rares que leur apparition même timide paralyse les villes de Floride.

Janvier est le mois le plus frais (voir le tableau page suivante). Les baisses de température nocturne vont de 5 °C, à Tallahassee, à 19 °C, à Key West. Parfois, des températures inférieures amènent des gelées et menacent les récoltes de fruits et légumes. En raison des hivers doux, la plupart des maisons de Floride ne sont pas équipées de chauffage et les caprices de l'hiver au cours des dernières années (en 1977, Miami a vu tomber ses premiers flocons de neige) ont surpris les résidents.

En revanche, de juin à septembre, il peut faire une chaleur et une humidité suffocantes. Seules les villes du Nord profitent alors de fraîches brises de mer et de pluies d'orage quotidiennes. Les hausses moyennes de la journée, pendant la canicule, oscillent entre 30 et 33 °C et varient peu entre les régions du Nord et du Sud. La nuit, les températures tiédissent entre 21 °C et 26 °C.

Températures moyennes en degrés Celsius

Mois	Nord-Ouest	Nord	Centre Nord	Centre Sud
Janvier	11	11,8	15,5	16,5
Février	12	13	16	17,2
Mars	15,6	16,7	18	29,6
Avril	20	20,7	21,3	22,4
Mai	23	24	23,9	24,6
Juin	26	26,7	27,2	26,9
Juillet	27	27,2	27,8	27,9
Août	27	27,2	27,7	27,5
Septembre	25	26,1	26,7	26,8
Octobre	20,7	21,8	23	23,9
Novembre	15	16,8	18,8	19,9
Décembre	11,7	13,5	15,9	17,2
Annuelle	19,7	20,7	21,9	22,9

Mois	Sud-Est Everglades	Côte Est intérieure	Keys
Janvier	18	18,9	21,6
Février	18,6	19,6	22
Mars	20,6	21,2	23,6
Avril	22,9	23,5	25,6
Mai	25	23,2	27,1
Juin	26,7	28,3	28,5
Juillet	27,8	27,2	29
Août	28	27,9	29
Septembre	27,5	27,2	28,3
Octobre	24,9	25,2	26,5
Novembre	21,2	21,7	23,9
Décembre	18,5	19,8	21,9
Annuelle	23,4	23,8	25,7

• Précipitations

Les mois les plus chauds en Floride sont aussi les plus pluvieux. Et les orages se déclarent chaque jour si régulièrement qu'ils sont presque rituels. Le sud de l'État connaît des pluies quasi régulières en juin et juillet. Les Everglades reçoivent 22,5 cm d'eau, en moyenne, en juin. Par opposition à d'autres parties des États-Unis, les précipitations sont basses en novembre et en décembre (5 cm en moyenne dans tout l'État).

La Floride mérite si bien son titre de *Sunshine State* («État du Soleil») que, depuis 1910, le *Saint Petersburg Evening Independent* distribue son journal gratuitement le jour qui suit une journée sans soleil. Il n'a été offert que 3,7 exemplaires en moyenne par an et on a déjà pu enregistrer 765 jours de soleil d'affilée.

• Mauvais temps

La foudre est un des phénomènes naturels les plus effrayants et l'un des plus dangereux en Floride. Elle y fait approximativement 11 morts et 25 blessés chaque année. Fort Myers est touché par la foudre environ 100 jours par an, Tampa 90 et Miami 76.

Ce phénomène est provoqué par l'air chaud et humide à proximité du sol et par les conditions atmosphériques instables qui prédominent de mai à septembre. L'air proche du sol se réchauffe, s'élève et commence à se refroidir. Des gouttelettes d'eau forment des nuages sombres et menaçants. L'air monte et descend si rapidement qu'il fait éclater les gouttelettes d'eau dans les nuages en provoquant une étincelle. L'étincelle saute de nuage en nuage ou du nuage au sol en passant à travers l'air si rapidement qu'un coup de tonnerre éclate.

Il est recommandé de s'abriter dès que l'on observe des nuages sombres ou des éclairs. De nombreuses victimes de la foudre ont été tuées en rejoignant ou en quittant leur véhicule, leur domicile ou un magasin. Les navigateurs doivent se diriger vers le mouillage le plus proche. Si la foudre ne les atteint pas, les vagues qui se forment pendant les orages peuvent être redoutables.

DE LA PERTUBATION A L'OURAGAN

• Évolution

Perturbation. Cette phase du développement d'un ouragan ne connaît pas de vents forts. Des tourbillons de vent faibles dans le sens inverse de celui des aiguilles d'une montre sont parfois observés. De telles perturbations sont courantes sous les Tropiques pendant les mois d'été.

Dépressions. Un phénomène de basses pressions faibles se développe et la rotation de l'air dans le sens inverse des aiguilles d'une montre s'accroît pour atteindre des vitesses de 60 km/h.

Tempête. A ce stade, le phénomène de basses pressions a donné naissance à des vents de 60 à 115 km/h qui peuvent être accompagnés de pluies importantes.

Ouragan. Le phénomène de basses pressions s'est intensifié à tel point que des vents forts de plus de 120 km/h tourbillonnent dans le sens inverse des aiguilles d'une montre autour d'une zone de calme appelée l'œil. De grosses marées de plus de 4,5 m au-dessus de la normale se forment et peuvent atteindre 1,80 m en quelques minutes.

L'ouragan est un phénomène encore plus destructeur que la foudre et assez courant en Floride et dans les autres États du golfe du Mexique.

Habituellement, ils se forment de juin à octobre. En 1955, l'ouragan Alice fit exception à la règle en se développant au large de la côte sud-est de la Floride en janvier, ce qui est extrêmement rare. En une année, le nombre des ouragans varie de deux à vingt, mais beaucoup n'atteignent pas la Floride. Le National Hurricane Center de Miami les repère grâce à un système de détection radar perfectionné, à des satellites et des avions de reconnaissance et si l'un d'eux se dirige vers le sol ou si des vents, de la pluie ou une montée d'eaux menacent la Floride ou d'autres États côtiers, il donne l'ordre d'évacuer.

Il se passe rarement une année sans que les Caraïbes ou le golfe, de la Floride au Mexique, ne soient touchés par un ouragan ou ses effets. En 1992, Andrew a été particulièrement dévastateur. En 1979, David a tué 900 personnes en République dominicaine, 16 aux États-Unis et environ 1 100 dans les Caraïbes. La tempête la plus forte du Golfe, le Labor Day Hurricane de 1935, entoura les Keys de Floride et détruisit l'Overseas Railroad — la voie ferrée qu'avait fait construire Henry Flagler — avec des vents allant jusqu'à 400 km/h.

Un ouragan se forme à un moment où le vent se heurte à une zone de basses pressions et se met à tourbillonner. Il commence par être une perturbation, devient une dépression et n'est vraiment un ouragan que lorsque les vents atteignent 118 km/h. La taille de ses tourbillons peut varier de 96 km de diamètre jusqu'à plus de 1 500 km de largeur. Sa forme et son trajet sont difficiles à prévoir. Des ouragans que l'on croyait passés ressurgissent après s'être déplacés vers la mer.

La durée de vie de ces phénomènes est de 8 à 10 jours. Ils commencent à perdre de leur force quand ils s'éloignent trop de la terre ou lorsqu'ils passent au-dessus d'eaux plus froides au nord, où les vents tropicaux ne peuvent plus les alimenter. Le littoral est et sud-est de la Floride y est plus vulnérable en août et au début de septembre. Fin septembre et en octobre, des mouvements d'air se déplacent traditionnellement vers les Caraïbes et menacent les Keys, la côte occidentale et le Panhandle.

Le National Weather Service, qui donnait autrefois des noms exclusivement féminins aux ouragans — imitant en cela les soldats de la Seconde Guerre mondiale qui, dans le Pacifique, baptisaient les tempêtes du nom de leurs fiancées —, adopta en 1979 une règle d'alternance de prénoms masculins et féminins.

Les résidents de Floride connaissent par cœur les précautions à prendre à l'approche d'un ouragan. Les journaux publient des suppléments sur le sujet au début de chaque saison. La plupart des localités du littoral font paraître des plans et des itinéraires d'évacuation. De nombreux autochtones reportent la trajectoire des ouragans sur des tableaux spéciaux fournis par la presse, la radio ou la télévision. Ce tracé est même reproduit sur des sacs publicitaires.

Inutile de dire que les touristes se trouvant en Floride pendant un ouragan doivent renoncer aux plaisirs de la plage et aux visites de la région.

• Consignes de sécurité

Annonce d'un ouragan. Lorsque le National Hurricane Center de Miami a établi qu'un ouragan pouvait menacer la région dans les prochaines vingt-quatre heures, il lance le signal *Hurricane watch*. Tout en écoutant les informations données par la radio et la télévision, c'est le moment de prendre les dernières précautions :

– Vérifier la batterie de sa voiture, les niveaux d'eau, d'huile et faire le plein.
– S'assurer que l'on dispose de piles pour alimenter radio et lampe électrique.
– Rassembler des récipients pour stocker de l'eau potable. Faire provision des médicaments dont on a impérativement besoin.
– Veiller à la sécurité des animaux domestiques car ils ne sont pas admis dans les abris publics.
– Constituer une trousse de survie comprenant des aliments non périssables (et un ouvre-boîtes manuel), de l'eau (2 l par personne et par jour), des ustensiles de cuisine, une trousse de toilette, des sacs de couchage, quelques vêtements de rechange, une glacière et des glaçons, une trousse médicale pour des soins de première urgence.

Avis d'ouragan. Il est émis quand la tempête a atteint des vents d'au moins 120 km/h et quand un grossissement des eaux est attendu dans les 24 heures. Il faut alors se tenir prêt à quitter sa maison ou son hôtel, même si le temps n'est pas particulièrement menaçant au moment de l'avis.

– Débarrasser le jardin de tout ce qui n'est pas fixe comme le mobilier de jardin, la poubelle, les vélos, etc.

– Mettre son bateau en sécurité tout en sachant que la plupart des ponts élévateurs et tournants ne fonctionnent plus après qu'un ordre d'évacuation a été donné.
– Protéger sa maison, ses fenêtres en tendant des bâches. Fermer le gaz et l'eau, disjoncter le compteur d'électricité, entrouvrir une fenêtre, emporter les documents importants et veiller à ce que la piscine soit pleine après avoir ajouté à l'eau une bonne dose de chlore.
– Rassembler l'équipement nécessaire dans l'abri ou dans la maison, si l'on peut y rester.
– Se préparer à évacuer les lieux dès que l'ordre en sera donné. La plupart des localités du littoral ont mis au point des plans d'évacuation précis. Les itinéraires d'évacuation sont signalisés sur les routes principales de ces régions. Pour plus de détails, contacter les autorités de défense civile ou d'assistance en cas d'ouragan.

Pendant la tempête. Il faut impérativement rester à l'abri dès que l'ouragan commence à sévir. On peut observer une accalmie temporaire du vent et de la pluie lorsqu'on se trouve sur la trajectoire de l'œil. Cette accalmie, qui dure une demi-heure ou plus, ne signifie pas que l'ouragan est passé, bien au contraire. L'ouragan se reforme, parfois avec une force accrue, et emprunte une nouvelle direction. On ne peut quitter sa maison qu'à l'annonce du bulletin officiel.

Ordre d'évacuation. Suivre aussi rapidement que possible les instructions et les itinéraires tracés. Emporter avec soi le strict nécessaire : couvertures, torche, vêtements, médicaments, tout ce qu'il faut pour les enfants et des chaises pliantes légères. N'emporter ni alcool, ni animaux domestiques, ni armes, ni provisions supplémentaires.

Lames de fond. Quatre-vingt-dix pour cent des morts dues à un ouragan sont la conséquence directe d'une lame de fond. Celle-ci se produit quand une masse d'eau, qui peut atteindre 80 km de large, balaie le littoral près d'une région dans laquelle l'œil a atteint le rivage. Elle est provoquée par une baisse extrême de la pression barométrique et par la force des vents exerçant une poussée sur les eaux. L'effet de martèlement des vagues brisées et de la lame agit comme une force irrésistible qui écrase tout sur son passage.

Après la tempête. Regagner prudemment son domicile dès qu'on en a reçu l'autorisation. Certaines rues sont encombrées de détritus, les routes du littoral peuvent s'effondrer si la terre a été détrempée sous la chaussée. Éviter de faire du tourisme pour ne pas être confondu avec des pilleurs. Faire attention aux fils électriques tombés ou pendants. Écouter la radio pour connaître les consignes en cas d'urgences médicales ou d'assistance (nourriture, logement).

SE RENDRE EN FLORIDE

EN AVION

La plupart des compagnies aériennes américaines (American Pan American, National, United, Continental, TWA, Delta, Eastern, Republic, Northwest Orient, Braniff, Ozark, Piedmont et Western) assurent des vols réguliers vers les quatre grands aéroports de l'État de Floride : Miami International Airport, Tampa International Airport, Orlando International Airport et Fort Lauderdale-Hollywood Airport.

De nombreuses compagnies aériennes internationales desservent également la Floride. C'est le cas d'Air France, KLM Royal Dutch Airlines, Air Canada et British Airways. A titre d'exemple, Air France assure des vols quotidiens directs vers Miami et propose pour cette destination des tarifs vacances pour un séjour de 14 jours minimum.

• Compagnies aériennes

American Airlines
– 109, rue du faubourg Saint-Honoré, 75008 Paris, tél. (1) 42 89 05 22
tél. vert (1) 05 23 00 35
– 98, rue du Trône, 1050 Bruxelles, Belgique, tél. (02) 508 77 00
– Lintheschergrasse, 15, CH-8001 Zurich, Suisse, tél. (11) 221 31 10

Air France
74, boulevard Auguste-Blanqui, 75013 Paris, tél. (1) 44 08 22 22

British Airways
12, rue de Castiglione, 75001 Paris, tél. (1) 47 78 14 14

• Tour-opérateurs

Les voyagistes proposent un certain nombre de réductions, de vols charters et de forfaits intéressants. Voici quelques adresses de tour-opérateurs qui assurent toute l'année des vols à destination de Miami et, parfois, d'Orlando :

Access Voyages
6, rue Pierre-Lescot, 75001 Paris, tél. (1) 42 21 46 94

Go Voyages
22, rue de l'Arcade, 75008 Paris,
tél. (1) 42 66 18 18
Inter Chart'Air
32, rue du 4-Septembre, 75002 Paris,
tél. (1) 42 66 42 44

En bateau

Les touristes en provenance des Caraïbes ou d'Amérique du Sud n'auront aucune difficulté à rejoindre la Floride par la mer en empruntant l'un des bateaux de croisière qui desservent les nombreux ports de l'État. Chaque année, plus de 2 millions de voyageurs arrivent en Floride par le port de Miami.

En train

Amtrak propose des liaisons ferroviaires lentes mais confortables vers de nombreuses villes de Floride à partir du Middle West américain, du nord-est, du sud ainsi que des correspondances depuis les localités de l'ouest.

Les gares d'Amtrak se trouvent à Jacksonville, Kissimmee, Lakeland, Ocala, Orlando, Sanford, Sebring, Winter Haven, Winter Park, Tampa, Delray Beach, Deerfield Beach, Fort Lauderdale, Hollywood, Miami et West Palm Beach.

Amtrak propose également un service train-auto au départ de Lorton, Virginia (près de Washington, DC), en direction de Sanford, près d'Orlando.

Amtrak
Tél. (800) 872 72 45
Numéro d'appel gratuit pour tout savoir sur les services ferroviaires à destination de la Floride.

En bus

Les grandes compagnies, Greyhound et Trailways, assurent des liaisons routières vers la Floride et entre les différentes villes de l'État. Des compagnies plus modestes, Arrow Line et Florida Tour Lines, proposent des circuits en autocar à travers les États-Unis, y compris la Floride.

Les gares routières se trouvent généralement dans les quartiers les plus défavorisés et les plus dangereux des villes et elles sont mal desservies par les taxis. Il convient donc d'être très prudent, surtout lorsqu'on est seul et à pied.

A L'ARRIVÉE

Douanes

Les voyageurs étrangers doivent déclarer en douane tout ce qu'ils importent aux États-Unis, y compris les cadeaux. Pour cela, ils rempliront le formulaire de déclaration qui leur sera remis à bord de l'avion ou du bateau.

Les non-résidents sont autorisés à importer sans acquitter de droits de douane : 1 l de vin ou d'alcool (à condition d'être âgé de plus de 21 ans) ; 200 cigarettes ou 50 cigares ou 2 kg de tabac (un supplément de 100 cigarettes est autorisé à titre de cadeau) ; des cadeaux dont la valeur totale ne dépasse pas 100 $.

Il est interdit d'importer de la viande et de la charcuterie, des produits végétaux, des graines, certains médicaments (se munir d'une ordonnance rédigée en anglais si besoin est), des objets dangereux. Cependant, il existe des formulaires de déclaration spéciaux pour les armes à feu, les médicaments interdits, les aliments, les plantes, les animaux et les boissons alcoolisées. Certains de ces produits sont soumis à la quarantaine. Les ambassades et les consulats fournissent des renseignements plus complets.

Un certificat de vaccination antirabique de plus d'un mois et de moins d'un an est requis pour les chiens et les chats.

Aucune limite n'est imposée pour l'importation et l'exportation de devises sous quelque forme que ce soit. Cependant, il faut déclarer les sommes supérieures à 10 000 $.

• **Importation de véhicule**
A condition qu'il soit destiné à un usage personnel et qu'il soit importé au moment de l'arrivée de son propriétaire, un véhicule n'est pas taxé en entrant sur le territoire américain. La durée de son séjour est illimitée.

Les automobilistes des pays qui ont ratifié la convention sur le trafic routier de 1949 peuvent conduire aux États-Unis pendant un an en apposant sur leur véhicule une plaque indiquant leur numéro de permis de conduire ainsi qu'un macaron symbolisant leur pays d'origine.

Monnaie et change

L'unité monétaire américaine est le dollar ($ ou $US). Il n'est pas toujours facile de changer des devises étrangères en Floride, aussi est-il conseillé de se munir de chèques de voyage en dollars américains. Toutefois, pour faire face à l'afflux croissant de touristes étrangers, certaines banques (Century, Southeast et Sun Bank) et quelques grands magasins (Burdines) ont ouvert des bureaux de change.

Bureau de change Thomas Cook
1 Bayfront Plaza, 155 S E 3rd Ave., Miami

Le paiement par carte de crédit est très répandu. Les cartes les plus utilisées sont l'American Express, la Visa Internationale, l'Eurocard et la Mastercard.

TRANSPORTS DEPUIS L'AÉROPORT

L'aéroport international de Miami n'est qu'à 12 km du centre-ville. Il est desservi par des taxis et par un service de navettes Super Shuttle, signalées dans l'aéroport par des panneaux jaunes. Il faut savoir que le trajet coûte deux fois moins cher en navette qu'en taxi.

Ces navettes assurent également le retour à l'aéroport. Elles passent prendre leurs clients à leur domicile pour peu qu'ils en aient fait la réservation 24 heures à l'avance en téléphonant au *(305) 871 17 00*.

A SAVOIR SUR PLACE

DÉCALAGE HORAIRE

La majeure partie de la Floride dépend de l'Eastern Standard Time Zone, soit 5 heures de moins que l'heure GMT. L'ouest du Panhandle, à l'ouest de l'Apalachicola River, se trouve dans la Central Standard Time Zone, soit 6 heures de moins que l'heure GMT. Quand il est 12 h à Miami, il est 18 h à Paris.

POIDS ET MESURES

Bien que les États-Unis soient passés au système métrique, les anciennes mesures sont toujours en usage. Les distances se calculent en *inch* (2,54 cm), *foot* (30,38 cm), *yard* (91,44 cm), *mile* (1 609 cm) et *acre* (0,4 ha). Une *ounce* équivaut à 28,35 g, un *pound* à 453 g, une *pint* à 0,47 l, un *quart* à 0,94 l et un *gallon* à 3,78 l.

COURANT ÉLECTRIQUE

La Floride est alimentée en 110 volts. Les prises électriques américaines sont plates et nécessitent des adaptateurs, introuvables sur place.

HEURES D'OUVERTURE

Les magasins sont généralement ouverts tous les jours de 9 h à 18 h au plus tôt, 23 h au plus tard. Les pharmacies (drugstores) ouvrent à partir de 8 h ou 9 h et ferment entre 21 h et minuit. La plupart des grandes villes comptent au moins une pharmacie ouverte 24 h sur 24.

Les horaires d'ouverture des bureaux de poste varient selon l'importance de la ville dans laquelle ils se trouvent. Les banques sont généralement fermées le samedi après-midi et le dimanche.

Se renseigner auprès des réceptionnistes d'hôtel et des offices de tourisme locaux pour obtenir plus de précisions.

JOURS FÉRIÉS

1er janvier : Nouvel An
15 janvier : anniversaire de Martin Luther King
3e lundi de février : President's Day
Dernier lundi de mai : Memorial Day, en souvenir des soldats disparus
4 juillet : Independence Day, fête nationale
1er lundi de septembre : Labor Day
2e lundi d'octobre : Columbus Day, en hommage à Christophe Colomb
11 novembre : Veterans Day
4e jeudi de novembre : Thanksgiving
25 décembre : Noël

Les bureaux gouvernementaux, locaux et fédéraux, les banques et les commerces sont souvent fermés durant ces jours fériés.

POSTES ET TÉLÉCOMMUNICATIONS

L'affranchissement d'une carte postale à destination de l'Europe est de 0,50 $. Il est conseillé d'acheter les timbres dans les bureaux de poste, les distributeurs publics les vendent plus cher.

Les postes principales des grandes villes (Main Post Office) assurent un service de poste restante : General Delivery.

• Télégrammes
Western Union et International Telephone and Telegraph (ITT) prennent les messages télégraphiés et télexés par téléphone. Consulter l'annuaire téléphonique local ou appeler les renseignements pour obtenir les numéros gratuits de leurs bureaux.

• Téléphone
Des téléphones publics sont installés un peu partout dans les halls d'hôtel, les magasins,

les restaurants, les garages, au bord des routes... Un appel local coûte 25 cents. Le coût des communications longue distance diminue pendant le week-end ou les jours fériés et, en temps normal, après 17 h et plus encore après 23 h. Les numéros d'appel gratuit, très utilisés aux États-Unis, ont pour indicatif *800*.

Pour téléphoner de Floride
011 (international) + indicatif du pays (Belgique, *32* ; France, *33* ; Suisse, *41*) + numéro du correspondant

Pour téléphoner de France en Floride
(19) + (1) + (indicatif régional) + numéro du correspondant

Les indicatifs régionaux sont les suivants: Sud-Est, *305;* Sud-Ouest et côte centrale Ouest, *813;* Centre et côte centrale Est, *407;* Nord-Est et Nord-Ouest, *904*.

POURBOIRES

Le pourboire est d'usage en Floride. Il convient de donner 1 $ par bagage au porteur de l'aéroport ou au chasseur d'hôtel. Le portier chargé de garer une voiture recevra 0,50 $. Les femmes de chambre attendent un geste des clients qui séjournent plusieurs jours dans leur hôtel.

Les chauffeurs de taxi reçoivent habituellement 15 à 20 % du prix de la course.

Le service n'est que très rarement compris dans les hôtels et les restaurants. Il est d'usage de donner un pourboire correspondant à 15 ou 20 % de la note au serveur. On ne laisse rien dans les cafétérias où l'on se sert soi-même.

Si l'on paie avec une carte, le montant affiché est hors service. Une case permet de donner le pourboire que l'on veut et de faire le total qui sera débité.

MÉDIAS

Chaque région de Floride compte plusieurs quotidiens locaux. Il existe plus de 125 hebdomadaires (certains en espagnol comme *El Imparcial* et *El Noticiero*). Le *Miami Herald* publie quelques pages en espagnol.

• Télévision
Toutes les grandes villes de Floride ont des stations de télévision affiliées aux réseaux nationaux, des stations locales et un large éventail de liaisons de télévision câblées. Pour connaître les programmes de télévision et de radio, on peut consulter les journaux locaux.

RÉGLEMENTATION SUR L'ALCOOL

En Floride, l'âge légal pour consommer de l'alcool est 21 ans, sauf pour le personnel militaire actif. L'alcool est vendu à la bouteille dans des magasins de détail spéciaux. Il est moins imposé donc moins cher dans le Sud que dans les États du Nord. Les magasins de détail ne sont pas autorisés à vendre de l'alcool le dimanche avant 13 h. La conduite en état d'ivresse peut mener en prison pour quelques heures.

SANTÉ ET URGENCES

Aux États-Unis, les frais de santé, relativement élevés, sont à la charge du malade. Les touristes étrangers ont donc vivement intérêt à souscrire une assurance personnelle qui les remboursera en cas de maladie, d'accident, d'hospitalisation ou de rapatriement.

• Coups de soleil
L'ardeur du soleil, la clarté de la mer et la blancheur du sable provoquent rapidement brûlures et insolations. Il est donc sage de s'exposer progressivement et d'utiliser des crèmes protectrices même quand le ciel est couvert, les rayons ultraviolets traversant les nuages.

• Insectes
Les bibionidés, ces insectes qui volent en groupe, se lancent contre le pare-brise ou le visage, se perdent dans les cheveux, mais qui ne piquent pas portent le surnom de *love bugs* en Floride. Ils provoquent parfois des dommages lors de leurs périodes d'éclosion, en mai et en septembre, notamment dans les régions humides et boisées où ils peuvent former de véritables nuages qui obligent les automobilistes à s'arrêter radiateur obstrué, pare-brise couvert d'insectes.

La Floride est réputée pour ses hordes de moustiques. Les grandes villes leur livrent une lutte acharnée et elles ont effectivement réussi à réduire leur activité. Dans les régions boisées comme les Everglades, les crèmes anti-moustiques sont indispensables.

Les petites fourmis rouges des prairies provoquent des piqûres douloureuses et brûlantes qui laissent des marques rougeâtres pouvant se transformer en cloques. Il ne faut pas gratter pour éviter de les infecter. Certaines personnes peuvent faire une réaction allergique (troubles respiratoires, nausées, vertiges) à ces piqûres. Il faut alors consulter un médecin.

Certains visiteurs seront désagréablement surpris par les cafards des régions tropicales ou subtropicales dont la taille est nettement supérieure à celle de leurs cousins des pays froids. S'ils grignotent les reliures des livres, le tissu, le papier et les ordures, ils évitent l'homme. Les services sanitaires et une hygiène scrupuleuse dans la maison contribuent à lutter contre ces parasites mais il est rare qu'ils soient éradiqués.

Les mouches de sable s'attaquent à ceux qui fréquentent la plage au crépuscule. On les sent plus qu'on ne les voit dès qu'on enfouit les pieds dans le sable. Il faut employer une crème anti-insectes pour calmer les démangeaisons.

• Marée rouge

Cette « maladie de la mer » est provoquée par un micro-organisme appelé *Gymnodinium brevis,* ou *Jim Brevis*, toujours présent en petites quantités dans les eaux du golfe du Mexique. Il devient mortel pour les poissons et d'autres formes de vie marine dès qu'il prolifère. Les eaux du littoral deviennent alors brun-rouge et des milliers de poissons sont rejetés sur le rivage. Après quelques heures sous le soleil ardent, l'odeur qui se dégage de la plage devient intolérable.

• Urgences

En Floride, excepté quelques villes qui ont opté pour le numéro d'urgence unique (le *911* pour contacter police, pompiers et ambulances), le système de centralisation des appels d'urgence n'est pas encore très développé et il existe autant de numéros de téléphone pour la police, les pompiers et les ambulances que de villes. Ces numéros figurent sur les annuaires téléphoniques locaux, à l'envers de la couverture et sur une page jaune détachable.

En cas d'urgence, où que l'on soit, on peut composer le *0*, préciser la nature de l'urgence, donner son nom et son adresse. Si l'opérateur ne peut apporter lui-même une aide, il avertira les services concernés. Voici les coordonnées des services d'urgence de quelques villes de Floride :

Miami

Urgences police et pompiers : *911*
SOS 24 h/24, 7/7 : *(305) 358 43 57*
SOS pharmacies : *(305) 893 68 60*
Miami standard 24 h/24 : *(305) 358 43 57*
Centre antipoison : *(800) 282 31 71*
Hôpital Jackson Memorial : *(305) 325 64 87*
Shérif : *(305) 595 62 63*
Surveillance routière : *(305) 325 36 06*
Gardes-côtes : *(305) 536 56 11*
Météo : *(305) 661 50 65*
Patrouille maritime : *(305) 475 74 00*

Saint Petersburg

Urgences pompiers et police : *911*
Centre antipoison : *(800) 282 31 71*
Shérif : *911*
Surveillance routière : *911*
Gardes-côtes : *(813) 896 61 87*
Patrouille maritime : *(813) 893 22 21*

Tampa

Urgences pompiers et police : *911*
Centre antipoison : *(813) 253 44 44*
Pharmacie de garde : *(813) 978 07 75*
Tampa General Hospital : *(813) 251 71 00*
Ambulance : *(813) 681 44 22*
Shérif : *(813) 224 99 11*
Surveillance : *(813) 272 22 11*
Patrouille maritime : *(813) 272 25 16*

Orlando

Urgences pompiers et police : *911*
Pharmacie de garde: *(407) 896 11 66*
Hôpital Sand Lake : *(407) 351 85 00*
Shérif (urgences seulement) : *(407) 841 14 00*
Surveillance routière : *(407) 423 64 00*
Patrouille maritime (Titusville) : *1 267 40 21*

Jacksonville

Urgences pompiers : *(904) 633 22 11*
Urgences police : *(904) 633 41 11*
Urgences ambulances : *(904) 633 22 11*
Shérif (urgences) : *(904) 633 41 11*
Surveillance routière : *(904) 355 99 81*
Gardes-côtes : *(904) 246 73 41*
Patrouille maritime (24 h/24) : *(904) 359 65 80*

Fort Lauderdale

Urgences pompiers et police : *911*
Centre antipoison : *(800) 282 31 71*
Pharmacie de garde : *(305) 525 81 73*
Hôpital Holy Cross : *(305) 771 80 00*
Gardes-côtes : *(305) 927 16 11*
Patrouille maritime : *(305) 467 45 41*

COMMENT SE DÉPLACER

EN AVION

Les villes les plus importantes de Floride sont desservies par les grandes compagnies aériennes américaines représentées dans l'État.

Piemont, le principal transporteur aérien de Floride, et de petites compagnies privées de charters et d'avions-taxis desservent toutes les villes de Floride, même les plus isolées.

Le prix du billet croît en fonction de la date de réservation : 2 semaines, 1 semaine, 3 jours à l'avance. Un billet acheté le jour du départ coûte très cher. Les agences de voyages locales fournissent les informations nécessaires et assurent les réservations.

En train

Bien qu'elles soient relativement lentes, les liaisons ferroviaires sont nombreuses en Floride. Amtrak propose d'intéressants forfaits valables 45 jours pour un kilométrage illimité.

Amtrak
19, rue du Mont-Thabor, 75001 Paris, tél. (1) 44 77 30 16

En bateau

Les plaisanciers auront le choix entre les croisières en mer faisant escale dans les villes du littoral et la navigation le long des canaux de l'Intracoastal Waterway qui est équipé de marinas offrant des mouillages et d'excellents équipements.

De nombreuses compagnies maritimes organisent des croisières de courte durée ou plus simplement des dîners sur les chenaux et en mer. La compagnie Costa Cruises propose une petite croisière de Port Everglades à Fort Lauderdale.

Chaque année, en juin, à Kissimmee, a lieu la Kissimmee Boat-A-Cade, la plus ancienne croisière américaine. Une impressionnante caravane de bateaux part sur le lac Tohopekaliga et serpente pendant 9 jours à travers des régions pittoresques de Floride. Banquets, barbecues et autres activités de marins d'eau douce sont prévues aux escales sur la Cade Route. Une croisière plus courte (3 jours), la Boating Jamboree Kissimmee, emprunte l'itinéraire inverse en octobre. Des activités champêtres sont prévues aux différentes escales.

Department of Natural Resources
Crown Building, Tallahassee 32304
Renseignements concernant la navigation sur l'Intracoastal Waterway.

Kissimmee Boat-A-Cade
Box 1855, Kissimmee, tél. (305) 847 56 62
Croisières Boat-A-Cade et Boating Jamboree.

Jungle Queen Cruises
State Route A1A, Fort Lauderdale Beach, tél. (305) 566 55 33
Départs quotidiens à 10 h et à 14 h depuis Bahia Mar Yacht Center pour des croisières de 3 heures dans les Everglades. Croisières nocturnes avec barbecue et dégustation de crevettes à 19 h.

Paddlewheel Queen
2950 N E 32nd Ave., Fort Lauderdale, tél. (305) 564 76 59
Croisières de 3 heures sur l'Intracoastal Waterway (départ à 14 h). Dîners-croisières les mardis, jeudis, vendredis et samedis à 19 h 30.

La Floride est un excellent point de départ pour découvrir les Bahamas, les Caraïbes et même les grands ports d'Amérique du Sud. Miami est reliée aux Bahamas par le *Dolphin* des Croisières Paquet, l'Ulysses et le SS Emerald Seas d'Eastern Steamship Lines, Inc. et les bateaux de la compagnie Costa Cruises qui effectuent des croisières de 3 ou 4 jours.

Le *Carnivale*, le *Festivale* et le *Mardi-Gras* de la compagnie Carnival Cruise Lines opèrent entre le port de Miami et les Bahamas, la République dominicaine, les îles Vierges américaines et Puerto Rico. Ces bateaux disposent d'un bon choix de cabines et d'un casino. Norwegian Caribbean Lines propose des croisières de 3, 4 et 7 jours vers les Bahamas et d'autres destinations des Caraïbes. Les croisières Bahamarama, qui font escale à Nassau et Freeport, sont les plus attrayantes.

La compagnie maritime Holland America Cruises propose de grandes croisières de 9, 10, 11, 12 et 14 jours dont les escales sont Antigua, Aruba, les Bahamas, les Barbades, Bonaire, Curaçao, la République dominicaine, la Guadeloupe, Haïti, la Martinique, Montserrat, Puerto Rico, Saint John, Saint Martin, Saint Thomas et le Venezuela. Cette compagnie organise aussi une croisière à destination de Dodge Island.

En autocar

Les compagnies Grey Lines, Greyhound, Trailways et Gulf Coast Motor Lines assurent des liaisons entre les différentes villes de l'État. La compagnie Gray Line est plus spécialisée dans le circuit d'excursions à l'intérieur de la Floride.

Il faut rappeler que les gares routières sont généralement situées dans les quartiers les moins sûrs des villes et qu'elles sont mal desservies par les taxis.

En voiture

L'automobile est sans doute le meilleur mode de transport pour parcourir la Floride. D'une part, comparée au train ou à l'autocar, lents et contraignants par leurs horaires et leurs itinéraires, elle offre une totale liberté. D'autre part, le réseau routier est excellent et les tarifs de location de voiture presque aussi bon marché que l'essence.

La Floride est traversée sur un axe nord-sud par les voies Interstates 95 (I-95) et 75 (I-75). La première suit la côte est de la Floride de Jacksonville à Miami, la seconde passe par Lake City et rejoint Tampa où elle longe la côte occidentale jusqu'à Naples. Ces deux Interstates sont reliées entre elles par des axes est-ouest. La voie express 10 dessert le nord de l'État d'est en ouest, de Jacksonville à Pensacola.

Le *Florida Turnpike*, autoroute à péage de Floride, amorce sa percée sud-ouest par la portion médiane partant de la I-75 près de Wildwood et s'achève à Florida City au sud de Miami. L'autre grande voie de communication soumise à un péage, l'*Interstate* 4 (I-4), relie Tampa à Daytona Beach et dessert Disney World, Circus World, Sea World et bien d'autres lieux d'attractions du centre de la Floride.

Les stations-service ne sont jamais installées sur les grands axes mais après leurs sorties, sur les routes secondaires. Les automobilistes ne manqueront pas de s'arrêter dans les Welcome Stations où on leur offrira des jus d'orange et où ils pourront obtenir quantité d'informations. La station principale se trouve sur l'I-75, près de Jennings. Il en existe une au niveau de Havana sur l'US 27, une à hauteur de Pensacola sur l'US 90, une près de Yulee sur l'US 17, une encore à Hilliard, à l'intersection de l'US 1301 et de l'US 23, une enfin sur la County Road 688 à la hauteur de l'I-275 près de l'aéroport international de Saint Petersburg-Clearwater.

Les conducteurs doivent respecter le code de la route en vigueur en Floride. La conduite s'effectue à droite. La police contrôle fréquemment les limitations de vitesse : 55 miles sur la plupart des routes ; 65 miles sur l'Interstate 95. En ville, il est interdit de stationner sur les trottoirs, près des carrefours, des bouches d'incendie et dans les Tow Away Zones. Les fourrières sont très efficaces. De plus, il faut éviter les quartiers les moins sûrs. A Miami, à plusieurs reprises, des automobilistes perdus ont fait l'objet d'agressions.

La Division of Tourism édite et envoie sur demande une brochure d'informations destinée aux conducteurs, *Florida Driver Information.*

Division of Tourism
Direct Mail Section
107 W Gaines St, 32304 Tallahassee

• Cartes routières

Les meilleures cartes routières sont celles qu'édite le Florida Department of Commerce (*Collins Building, Tallahassee 32304*). On trouve de bonnes cartes routières et des plans détaillés de ville dans toutes les stations-service.

• Location de voitures

Il est facile et relativement économique de louer une voiture en Floride. Les grandes sociétés de location (Hertz, Avis, Budget et National) possèdent des agences dans les aéroports internationaux ou nationaux et dans la plupart des centres touristiques. Les petites agences situées en ville proposent souvent des contrats plus intéressants que les grandes agences des aéroports. Il ne faut pas hésiter à comparer les tarifs et les conditions de location. Dans tous les cas, il faut vérifier les clauses d'assurance avant de s'engager. La responsabilité n'est pas systématiquement incluse dans les termes du contrat et les tarifs annoncés ne comprennent généralement pas l'assurance.

Pour louer une voiture il faut avoir au moins 21 ans (parfois 25), posséder un permis de conduire national ou international valide et une carte de crédit connue. Certaines agences demandent une caution (jusqu'à 500 $) au lieu d'une carte de crédit.

En auto-stop

Pratiquer l'auto-stop en Floride peut se révéler dangereux. Il suffit de lire les journaux locaux pour constater que l'auto-stop finit trop souvent par des vols, des viols ou des meurtres ! De même, il est risqué de prendre des auto-stoppeurs.

Transports urbains

Les taxis sont très nombreux dans les métropoles et les principaux centres touristiques, ils sont beaucoup plus rares dans les petites villes. Tous pratiquent des tarifs élevés, notamment sur les longs trajets. Habituellement, on réserve son taxi par téléphone. Quelques numéros à Miami :

Central Taxicab Service
Tél. (305) 534 06 94
Yellow Cab Company
Tél. (305) 885 55 55

SHOPPING

L'art populaire foisonne en Floride. Objets en coquillages, soleil et air de Floride en boîte, vins ou liqueurs d'orange, porte-clés, cuillers au manche décoré aux armes de l'État, etc., encombrent les commerces, de l'échoppe de bord de route aux magasins des grands centres commerciaux futuristes. Mais tous ces articles portent la mention *Made in Taiwan* !

Les amateurs d'authenticité préféreront peut-être rapporter de leur séjour une caisse d'agrumes. Le choix est vaste : oranges Hamlin, Valencia, Washinton Navel ou Temple ; tangerines Dancy ; pamplemousses à pépins Marsh ; citrons Key Limes ou Avon ; tangelos ; pomelos Thompson ; kumquats. Les plus grands expéditeurs ou conditionneurs proposent souvent de meilleurs prix que les boutiques spécialisées.

Les nombreux artistes établis en Floride vendent leurs œuvres (peintures, sculptures ou artisanat), souvent d'inspiration locale, au cours des festivals locaux. Les plus grandes et les plus prestigieuses manifestations artistiques ont lieu à Winter Park, Coconut Grove et aux Ringling Museums à Sarasota.

On peut faire les achats les plus extravagants. Acquérir un yacht dans l'un des chantiers les plus réputés de Floride, Gulstar, Irwin ou Watkins, ou bien un pur-sang. Les haras de la région de l'Ocala élèvent des champions. Plus modestement, on peut s'offrir de beaux cigares roulés à la main à Tampa et à Ybor City, des éponges naturelles pêchées à Tarpon Springs ou acheter des coquillages à la Shell Factory de Fort Myers, qui dispose d'un large choix.

Certains créateurs de prêt-à-porter comme Key West Hand Print Fabrics, Palm Beach et Lilly Pulitzer, sont installés en Floride. Leurs tendances sont aux styles sport et estival. On peut faire de bons achats de vêtements à Miami's Fashion District.

Les marchés aux puces sont nombreux. Le Wagon Wheel de Saint Petersburg et celui de Webster sont à voir. Le marché aux puces d'Orlando, Flea World, est très grand. Les amateurs de voitures anciennes ne manqueront pas les marchés spécialisés de Daytona et d'Ormond Beach.

En règle générale, les boutiques ouvrent tous les jours à partir de 9 h jusqu'à de 18 h à 23 h. Voici quelques bonnes adresses :

• Cocoa Beach
Ron Jon Surf Shop
4151 N Atlantic Ave., tél. (407) 799 88 88
Institution locale.

• Fort Lauderdale
The Swap Shop
3501 W Sunrise Blvd, tél. (305) 791 97 29
Grand marché d'articles neufs et d'occasion.

• Fort Myers
The Shell Factory
2787 N Tamiami Trail, tél. (813) 995 21 41
Coquillages et coraux sous toutes les formes.

• Key West
Key West Aloe
524 Front St, tél. (305) 294 55 92
Produits de beauté à base d'aloès.
Key West Hand Print Fabrics
201 Simonton St, tél. (305) 294 95 35
Fast Buck Freddie's
500 Duval St, tél. (305) 294 20 07
Haitian Art Company
600 Frances St, tél. (305) 296 89 32
Collection d'art haïtien.

• Miami
Bayside Marketplace
401 Biscayne Blvd, tél. (305) 577 33 44
150 boutiques spécialisées.
Mayfair Shops
3390 Mary St, Coconut Grove,
tél. (305) 448 17 00
Boutiques de haute couture sur trois niveaux.
Miccosukee Indian Village
Tamiami Trail, tél. (305) 223 83 30
A 20 km à l'ouest de la ville. Authentique artisanat indien séminole.

• Miami Beach
Bal Harbour Shops
9700 Collins Ave., Bal Harbour,
tél. (305) 866 03 11
Centre commercial : boutiques élégantes.
Lincoln Road Mall
Entre Washington Ave. et Alton Rd
Galeries d'art, bijouteries, vêtements et antiquités Art déco.

• Micanopy
Micanopy
A 7 km au sud de Gainesville sur l'US 441
Main St compte une douzaine d'antiquaires.

• Orlando

Belz Factory Outlet Mall
5401 West Oakridge Rd, tél. (407) 352 96 00
Le lieu le plus visité d'Orlando après Walt Disney World. Plus de 100 boutiques, du grand luxe (Anne Klein, London Fog, Christian Dior, etc.) aux jeans à prix réduits.

Mercado Mediterranean Village
8445 International Dr., tél. (407) 345 93 37
Art, artisanat, poterie, bijoux, vêtements, etc.

Orange World
5395 West Irlo Bronson Memorial Highway Kissimmee, tél. (407) 396 13 06
Fruits frais, sucreries au citron et miel de fleurs d'oranger.

ACTIVITÉS CULTURELLES

MUSÉES

La plupart des musées ouvrent du lundi au samedi de 10 h à 17 h. Seuls les horaires particuliers sont précisés dans la liste qui suit.

FLORIDE CENTRALE

Central Florida Railroad Museum
101 S Boyd St, Winter Garden, tél. (407) 656 87 49
Ancien dépôt des chemins de fer transformé en musée du Rail. Ouvert le dimanche de 14 h à 17 h.

Elvis Presley Museum
5770 Irlo Bronson Memorial Highway, Kissimmee, tél. (407) 396 85 94
Costumes, bijoux, meubles, voitures, etc., ayant appartenu au King du rock. Ouvert tous les jours de 9 h à 21 h.

Flying Tigers Warbird Air Museum
231 N Hoagland Blvd, Kissimmee, tél. (407) 933 19 42
Musée sur la Seconde Guerre mondiale.

Orlando Museum of Art
2416 N Mills Ave., Orlando, tél. (407) 896 42 31
Art américain, européen et précolombien.

CÔTE OUEST

Bellm's Cars and Music of Yesterday
5500 N Tamiani Trail (US 41), Sarasota, tél. (813) 355 62 28
Plus de 170 voitures anciennes restaurées et 1 200 boîtes à musique des années 1890 et 1920, boutique campagnarde, écurie, forge et vélocipèdes. Ouvert tous les jours de 8 h 30 (9 h 30 le dimanche) à 18 h.

Cedar Key Museum
Florida 24, Cedar Key
Histoire de ce port, de son apogée à son déclin.

Collier County Museum
3301 Tamiami Trail, Naples, tél. (813) 643 52 52
Collier County à travers l'histoire, collection archéologique, village séminole.

Edison's Winter Home
2350 McGregor Blvd, Fort Myers, tél. (813) 344 36 14/74 19
La maison, les jardins, le laboratoire du grand inventeur au cœur d'un domaine de 5,5 ha. Ampoules personnalisées, gramophones, appareils photo et voitures. Visites guidées. Ouvert de 9 h à 16 h du lundi au samedi et à partir de 12 h 30 le dimanche. Fermé lors de Thanksgiving et de Noël.

Fort Myers Historical Museum
2300 Peck St, Fort Myers, tél. (813) 332 59 55
Peintures indiennes séminoles et calusa, artisanat local. Ouvert du lundi au vendredi de 9 h à 16 h 30, le dimanche de 13 h à 17 h.

Frannie's Teddy Bear Museum
2511 Pine Ridge Rd, Naples, tél. (813) 598 27 11
Près de 2 000 ours en peluche collectés dans le monde entier. Ouvert du mercredi au samedi de 10 h à 17 h, le dimanche à partir de 13 h.

Museum of African-American Art
1308 Marion St, Tampa, tél. (813) 272 24 66
L'art afro-américain à travers les œuvres des 50 meilleurs artistes du genre.

Museum of Fine Arts
255 Beach Dr., Saint Petersburg, tél. (813) 896 26 67
Impressionnistes français, entre autres.

Ringling Museums
US 41, au sud de Sarasota-Bradenton Airport PO Box 1839, Sarasota, tél. (813) 355 51 01
Fenêtres à vitres colorées, tapisseries anciennes, sols en marbre pour la résidence Ringling de style gothique vénétien, Ca'd'zan, construite par le roi du cirque, John Ringling, pour sa femme Mable, en 1925. La propriété de 27 ha comprend le **musée d'Art** de style italien qui renferme une collection impressionnante de peintures de Pierre Paul Rubens, des sculptures classiques dans un jardin, une collection contemporaine et des expositions temporaires. L'**Asolo State Theater** adjacent présente chaque année des pièces, des films et des opéras. L'intérieur fut acheté à Asolo en Italie où il servait de théâtre depuis 1798. Le **Museum of The Circus** recèle des antiquités et des souvenirs du « plus grand spectacle de la terre » de Ringling. Ticket unique. Ouvert de 9 h à 19 h en semaine, jusqu'à 17 h le samedi et de 11 h à 18 h le dimanche.

Saint Petersburg Historical Museum
25 2nd Ave., Saint Petersburg,
tél. (813) 894 10 52
Belles collections illustrant l'époque des pionniers : pièces, poupées, coquillages, etc. Ouvert du lundi au samedi de 10 h à 17 h, le dimanche de 13 h à 17 h.

Salvador-Dalí Museum
1000 3rd St, Saint Petersburg,
tél. (813) 823 37 67
Ce musée, qui abrite quelque 93 huiles, 1 000 croquis, 200 aquarelles et dessins, possède la plus importante collection du monde consacrée au grand peintre surréaliste espagnol. Ouvert du mardi au samedi de 10 h à 17 h, dimanche et lundi à partir de 12 h.

South Florida Museum et **Bishop Planetarium**
201 10th St W, Bradenton, tél. (813) 746 41 32
La guerre civile en Floride à travers l'une des plus belles collections d'objets. Magnifique planétarium.

Tampa Museum of Art
601 Doyle Carlton Dr., Tampa,
tél. (813) 223 81 30
Collections d'art ancien et contemporain. Activités manuelles.

Ybor Square
1901 N 13th St, Tampa, tél. (813) 247 44 97
Ancienne fabrique de cigares transformée en centre commercial où l'on trouve plusieurs antiquaires et un restaurant cubain. Ouvert du lundi au samedi de 9 h 30 à 17 h 30, le dimanche à partir de 12 h.

FLORIDE DU SUD

Art Deco Welcome Center
1244 Ocean Dr., Miami Beach,
tél. (305) 672 20 14
Informations sur le quartier Art déco de Miami Beach. Ouvert du lundi au vendredi de 10 h à 14 h. Visites guidées le samedi matin.

Fort Lauderdale Museum of Art
1 E Las Olas Blvd, Fort Lauderdale,
tél. (305) 525 55 00
Art indien et précolombien, section ethnographique consacrée à l'Océanie, œuvres d'artistes américains et européens des XIXe et XXe siècles.

Gold Coast Railroad Museum
12450 Coral Reef Dr., Miami,
tél. (305) 253 00 63
On y voit le *Ferdinand Magellan*, un train pullman aménagé spécialement pour les présidents des États-Unis. Il fut emprunté par Roosevelt, Truman, Eisenhower et Reagan. Ouvert du lundi au samedi de 10 h à 15 h, le dimanche jusqu'à 17 h.

Lowe Art Museum
1301 Stanford Dr., Coral Gables,
tél. (305) 284 35 36
Importantes collections d'art baroque, Renaissance, peintures américaines et latino-américaines, tissus navajo, etc.

Metro-Dade Cultural Center
101 W Flagler St, Miami, tél. (305) 375 14 92
Bâtiment de style méditerranéen où sont regroupés le **Center for the Fine Arts** (expositions temporaires), le **Historical Museum of Southern Florida** (évocations de la vie quotidienne des Indiens Tequesta et Séminoles) et la **Main Public Library**. Ouvert de 10 h à 17 h, le dimanche à partir de 12 h.

Miami Museum of Science and Space Transit Transit Planetarium
3280 S Miami Ave., Miami, tél. (305) 854 22 22
La lumière, le son, l'électricité, l'électronique, la biologie, l'énergie et le corps humain. Ouvert tous les jours de 10 h à 18 h.

Museum of Discovery and Science
401 S W 2nd St, Fort Lauderdale,
tél. (305) 467 66 37
Le plus important musée des Sciences du sud de la Floride. Ouvert du mardi au vendredi de 10 h à 17 h, le samedi de 10 h à 18 h 30, le dimanche de 12 h à 17 h.

Norton Gallery of Art
1451 S Olive Ave., West Palm Beach,
tél. (407) 832 51 94
Expositions d'art, permanentes et temporaires.

Vizcaya Museum and Gardens
3251 S Miami Ave., Miami,
tél. (305) 579 27 08
Palais privé de 50 pièces construit par James Deering en 1914. Architecture italienne et jardins formels surplombant Biscayne Bay. Visites guidées ou libres. Collection d'arts décoratifs européens. Son et lumière à 20 h le vendredi et le samedi. Ouvert tous les jours, excepté à Noël, de 10 h à 17 h.

CÔTE EST

American Lighthouse Museum
1011 N 3rd St, Jacksonville,
tél. (904) 241 88 45
Le rôle des phares dans l'histoire. Fermé le dimanche et le lundi.

Birthplace of Speed Museum
160 E Granada Blvd, Ormond Beach,
tél. (904) 672 56 57
Évocation de l'histoire de la course automobile à Ormond Beach, surnommée le « lieu de naissance de la vitesse » depuis 1902. Ouvert du mardi au samedi de 13 h à 17 h.

Brevard Art Center and Museum
1463 N Highland Ave., Melbourne, tél. (407) 242 07 37
Collections d'art japonais, européen et américain. Ouvert du mardi au samedi de 10 h à 17 h, le dimanche de 12 h à 16 h.
Jacksonville Art Museum
4160 Boulevard Center Dr., Jacksonville, tél. (904) 398 83 36
Peinture contemporaine, sculptures, dessins et objets anciens. Ouvert du mardi au vendredi de 10 h à 14 h, samedi et dimanche de 13 h à 17 h.
Kingsley Plantation
11676 Palmetto Ave., Jacksonville, tél. (904) 251 35 57
Plantation de coton du XVIIIe siècle. Visites guidées. Ouvert tous les jours de 9 h à 17 h.
Lightner Museum
Saint Augustine, tél. (904) 824 28 74
L'ancien hôtel Alcazar (1888) abrite l'une des plus importantes collections de boîtes à musique anciennes du Sud. Fermé à Noël.
Museum of Science and History
1025 Museum Circle, Jacksonville, tél. (904) 396 70 62
Consacré à la science, l'histoire, l'anthropologie. Planétarium et grand aquarium.
Oldest House
14 Saint Francis St, Saint Augustine, tél. (904) 824 28 72
Cette maison du début du XVIIIe siècle recèle de nombreuses antiquités. Ouvert de 9 h à 17 h tous les jours. Fermé à Noël.
Oldest Store Museum
4 Artillery Lane, Saint Augustine, tél. (904) 829 97 29
Reconstitution d'un magasin du début du siècle. Belles collections d'objets anciens. Ouvert tous les jours excepté à Noël.
Oldest Wooden Schoolhouse
14 Saint George St, Saint Augustine, tél. (904) 824 01 92
Demeure privée construite par les Espagnols puis tranformée en école. Ouvert de 9 h à 17 h.
Potter's Wax Museum
17 King St, Saint Augustine, tél. (904) 829 90 56
L'un des plus anciens et des plus grands musées de cire des États-Unis. Plus de 240 sculptures en cire de célébrités et de personnages légendaires. Ouvert de 9 h à 20 h tous les jours pendant l'été et jusqu'à 17 h le reste de l'année. Fermé à Noël.
Ripley's Believe It or Not Museum
19 San Marco Ave., Saint Augustine tél. (904) 824 16 06
Exceptionnelle collection d'objets singuliers, de curiosités et d'œuvres d'art rassemblés par R. L. Ripley au cours de ses voyages autour du monde. Ouvert de 9 h à 17 h (21 h l'été).

NORD DE LA FLORIDE

Constitution Convention Museum
US 98, Port Saint Joe
Diaporamas reconstituant la rédaction de la première constitution de Floride.
Florida Sports Hall of Fame
601 Hall of Fame Dr., Lake City, tél. (904) 758 13 10
L'histoire d'une centaine de disciplines sportives pratiquées en Floride. Ouvert du lundi au samedi de 9 h à 21 h, le dimanche de 10 h à 19 h.
Forest Capital Museum
US 9827 A, au sud de Perry
Expositions sur l'industrie du bois et sa prospérité en Floride. Pique-nique.
Museum of Florida History
500 South Bronough St, Tallahassee, tél. (904) 488 14 84
L'histoire de la Floride, de la préhistoire à nos jours. Trésors espagnols et souvenirs de guerre. Ouvert du lundi au samedi de 10 h à 16 h 30, le dimanche à partir de 12 h.
National Museum of Naval Aviation
Building 3465, Naval Air Station, Pensacola, tél. (904) 453 62 89
L'un des plus grands musées du monde consacrés à l'aviation et à la conquête de l'espace. Ouvert de 9 h à 17 h tous les jours excepté lors de Thanksgiving et de Noël.
Stephen Foster Center
US 41, White Springs, tél. (904) 397 27 33
Souvenirs, dioramas, instruments de musique évoquant le compositeur Stephen Foster, qui immortalisa la Suwannee River. Le carillon Deagan de 97 cloches occupe une tour de 60 m de haut et joue des mélodies de Foster à intervalles réguliers. Divertissements, restaurant, pique-nique. Parc ouvert de 8 h au crépuscule, musée et tour ouverts de 9 h à 17 h.
Tallahassee Museum of History and Natural Science
3945 Museum Dr., Tallahassee, tél. (904) 576 16 36
Présentation de toutes les espèces animales vivant en Floride.

LES ÎLES DES KEYS

Audubon House
205 Whitehead St, Key West, tél. (305) 294 21 16
Demeure restaurée de John H. Geiger. Le naturaliste John James Audubon vécut ici

pendant plusieurs semaines en 1832 et dessina les oiseaux de Floride. Son ouvrage *Birds of America* y est exposé ainsi que des antiquités d'époque. Ouvert tous les jours de 9 h 30 à 17 h.

Hemingway House and Museum
907 Whitehead St (US 1), Key West, tél. (305) 294 15 75
En 1931, le célèbre romancier acheta cette demeure coloniale espagnole construite en 1851, la rénova et y fit construire une piscine. Il vécut ici pendant dix ans et y écrivit notamment *The Snows of Kilimandjaro*, *To Have and Have Not* et *Death in the Afternoon*. Les propriétaires actuels affirment que la maison a été remeublée avec des biens et des souvenirs ayant appartenu à Hemingway.

Mel Fisher Maritime Heritage Society Museum
200 Greene St, Key West, tél. (305) 294 26 33/296 99 36
Ce musée expose les trésors provenant des galions espagnols la *Santa Margarita* et l'*Atocha* disparus au large de Marquesas Keys en 1622. Ouvert de 10 h à 18 h (14 h à Noël et au Nouvel An).

Oldest House Museum
322 Duval St, Key West, tél. (305) 294 95 02
Construite par le capitaine Francis B. Arlington en 1829, cette maison restaurée présente des meubles, des peintures, des maquettes ainsi que des jouets anciens. Ouvert de 9 h à 17 h tous les jours sauf le mercredi.

Wreckers Museum
322 Duval St, Key West, tél. (305) 294 95 02
Musée aménagé dans la maison (1829) du naufrageur Francis Watlington. Maquettes de bateaux et d'objets évoquant la navigation. Ouvert tous les jours de 10 h à 16 h.

MONUMENTS ET SITES

Le **National Parks Service** (*Department of the Interior, Washington DC 20240*) fournit des informations sur les sites et les refuges nationaux, ainsi que sur les différentes attractions nationales de l'État de Floride.

FLORIDE CENTRALE

Marjorie Kinnan Rawlings State Historic Site
Country Rd 325, Rt 3, Hawthorne, tél. (904) 466 36 72
La demeure restaurée de cet auteur du XXe siècle qui remporta le prix Pulitzer pour son livre *Cross Creek*. Ouvert du jeudi au lundi de 10 h à 11 h 30 et de 13 h à 16 h 30.

New Smyrna Sugar Mill Ruins Historic Site
US 1 and Florida 40, New Smyrna Beach
Vestiges d'un moulin à cannes détruit vers 1835 pendant les guerres séminoles. Sentiers de randonnée.

CÔTE OUEST

Crystal River Archeological Site
US 19-98, Crystal River
Au nord-ouest de la rivière. Important centre de cérémonies pour les Indiens pendant mille six cents ans. Musée comprenant un temple et un cimetière.

Dade Battlefield Historic Site
US 301, Bushnell
Mémorial de l'embuscade dressée contre les Indiens Séminoles par le major Francis L. Dade et une centaine de soldats qui déclenchèrent les guerres séminoles. Pique-nique et visites guidées.

De Soto National Memorial
A l'embouchure de Manatee River, à l'ouest de Bradenton
Site présumé du débarquement de Hernando de Soto en 1539. Le Visitor's Center présente un film sur l'expédition des conquistadores et des expositions d'armes espagnoles. Promenades sur la plage, sentiers de randonnée, pêche et canotage, 10 ha aménagés en 1949.

Gamble Plantation State Historic Site
3708 Patten Ave., Ellenton, tél. (813) 723 45 36
Construite en 1850, cette maison est l'unique exemple de ce qu'étaient les propriétés du sud de la Floride avant la guerre de Sécession. Ouvert tous les jours de 9 h à 12 h et de 13 h à 15 h.

J. B. Benjamin Memorial Historic Site
US 301, Ellenton
Pique-nique et sentiers de randonnée dans la propriété de Gamble Mansion, une ancienne plantation de canne à sucre.

Koreshan Historic Site
US 41, Estero
Camping, pique-nique, pêche en mer, sentiers de randonnée et reconstitution de la vie de village dans une commune d'autrefois.

Saint Nicholas Greek Orthodox Cathedral
36 N Pinellas Ave., Tarpon Springs, tél. (813) 937 35 40
Lieu de rassemblement de la communauté grecque de la ville, Saint Nicholas Greek Orthodox Cathedral a été construite comme une réplique de la cathédrale Sainte-Sophie d'Istanbul. Elle est un parfait exemple de la nouvelle architecture byzantine.

FLORIDE DU SUD

Coral Castle
28655 S Federal Hwy, Homestead, tél. (305) 284 63 44
Les amours déçues d'un génie excentrique se reflètent dans cette maison féerique, évocation de la lointaine Stonehenge en Angleterre. Mobilier en pierre, cadran solaire, porte battante de 9 t. Edward Leedskalnin n'a jamais expliqué comment il déplaça ces fragments massifs de coraux pesant jusqu'à 35 t. Il prétendait connaître le secret de la construction des pyramides d'Égypte. Ouvert de 9 h à 21 h chaque jour.

Barnacle Historic Site
3485 Main Highway, Coconut Grove, Miami
Visites guidées de la demeure restaurée d'un pionnier de la région de Miami.

Biscayne National Monument
1 680 ha d'îles et 36 800 ha de mer de Biscayne Bay vers les Keys de Floride. Canotage, pique-nique, plongée. Le camping et le pique-nique sont autorisés sur quelques îles. Renseignements : *PO Box 1369, Homestead.*

CÔTE EST

Bulow Plantation Ruins Historic Site
Florida S5A, au nord d'Ormond Beach
Baignade et pêche en eau douce dans la plantation Bulow autrefois prospère. Visites guidées des vestiges du moulin à cannes, du puits et des fondations de la demeure.

Castillo de San Marcos
1 Castillo Dr. E, Saint Augustine, tél. (904) 829 65 06
Les Espagnols ont édifié cette fortification (le plus vieux fort des États-Unis) en 1672. Elle fut occupée par les Britanniques et les Américains. Ouvert tous les jours de 8 h 45 à 16 h 45.

Fort Caroline Memorial
A 16 km de Jacksonville
Parc de 47,6 ha et réplique du fort construit par les Français en 1568. Musée et Visitor's Center dans lequel sont exposés les plans de Jacques Le Moyne et les travaux de René de Laudonnière. Renseignements : *12713 Fort Caroline Rd, Jacksonville, tél. (904) 641 71 55.*

Fort Matanzas
Rattlesnake Island, Saint Augustine, tél. (904) 471 01 16
A 22 km au sud de la ville. Construit en 1740 en pierre cimentée avec du mortier à base de coquille d'huîtres pilées. Le monument, d'une superficie de 120 ha, n'est accessible qu'en ferry depuis le Visitor's Center sur Anastasia Island.

Kingsley Plantation Historic Site
11676 Palmetto Ave., Jacksonville
Construit par Zephaniah Kingsley en 1813, probablement la plus ancienne maison de planteur de Floride.

Mission of Nombre de Dios
San Marco Ave. and Old Mission Rd, Saint Augustine, tél. (904) 824 28 09
Prétendu site de la première mission chrétienne de la Nation, fondée par le père López de Mendoza Crajales vers 1565. Église du Prince-de-la-Paix, châsse de Notre-Dame-de-La-Leche. Une croix en acier de 60 m de haut, illuminée, marque le site de la première communauté américaine. Ouvert de 7 h à 20 h en été, de 8 h à 18 h en hiver.

Zorayda Castle
85 King St, Saint Augustine, tél. (904) 824 30 97
Réplique de l'Alhambra de Grenade. Collection d'objets du monde entier. Ouvert de 9 h à 17 h 30 tous les jours.

NORD DE LA FLORIDE

Devil's Millhopper Geological Site
Florida 232, Gainesville
A 3,2 km au nord-ouest de la ville. Sentiers de randonnée et escalier en bois dans cet effondrement recouvert de végétation tropicale.

Fort Gadsen Historic Site
Florida 65, à 9,6 km au sud-ouest de Sumatra
Pique-nique et randonnées sur les 31 ha d'un fort britannique construit au début XIXe siècle.

Lake Jackson Mounds Archeological Site
US 27, à 9,6 km au nord de Tallahassee
Site probable du village indien d'Anhayea où vécut H. De Soto. Sentiers de randonnée.

Natural Bridge State Historic Site
Natural Bridge Rd, Rt. 354, Woodville, tél. (904) 925 62 16
Lieu où les confédérés empêchèrent l'Union de prendre Tallahassee. Pique-nique.

San Marcos de Apalache Historic Site
Florida 363, St Marks
Musée, parc et sentiers naturels sur l'emplacement d'un fort de construction espagnole.

Yulee Sugar Mill Ruins Historic Site
Florida 490, Homosassa
Vestiges d'un moulin construit en 1851. Aires de pique-nique.

LES ÎLES DES KEYS

Fort Jefferson
A 109 km à l'ouest de Key West, sur Carden Key, dans les Dry Tortugas.
Édifié entre 1846 et 1876, ce fort hexagonal est entouré d'un fossé cerné par la mer. Il

occupe la quasi-totalité de Garden Key, soit près de 6,4 ha. Son phare fut érigé sur Loggerhead Key, toute proche. Camping et pique-nique autorisés. Accessible en bateau et en hydroglisseur. Renseignements: *PO Box 279, Homestead, tél. (305) 247 62 11.*

Lignumvitae Key Botanical Site
A 800 m au large de la côte, Matecumbe Key
Les rangers guident les visiteurs à travers la végétation pour atteindre une demeure du XIXe siècle.

MUSIQUE, THÉÂTRE ET DANSE

Il existe de nombreuses manifestations musicales et théâtrales tout au long de l'année en Floride. Voici un calendrier des principaux événements.

• Janvier

Greater Miami Opera
1200, Coral Way, Miami, tél. (305) 854 78 90
Réputé pour l'originalité de ses productions et sa qualité acoustique, le Greater Miami Opera est le septième opéra des États-Unis et le seul digne de ce nom dans le Sud-Est. Parmi les productions, citons *Simon Boccanegra*, *La Traviata* et *Werther*. Saison : janvier-avril.

• Février

Asolo State Theater
5555 N Tamiami Trail, Sarasota,
tél. (913) 351 71 15
Ce théâtre, de réputation mondiale, est l'un des plus remarquables des États-Unis. De février à septembre, sept ou huit spectacles parmi les meilleurs du monde y sont présentés.

Big Orange Festival
Miami
Cette manifestation a recueilli un grand intérêt dans le domaine musical. C'est l'un des meilleurs festivals musicaux de l'hiver. Musiques jazz, *country* classique, rock, d'Amérique latine et *bluegrass* sont interprétées au cours de 30 concerts gratuits par des musiciens de la région et des artistes internationalement connus.

The Bach Festival
Bach Festival Society
Rollins College, Winter Park,
tél. (305) 646 21 10
L'un des plus grands événements musicaux des États-Unis. Morceaux chantés de Bach. Des choristes du centre de la Floride se produisent dans des concerts publics avec la Florida Symphony à l'issue de cinq mois de répétition.

• Mars

Bluegrass Festival
Fox Lake Country Park, Titusville

Delius Festival
Jacksonville
Le seul festival annuel consacré au compositeur anglais Frederick Delius, qui vécut pendant deux ans sur la Saint Johns River près de Jacksonville. Ses œuvres musicales figurent au programme des concerts, et la bibliothèque publique organise une exposition sur lui.

Kissimmee Bluegrass Festival
Silver Springs Arena, Kissimmee
Orchestres de *bluegrass* pendant trois jours.

Palm Beach Festival
West Palm Beach
Ce festival a débuté en 1978 avec le New York City Ballet qui joua à guichets fermés. Depuis, des artistes très distingués, tels qu'Edward Albee, John Houseman, Gelsey Kirkland et Dave Brubeck, ont attiré un public nombreux.

Spirit of Suwannee Bluegrass Festival
Live Oak, dans le nord-ouest de la Floride
Musique *bluegrass*, danses locales et exposition de produits régionaux.

• Avril

Daytona Beach Music Festival
Box 2660, Daytona Beach, tél. (904) 253 18 00
Orchestres de marche et de jazz, chorales de divers États assurent un programme musical bien rempli. Cet événement en bord de mer est l'un des plus importants de son genre.

• Mai

Florida Folk Festival
White Springs
L'un des événements les plus prestigieux de Floride. Musique folk, exposition artisanale au Stephen Foster State Folk Culture Center, dégustation de cuisine, danses et contes.

Peace River Bluegrass Festival
Arcadia
L'un des festivals de *bluegrass* les plus populaires. Musique *bluegrass* interprétée par des musiciens professionnels et des orchestres de Floride, ateliers musicaux, promenades à cheval, randonnées en canoë.

Quail Run Bluegrass Festival
Tampa
Musique *bluegrass* et camping dans un lieu très pittoresque.

• Juin

Cross and Sword
Saint Augustine
Le spectacle officiel, patronné par l'État, est une œuvre de Paul Green, qui remporta le

prix Pulitzer. Une troupe de 65 personnes fait revivre en plein air, à travers la chanson, la danse, la dramaturgie et la comédie, la fondation de Saint Augustine en 1565 et les premières années de la cité.

New College Music Festival
Sarasota
Ce festival, créé en 1965, a une réputation mondiale. Musique de chambre, ateliers d'étude musicale dirigés par des musiciens renommés qui donnent six grands concerts publics. Les participants les plus doués participent à quelques concerts.

Otter Springs Bluegrass Festival
Otter Springs Campground, Trenton
Banjo et danse. Camping gratuit avec le ticket de festival. Canoë, pêche et randonnée.

The New World Festival of the Arts
Greater Miami et Miami Beach
Ce festival propose des premières mondiales d'opéra, des symphonies, de la musique de chambre, des représentations théâtrales, de danse et des expositions d'art visuel et cinématographique. Les plus grands compositeurs, acteurs, chorégraphes et artistes y participent.

Through August Pops by the Bay
Miami
Le Florida Philharmonic invite un artiste de renom au cours de ce festival de concerts pop.

Through Augustsummer Music Theater
Daytona Beach
Une compagnie théâtrale et un orchestre s'associent pour présenter cinq spectacles du répertoire de théâtre musical. Programmes spéciaux pour les sourds et les aveugles.

• Juillet

Biggest Allnight Gospel Sing in The World
Bonifay
Depuis trente ans, des ensembles de gospel réputés se réunissent à Bonifay, en plein air, pour une nuit entière de musique.

Daytona Beach Municipal Band Summer
Daytona Beach
Concerts variés et gratuits au bord de la plage, à l'abri d'un kiosque original construit en coquillard et pierre du pays. Professeurs et étudiants composent l'orchestre.

Everglades Outdoor Music Festival
Miami
Le calme imposant des Everglades est interrompu lors du festival annuel de musique de la tribu Miccosukee au Miccosukee Cultural Center sur Tamiami Trail. Au programme, barbecue, artisanat, cuisine indienne et combats d'alligators.

Tampa Bluegrass Festival
Riverview, près de l'Alafia River
Musique *bluegrass*, musiciens célèbres, camping, canoë, ateliers et jeux.

• Septembre

Dancin' in the Streets
Jacksonville
Rythm and blues, danses dans les rues du centre-ville et spécialités culinaires préparées par la communauté noire et les organisations scolaires.

Peace River Bluegrass Festival
Arcadia
Orchestres de *bluegrass* réputés, ateliers musicaux, équitation, canoë.

Spirit of Suwannee Bluegrass Festival
Live Oak, dans le nord-ouest de la Floride
Musique *bluegrass* dans un immense parc, au bord de la rivière Suwannee. Improvisations de jazz, randonnées, spécialités culinaires locales.

• Octobre

Jazz Holiday
Clearwater
Jazz, ateliers musicaux, films des années 1930 et 1940 et diverses manifestations pendant dix jours.

Mayport and All That Jazz
Jacksonville
Jazz et fruits de mer à Mayport, sur la rivière Saint Johns. Parmi les têtes d'affiche des années passées, Buddie Rich, Dizzy Gillespie, Della Rese et The Phil Woods Quartet.

Quail Run Bluegrass Festival
Au nord de Tampa
Musique *bluegrass* et camping.

• Décembre

Showdown Hoedown
Jacksonville
Concerts de musique *country* et western, orchestres universitaires, rodéo et barbecue.

MANIFESTATIONS ARTISTIQUES ET FESTIVALS

• Janvier

Annual Shell Show
Sarasota
Exposition de milliers de coquillages provenant du monde entier et de beaux objets en coquillages.

Art Show on Miracle Mile
Coral Gables
Ce festival, qui a lieu dans la rue principale de Coral Gables, attire peintres, sculpteurs et photographes de tous les États-Unis.

Camellia Show
Fort Walton Beach
Des milliers de camélias présentés par des exposants venus de tous les États-Unis et du monde.
Pensacola
Plus de 5 000 camélias de 500 variétés différentes sont exposés lors de l'une des plus anciennes et des plus spectaculaires manifestations florales du Sud.
Fayre At Vizcaya
Miami
La vie culturelle de la Renaissance est le thème de ce festival consacré aux arts, à l'artisanat et à la musique de cette période.
Heritage Classic and Antique Automobile Show
Daytona Beach
Exposition de voitures anciennes rares (Conette, Porsche T Birds, Rolls Royce, etc.).
On the Green Art Festival
Fort Pierce
L'Indian River sert de cadre à cette manifestation au cours de laquelle plus de 150 artistes américains et canadiens présentent leurs œuvres.

• Février
Artist's Day
Miami
Plus de 200 artistes exposent leurs œuvres dans les jardins italiens de Vizcaya, la résidence d'hiver de James Deering.
Arts & Crafts Country Fair
Lake Placid
Artisans amateurs et professionnels rivalisent : plats cuisinés, conserves, peinture sur porcelaine, céramique et toutes sortes de travaux d'aiguille.
Coconut Grove Arts Festival
Coconut Grove
Plus de 350 artistes et artisans exposent leurs œuvres tandis que d'autres montent sur scène pour animer ce festival en plein air très réputé.
Greater Pensacola Orchid Show
Pensacola
Environ 120 espèces d'orchidées exposées dans un jardin tropical et dans des milieux naturels par des spécialistes du sud-est des États-Unis.
Heart of Florida Folk Festival
Dade City
Ce festival, qui se tient le dernier samedi du mois, offre un programme varié de danses et de chansons folkloriques et d'artisanat. Il est présenté en association avec la Pasco Country Fair.

Images
New Smyrna Beach
Ce festival d'art permet d'admirer les œuvres de plus de 225 artistes et d'assister au spectacle de 20 groupes différents. Mini-ateliers gratuits dans 7 disciplines artistiques.
Miami Beach Festival of The Arts
Miami Beach
Ce festival d'art international se tient au Miami Beach Convention Center. Il est ouvert à tous les artistes, quel que soit leur mode d'expression, arts visuels ou arts de la scène. Exposition d'art réalisée par les enfants et découverte des plats du monde entier.
Miami International Boat Show
Miami Beach
La plus grande exposition maritime avec plus de 600 exposants américains et étrangers.
Mount Dora Art Festival
Mount Dora
L'un des festivals d'art les plus populaires en Floride. Il a lieu sur les trottoirs de Mount Dora. Plus de 50 000 personnes assistent à ces deux journées d'expositions diverses.
Seven Lively Arts Festival
Hollywood
Une semaine de concerts et d'expositions d'art. Les deux derniers jours, un festival d'art se tient dans Young Circle. Entrée gratuite.
Shell Show
Pompano Beach
Quelques-unes des plus belles collections privées de coquillages des États-Unis. Fossiles, coquillages d'eau douce et artisanat.

• Mars
Art in the Sun Festival
Pompano Beach
Plusieurs centaines d'artistes américains et canadiens exposent et vendent leurs œuvres.
Beaux-Arts Festival of Art
South Miami
Tous les ans, exposition dans les jardins de Lowe Art Museum, à l'université de Miami.
Boynton's GALA
Boynton Beach
Manifestation culturelle d'une durée de trois jours. Exposition-vente d'art primée.
Bunkasaï
Morikami Museum, Delray Beach
Commémoration du séjour de la colonie Yamato. Activités présentant les arts et la culture du Japon : cérémonie du thé, danses, ikebana (décoration florale) et musique japonaise.
Cape Coral Arts & Crafts Show
Boynton Beach
Ouvert à tous les artistes. Peinture, gravure, artisanat en coquillages et sculpture.

Deland Outdoor Art Festival
Deland
Plus de 250 artistes locaux et invités exposent leurs œuvres en plein air.
Florida Independent Film & Video Festival
Tampa
C'est l'occasion ou jamais de découvrir les œuvres filmées de réalisateurs de Floride. Visites d'ateliers et présentations de films sélectionnés au Toronto Super 8 Film Festival.
Hatsume
Delray Beach
Hatsume, qui signifie « premier bourgeon de l'année nouvelle », est une manifestation qui met à l'honneur les expositions d'horticulture au Delray Beach's Morikami Museum. Les relations entre le Japon et Delray Beach remontent au début des années 1900, quand les agriculteurs japonais fondèrent la colonie Yamato qui produisait une grande partie des légumes d'hiver pour toute la Nation. Pendant le festival Hatsume, des expositions et des démonstrations de bonsaïs contribuent à éveiller l'intérêt de la communauté pour les plantes d'ornement.
Junior Museum Antiques Show and Sale
Tallahassee
Des antiquaires du nord et du sud-est de Tallahassee exposent des antiquités et des objets de collection (cristal, porcelaine, bijoux, argenterie...).
Las Olas Art Festival
Fort Lauderdale
Artisans et artistes des États-Unis et du Canada s'approprient le beau boulevard Las Olas.
Lake Worth Spring Festival
Lake Worth
Art et artisanat, musique et danses locales, vente d'objets sont au programme de cette fête du printemps.
Sanibel Island Shell Fair
Sanibel Island
Collectionneurs amateurs et professionnels exposent des coquillages ramassés dans le monde entier.
Sidewalk Art Festival
Winter Park
Il s'agit du festival le plus prestigieux du genre dans le Sud-Est. Exposition d'art sur les trottoirs, concerts, musiciens et chansons folk.
Spring Orchid Auction and Plant Sales
Selby Botanical Gardens, Sarasota
Des milliers de plantes sélectionnées, démonstrations et expositions ainsi qu'une vente aux enchères.

• Avril
Duray Affair
Atlantic Ave., Delray Beach
Artistes et artisans exposent sur les trottoirs.
Indialantic Seaside Art Show
Indialantic
Artistes américains et canadiens.
River City Arts Festival
Jacksonville
Le festival d'art le plus ancien et le plus important du nord-est de la Floride rend hommage à la littérature, aux arts visuels et aux arts de la scène. Cinq compétitions se déroulent au niveau national sur les thèmes du cinéma, du jazz, de la poésie, du journalisme et de l'art de la rue. Célébrités et talents moins connus s'y produisent.
Riverside Art Festival
Jacksonville
Festival des arts visuels et de la scène, chanteurs de folk, musiciens de jazz et une compagnie de danse. Aire pour enfants et échoppes où l'on peut déguster des plats de diverses communautés.
Space Coast Coin Club Show
Cocoa Beach
Les collectionneurs de monnaie bénéficient d'expertises gratuites et peuvent acheter, vendre ou échanger leurs pièces avec les 40 participants professionnels.
Space Congress
Cocoa Beach
Expositions des principaux constructeurs de l'aérospatiale et banquet.
Spring Arts Festival
Gainesville
L'une des plus complètes manifestations artistiques du nord de la Floride centrale regroupe 250 artistes dans le quartier historique de la ville.
Tarpon Springs Arts & Crafts Festival
Tarpon Springs
Exposition d'œuvres d'une centaine d'artistes.

• Mai
Fiesta Arts & Crafts Festival
Seville Square, Pensacola
Exposition d'art et d'artisanat.
Mayfair-By-The-Lake
Lakeland
Les meilleurs artisans de Floride et divers groupes de musiciens animent ce festival.

• Juillet
Jacksonville Shell Show
Jacksonville
Exposition de coquillages ramassés sur les rivages de Floride et d'Amérique.

• Septembre

Autumn Festival
Winter Park
Plus de 150 artistes exposent peintures, dessins, photos, sculptures et artisanat.

Cocoa Village Autumn Art Festival
Cocoa
Artistes américains et canadiens se réunissent à l'occasion de cette exposition en plein air.

Osceola Art Festival
Kissimmee
Artistes et artisans exposent sur les bords du lac Tohopikaliga.

Space Coast Coin Club Show
Cocoa Beach
Exposition de numismatique : expertises gratuites, achat, vente ou échange.

• Octobre

Coconut Grove Banyan Festival
Coconut Grove
Consacré au figuier des banians, emblème du sud de la Floride. Exposition-vente d'arbres tropicaux et de plantes exotiques, artisanat.

• Novembre

Fall Arts Festival
Sebring
Peintres, sculpteurs, photographes et artisans. Démonstrations et animations.

Fall Festival
Cauley Square, Goulds (South Dade County)
Village restauré, boutiques, galeries et jardins. Exposition de peinture, de céramique, d'artisanat, produits régionaux, animations.

Fall Plant Faire
Sarasota
Des milliers de plantes à vendre, démonstrations en matière d'horticulture.

Festival of the Masters
Au bord de la lagune, Lake Buena Vista
Peinture à l'huile, aquarelle, dessin, photo, sculpture, céramique, etc.

Gulf Beach Arts & Crafts Show
Indian Rocks Beach
Expositions d'art et musique.

Great Gulf Coast Arts Festival
Seville Square, Pensacola
Ce quartier historique s'anime grâce aux œuvres contemporaines et traditionnelles de 225 artistes et artisans venus de tous les États-Unis. Animations de rue et démonstrations d'artisanat traditionnel américain.

Halifax Art Festival
Ormond Beach
Exposition-vente d'art ayant lieu dans le majestueux Old Ormond Beach Hotel, un site historique.

Longwood Arts & Crafts Festival
Longwood
Exposition d'œuvres dans Bradlee MacIntyre House, entièrement restaurée.

Market Days
Tallahassee
Le week-end précédant Thanksgiving, artistes et artisans exposent leurs œuvres aux Leon Country Fairgrounds. Des rafraîchissements sont servis et un programme musical anime l'événement.

Ringling Crafts Festival
Sarasota
La vitrine de l'artisanat américain contemporain : plus de 150 artisans du sud-est des États-Unis présentent leurs travaux devant un jury qui décerne des prix.

South Miami Art Festival
South Miami
Près de 300 artistes exposent en plein air.

Space Coast Art Festival
Cocoa Beach
Le week-end suivant Thanksgiving, exposition présentant les œuvres de 300 artistes.

• Décembre

Christmas Antiques Show and Sale
Jacksonville
Plusieurs expositions : celle du Museum, celle des antiquaires, et objets de valeur provenant de collectio ns privées renommées.

Saint Cloud Country Art Festival
Saint Cloud
Sculptures sur bois, aquarelles, etc.

Saint Petersburg Boat Show
Saint Petersburg
Salon nautique, démonstrations, ateliers de réparations, défilés de mode, etc.

Green Ramble
Miami
Grand salon du jardinage et de l'horticulture. Expositions, conférences, démonstrations culinaires et vente de plantes rares.

CURIOSITÉS TOURISTIQUES

Parcs d'attractions, parcs animaliers et jardins botaniques

Adventure Island
4545 Bougainvillea Ave., Tampa, tél. (813) 987 56 00/971 79 78
A l'est de Busch Gardens. Parc à thème aquatique (9 ha). Torrents, cascades, restaurant, boutiques. Ouvert tous les jours de mars à décembre.

Alligatorland Safari
US 192, à 15 km au sud de Kissimmee, tél. (407) 396 10 12
Singes et alligators. Chemin en planche dans un milieu marécageux. Ouvert tous les jours.

African Safari
1590 Goodlette Rd, Naples, tél. (813) 262 40 53
Emprunter l'US 41 au sud, tourner à gauche après Mooringline Drive. Animaux exotiques du monde entier, capturés lors de safaris : lions, tigres, éléphants, serpents, oiseaux et faune diverse. Artisanat authentique d'Afrique, d'Inde et de Floride. Ouvert tous les jours de 9 h 30 à 17 h 30. Shows d'animaux sauvages « Circus Africa » à 11 h 30, 14 h et 16 h. Fermé le lundi de mai à novembre.

Busch Gardens « The Dark Continent »
3000 Busch Blvd, Tampa, tél. (813) 971 82 82/ 987 52 12
Animaux sauvages, oiseaux et reptiles d'Afrique. Promenades, restaurants et shows. Parmi les paysages, Serengeti Plain où plus de 500 animaux se déplacent librement et peuvent être observés du train ou des télécabines ; Morocco, son bazar, ses danseuses orientales, ses charmeurs de serpents et ses magiciens ; Stanleyville et ses shows d'animaux, une promenade dans la jungle, une descente de rapides, une rencontre avec un python, Timbuktu et des dauphins dressés. Les amateurs de bière apprécieront la perpétuelle fête de la bière (la boisson est gratuite), au restaurant The Old Swiss Hospitality House. Ouvert tous les jours de 9 h 30 à 18 h et jusqu'à 22 h en juin.

Church Street Stations
West Church St, Orlando, tél. (303) 422 24 34
Dans le centre-ville, complexe commercial et restaurants installés dans des constructions anciennes. Nombreuses attractions parmi lesquelles des vols hebdomadaires au-dessus du centre de la Floride arrosés au champagne. Ouvert tous les jours de 11 h à 14 h.

Conch Tour Train
Key West, tél. (305) 294 51 61
Un tour guidé (22,5 km) à travers Key West, ses quartiers anciens et modernes. Les gares se trouvent au *501 Front St 3850 N Roosevelt Blvd* et à l'angle d'*Angela et Duval Street.* Départs tous les jours de 9 h 30 à 16 h 30.

Cypress Gardens
State Route 540, Winter Haven, tél. (813) 324 21 11
L'une des attractions les plus anciennes et les plus intéressantes de Floride. Démonstrations de ski nautique (en pyramide, en équilibre sur les mains, pieds nus) sur le lac Eloise, bordé de jardins soignés. Splendides cyprès géants. Croisière en bateau électrique sur Cypress River et le lac. L'Aquarama présente le film des spectacles subaquatiques d'Esther Williams. Sections à thème : les New Southern Crossroads, une forêt vivante, South Sea Island Waterfalls, une forêt de fougères, jardins anglais et japonais, une volière et un jardin de roses. Restaurants, deux stades marins. Ouvert de 8 h à 18 h tous les jours. Animations à 10 h, 12 h, 14 h et 16 h.

Everglades Wonder Gardens
US 41, Bonita Spring, tél. (813) 992 25 91
Mammifères, reptiles et oiseaux du sud de la Floride, parmi lesquels la très rare panthère de Floride, les crocodiles, les loutres et les alligators des Everglades qui sont menacés dans leur milieu naturel. Bill et Less Piper proposent des visites guidées de 9 h à 17 h chaque jour.

Fairchild Tropical Garden
10901 Old Cutler Rd, Miami, tél. (305) 667 16 51
Jardin botanique de 33 ha. Palmiers, cycas, forêt humide, pergola recouverte de vigne, jardin de marécage, palmeraie, serre de plantes rares. Excursions en tramways. Ouvert tous les jours de 9 h 30 à 16 h 30. Fermé à Noël.

Florida Citrus Tower
US 27, Clermont, tél. (904) 394 85 85
Plate-forme d'observation d'où l'on aperçoit des plantations d'agrumes et des lacs. Carillon, boutiques de souvenirs et de bonbons, restaurant, glaces. Musée de cire. Ouvert tous les jours de 8 h à 18 h.

Fountain of Youth
155 Magnolia Ave., Saint Augustine, tél. (904) 829 31 68
Attraction bâtie autour de la recherche légendaire de Ponce de Léon : une source qui donnerait une éternelle jeunesse. On peut boire à la fontaine, observer des traces de tertres funéraires et visiter un musée. Discovery Globe et planétarium (séances d'une heure). Ouvert de 8 h à 17 h (19 h 30 de juin à septembre). Fermé à Noël.

Gatorland Zoo
Hwy 441 N, Kissimmee, tél. (305) 855 54 96
Alligators et crocodiles par centaines, serpents, singes, oiseaux. Ouvert de 8 h à 18 h (19 h l'été).

Gulfarium
US 98, Okaloosa Island, Fort Walton Beach, tél. (904) 244 51 69
Démonstrations de pêche et de plongée sous-marine, spectacles de marsouins et d'otaries. Ouvert de 9 h à 18 h (16 h en hiver).

Homosassa Springs Nature World
US 19, Homosassa Springs, tél. (904) 628 23 11
Parc situé sur une source profonde de 16,5 km, là où surgit la rivière Homosassa. Le débit est de 70 millions de litres par jour à une température de 24 °C. Marche sous l'eau dans « Nature's Giant Fish Bowl », croisière dans la jungle tropicale, sentiers de randonnée, collection d'orchidées. On peut assister au repas des alligators et des hippopotames. Ouvert de 9 h à 17 h 30 tous les jours.

Jacksonville Zoological Park
8605 Zoo Rd, Jacksonville, tél. (904) 757 44 63
A hauteur de Heckscher Drive, sur la Trout River. Des centaines d'animaux, pique-nique, promenades pour les enfants, train-safari. Ouvert tous les jours de 9 h à 17 h.

Jungle Larry's Zoological Park and Carribean Gardens
1590 Goodlette Rd (depuis l'US 41), Naples, tél. (813) 262 40 53
Lions, tigres, éléphants, reptiles, oiseaux, etc. Présentation d'animaux sauvages, « Circus Africa », à 11 h 30, 14 h et 16 h de novembre à mai. Ouvert tous les jours de 9 h 30 à 17 h.

Kennedy Space Center Tours and Seaport USA
Kennedy Space Center, tél. (407) 452 21 21
Il est conseillé de commencer la visite par Spaceport USA sur le Nasa Causeway, à 9,6 km à l'est de l'US 1, près de Titusville. Visite commentée de 2 heures, en bus, avec arrêt au gigantesque bâtiment de montage des véhicules (VAB), au contrôle, à la zone d'entraînement des astronautes et à des sites de lancement abandonnés. Trente fusées sont exposées au musée de l'Espace près de la porte sud. Hall of History et autres expositions au Visitor's Center. Cafétéria. L'itinéraire et les visites dépendent des programmes de lancement. Ouvert dès 8 h chaque jour. Fermé les jours de lancement.

Key West Aquarium
1 Whitehead St, Key West, tél. (305) 296 20 51
Des centaines d'espèces d'animaux aquatiques. Ouvert tous les jours de 10 h à 18 h. Visites guidées à 11 h, 13 h, 15 h et 16 h 30.

Leu Botanical Gardens
1730 N Forest Ave., Orlando, tél. (407) 246 26 20
Magnifiques jardins d'orchidées, de roses, d'azalées dans une ferme du début du siècle. Ouvert tous les jours de 9 h à 17 h.

Lion Country Safari
Box 16066, West Palm Beach, tél. (305) 793 10 84
A 20 km, en quittant la ville par Southern Blvd Safari, randonnée dans la jungle où plus de 1 000 animaux se promènent librement. Il est conseillé de ne pas ouvrir les vitres de la voiture. Promenades en bateau et en train. On peut approcher et nourrir les petits animaux à certains endroits. Parc de reptiles, parc de dinosaures, sentiers de randonnée, etc. Restaurants, boutiques. Ouvert de 9 h 30 à 17 h 30.

Lowrey Park Zoo
7530 N Blvd, Tampa, tél. (813) 932 02 45
Parc animalier, habitations et chemins de bois, village asiatique, etc. Ouvert de 9 h 30 à 17 h.

Marie Selby Botanical Gardens
800 S Palm Ave., Sarasota, tél. (813) 366 57 30
Plus de 2 ha de plantes exotiques. Serre. Ouvert tous les jours de 10 h à 17 h. Fermé à Noël.

Marineland
Sur l'A1A, au sud de Saint Augustine, tél. (904) 471 11 11
Un village entier, construit autour de l'ancêtre de toutes les attractions marines, ouvert en 1938. Tortues, lamantins, gymnotes, requins, dauphins et barracudas occupent des aquariums géants, approvisionnés constamment en eau de mer. Onze expositions. Aquarius Theater. Shows à 9 h 30, 11 h, 12 h 30, 14 h, 15 h 30 et 16 h 30. Restaurants, boutiques, motel. Le parc est ouvert de 8 h à 18 h 30 tous les jours.

Metrozoo
12400 SW 152 St, Miami, tél. (305) 251 04 00
Les animaux évoluent en totale liberté. Promenade de près de 5 km en petit train. Ouvert tous les jours de 9 h 30 à 17 h 30.

Miami Seaquarium
4400 Rickenbacher Causeway, Key Biscayne, tél. (305) 361 57 05
Otaries, requins dévorant leur nourriture, aquariums. Promenade en monorail. Shows de baleines tueuses et de dauphins à partir de 10 h. Ouvert tous les jours de 9 h à 18 h.

Miccosukee Indian Village
Mile Marker 70 Hwy 41, Miami, tél. (305) 223 83 80
Ce village est à l'entrée du parc des Everglades. Les familles indiennes cuisinent, confectionnent leurs vêtements et fabriquent des objets d'artisanat. Spectacle d'alligators et promenades en bateau. Ouvert tous les jours de 9 h à 17 h.

Monkey Jungle
14805 S W 216th St, Miami, tél. (305) 235 16 11
Forêt humide amazonienne habitée par des singes (gorilles, babouins et orangs-outans). Les animaux évoluent en liberté, les visiteurs

empruntent des sentiers solidement grillagés. Ouvert tous les jours de 9 h 30 à 17 h.

Mystery Fun Houses
5767 Major Blvd, Orlando, tél. (407) 351 33 55
A hauteur de l'I-4. Nombreuses attractions (sol mobile, miroirs déformants), golf miniature spectaculaire.

Ocean World
1701 S E 17th St Causeway,
Fort Lauderdale, tél. (305) 525 66 12
Spectacles aquatiques: tortues, requins, alligators et otaries. Promenades en bateau et dans les airs. Ouvert de 10 h à 18 h.

Parrot Jungle
11000 S W 57 Ave., Miami, tél. (305) 666 78 34
Aras en liberté, flamants roses dans un cadre naturel. Présentations d'oiseaux six fois par jour dans l'amphithéâtre. Ouvert tous les jours de 9 h 30 à 17 h.

Saint Augustine Alligator Farm
A1A South, Saint Augustine, tél. (904) 824 33 37
Le «meilleur spectacle d'alligators du monde», dit-on, depuis 1893. Crocodiles et alligators empaillés. Spectacles de reptiles et combats d'alligators plusieurs fois par jour. Ouvert tous les jours de 9 h à 17 h.

Saint Augustine Sightseeing Trains
170 San Marco Ave., Saint Augustine,
tél. (904) 829 65 45
Parcours guidé (11 km) dans la plus ancienne cité américaine, étapes dans les lieux d'attraction. Ticket valable 24 heures.

Sarasota Jungle Gardens
3701 Bayshore Rd, Sarasota,
tél. (813) 355 53 05
A hauteur de Myrtle St, plus de 500 variétés de plantes tropicales, d'oiseaux de paradis, d'alligators, d'aras, de mainates, de flamants et de cygnes. Présentations d'oiseaux et de reptiles. Ouvert tous les jours de 9 h à 17 h.

Sea World
7007 Sea World Dr., Orlando,
tél. (407) 351 36 00
Sea World est le plus grand parc marin du monde. On peut y voir Shamu, la baleine tueuse, des dauphins et des phoques (tous participant à des spectacles), des aquariums et différentes expositions, des démonstrations de ski nautique ainsi que deux villages, l'un hawaïen, l'autre japonais. Parmi les attractions, la promenade de **Shark Encounter**, dans un tunnel entouré de monstres effrayants. Terrains de sport, boutiques, restaurants. La tour d'observation de 120 m de haut est décorée en décembre comme un arbre de Noël. Spectacle intérieur informatisé de jeux d'eau. Ouvert tous les jours de 9 h au crépuscule.

Silver Springs
State Rd 40, Silver Springs, tél. (904) 236 21 21
Parc aménagé autour de la source de la plus grande rivière de Floride, la Silver River, dont le débit est de 220 millions de litres par jour et l'eau à une température constante de 23 °C. Reptiles, cerfs, promenades en bateau à fond de verre, collection de voitures anciennes, natation, pique-nique, restaurants, boutiques. Ticket unique. Ouvert de 9 h à 16 h 30 (18 h 30 l'été).

Six Flags Atlantis
Intersection de la 195 et de Stirling Rd,
Fort Lauderlade, tél. (305) 926 10 10
Situé au bord d'un lac de 4,4 ha à Hollywood, le Six Flags Atlantis est un parc à thème aquatique avec plusieurs piscines (vagues, cascades et toboggans). Locations de bateaux et de radeaux, amphithéâtre, restaurants et boutiques. Ouvert tous les jours à partir de 10 h.

Spongerama
510 Dodecanese Blvd, Tarpon Springs,
tél. (813) 942 37 71
Attraction évoquant la pêche des éponges qui se pratique dans la région et son héritage grec. Usine et musée des éponges, expositions, photographies, projection de films de plongée et de pêche des éponges toutes les demi-heures, boutiques d'artisanat et vente d'éponges naturelles.

Swimming Hall of Fame
1 Hall of Fame Dr., Fort Lauderdale,
tél. (305) 462 65 36
Parc aquatique doté de quatre piscines et d'une galerie d'art. Évocation des jeux Olympiques. Ouvert tous les jours de 8 h à 20 h (jusqu'à 16 h en hiver).

Theater of the Sea
US 1, Islamorada, tél. (305) 644 24 31
Dans une grotte de corail, spectacles de dauphins, fosse à requins et promenades en bateau à fond de verre. Ouvert tous les jours de 9 h à 16 h.

Universal Studios Florida
1000 Universal Studios Plaza, Orlando,
tél. (407) 363 80 00
Tout sur le cinéma et la télévision. Démonstration d'effets spéciaux avec la participation des enfants. Ouvert tous les jours à partir de 9 h.

Wakulla Springs and Lodge
Wakulla Springs, tél. (904) 222 72 79
Promenades en bateau à fond de verre dans les eaux cristallines de la Wakulla River, randonnées dans la jungle pour observer la faune, natation, pique-nique, boutiques. Possibilité d'hébergement. Ouvert tous les jours de 9 h 30 à 18 h 30 (17 h en hiver).

Walt Disney World
PO Box 40, Lake Buena Vista,
tél. (407) 824 43 21/45 00
Se reporter au chapitre « Walt Disney World ». Le royaume de Mickey Mouse ouvre tous les jours à 9 h. Les horaires de fermeture varient : 19 h en hiver, minuit en été et plus tard à l'occasion de certaines vacances. Horaires d'ouverture plus longs pendant les vacances de Noël et le jour de l'an. Réservations à adresser à Box 78. Il existe plusieurs types de tickets et des forfaits.
Waltzing Waters and Rainbow Golf
18101 US 41 S E, San Carlos Park,
Fort Myers, tél. (813) 267 25 33
Jeux de lumières multicolores et de musique dans les jets d'eau et les cascades des fontaines. Ouvert tous les jours de 11 h à 21 h.
Weeki Wachee Springs Mermaid Show
US 19, Weeki Wachee, tél. (904) 596 20 62
A hauteur de Florida 50. La source a un débit de 63,5 millions de litres par jour et elle est le point de départ de la Weeki Wachee River. Oiseaux exotiques, croisière sur la rivière, randonnées, spectacle sous-marin unique mettant en scène des sirènes qui dansent et jouent de la musique dans les profondeurs de la source. Plongée par palier jusqu'à 35 m. Ouvert tous les jours de 9 h au crépuscule.
Wet 'N' Wild
6200 International Dr., Orlando,
tél. (407) 351 18 00
Lagon, toboggans kamikazes et jeux aquatiques, piscines, pique-nique, canotage, activités de plage. Ouvert de 10 h à 17 h en hiver et de 9 h à 21 h en été.
Wild Waters
State Route 40, près de Silver Springs,
tél. (904) 236 21 21
Parc aquatique : promenades sur des canaux, piscines à vagues, terrain de Frisbee, fort entouré d'eau, golf miniature immergé, pique-nique. Ouvert de 10 h à 17 h de mai à septembre.

FORÊTS NATIONALES

• Apalachicola National Forest

La plus vaste des trois forêts nationales de Floride se trouve à l'ouest de Tallahassee, vers l'Apalachicola River. Elle s'étend sur 222 800 ha de forêts de pins, de marais, de rivières, d'avens et de sources. Elle englobe l'aire de loisirs de Silver Lake, au sud de Florida 20, sur Florida 260, où il est possible de camper, nager et pique-niquer pour quelques dollars. Les aires Hitchcock, Wright et Camel Lake disposent aussi d'installations. Pour obtenir de plus amples renseignements, s'adresser à :
Apalachicola Ranger Station
Sumatra Star Route, Box 9, Tallahassee
Wilma Ranger Station
A 32 km au sud-ouest de Hosford, sur la Hwy 65

• Ocala National Forest

Située à l'est d'Ocala, entre l'Oklawaha et la Saint Johns River, cette forêt de 146 400 ha de sable est composée de multiples espèces de conifères. A Juniper Springs, à 42 km à l'est d'Ocala, on peut pratiquer la plongée avec masque et tuba, le canotage et la spéléologie marine. L'aire de loisirs d'Alexander Springs, à 25 km au nord d'Eustis, à l'est de Florida 19, est équipée pour le pique-nique, la plongée avec tuba, la natation et le camping. Lake Bryant Ranger Station se trouve à 29 km à l'est d'Ocala, sur Florida 40, et Pittman Ranger Station, à 17 km au nord d'Eustis sur State Rd 19. Pour tout renseignement, s'adresser à :
Lake George Ranger District
Post Office Bldg., PO Box 1206, 32670 Ocala
Informations générales.
Juniper Springs
Route fédérale 40
Alexander Springs
Recreation Area, PO Box 11, Altoona

• Osceola National Forest

La forêt nationale d'Osceola, d'une superficie de 62 800 ha, s'étend à l'est de Lake City, le long de l'US Highway 90. Elle abrite une réserve d'État qui se consacre à la reproduction du gibier. La chasse du cerf, de la caille et du pigeon est réglementée. La pêche de la perche et de la brême est très réputée.

Ocean Pond, à 24 km à l'est de Lake City et à 4,8 km au nord de l'US 90, offre des possibilités de natation, de camping et de pêche. Olustee Cuard Station se situe à 4,8 km à l'est d'Olustee, sur l'US 90. Pour obtenir de plus amples renseignements, s'adresser à :
Osceola Ranger District
Route 7, Box 95, Lake City, 32055 Florida

RÉSERVES ET PARCS NATIONAUX

• Everglades National Park

Avec plus de 500 000 ha de forêts de pins et de cyprès, de marais et de mangroves, le plus grand parc national de Floride occupe la majeure partie de l'extrémité sud de la Floride. On peut pêcher, chasser, camper, faire du bateau et du canoë, observer une faune fascinante.

Renseignements:
Everglades National Park
Box 279, 33030 Homestead,
tél. (305) 247 62 11
Everglades National Park Boat Tours
Box 119, 33929 Everglades City,
tél. (813) 695 25 91
Excursions en bateau dans le parc et les Ten Thousand Islands.
Everglades Park Catering
Flamingo Lodge, 33030 Flamingo,
tél. (813) 695 31 01
Pour le camping, réserver par écrit.

• Biscayne National Underwater Park
Cette réserve, qui se trouve à 15 km à l'est de Homestead, compte 70 000 ha dont 96 % sont immergés. Il est indispensable de louer un bateau pour explorer les îlots habités par quantité d'espèces d'oiseaux, admirer les vaches de mer, les massifs de corail, les poissons tropicaux, etc. Visites guidées en bateau à fond transparent, location de bateaux et de canoës, possibilité de plongée avec tuba et de pêche. Renseignements:
Convoy Point Information Station
North Canal Dr., Homestead
Ranger's Station
PO Box 1369, Homestead, 33090 Florida,
tél. (305) 247 20 44

• Big Cypress National Preserve
Cette réserve, créée en 1974, s'étend sur 228 000 ha, soit environ 40 % du Big Cypress Swamp. Sentiers de randonnées, camping, chasse et pêche. Renseignements:
Big Cypress National Preserve
SR Box 110, 33943 Ochopee,
tél. (813) 695 20 00

LITTORAUX NATIONAUX

• Canaveral
Plus de 26 800 ha de dunes et de plages sur 40 km, le long de l'océan Atlantique, vers le sud de New Smyrna Beach, à Cape Canaveral. Une bonne partie de ce littoral n'est accessible qu'à pied. Natation, surf et pique-nique à Playa Linda Beach, à 19,3 km à l'est de Titusville sur Florida 406, ou à Apollo Park, à 16,9 km de New Smyrna Beach sur l'A1A. Le camping n'est pas autorisé. Renseignements:
Administration
Florida 402, à 11 km à l'est de Titusville
Superintendent
PO Box 6447, 33090 Titusville,
tél. (407) 867 06 34

• Gulf Island
Le rivage encore vierge de Gulf Island s'étend sur 240 km entre Destin, dans le Panhandle, et Gulfport, Mississippi. Il abrite les ruines du Fort Pickens à Pensacola Beach, là où le chef indien Geronimo fut emprisonné, et les sites historiques de Naval Air Station. On peut se baigner et pique-niquer sur la plage à Santa Rosa Area, sur Florida 399. Perdido Key, sur Florida 292, et Okaloosa, à l'est de Fort Walton Beach, disposent d'installations pour les activités de loisir. Pour obtenir de plus amples renseignements, s'adresser au:
Superintendent
PO Box 100, 32561 Gulf Breeze

PARIS MUTUELS

• Courses hippiques
Calder Race Course
21001 NW 27th Ave., Miami
De décembre à avril. Pur-sang.
Gulfstream Park
901 S Federal Hwy, Hallandale
De janvier à mars. Pur-sang.
Hialeah Park
102 E 21st St, Hialeah
D'avril à juin. Pur-sang.
Pompano Park
1800 SW 3rd St, Pompano Beach
De novembre à mai. Courses attelées.
Tampa Bay Downs
12505 Racetrack Rd, Tampa
De décembre à avril. Pur-sang.

• Frontons Jai-Alai
Le *jai alai* (« fête joyeuse »), la pelote basque, donne lieu à des paris et est surtout pratiqué à Miami et à Diana (près de Fort Lauderdale).
Dania Jai-Alai
De novembre à avril. *Tél. (305) 949 24 24*
Daytona Beach Jai-Alai
De février à juillet. *Tél. (904) 255 02 22*
Fort Pierce Jai-Alai
De janvier à juillet. *Tél. (407) 464 75 00*
Melbourne Jai-Alai
De septembre à janvier. *Tél. (407) 259 98 00*
Miami Jai-Alai
De novembre à septembre. *Tél. (305) 633 64 00*
Ocala Jai-Alai
De janvier à mars et de juin à septembre.
Tél. (904) 591 23 45
Orlando Jai-Alai
De janvier à décembre. *Tél. (407) 339 62 21*
Palm Beach Jai-Alai
De janvier à juillet. *Tél. (407) 842 32 74*
Tampa Fronton
De janvier à juin. *Tél. (813) 855 44 01*

- **Courses de lévriers**

Bonita Springs Kennel Club
28341 Old Rd, Bonita Springs
Daytona Beach Kennel Club
2201 Volusia Ave., Daytona Beach
Flagler Kennel Club
401 NW 38th Ct., Miami
De juin à septembre.
Orange Park Kennel Club
Hwy 17, Jacksonville
De novembre à mars.
Palm Beach Kennel Club
1111 N Congress Ave., West Palm Beach
De décembre à septembre.
Pensacola Greyhound Park
951 Dogtrack Rd, Pensacola
De janvier à décembre.
Saint Petersburg Kennel Club
10490 Gandy Blvd, Saint Petersburg
De janvier à mai.
Sarasota Kennel Club
5400 Bradenton Rd, Sarasota
De mai à septembre.
Washington County Kennel Club
Hwy 79, Erbo
De mars à septembre.

Les oiseaux

Les visiteurs s'émerveillent devant la diversité des oiseaux de Floride. John James Audubon les observait il y a plus de cent ans pour dessiner leurs plumages colorés. Les oiseaux photographiés avec talent — les noms des photographes sont indiqués entre parenthèses — pages 184-185 sont :
1- un balbuzard pêcheur (Paul Zach)
2- un petit héron (José Azel)
3 et 5- une aigrette neigeuse (Ron Jett)
4- une gallinule d'Amérique (Paul Zach)
6- des flamants (Joe Viesti)
7- une chouette des terriers (Ron Jett)
8- un pélican brun (Tom Servais)

FÊTES POPULAIRES

En Floride, hiver comme été, la vie semble perpétuellement rythmée par les fêtes populaires, les commémorations, les parades de carnaval ou de Pâques, les fêtes campagnardes célébrant le maïs ou la pastèque, les parades nautiques, etc. Il est impossible de faire la liste exhaustive de tant d'événements.

Aussi est-il recommandé de se renseigner auprès des chambres de commerce et des bureaux de tourisme locaux.

• Janvier

Epiphany Celebration
Tarpon Springs
Voir le chapitre « Festivals » (p. 83).

International Kite Flying Contest
Ben Franklin Dr., Lido Beach, Sarasota
Compétition annuelle qui rend hommage à l'homme qui fit voler un cerf-volant.

Orange Bowl Festival
Miami
Voir le chapitre « Festivals » (p. 86). Le soir du jour de l'an, ce festival organise, dans le quartier de Little Havana, la New Year's Eve King Orange Jamboree Parade et le célèbre match de football (Orange Bowl Classic Football Game) mais aussi un concours de pêche, des rencontres sportives interuniversités, un feu d'artifice, une Fiesta hispanica et la Three King Day Parade.

Scottish Highland Games
Orlando
Voir le chapitre « Festivals » (p. 84). La tradition rapporte que ces jeux étaient inspirés de ceux des anciens clans du nord de l'Écosse. Au programme, sept compétitions écossaises traditionnelles mais aussi des danses, de la cornemuse et des spécialités. Troisième samedi du mois.

• Février

Azalea Festival
Palatka
Les festivités commencent quand les fleurs s'épanouissent dans les Ravine Gardens. Exposition d'art, concours de tir, tournoi de golf, régate de bateau à moteur, etc. Fin février, début mars.

Battle of Olustee Re-Enactement
Olustee
Cette reconstitution de la bataille de la guerre civile qui se termina par une victoire des confédérés a lieu sur un authentique champ de bataille. Trois cents volontaires combattent en uniformes d'époque de confédérés et de l'Union. Le week-end le plus proche du 21 février, jour anniversaire de la bataille.

Edison Pageant of Lights
Fort Myers
Voir le chapitre « Festivals » (p. 85). Chaque année à Fort Myers (sa résidence d'hiver pendant longtemps), Thomas Edison est honoré le 11 février par une célébration d'anniversaire, des danses, du sport, des expositions et la grande parade de la lumière.

Estero Island Shrimp Festival
Fort Myers Beach
Une bénédiction de la flotte de bateaux allant à la pêche de la crevette couronne cet événement sur Estero Island. Parade, dîner de crevettes et concours de bateaux décorés.

Everglades City Fisherman's Seafood Festival
Everglades City
Fruits de mer délicieux, exposition de l'art des Indiens Séminoles, artisanat et bien d'autres activités.

Flagler Day
Fort Lauderdale
Le musée de la locomotive de la Côte d'Or rappelle la contribution de Henry Flagler qui amena le premier train de passagers à Key West par l'Overseas Highway. Les membres de la société d'histoire qui gèrent ce musée revêtent des chapeaux à plumes, de longs habits et autres attributs de l'époque.

Flagler Anniversary Open House
Palm Beach
Depuis 1960, le Henry Morrison Flagler Museum célèbre l'anniversaire de la création d'un musée dans la demeure de Henry Flagler, Whitehall. Guides en costume, orchestre dans l'entrée principale et concert d'orgue dans le salon de musique.

Florida Citrus Festival
Winter Haven
Fête des Agrumes. Au programme : Orange Squeeze-Off, Fresh Fruit Competition et Florida Citrus Hall of Fame.

Florida Derby Festival
Hallandane
Le Derby de Floride est la course de pur-sang la plus réputée de la Floride. Une semaine d'activités précède ce grand événement : exposition d'art, shopping, tennis, course de vélos, course de 10 000 m et la Blockbuster Block Party, semblable au mardi gras.

Florida Strawberry Festival
Plant City
Depuis 1936, Plan City célèbre la saison des fraises, fruit dont elle est la capitale. Plus de 250 000 participants, repas de fraises, divertissements nocturnes gratuits, grande parade et couronnement de la reine de la fraise.

Grant Seafood Festival
Grant
Environ 50 000 amateurs de fruits de mer se réunissent à cette occasion pour déguster les produits frais de l'Atlantique et de la célèbre Indian River. Troisième week-end de février.

Mardi Gras
Pensacola
Cinq jours de danses, de parades et de musique avant le mercredi des Cendres.

Menendez Day Celebration
Saint Augustine
Voir le chapitre « Festivals » (p. 84). Discours, pièces historiques et musique célèbrent l'anniversaire du fondateur.

Old Island Days
Key West
Évocation du passé de la ville. Visites du Vieux Key West, exposition d'art de la rue, Key West Florida Show, concours de sons de conque, bénédiction de la flotte, etc.

People's Gasparilla
Franklin Street Mall, Tampa
Voir le chapitre « Festivals » (p. 84).
- Le légendaire pirate José Gaspar est fêté quatre jours durant. Parade des enfants, festival de *bluegrass*, exposition d'art, danses et couronnement du roi et de la reine du peuple.
Ybor City, Tampa
- Depuis 1904, on revit l'arrivée de Gaspar lors de la **Gasparilla Pirate Invasion**. Un authentique navire de pirates navigue dans la baie de Tampa avec, à son bord, plus de 500 pirates costumés. Ces fiers-à-bras volent les clés de la ville. Deuxième lundi de février.

Seminole Tribal Fair & Rodeo
Hollywood
Des membres de la tribu indienne séminole organisent des expositions sur l'artisanat tribal des Indiens de diverses régions d'Amérique du Nord, des visites, un rodéo, etc.

Saint Petersburg International Folk Fair
Saint Petersburg
Plus de trente groupes ethniques mettent en commun leurs apports culturels : divertissements en costumes, expositions d'artisanat et dégustations de différentes cuisines.

Swamp Cabbage Festival
Labelle
On célèbre à la lisière nord-ouest des Everglades l'arbre symbole de la Floride, le palmiste dont le bourgeon, appelé cœur de palmier, est comestible. Musiciens réputés, parade et artisanat. Dernier week-end du mois.

Ybor City Fiesta Day
Ybor City, Tampa
Ybor City fête son héritage espagnol. Musique, danse, costumes et arts latins. La Fiesta Sopa de Garbanzo est l'occasion de goûter à une soupe de fèves, à du pain cubain et à du *café con leche*. La parade nocturne traverse la pittoresque communauté.

• Mars

Calle Ocho Open House Right
Miami
La culture hispanique de Miami est saluée par une grande fête dans le quartier de Little Havana. Expositions d'artisanat, vente de spécialités cubaines, spectacles folkloriques, matchs de boxe. Le soir, deux chars se rencontrent sur Calle Ocho avant le feu d'artifice et le bal de rue. Deuxième dimanche de mars.

Celebration of the Centuries
Miami
Chaque année, cette célébration retrace un siècle différent à travers plus de quatre-vingts événements. Expositions artistiques et scientifiques, ballets, théâtre et films.

Cracker Festival
Larco
Travaux du forgeron, traite des vaches, poterie sont quelques-unes des activités au programme de ce festival qui fait revivre les styles de vie de la Floride d'autrefois. Mi-mars.

Dunedin Heather and Thistle Holidays
Dunedin
Deux semaines pour évoquer l'héritage écossais de Dunedin. Marathon, lutte, natation, courses de voiliers, élection de Miss Dunedin, exposition de plantes et concerts.

Festival of States
Saint Petersburg
Une centaine d'orchestres scolaires de tout le pays participent à l'un des festivals les plus élaborés de Floride. Plus de deux cents événements ont lieu : parades, concours pour la Mayor's or Governor's Cup, concerts, tournois de sport, feux d'artifice et couronnement d'un dieu et d'une déesse du soleil.

Flagler County Cracker Day
Bunnell
Fête « western ». Courses de chevaux, concours de prise au lasso...

King Neptune's Frolic
Sarasota
Le débarquement du roi Neptune et Ye Mystic Krewe sur les rives de Sarasota Bay donne le ton d'une semaine d'activités attrayantes : exposition d'art, chasse au trésor, concours de pêche, tournois de golf et de tennis.

Latin America Fiesta
Tampa
Tampa célèbre ses origines latino-américaines, notamment par l'extraordinaire Old World Coronation Ball.

Lake Worth Spring Festival
Lake Worth
De multiples activités pour célébrer le printemps : exposition d'artisanat, divertissements, danses et vente dans les rues.

Lehich Spring Festival
Lehich
Hommage à la vie simple du passé. Concours de produits alimentaires et de légumes, dîner, concerts, lancer de montgolfières et parade.

March 26-Scratch Ankle
Milton
Scratch Ankle, qui signifie «cheville écorchée», était le premier nom de Milton où, en 1825, un comptoir commercial fut établi sur les bords de la Blackwater River parsemés de buissons d'épineux, d'où le nom donné à la ville. Au programme, repas, jeux, parade, nombreuses échoppes. Dernier jeudi de mars.
Medieval Fair
Ringling Museums, Sarasota
L'atmosphère d'une place médiévale est recréée au cours de cette fête annuelle.
Orange Blossom Festival
Davie
La culture des agrumes et l'élevage sont à l'honneur. Rodéo, parade, concours et fête campagnarde. Deuxième week-end.
Ponce de Leon Festival
Port Charlotte
Ponce de León est honoré pendant tout un week-end. Reconstitution du débarquement de l'explorateur espagnol, parade, démonstration aérienne et exposition d'avions anciens.
Pow Wow Festival
Seminole
La ville de Seminole rend hommage à son passé indien par une parade, l'élection d'une Miss Seminole, un match de football, etc.
River Day / Saint Johns River Regatta
Jacksonville
Les habitants de Jacksonville célèbrent la rivière Saint Johns qui est à l'origine de la fondation de leur ville. Démonstrations de ski nautique, de saut en chute libre, repas en plein air, régate de voiliers de 13 pieds ou plus sur un parcours de 20 milles marins, expositions d'art et concerts de la Jacksonville Symphony. Deuxième samedi de mars.
Salute to Canada Week
Surfside
En hommage aux relations entre les États-Unis et le Canada, Surfside organise un week-end de fête. Danses, concerts, revues musicales, productions théâtrales et événements sportifs, élection de Miss Surfside Canada.
Seafood Festival
Marathon
Cette fête se tient dans les Keys. Dégustation de fruits de mer, musique live et danse.
Sun'N Fly-In
Lakeland
Voir le chapitre «Festivals» (p. 84). Constructeurs d'avions expérimentaux et passionnés d'aéronautique de 42 États et de 5 pays tiennent leur convention annuelle dans le sud de la Floride. Un rassemblement des Eagles honore les pionniers de l'aviation.
Tarpon Springs Antique Car Show
Tarpon Springs
Foire aux voitures anciennes d'avant 1942. Parade illuminée.
Week of the Ocean
Fort Lauderdale
L'influence de l'océan dans notre vie quotidienne. Films, conférences, artisanat, promenades sur la plage au crépuscule, ateliers de cuisine et dégustation de fruits de mer.

• Avril

Beach Festival and Parade
Jacksonville Beach
Célébration du printemps. Parade colorée, chars des reines de beauté et orchestres.
Black Gold Jubilee
Belle Clade
Fête de l'humus noir des Everglades de l'Est qui produit une bonne partie de la récolte d'hiver de canne à sucre, de maïs et de légumes-feuilles. Parade, exposition d'artisanat, courses de radeaux, feux d'artifice et dîner-barbecue.
Bounty of the Sea Seafood Festival
Miami
Pendant deux jours, Planet Ocean, une attraction marine, est l'occasion d'apprécier la prodigalité de la mer dans la région de Miami. Concours de recettes de fruits de mer (soupe de conques, requin frit, etc.), musique calypso, et plus de cent expositions océanographiques.
De Soto Celebration
Bradenton
Reconstitution du débarquement de Hernando de Soto, en 1539, à l'embouchure de la rivière Manatee.
Easter Sunrise Service
Cypress Gardens
Dans le stade marin surplombant le lac Eloise, le public peut assister à un lever de soleil avec l'équipe de télévision de Day of Discovery. Ensuite, les visiteurs pourront se promener dans les jardins et apprécier le calme matinal.
Easter Week Festival
Saint Augustine
Il commence avec le Saint Augustine Arts and Crafts Festival, suivi d'une bénédiction de la flotte, et se termine le jour de Pâques, par la parade de Los Caballos y Coches («chevaux et voitures»), richement décorés.
Indian River Festival
Titusville
Hommage à la large Indian River qui coule entre la ville et l'une des plus célèbres bandes de terre du monde, Cape Canaveral, le site du Kennedy Space Center. Pendant cinq

jours, exposition artisanale au Deggler's Carnival et diverses activités aquatiques.

Larco Cracker Supper
Larco
Plats typiques des Crackers de Floride : pilaf de poulet, légumes frais et pain de maïs servis lors d'un souper à l'ancienne.

Old Spanish Trail Festival
Crestview
L'histoire espagnole et les origines de Crestview sont célébrées pendant une semaine : chasse au trésor, courses de chevaux, spectacles musicaux, parades, feux d'artifice, etc.

Springtime Tallahassee
Tallahassee
La capitale de la Floride commémore sa fondation et la venue du printemps par une série d'événements : parade des Gouverneurs, jubilé dans le parc (4 avril), activités culturelles à Florida State University et à Florida A & M University, visites de plantations et de demeures dans la région, manifestations sportives.

• Mai

Blessing of the Fleet
Destin
Le jour de l'Ascension, après avoir suivi un service religieux à Saint Andrew-by-the-Sea Episcopal Church, la communauté de pêcheurs se dirige vers le port où la flotte reçoit, bateau par bateau, prières et bénédictions.

Chautauqua
Defuniak Springs
Cette localité du Nord-Ouest organise une fête historique recréant l'atmosphère culturelle des années 1900 pendant lesquelles les acteurs se divertissaient dans le Florida Chautauqua, la sœur jumelle de l'institution du New York Chautauqua.

Dunnellon Boomtown Days
Dunnellon
Dans la région pittoresque de la Rainbow River. Cavalcade, exposition d'artisanat…

Fiesta of Five Flage
Pensacola
La reconstitution du débarquement de Don Tristán de Luna et de ses colons espagnols, en 1559, est l'un des temps forts de cette fête qui retrace l'histoire tourmentée de Pensacola sous les bannières de cinq nations. Chasse au trésor, parade et cavalcade, exposition d'art, concerts et sports nautiques.

Flying High Circus
Tallahassee
Le cirque universitaire, qui se produit aussi bien aux États-Unis qu'à l'étranger, présente son spectacle annuel pendant deux semaines.

Galvez Celebration
Pensacola
Grande commémoration de la bataille de Pensacola, la seule bataille de la guerre d'Indépendance menée en Floride, et qui vit la victoire des troupes espagnoles. Reconstitution de la reddition des troupes britanniques à Fort George, visites des quartiers historiques, divertissements donnés par les différentes ethnies, le tout en présence de dignitaires espagnols, britanniques, mexicains et américains.

International Sandcastle Contest
Sheraton Resort, Lido Beach, Sarasota
Des sculpteurs sur sable, de tous les âges, participent à ce concours gratuit.

Marco Island Boat and Water Festival
Marco Island
Concours de pêche, dégustation de fruits de mer, exposition nautique et tournois de golf et de tennis. Course de bateaux entre Fort Myers Beach et Marco Island pendant l'International Offshore Power Boat Race.

Night Flags Shrimp Festival
Fernandina Beach
Voir le chapitre « Festivals » (p. 86). Débarquement de pirates, concours de barbe, compétition de saut en chute libre, bénédiction de la flotte, expositions d'artisanat, festival folk et vente de fruits de mer.

Po Mahina Piha
(« Nuit polynésienne de la pleine lune »)
Sarasota
Lors de la pleine lune, les jardins botaniques de Selby accueillent une fête polynésienne illuminée par des torches tiki et des lanternes.

Zellwood Sweet Corn Festival
Zellwood
La région de Zellwood, grande productrice de maïs doux, célèbre sa moisson. Concours de mangeurs de maïs, vente du produit et orchestres de *bluegrass*.

• Juin

Billy Bowlegs Festival
Fort Walton Beach
Voir le chapitre « Festivals » (p. 84). Pendant une semaine, le pirate légendaire Billy Bowlegs et les siens investissent la ville : parade de bateaux pendant le débarquement des pirates, chasse au trésor, tournois sportifs, courses de bateaux, expositions d'art et d'antiquités, parade illuminée et festival de danse.

Coon Hound Championships Beach Show
Pensacola
Concours du meilleur chien de chasse parmi plusieurs races canines du sud-est des États-Unis. Rassemblement de chasseurs, paris et remises de trophées.

Jefferson County Watermelon Festival
Monticello
Concours de mangeurs de melons et de cracheurs de pépins pendant ce festival vieux de trente ans qui célèbre la récolte du melon. Troisième et quatrième week-end du mois.
Sea Turtle Watch
Jensen Beach
Depuis des décennies, résidents et visiteurs se rassemblent à cette période de l'année pour observer les tortues venues creuser leurs nids sur la plage afin d'y pondre leurs œufs. Excursions.
Spanish Night Watch
Saint Augustine
Voir le chapitre « Festivals » (p. 84). Des résidents vêtus de costumes du XVIIIe siècle défilent dans les rues de Saint Augustine pour célébrer l'histoire coloniale de la ville. La cérémonie reprend le dispositif militaire britannique utilisé dans les villes de garnison : des troupes sont mises en poste pour défendre la ville au crépuscule et les résidents doivent se déplacer avec des lanternes allumées dans les rues. Pièces de théâtre, danses d'époque et tirs au canon depuis le fort.

• Juillet
Annual Celebration of the Launch of Apollo 11
Cape Canaveral
Les premiers pas de l'homme sur la lune sont célébrés par une journée d'activités au Kennedy Space Center. Le 16 juillet.
Big-band
Pensacola
Fête à l'ancienne : jeux et concours, régates de yachts, pastèques, drapeaux et feux d'artifice.
Blue Angels Air Show
Pensacola
La célèbre équipe de démonstration de vol de précision de l'US Navy, les Blue Angels, met en valeur l'Open House à la Naval Air Station de Pensacola, leur base d'attache.
Firecracker Festival
Daytona Beach
Cette fête, qui a lieu en même temps que la course d'automobiles Firecracker 400, célèbre le jour de l'Indépendance. Sports, pique-nique, feu d'artifice, cavalcade, parade et musique *bluegrass*.
Florida State Championship Bellyflop Contest
Trenton
Impressionnantes courses de traîneaux (les compétiteurs sont à plat ventre), lutte de traction de corde, musique *country* et western et l'un des plus grands feux d'artifice du nord de la Floride. Le 4 juillet.
Fourth of July Jacksonville Beach Celebration
Jacksonville Beach
Pendant deux jours, concours de maillots de bain et de châteaux de sable, événements sportifs, chasse au trésor, feu d'artifice.
God and Country Day
Ocala
Le 4, fête traditionnelle avec concours de mangeurs de pastèques et du grimper d'un poteau graissé, cavalcade, parade et course.
Great Gulf Gourmet Cumbo Cook-off
Pensacola
Cinquante cuisiniers entrent en compétition pour la meilleure recette de gombo de la côte du golfe. Remise des prix le 4 juillet.
Panhandle Watermelon Festival
Chipley
Fête de la récolte de la pastèque. Course de 10 000 m, petit déjeuner de crêpes, parade, présentation de chevaux, concours de la plus grosse pastèque avec vente aux enchères et, bien sûr, concours du plus gros mangeur de pastèque et du meilleur cracheur de pépins.
Pirate Days
Treasure Island
Le 4, invasion de pirates, feu d'artifice, concours de châteaux de sable, courses de canoë et danses.
Summer Weekend Festival
Surfside
Pour divertir les estivants de Surfside, danses au clair de lune, défilé de mode, concours d'artisanat de coquillage, compétitions de natation et spectacle folklorique.

• Août
Bon Odori
Museum Morikami, Delray Beach
Delray Beach, jumelée à la ville japonaise de Miyazu, est célèbre pour son festival de danses folk, Bon Odori. Les résidents japonais de Delray Beach, en costume traditionnel Miyazu, exécutent des danses dans les jardins du musée.
Royal Festival
Palm Beach County
Cette fête, qui se déroule dans tout le comté, tire son nom du palmier qui borde de nombreuses avenues de la région. Activités culturelles et sportives, parades, danses et festival de fruits de mer ont lieu durant les dix derniers jours du mois.
Wausau Fun Day and Possum Festival
Wausau
Fête traditionnelle : concours de cuisson de pains de maïs, de cris de cochon et de grimper d'un poteau graissé, musique gospel, *country* et *bluegrass*. Le premier samedi du mois.

• Septembre

Anniversary of the Founding of Saint Augustine
Saint Augustine
Voir le chapitre « Festivals » (p. 84). Reconstitution du débarquement, en 1565, de Don Pedro Menéndez de Áviles, fondateur de Saint Augustine. Le samedi le plus proche du 8 août.

Blue Crab Festival
Panacea
Fête en l'honneur du crabe bleu, très répandu sur les rivages de cette ville. Il est mis à toutes les sauces : concours de ramassage, expositions, dîners où il côtoie d'autres fruits de mer. Le tout accompagné de feux d'artifice et de régates. Le samedi précédant le Labor Day.

Grecian Festival
Jacksonville
La Grèce à travers ses danses, sa musique, ses costumes et sa délicieuse cuisine.

Pioneers Days
Englewood
Depuis 1955, pendant le week-end du Labor Day, cette localité fête ses origines. Danses dans les rues, concours de barbe, foire traditionnelle, pique-nique, tournois sportifs, courses de bateaux, pêche du requin et concours de sculptures dans le sable.

Pioneer Florida Day
Dade City
Les traditions et l'artisanat des pionniers évoqués à travers leur cuisine, leurs contes et leur musique folklorique. Démonstrations des techniques du capitonnage, du filage et du tissage. Fabrication de vin.

Seafood Festival
Pensacola
Pensacola honore son industrie des fruits de mer par deux week-ends de festivités sur terre et sur mer. Bénédiction de la flotte, parade de bateaux, démonstration de ski nautique, concours de cuisine aux fruits de mer et vente des fruits de mer.

• Octobre

Belleview Junction Western Roundup
Pensacola
La « ville fantôme » de Belleview Junction reprend vie (règlements de compte, attaques d'Indiens, diligences et filles dansant le *french cancan*.) La reconstitution comprend Miss Kitty's Saloon, le Sweatfager Hotel, une cantine mexicaine, des tipis, un fort militaire, un chemin de fer, une école en bois.

Boggy Bayou Mullet Festival
Niceville-Valparaiso
Le mulet est à l'honneur, fraîchement pêché et cuisiné selon différentes recettes. Rencontres sportives, artisanat…

Country Jubilee
Largo
Reconstitution d'une foire campagnarde du début du siècle avec sa place de marché, ses jeux au rythme de la musique *country*.

Czechoslovakian Independence Day
Masaryktown, au nord de Tampa
Cette petite ville célèbre les traditions de la patrie tchécoslovaque et la libération de son peuple. Plats typiques, spectacle des Beseda Dancers, jeunes danseurs tchèques en costume traditionnel.

Fiesta Italiana
Miramar
Hommage à l'Italie, sa cuisine, ses danses.

Florida Forest Festival
Perry
La prospère industrie forestière de Floride est l'objet d'une fête au Forest Capital Museum. Présentation de la reine de la forêt de Floride, championnat de tronçonneuses, la plus grande distribution de poissons frits du monde, tournoi de tennis, quadrille, exposition de voitures anciennes, parades, chasse du renard, course de 10 000 m et expositions d'art et de fleurs. Dernier week-end d'octobre.

Indian Key Festival
Islamorada
Expositions de reliques indiennes, de souvenirs du chemin de fer, reconstitution de l'attaque d'Indian Key, concours de sons de conque, feu d'artifice, compétition de canoë et de voiliers.

Jeannie Auditions and Ball
White Springs
Le Stephen Foster State Folk Culture Center accueille un concours auquel participent de jeunes chanteuses. Toutes rêvent d'obtenir le titre de « Jeannie » en souvenir de la femme du compositeur. Le bal Jeannie donne le coup d'envoi des festivités.

Key West Fantasy Fest
Key West
Key West célèbre la veille de la Toussaint par un bal masqué, un repas, une grande parade et un concours de costumes.

Leif Erikson Day
Jenson Beach
Voir le chapitre « Festivals » (p. 83). Reconstitution du débarquement de Leif Erikson et de ses Vikings.

Ocala Week
Ocala
Au cœur de la région d'élevage de chevaux pur-sang, une semaine de festivités au cours de laquelle a lieu la vente annuelle de quelques-uns des plus beaux chevaux du monde.

Official Florida Air Fair
Kissimmee
Depuis sa création, en 1965, le Salon officiel de l'aéronautique de Floride a fait des dons de plus de 250 000 $ à des associations humanitaires. Les US Navy Blue Angels et les US Air Force Thunderbirds sont les temps forts de cet événement qui a lieu tous les deux ans.
Oktoberfest
Melbourne
De nombreux Allemands américains participent à cette fête. Costumes alpins, chanteurs, danseurs, musique et flonflons, saucisses, choucroute, chou rouge, bretzels et bière à flots.
Orlando
L'occasion de rendre hommage à l'héritage allemand. Orchestres, flonflons, danses et cuisine typique à la Church Street Station.
Pioneer Day
Lake Wales
Trois thèmes principaux : histoire de Lake Wales et de ses pionniers, musique et divertissements, cuisine et métiers d'autrefois.
Rattlesnake Festival International and Gob Pher Race
San Antonio
Présentation de serpents et démonstration d'extractions du venin, dîner de poulet, *bluegrass*, promenade en montgolfière, courses de tortues. Troisième samedi du mois.
Seafood Festival
Cedar Key
Ce petit village de pêcheurs, perché sur une île des Keys, s'anime à l'occasion de cette fête qui attire de nombreux visiteurs. Dégustations de mulets et d'huîtres.
Ventian Sun Fiesta
Venice
L'omniprésence du soleil en Floride est prétexte à une fête dans cette localité du sud de la côte occidentale. Course d'embarcations, régates de voiliers, spectacle de natation et danses rock sur la plage. Également au programme, l'Art League Fair, une cavalcade et une grande parade.
World's Chicken Pluckin' Championship
Spring Hills
Pour faire connaître sa position de grande productrice de volaille des États-Unis, cette petite localité proche de Tampa organise chaque année un concours de plumage de poulet. Des équipes rivalisent pour établir un nouveau record du monde (les précédents figurent dans le Guinness Book of Records). Une plaque en forme d'œuf est décernée à l'équipe gagnante et chaque membre de l'équipe est décoré d'une guirlande de plumes. Premier samedi du mois.

• Novembre
Birthplace of Speed Antique Car Meet
Ormond Beach
Voir le chapitre « Festivals » (p. 84). Reconstitution des premières courses sur le sable tassé de la plage. Le week-end qui suit Thanksgiving.
Blue Angels Air Show
Pensacola
L'équipe de démonstration de vols de précision de l'US Navy propose une journée d'acrobaties aériennes, de vol libre, de parachutisme. Exposition d'avions militaires et civils.
European Cucumber Festival
Fort Pierce
Le concombre d'Europe, dont Fort Pierce est le plus grand producteur, est la vedette de ce festival des légumes. Parades, barbecue, concours de beauté, tournois de sport.
Golden Age Olympics
Sandford
Compétition sportive de renommée nationale réservée aux personnes âgées.
Greek Festival Bazaar
Pensacola
Cuisine, musique, danse, costumes et artisanat grecs.
Hollywood Sun' N' Fun Festival
Hollywood
Fête destinée à promouvoir l'image de la ville : exposition sur les métiers et nombreux divertissements.
International Glendi
Tarpon Springs
Dégustation de plats typiques, fiesta de chants et de danses en costume grec, et expositions d'artisanat fait à la main au Sponge Exchange, dans les Docks.
Pioneer Days
Orlando
Festival folk de deux jours avec musique folk, quadrilles et cuisine régionale. Présentations des techniques de capitonnage, de dentelle, de travaux de forge, de cannage et fabrication de dulcimer (tympanon) par le Folk Life Area.
Seafood Festival
Madeira Beach
Le village de John's Pass avec ses boutiques en bois, ses galeries et ses chemins en planches accueille une fête aux fruits de mer, des expositions artisanales et d'autres divertissements.
The Harvest
Miami
Il y a autant à faire qu'à voir pendant cette fête qui célèbre tout l'héritage du Sud. Musique et danse folk, cuisine régionale, expositions historiques et démonstrations des métiers traditionnels.

Umatilla Fall Festival and Christmas Parade
Umatilla
Parade de Noël suivie d'une exposition d'artisanat dans la rue principale. Dernier samedi de novembre.

• **Décembre**
Candlelight Processional
Lake Buena Vista
Un chœur de 1 000 chanteurs portant des torches défile dans Main Street, du château de Cendrillon à Town Square où un invité célèbre conte l'histoire de Noël accompagné par le chœur et un orchestre.
Christmas Boat Parade
Deland
Le troisième samedi du mois, tous les habitants décorent leurs bateaux et participent à une parade nocturne sur la Saint Johns River.
Christmas Boat Parade
Fort Lauderdale
Le samedi précédant Noël, Port Everglades est le point de départ de cette étonnante parade nautique nocturne sur l'Intracoastal Waterway. Les citoyens de Fort Lauderdale se costument à cette occasion.
Christmas Boat Parade
Pompano Beach
Le dimanche précédant Noël, plus de 125 bateaux décorés naviguent sur l'Intracoastal Waterway avec, à leur bord, des chanteurs de Noël.
Christmas Boat-A-Cade
Madeira Beach
Les résidents décorent leurs bateaux et naviguent sur la Boca Ciega Bay, près de Saint Petersburg, le dimanche qui précède Noël.
Christmas Night Watch
Saint Augustine
Fifres, tambours et cornemuse accompagnent les activités pendant cette célébration de l'histoire coloniale de la ville.
Christmas In Lantana
Lantana
Des milliers de personnes viennent admirer le plus grand sapin de Noël et le plus grand chemin de fer miniature au monde. Tous deux figurent dans le Guinness Book.
Florida Tournament of Bands
Saint Peterburg
Concours d'orchestres parrainé par le Festival of States.
Kwanzafest
Miami-Dade County
Ce festival des arts et de la culture s'inspire des fêtes de la récolte en Afrique. Danseurs, acteurs et musiciens américains, ateliers de création et exposition artisanale.

SPORTS

PÊCHE

En Floride, c'est une véritable industrie. A elle seule, la pêche en mer représente plus de 79 000 t de poissons et de crustacés chaque année. Les flottes commerciales prennent plus de soixante sortes de poisson y compris des variétés non comestibles utilisées pour fabriquer de l'huile et de l'engrais, des éponges et une demi-douzaine de coquillages différents.

Seule la Game and Fresh Water Fish Commission est habilitée à délivrer des permis commerciaux. Les pêcheurs utilisant des filets ou des paradières de plus de 25 hameçons doivent posséder un permis commercial et un permis de pêche sportive valides. La Game and Fresh Water Fish Commission a établi un règlement strict pour l'utilisation de pièges en fil de fer, de paniers à lames, de vairons, d'éperviers, d'alosiers, de casiers à homards et de filets maillants.

Aucun permis n'est exigé pour la pratique amateur et la saison de pêche dure toute l'année. Les 12 800 km de rivage marin de la Floride, qui sont soumis à des marées, abritent plus de 600 variétés de poissons de mer. Il existe diverses techniques : la pêche en eaux profondes, le surf-casting, la pêche depuis un pont ou une jetée et la pêche en mer. Le mérou, la cavaille, le marlin, le pompano, la truite de mer, le maquereau, le lutjanide rouge, le brochet de mer, le rouget grondin, le pèlerin, l'albula, le lampris tacheté et le dauphin se cachent dans les eaux profondes. A la fin du printemps et de l'été, le tarpon se mesure aux pêcheurs en eaux profondes au large de la baie de Tampa, de Marathon, de Boca Grande Pass et de Bahia Honda Channel. Les Keys, la côte orientale inférieure et les régions supérieures du golfe sont les eaux favorites du marlin.

Les 30 000 lacs de Floride et les innombrables rivières et cours d'eau sont également poissonneux. La quantité limite pour la pêche en eau douce est de 50 poissons à frire (brème, perche et brochet à nageoires rouges, individuellement ou toutes sortes confondues), 15 brochetons, 10 black-bass (perches noires) y compris les perches de Suwannee, et 6 bars rayés d'une longueur minimale de 37,5 cm. Il n'y a pas de limites concernant la pêche des autres poissons, mais certains règlements locaux peuvent émettre des restrictions.

Il existe une réglementation concernant la longueur minimale des poissons de mer, que l'on mesure de la pointe du museau jusqu'à la queue. Les limites sont: 30 cm pour le mérou, 37,5 cm pour le bar rayé (nombre limité à 6), 37,5 cm pour l'albula (limité à 2), 45 cm pour le brochet de mer (limité à 4), 30 cm pour le poisson rouge, 30 cm pour le maquereau, 27,5 cm pour le carrelet, 23,7 cm pour le pompano et 25 cm pour le poisson bleu. Le mulet noir doit mesurer plus de 27,5 cm, mais seulement 22,5 cm s'il est pêché à l'ouest de l'Aucilla River, en direction de Citrus Hernando County Line. La longueur des truites tachetées de mer doit dépasser 30 cm dans tous les comtés de Floride excepté dans ceux du golfe, de Franklin et de Wakulla, où il n'y a aucune restriction.

Les espèces protégées sont le lamantin, le marsouin, la tortue de mer et le corail. Il est interdit de les déranger, de les blesser, de les prendre ou de les tuer. La chasse sous-marine est interdite dans le comté de Collier, dans le Pennekamp Coral Reef State Park, dans le comté de Munroe (de Long Key au nord jusqu'à la limite comté de Dade), près des plages publiques, des jetées et des ponts.

Pour les sportifs à qui manque la patience nécessaire à la pêche traditionnelle, le ramassage des coquillages est une possibilité plus dynamique. Et leur variété dans les eaux de Floride étonnera les amateurs.

• Pêche du crabe

Le matériel nécessaire est rudimentaire: un filet à crabes, une bobine de fil solide, un récipient ou un sac de toile, et une provision d'appâts (têtes de poisson ou cous de poulet). La méthode consiste à attacher le fil, qui doit mesurer une quinzaine de mètres, à un bâton ou à son poignet. On place l'appât au bout du fil, on le lance et on le remonte lentement vers l'eau peu profonde dès qu'un crabe tente de s'en emparer. Il suffit alors de capturer sa prise soit avec le filet, soit à la main en mettant le pouce d'un côté, l'index de l'autre, entre la pince et la dernière patte. Attention aux pinces qui peuvent faire très mal.

Les crabes vivent dans les terrains marécageux, les criques et les zones irrégulières du rivage. Ils sont toujours à la recherche de nourriture pour satisfaire leur appétit vorace. Les crabes bleus n'essaieront même pas de partir une fois qu'ils auront saisi un appât.

A condition que ce soit pour sa consommation personnelle, on peut pêcher des crabes de toutes tailles mais ceux dont la carapace ne dépasse pas 10 ou 12 cm ne contiennent pas assez de chair pour qu'il soit justifié de les garder. Il est interdit de pêcher les femelles qui portent des œufs. On les identifie à la masse spongieuse jaune-orange qu'elles cachent sous elles.

• Pêche de la langouste

Le homard épineux, appelé aussi langouste, est une prise très appréciée et un véritable défi. La Lobstermania, pêche des langoustes, qui a lieu chaque année le 20 ou le 21 juillet, rassemble environ 50000 personnes sur les lieux les plus propices des Keys. Chaque personne peut pêcher 6 langoustes par jour. Les pêcheurs professionnels, quant à eux, en prennent environ 2265 t chaque année, pendant la saison qui s'étend du 16 juillet au 30 mars.

Ce crustacé, plus peureux que le crabe, séjourne près des récifs et des rebords rocheux, dans des eaux peu profondes (3 à 4,5 m), et se cache dans les racines des mangroves. Les endroits qu'il est supposé peupler se situent généralement entre 130 et 180 m du rivage.

Il est recommandé d'avoir un équipement de plongée autonome, ou au moins un masque, pour avoir une chance d'affronter une langouste. Quand on en a repéré une, on peut la déloger avec un bâton, c'est le seul instrument autorisé par la loi. Un ou deux coups de bâton suffisent à la faire sortir de son trou. Il faut alors la saisir directement derrière la tête. Prévoir un gant solide car la langouste de Floride a une carapace formée de protubérances très piquantes. Et attention aux murènes et aux rascasses qui sont nombreuses dans les rochers. La nuit, les langoustes se promènent sur des étendues herbeuses assez peu profondes. Emporter une torche.

Seules peuvent être ramassées les langoustes dont la queue mesure plus de 13,5 cm et la carapace (d'un seul tenant de la tête jusqu'au début de la queue segmentée) plus de 7,5 cm. On doit les rapporter entières sur le rivage.

• Pêche des coquilles Saint-Jacques

La coquille Saint-Jacques des baies, beaucoup plus savoureuse que celle de haute mer, est abondante le long de la côte occidentale, de Saint Petersburg au Panhandle. On la pêche à la drague, entre 180 et 270 m de profondeur, de juin (la meilleure période) à novembre.

Sur le bord du manteau de sa coquille supérieure, la saint-jacques possède entre 30 et 40 yeux, qui l'alertent d'un danger. Elle réagit en projetant un jet d'eau entre ses coquilles partiellement entrouvertes. Cette réaction la propulse ailleurs. Sa teinte sombre s'harmonise avec la couleur de l'herbe dans laquelle elle se cache, à marée basse, quand elle n'est pas dans les bancs de sable proches de l'herbe. On peut utiliser un filet pour remonter les coquilles. Il faut savoir qu'elles se conservent mal par temps chaud.

- **Concours de pêche**

Annual Fishathon
Saint Petersburg, tél. (813) 893 85 81
Les enfants de moins de 12 ans et leurs parents testent leurs compétences sur le Jorgeson Lake. Des sponsors locaux prêtent le matériel. Plus de 60 prix sont décernés. Août.

Annual Fishing Tournament
Saint Augustine, tél. (904) 829 56 81
Concours séparés pour les résidents et les visiteurs. Trophées aux pêcheurs qui prennent le plus gros poisson dans des catégories allant du tarpon au maquereau. Mai-septembre.

Captain's Billfishing Tournament
Panama City Beach, tél. (904) 234 34 35
L'une des plus intéressantes pêches sportives de la région. Ouverte à tous. Banquet et remise des prix. Août.

Collier County Fishing Tournament
Comté de Collier, tél. (813) 394 75 49
Ce concours attire des pêcheurs de tous les États-Unis. Janvier-août.

Destin Annual Shark Tournament
Destin, tél. (904) 837 65 70
Pêche du requin durant une semaine. Tous les jours, remises de prix sous forme de trophées ou d'espèces. Juin-juillet.

Destin October Fishing Rodéo
Destin, tél. (904) 837 67 34
Octobre est le mois le plus propice pour pêcher dans cette partie du golfe du Mexique. Dégustations de fruits de mer et de poissons frits, tournoi de tennis et remise de prix d'une valeur totale de 50 000 $.

Fort Walton Beach/Destin Open Billfish Tournament
Fort Walton Beach
Concours international parrainé par le Fort Walton Beach Sailfish Club. Juillet.

Greater Daytona Beach Area Striking Fish Tournament
Daytona Beach, tél. (904) 252 15 11
Des prix d'une valeur totale de 10 000 $ sont attribués aux meilleurs pêcheurs de marlin blanc ou bleu, thon, dauphin, pèlerin ou maquereau. La compétition se déroule au large de Ponce de Leon Inlet en mai.

Greater Jacksonville Mackerel Tournament
Jacksonville, tél. (904) 241 71 27
Les participants viennent de trente États différents, du Mexique et du Canada. Activités prévues pour les familles des pêcheurs. Banquet et remise de prix. Juillet.

Gulf Coast Masters Invitational Billfish Tournament
Pensacola, tél. (904) 434 12 34
Réservé aux spécialistes de la pêche au gros. Marlin bleu ou blanc et pèlerin. Août.

International Bonefish Tournament
Marathon, tél. (305) 743 22 31
Les pêcheurs tentent de capturer l'albula, l'un des poissons les plus irréels. Juin.

Island Open Fishing Derby
Sanibel Island, tél. (813) 472 10 80
Récompenses aux pêcheurs ayant pris les plus gros rouget grondin, brochet de mer, cobia ou truite de mer. Bénédiction de la flotte et parade de bateaux décorés. Avril-juin.

Marathon Jaycees Shark Tournament
Marathon, tél. (305) 743 36 88
Pêche du requin réservée aux pêcheurs les plus hardis. Compétition de trois jours qui offre beaucoup d'émotions. Juillet.

Marlborough Billfishing Tournament
Destin, tél. (904) 837 68 11
Prix de 7 000 $ à la plus belle prise (pèlerin ou marlin bleu ou blanc). Septembre.

Marlborough Cobia Tournament
Destin, tél. (904) 837 68 11
Cette compétition a lieu dans les eaux peu profondes au large de la côte nord-ouest. Prix aux plus lourdes prises. Mars-avril.

Marathon Dolphin Scramble
Marathon, tél. (305) 743 64 52
Aucune restriction n'est faite sur le type de bateau utilisé. Le vainqueur est le premier qui attrape un dauphin et le ramène au bateau du comité. Remise des prix, barbecue et spectacle.

Miracle Strip King Mackerel Tournament
Panama, tél. (904) 763 98 97
Les pêcheurs s'affrontent en équipe. Septembre.

Pensacola International Billfish Tournament
Pensacola, tél. (904) 433 30 65
Le plus grand concours de pêche au requin pèlerin du monde, auquel participent des centaines de pêcheurs. On pêche aussi le marlin et l'espadon.

Pensacola Shark Rodeo
Pensacola, tél. (904) 433 30 65
Pêche adu requin. Cérémonies de pesage, conférences de spécialistes en biologie marine, dégustation gratuite de plats cuisinés de requin le dernier jour. Juillet.

Silver Sailfish Derby of the Palm Beaches
West Palm Beach, tél. (305) 832 67 80

Treize trophées. Les concurrents doivent faire enregistrer leur bateau pour concourir mais aucun droit d'admission n'est requis. Janvier-février.
Small Boat Tournament
West Palm Beach, tél. (305) 832 67 80
Deux lignes au plus par pêcheur. Le premier week-end de mai.
Stuart Sailfish Club Light Tackle Tournament
Stuart, tél. (305) 287 85 56
L'un des plus anciens concours de pêche de Floride. Compétition décontractée précédée d'un cocktail. Décembre.
Stuart Sailfish Club's Small Boat Tournament
Stuart, tél. (305) 283 27 81
Cet événement à l'ambiance familiale a lieu au large, dans le Gulfstream. Selon les catégories, on pêche le dauphin, le pèlerin, le lampris tacheté, la bonite et le barracuda. Les bateaux ne doivent pas mesurer plus de 7,8 m. Mai.

CHASSE

Les vastes forêts, les marais et les herbages de Floride abritent quantité de gibier : cerfs, dindes, sangliers, lapins, oiseaux, ratons laveurs, oppossums, renards, etc.

La prise journalière est limitée à 2 cerfs à queue blanche (3 au plus), une dinde (2 au plus), 12 écureuils du Canada (24 au plus), 2 renards (4 au plus), 12 cailles (24 au plus), 12 lapins (24 au plus), un sanglier (2 au plus).

Il existe plusieurs formules de permis : annuel ; pour 10 jours ; combiné chasse-pêche. Les dates d'ouverture et de fermeture de la chasse sont définies chaque année, en juin, par la Florida Game and Fresh Water Fish Commission. Cette commission édite aussi une brochure, *Florida Hunting Handbook*, disponible à l'adresse suivante :
Game Commission
620 Meridian St, Tallahasse FL 32399-1600, tél. (904) 488 46 76

GOLF

La Floride est l'un des États les plus réputés en matière de golf. Ses parcours, plus de mille, sont fréquentés par un dixième des joueurs américains et l'on y dispute les plus prestigieuses compétitions.

Bien que beaucoup de clubs soient privés, il y a assez de parcours publics pour satisfaire les visiteurs. Le prix du green-fee, comparable à ce qui se pratique en France, est plus élevé en hiver, saison aux conditions climatiques idéales. A titre indicatif, voici quelques adresses de clubs de golf. Il faut savoir que chaque ville importante compte plusieurs parcours dans sa proximité immédiate. Pour obtenir de plus amples renseignements, s'adresser à :
The Official Florida Golf Guide
Florida Division of Tourism
107 W Gaines St, Tallahassee FL 32399
Florida Sports Foundation
Tél. (904) 488 83 47

• Disney World
Eagle Pines
Dessiné par Pete Dye.
Grand Cypress
Dessiné par Nicklaus. 45 trous.
Lake Buena Vista
Bunkers très efficaces.
Magnolia
Théâtre de la finale du PGA Tour's Oldsmobile Scramble.
Osprey Ridge
A ne pas manquer. 12 trous sur l'eau.

• Naples
Flamingo Island
Le parcours le plus difficile de Naples. 14 des trous sont placés sur des îles.
Golden Gate
Parcours large pour tous niveaux.
Golf Club Marco Island
16 trous d'eau et de somptueux fairways.
Hunter's Ridge
Entre Fort Myers et Naples.
Parcours court mais très difficile.
Marco Shores
Tous niveaux.

• Orlando
Black Bear
A 35 min au nord d'Orlando
Fantastique panorama, profonds bunkers.
Eastwood
Dessiné par Lloyd Clifton. 13 trous d'eau.
Grenelefe Golf & Tennis Resort
Grenelefe, à 45 km à l'ouest d'Orlando
Trois parcours de 18 trous, hébergement de luxe.
Hunter's Creek
L'un des meilleurs parcours publics du pays. Accueille le PGA Tour, l'US Open Qualifier.
Kissimmee Bay
16 trous d'eau.

• Palm Coast
Cypress Knoll
Magnifique golf dessiné par Gary Player. Lacs, étangs, marais et bunkers.

Matanzas Woods
Dessiné par Arnold Palmer. 9 trous.
Palm Harbor
Petit parcours, belle végétation.
Pine Lakes
Très long parcours aux fairways étroits bordés de bunkers et d'eau.

• Compétitions de golf

- Février

Annual PGA Tour Golf Event
Naples
Doral Eastern Open
Doral Hotel et Country Club, Miami
Tournoi de la PGA.
Elizabeth Arden Classic
Turnbury Isle Country Club, Miami

- Mars

Bayhill Classic
Bay Hill Club, Orlando
Delray Dunes Proam Tournaments
Delray Beach
Tournoi de très haut niveau disputé par 26 joueurs PGA.
Inverrary Golf Classic
Inverrary Classic Foundation, Lauderhill
L'un des principaux tournois de la PGA.
Tournament Players Championship
Tournament Players Club, Ponte Vedra Beach

- Mai

American Amateur Golf Classic
Pensacola
Réservé aux amateurs : étudiants, stars, athlètes professionnels ou hommes d'affaires.

- Juillet

Southern Juniors Golf Championship
Scenic Hills Country Club, Pensacola
Réservé aux juniors de haut niveau venus des États-Unis et des pays voisins.

- Octobre

Pensacola PGA Open
Pensacola
Le plus ancien tournoi PGA de Floride.
Walt Disney World National Team Championship Golf Classic
Lake Buena Vista
Les joueurs de catégorie PGA s'affrontent en deux équipes de deux hommes.

TENNIS

Grand sponsor international de tournois de tennis, la Floride attire des joueurs du monde entier. Hôtels et complexes sportifs totalisent plus de 7 000 courts. Renseignements :
Florida Tennis Association
801 NE 167th St, Suite 301, North Miami Beach, FL 33162, tél. (305) 652 28 66

• Compétitions de tennis
Florida State Tennis Championship
Beach Municipal Tennis Courts, Delray Beach
Réunie les meilleurs joueurs de Floride. Juin.
Lipton International Players Championship
Key Biscayne
L'un des dix tournois internationaux les plus importants. Mars.
National Senior Women's Clay Court Tennis Championship
Pensacola
Le plus important tournoi féminin senior du pays. Juin.
Lipton World of Doubles
Ponte Vedra Beach
Championnat officiel de doubles hommes de niveau international. Septembre.

SPORTS AQUATIQUES

La Floride offre les meilleures conditions pour pratiquer les sports aquatiques : natation, plongée, surf, ski nautique, jet-ski, voile, planche à voile, catamaran, hydroglisseur…

• Compétitions

- Avril

Aqualympics
Miami
Compétitions de planche à voile, jet-ski, ski nautique, catamaran et hydroglisseur. Présentation des bateaux à voile ou à moteur les plus perfectionnés et de modèles expérimentaux.
Jaycee Proam Surfin Festival
Cocoa Beach
Compétition de surf organisée dans le cadre de l'American Professional Surfing Association. Parmi les autres activités, jet-ski, saut en chute libre et concours de maillots de bain.
Water Ski Jump Tournament
Cypress Gardens
Saut en ski nautique.

- Mai

Endurance Barefoot Skiing Championship
Eloise Lake, Cypress Gardens
Grand concours de ski nautique pieds nus.
Hall of Fame International Diving Meet
Fort Lauderdale
L'une des plus importantes compétitions internationales de plongeurs amateurs.

- Juin

Junior All-American Water ski Tournament
Cypress Gardens
Tournoi de sauts et de figures réunissant les champions et les championnes de ski nautique de demain. Age maximal : 17 ans.

Masters Barefoot Water Ski Tournament
Cypress Gardens
La rencontre mondiale de ski nautique pieds nus la plus difficile entre les 10 hommes et les 5 femmes les meilleurs de cette spécialité.

Senior All-American Water Ski Tournament
Cypress Gardens
Les skieurs et les skieuses s'affrontent dans plusieurs catégories en saut, slalom et figures.

- Septembre

Florida Pro International Surfing Contest
Cocoa Beach
Surfers, véliplanchistes, spécialistes du jet-ski. Concours de natation et de maillots de bain.

- Octobre

Florida Invitational Windsurfing Regatta
Port Charlotte
Régates internationales de planche à voile.

Grandes manifestations sportives

Voici un calendrier des manifestations sportives les plus importantes de Floride, que l'on soit amateur de courses automobiles, de motocross, de kart, de stock-car, de régates en mer ou en rivière, de football, de course à pied, de rodéo, de sports équestres, de cyclisme et même de jeu de boules.

- Janvier

Annual Homestead Rodeo
Homestead
Rodéo traditionnel et parade.

Daytona International Speedway
Daytona Beach
Deux semaines de courses dont le 24-hours Pepsi Challenge, la seule course de 24 heures des États-Unis.

Orange Bowl Football Classic
Orange Bowl Stadium, Miami
Le champion du Big Eight Conference rencontre un opposant de niveau national. Événement retransmis à la télévision dans tout le pays.

Orange Bowl Marathon
Miami
Course à pied sur 42,2 km réunissant plus de 2500 coureurs de niveau national et international. Après la course, remise des prix, rafraîchissements et divertissements.

World Cup Figure Skating
Daytona Beach
Coupe du monde de figures de skate.

- Février

Daytona 500
International Speedway, Daytona Beach
La plus longue course de stock-cars du monde sur 800 km.

Gasparilla Distance Classic
Tampa
Cette compétition comprend deux courses à pied : la Run for Fun sur 5000 m et la Distance Run sur 15000 m. Ouverte à tous.

Golden Hills Academy International Charity Horse Show
Ocala
Cet événement, auquel participent quelques champions olympiques, fait partie du Winter Equestrian Festival et est l'une des cinq meilleures compétitions équestres nationales.

Silver Spurs Rodeo
Kissimmee
Créé en 1944, le rodéo de Silver Spurs, l'un des plus importants du Sud, a lieu pendant trois jours, deux fois par an (février et juillet). Il attire des milliers de cow-boys professionnels américains et canadiens.

Southland Sweepstakes
Saint Petersburg
La plus grande course d'hydroplanes du Sud. 200 concurrents de toutes nationalités.

Southern Ocean Racing Conference
Saint Petersburg
Des yachts de compétition venus du monde entier participent à six prestigieuses courses entre la Floride et les Bahamas.

Swamp Buggy Races
Mile-O-Mud Track, Naples
Cette compétition originale se déroule sur un parcours très boueux. On y dispute le titre de Championship Swamp Buggy Driver et les conductrices participent au Powder Puff Derby. A l'origine, les buggies étaient conçus pour se déplacer dans les marais des Everglades.

Winter Equestrian Festival
Dans toute la Floride
De février à mars, qualifications pour les compétitions de saut d'obstacles des jeux Olympiques et de la World Cup. Le festival comprend le Palm Beach Classic, à West Palm Beach, le Golden Hills International Charity Horse Show à Ocala, et, à Tampa, le Jack-Sun-Ville International, le Tallahassee Spring Horse Show, le Delta Air Lines International, le tournoi des champions et l'American Invitational Tampa.

- Mars

All-Florida Championship Rodeo
Arcadia
Depuis 1929, le plus ancien rodéo de Floride.

Chalo Nitka Festival & Rodeo
Moore Haven
Chalo Nitka signifie «le jour de la perche» dans la langue séminole et le festival comprend un concours de pêche de huit semaines qui se termine par un programme indien séminole et un rodéo. Parade, dîner avec le roi et la reine de la perche, dîner-croisière avec divertissements.

Cycle Week'82
International Speedway, Daytona Beach
Courses de motos comprenant des épreuves sur route, motocross, super-cross et enduro. La Daytona 200 qui se déroule à l'issue de cette semaine de compétitions est l'une des courses les plus intéressantes et les plus prestigieuses du monde.

Gatornationals
National Hotrod Association Circuit, Gainesville
Grande course de dragsters.

The Jacksonville Classic Sports
Jacksonville
De renommée internationale, cette compétition hippique réunit des spécialistes de haut niveau.

Twelve Hours of Sebring
Sebring
Grand Prix international d'endurance des 12 heures de Sebring, cérémonies d'installation de l'Automobile Hall of Fames, mais aussi régate de bateaux à moteur, parade et tournois de golf et de tennis.

Wheelmen's Winter Rendez-vous
Homestead
Des cyclistes de toutes nationalités participent à six jours de circuits à vélo dans le parc national des Everglades. Films, conférences sur le cyclotourisme, pique-nique et quadrille.

- Avril

District Rodeo
Palatka
Rodéo, élection d'une Miss Rodéo.

Eastern Beach Run
Daytona Beach
Cette course à pied de 6,4 km a lieu sur le sable tassé, à marée basse. Organisée à l'origine pour les étudiants en vacances, elle a acquis une solide réputation à travers tous les États-Unis.

Orange Cup Regatta
Hollingsworth Lake, Lake Land
Deux journées de courses pro et de stock-cars.

Palm Beach Polo & Country Club
West Palm Beach
De décembre à avril, l'équipe de polo Glenlivet Scotch et l'équipe officielle de polo de Palm Beach et du Country Club disputent le tournoi Père-Fils, la Gold Coast League, l'USPA Gold Cup, le Cartier International Open et la Coca-Cola Challenge Cup.

- Mai

Gulf Coast Challenge IV
Pensacola
Compétitions d'auto-cross.

Rodeo Week
Jasper
Les concurrents montent un *bronco* (cheval sauvage), un taureau et prennent un veau au lasso.

Running Festival
Pensacola
Cette course à pied de 10 000 m est l'une des épreuves du grand prix du Sud-Est. Elle attire plus de 2 500 coureurs.

- Juin

Anniversary Rodeo-River Ranch Resort
Près de Lake Wales
Célébration annuelle du record de River Ranch Resort, le plus ancien rodéo tenu de manière consécutive dans le sud-est. Musique *country*, danses, barbecue.

Mug Race
Jacksonville
La plus longue régate de voile sur rivière du monde (80 km) se déroule sur la majestueuse Saint Johns River.

- Juillet

All-Florida Championship Rodeo
Arcadia
L'un des plus anciens rodéos de Floride.

Meigs Regatta
Fort Walton Beach
Régate de deux jours dans Choctawhatchee Bay. Ouverte à toutes catégories de bateaux.

Summer Speed Week
Daytona Beach
Des pilotes professionnels s'affrontent dans la course Paul Revere 250, le 3 juillet à minuit, et, le lendemain, dans la Firecracker 400.

- Août

Lee Evans Bowling Tournament of the Americas
Miami
Les meilleurs boulistes amateurs de 24 pays d'Amérique du Nord et du Sud s'affrontent dans plusieurs catégories.

- Septembre

Great Coconut Grove Bicycle Race
Coconut Grove
Compétition cycliste, course à pied et course en patins à roulettes.

Labor Day Regatta
Jacksonville
Régates de yachts et de bateaux plus rapides.

Sailing Squadron Labor Day Regatta
Sarasota
La plus grande régate de voile du sud-est des États-Unis a lieu pendant le week-end qui précède le Labor Day.

- Octobre

Daytona Pro-Am
Daytona Beach
Amateurs et professionnels participent à ces courses de motos sur route qui servent de préparation aux prestigieuses courses de la Cycle Week de mars.

Northwest Florida Championship Rodeo
Bonifay
L'un des rodéos les plus populaires de Floride. Il date de 1946.

- Novembre

Imsa National Championship Finale
Daytona Beach
Ces courses automobiles déterminent les champions de chacune des trois séries de l'International Motor Sports Association: la Kelly American 50, la Champion Spark Plug 100 et l'IMSA 200 Camel CT cars.

Sandpiper Bay Regatta
Port Saint Lucie
Cette régate est la première des trois manches (« *triple crown* ») de la Star Class, la plus ancienne et la meilleure catégorie de courses sur bateaux de petite taille (sloops de 6,90 m).

- Décembre

Gator Bowl Regatta
Jacksonville
Toutes les catégories de bateaux s'affrontent sur un parcours olympique de 20 miles sur la Saint Johns River, le 4 et le 5. Compétition de football.

Snowball Derby
Pensacola
Une centaine de coureurs venus du sud et du Middle West disputent cette course de stock-car sur le plus rapide circuit ovale du pays.

Tangerine Bowl Football Classic
Orlando
Rencontre entre deux équipes universitaires de football de haut niveau, chaque année depuis 1945.

Winter Enduro Olympics
Daytona Beach
Courses de kart dont certains atteignent des vitesses approchant 208 km/h en ligne droite.

Junior Orange Bowl Festival
Coral Gables
Le Junior Orange Bowl est le plus grand festival de la jeunesse aux États-Unis. Des milliers de jeunes de 21 nationalités participent aux matchs de football junior, aux tournois internationaux de tennis, de golf, de bowling et de football américain.

OÙ SE RESTAURER

La cuisine floridienne est née d'un extraordinaire brassage multiethnique (américaine, française, cubaine, espagnole, grecque, indienne, etc.). Mais elle a pour elle les savoureux parfums de ses fruits et de ses légumes.

La production des oranges et des pamplemousses s'échelonne de septembre à début août. Les variétés d'oranges les plus courantes sont Valencia, Hamlin, Pineapple, l'hybride de Lue Gim Gong et la variété Parson Brown, moins répandue. Les pamplemousses, importés en Floride par le Français Philippe Odet en 1823, ont plus de saveur lorsqu'ils sont pleins de pépins. Le Duncan est le plus réputé. On appréciera également les tomates Ruskin, les mandarines et les sapodilles du comté de Dade ou les fraises de Plant City servies nature, au sucre ou sur une pâte sablée recouverte de crème battue. La saison des fraises a lieu en mars-avril.

Le petit déjeuner est généralement composé de fruits frais que l'on aura le privilège d'aller cueillir soi-même au jardin, de jus de fruits, de *grits* et d'œufs. Les *grits*, grains de maïs blanc moulus grossièrement, sont servis froids avec du lait et du sucre, ou bien chauds et nappés de beurre fondu. On en mange dans tout le sud-est des États-Unis où ils remplacent les pommes de terre frites courantes ailleurs.

La Floride est l'un des dix États américains éleveurs de bovins. La viande est principalement produite dans le centre-sud de la Floride, autour d'Arcadia, de Brighton (près d'Okeechobee) et de Kissimmee. Le bœuf de Floride est proposé dans de nombreux restaurants et vendu dans les supermarchés WinnDixie et Publix. La viande d'alligator a le goût du veau mais sa consistance est plus ferme et rappelle le calmar.

Les plats sont souvent accompagnés d'aubergines frites, de gombos, de légumes verts, de pois... et de pain de maïs ou de biscuits qui rappellent l'influence du Vieux Sud. Le poisson est servi avec des *hush puppies*, sortes de croquettes frites composées de maïs blanc, de sel, de levure, d'œufs et d'oignon cru haché.

Le grand dessert de Floride est le *Key lime pie*, spécialité de Key West où l'on produit de petits citrons jaunes qui ont probablement été importés d'Haïti ou d'autres îles des Caraïbes. Il ressemble à la tarte au citron meringuée. Certains restaurants de Floride le préparent avec des citrons verts ou du jus de citron industriel. Attention: le vrai *Key lime pie* a une garniture jaune !

FRUITS DE MER

Les *stone crab claws*, pinces de crabes de roche, sont préparées au beurre. Leur chair délicate est considérée par les gourmets comme le nectar de la mer et elle est parfois préférée au homard. La pêche a lieu de mi-octobre à mi-mai. En dehors de cette période, les restaurants servent des pinces surgelées.

Le *spiny lobster*, ou *crawfash* (« homard épineux »), diffère de son parent des eaux froides du Maine par ses pinces remplies de chair. Les restaurateurs ne font pas de distinction entre les deux espèces, il faut donc insister pour se faire servir la variété de Floride que l'on ne trouve que de fin juillet à avril.

Les *shrimps* (« crevettes »), qui viennent le plus souvent du golfe du Mexique, sont préparées selon d'innombrables recettes: bouillies et épluchées, accompagnées d'une sauce, frites en plat principal, grillées, cuites au four ou à la cocotte, en *chiche-kebab*, etc.

Les *oysters* (« huîtres ») sont souvent cuisinées bien que les Floridiens les préfèrent nature. On prétend que les huîtres ramassées pendant les mois les plus froids sont les meilleures. La saison morte va de juin à septembre.

Le *mullet* (« mulet ») est généralement servi frit ou grillé. Le mulet fumé, plus rare, est très réputé. Le *pompano* est un excellent poisson, notamment quand il est préparé en papillote. Encore rare dans les menus américains, le *cat fish* (« poisson-chat »), est délicieusement croustillant quand il est frit. Le *grouper* (« mérou »), couramment servi, a tendance à se dessécher à la cuisson. La *spotted sea trout* (« truite de mer mouchetée »), qui vit dans les eaux côtières, se prépare avec des amandes et peut être frite ou bouillie. Le savoureux *dolphin* n'est autre qu'une daurade royale.

A la différence des encornets, la conque est rugueuse et sa cuisson délicate. Les crabes bleus sont particulièrement petits mais délicieux bouillis. La petite variété de coquilles Saint-Jacques pêchées dans les baies est plus tendre que celle de pleine mer.

Chaque région de Floride a ses propres spécialités culinaires. Ainsi, dans les Keys, prépare-t-on une extraordinaire bouillabaisse de conques, généralement accompagnée de salade et de beignets.

RESTAURANTS

Excepté certains restaurants, en général les meilleurs, qui affichent leur « prise du jour », les restaurants de fruits de mer ont souvent recours à des produits surgelés. Ne pas hésiter à interroger le restaurateur avant de faire son choix. Il arrive que de simples échoppes proposent du poisson d'une qualité supérieure à celle d'établissements beaucoup plus chers.

Dans la liste qui suit, les différentes catégories de restaurants (moins de 10 $, entre 10 $ et 20 $, plus de 20 $ pour un repas) sont représentées par les symboles suivants:

Bon marché	*
Modéré	**
Luxe	***

• Boca Raton

La Vieille Maison ***

770 E Palmetto Park Rd, tél. (407) 391 67 01

Un des meilleurs restaurants français de Floride. Potage à la langouste, pompano sauce chardonnay, saumon fumé. Tenue de soirée de rigueur.

Tom's Place *

7251 N Federal Hwy, tél. (407) 997 09 20

Cuisine traditionnelle: côtelettes de porc, viandes au barbecue, délicieuses tourtes aux pommes de terre.

• Bradenton

Crab Trap **

US 19, Terra Ceia Bridge, tél. (813) 722 62 55

Poissons et fruits de mer, alligator. Très bonne adresse.

• Cocoa Beach

Alma's Italian Restaurant *

306 N Orlando Ave., tél. (407) 783 19 81

Lieu très populaire mais bruyant. Extraordinaire cuisine italienne. Veau marsala, lasagnes…

Mango Tree ***

118 N Atlantic Ave., tél. (407) 799 05 13

Charmant décor tropical. Cuisine américaine raffinée et spécialités de poissons et de fruits de mer.

• Daytona Beach
Top of Daytona **
2625 S Atlantic Ave., tél. (904) 767 57 91
Vue panoramique (29e étage). Bonne cuisine américaine. Côtes de premier choix, veau et crevettes. Réservation recommandée.

• Florida City
Alabama Jack's *
58000 Card Sound Rd, tél. (305) 248 87 41
Depuis 1953. Excellents gâteaux poivrés au crabe, plats de crevettes et de poissons frits.

• Fort Myers
Mucky Duck ***
2500 Estero Blvd, tél. (813) 472 34 34
Restaurant de fruits de mer. *Dolphin* grillé, crevettes au bacon, salade de fruits de mer.
Sangeet of India **
US 41 and Crystal Dr., tél. (813) 278 01 01
Traditionnels curries indiens au safran.
Woody's Bar B-Q *
13101 N Cleveland Ave., tél. (813) 997 14 24
Ambiance d'autrefois, très conviviale. Copieux plats de viande au barbecue. Très bonne adresse.

• Fort Pierce
Mangrove Mattie's *
1640 Seaway Dr., tél. (407) 466 10 44
Décor rustique. Vue sur la crique de Fort Pierce. Fruits de mer et sandwiches au bœuf.

• Islamorada
Green Turtle Inn **
M M 81,5, tél. (305) 664 90 31
Depuis 1947. Agréable restaurant de fruits de mer réputé pour sa soupe à la tortue, son steak d'alligator et son *Key lime pie*.

• Jacksonville
Beach Road Chicken Diner *
4132 Atlantic Blvd, tél. (904) 398 79 80
Poulet grillé, pommes de terres frites maison.
Crawdaddy's *
1643 Prudential Dr., tél. (904) 396 35 46
Au bord de la rivière. Spécialités de poissons. Recettes locales et cajun comme le jambalaya. Poisson-chat à volonté.
Homestead *
1712 Beach Blvd, tél. (904) 249 52 40
Cuisine régionale d'autrefois : poulet frit *gizzards* ou en boulettes, gâteaux à la fraise.
The Tree Steakhouse **
942 Arlington Rd, tél. (904) 725 00 66
Chacun choisit sa pièce de bœuf et la regarde cuire sur le gril avant de s'en régaler. Ambiance très conviviale.

• Jupiter
Log Cabin Restaurant *
631 N A1A, tél. (407) 747 68 77
Cuisine américaine d'autrefois : côtelettes, poulet frit servi avec des petits pains.

• Key Largo
Crack'd Conch *
M M 105, tél. (305) 451 07 32
Alligator frit, poisson grillé, soupe de poisson. Plus de 80 sortes de bière.
Mrs. Mac's Kitchen *
M M 99, tél. (305) 451 37 22
Plats de viande le lundi, cuisine mexicaine le mardi, italienne le mercredi, poisson et fruits de mer du jeudi au samedi. Le décor laisse à désirer.

• Key West
A & B Lobster House **
700 Front St, tél. (305) 294 25 35
Très belle vue sur le port. Fruits de mer.
The Buttery ***
1208 Simonton St, tél. (305) 294 07 17
Élégant restaurant. Soupe à la crème, steak au beurre, tourte aux trois chocolats.
Café des Artistes ***
1007 Simonton St, tél. (305) 294 71 00
La table la plus réputée et la plus chère de la ville. Excellente cuisine française, fruits de mer et poissons. Réservation recommandée.
Dockside Raw Bar *
Zero Duval St, tél. (305) 296 77 01
Ambiance décontractée. Poissons frits ou fumés. Bière givrée.
El Sibony
900 Catherine St, tél. (305) 296 41 48
Cuisine cubaine traditionnelle.
Louie's Backyard ***
700 Waddell Ave., tél. (305) 294 10 61
Terrasse sur l'océan, cuisine européenne raffinée, service impeccable.

• Kissimmee
Arabian Nights ***
6225 W Irlo Bronson Memorial Hwy, tél. (407) 239 92 23
Ambiance mauresque pour ce dîner-spectacle avec effets spéciaux. Plats composés.
Fort Liberty ***
5260 West Irlo Bronson Memorial Blvd, tél. (407) 351 51 51
Dîner-spectacle western. Cuisine typiquement américaine. Réservation conseillée.
Spaghetti House *
4951 Sunward Dr., tél. (407) 351 34 07
Décor très méditerranéen. Plus de 120 différentes façons d'accommoder les pâtes.

• Marathon

Mile 7 Grill *
M M 47, tél. (305) 743 44 81
Restaurant de plein air fréquenté par les pêcheurs et les touristes. Poissons, saucisses chili, tourte au beurre de cacahuète.

• Marco Island

Island Cafe *
918 N Collier Blvd, Naples, tél. (813) 304 75 78
Ambiance chaleureuse et intime, cuisine subtile, poissons et fruits de mer.

• Miami

Aux Palmistes *
6820 N E 2nd Ave., Little Haiti, tél. (305) 759 85 27
Atmosphère et cuisine hawaïennes.

Bimini Grill *
620 N E 78th St, tél. (305) 758 91 54
Sur le canal. Spécialités des Bahamas.

Café Abbracci **
318 Aragon Ave., Coral Gables, tél. (305) 441 07 00
Galerie d'art et excellent restaurant italien.

Chart House **
51 Chart House Dr., Coconut Grove, tél. (305) 856 97 41
Dans une belle marina. Salade pantagruélique, poissons grillés.

El Inka **
1756 S W 8th St, Little Havana, tél. (305) 854 02 43
Cuisine péruvienne.

Los Ranchos **
125 S W 107th Ave., Miami, tél. (305) 596 53 53
Spécialités nicaraguayennes.

Thai Orchid **
9565 S W 72nd St, Miami, tél. (305) 279 85 83
Cuisine et décor thaïlandais. Réservation.

Versailles *
3555 S W 8th St, Little Havana, tél. (305) 444 76 14
Décor coloré, ambiance étourdissante. Spécialités et sandwiches cubains.

Yuca **
177 Giralda Ave., Coral Gables, tél. (305) 444 44 48
Très branché. Nouvelle cuisine cubaine.

• Miami Beach

A Mano **
1140 Ocean Dr., tél. (305) 531 62 66
Lieu très fréquenté. Nouvelle cuisine tropicale.

Cafe Chauveron ***
9561 E Bay Harbor Dr., Bay Harbor Islands, tél. (305) 866 87 79
Cuisine française classique. Excellente bouillabaisse, chateaubriand. Tenue correcte de rigueur. Réservation recommandée. Fermé en été.

Café des Arts **
918 Ocean Dr., tél. (305) 534 62 67
Salle et terrasse. Cuisine française.

Chef Allen's **
19088 N E 29th Ave., tél. (305) 935 29 00
Intérieur Art déco. Cuisine américaine très raffinée. Réservation conseillée.

Joe's Stone Grabs ***
227 Biscayne St, South Miami
Le restaurant le plus célèbre de Miami. Délicieuses spécialités de *stone crab* (« crabe de roche »). Service très lent. Fermé l'été.

Our Place *
830 Washington Ave., tél. (305) 674 13 22
Petit restaurant à l'ambiance décontractée. Cuisine traditionnelle et plats végétariens.

Puerto Sagua *
700 Collins Ave., tél. (305) 673 11 15
Bonne cuisine cubaine. Beaucoup de monde, beaucoup de bruit.

Unicorn Village **
3565 N E 207th St, tél. (305) 983 88 29
Au bord de l'eau. Salades, pâtes, pizzas, soupes et un étonnant gâteau de carottes.

• Naples

Cafe La Playa **
9891 Gulfshore Dr., tél. (813) 597 31 23
Salle et patio, vues sur le golfe, bonne cuisine française : vichyssoise, veau à la sauce dijonnaise.

Villa Pescatore ***
8929 N Tamiami, tél. (813) 597 81 19
Spécialités du nord de l'Italie.

• New Smyrna Beach

Riverside Charlie's **
101 Flagler St, tél. (904) 428 18 65
Vue sur l'Intracoastal Waterway. Fruits de mer frais, steaks et poulet.

The Skyline **
2004 N Dixie Hwy, tél. (904) 428 53 25
Ambiance « club aéronautique » pour ce restaurant proche de l'aéroport. Pâtes maison, choix de pièces de veau ou de bœuf.

• Orlando

Beeline Diner *
9801 International Dr., tél. (407) 352 40 00
Ambiance années 1950, juke-box et énormes sandwiches. Ouvert 24 h sur 24.

Brazil Carnival Dinner Show ***
7432 Republic Dr., tél. (407) 352 86 66
Dîner-spectacle brésilien. Plusieurs menus.

The Bubble Room **
1351 S Orlando Ave., Maitland, tél. (407) 628 33 31
Étonnante collection de jouets anciens et cuisine américaine : hamburgers, poissons grillés.
Gary's Duck Inn **
3974 Orange Blossom Trail, tél. (407) 843 02 70
Excellents fruits de mer.
Hard Rock Cafe *
5401 Kirkman Rd, tél. (407) 363 76 55
Délicieux hamburgers, sandwiches copieux, bœuf au barbecue.
King Henry's Feast ***
8984 International Dr., tél. (407) 351 51 51
Spectacle moyenâgeux de jongleurs, de mimes et de magiciens. Cuisine américaine.
Le Coq au Vin ***
4800 S Orange Ave., tél. (407) 851 69 80
Le meilleur restaurant français du centre.

• Palm Beach
Chuck & Harold's **
207 Royal Poinciana Way, tél. (407) 659 14 40
Très fréquenté. Gaspacho, steaks et salades démesurés, *Key lime pie*.
Toojay's *
313 Royal Poinciana Way, tél. (407) 659 72 32
Delicatessen juif aux parfums californiens. Sandwiches, soupes, galettes de pommes de terre, gâteau au chocolat.
Charley's Crab ***
456 Ocean Blvd, tél. (407) 659 15 00
Élégant restaurant de fruits de mer. Poissons et homards grillés, crevettes à la vapeur et somptueuses salades.

• Panama City
Boar's Head **
17290 Front Beach Rd, tél. (904) 234 66 28
Taverne rustique et élégante. Côtelettes de premier choix, bisque de crevettes, escargots.
Capt. Anderson's *
5551 N Lagoon Dr., tél. (904) 234 22 25
Spécialités grecques dans un décor marin.

• Pensacola
McGuire's Irish Pub *
600 E Gregory St, tél. (904) 433 67 89
Pub irlandais. Copieux sandwiches, chili épicé et toutes sortes de bières.
Perry's Seafood House *
2140 Barrancas Ave., tél. (904) 434 29 95
Fruits de mer pêchés dans les eaux voisines.

• Saint Augustine
Columbia **
98 Saint George St, tél. (904) 824 33 41
Excellente cuisine hispanique.
Raintree **
102 San Marco Ave., tél. (904) 824 72 11
Décor victorien pour l'un des meilleurs restaurants de la Floride. Réservation recommandée.
Zaharias *
3945 A1A South, tél. (904) 471 47 99
Buffet de cuisines grecque et italienne. Bruyant.

• Saint Petersburg
Leverock's Seafood House *
54 Corey Ave., tél. (813) 376 56 71
Excellents fruits de mer. Bon marché.
Outback Steakhouse **
4088 Park Street N, tél. (813) 348 43 29
Crevettes grillées et énormes steaks à l'australienne.
Hurricane Seafood Restaurant *
807 Gulf Way, tél. (813) 360 95 58
Restaurant très populaire et peu cher. Gâteau de crabe, crevettes à la vapeur et langoustes grillées.

• Stuart
Mahony's Oyster Bar *
201 Saint Lucie Ave., tél. (407) 286 97 57
Huîtres crues ou à la vapeur, crevettes et clams.
The Inlet ***
555 N E Ocean Blvd, Hutchinson Island, tél. (407) 225 37 00
Ambiance chaleureuse, cuisine continentale. Bisque de homard, huîtres Rockefeller et steak Diane. Réservation recommandée.

• Sanibel
Windows on the Water ***
1451 Middle Gulf Dr., tél. (813) 472 41 51
Merveilleuse vue sur le golfe. Fruits de mer frais.
McT's Shrimphouse **
1523 Periwinkle Way, tél. (813) 472 31 61
Taverne à l'atmosphère décontractée. Poissons frais, crevettes et crabe à volonté.

• Sarasota
Bijou Cafe **
1287 1st St, tél. (813) 366 81 11
Cuisine continentale. Filet d'agneau, canard rôti, poisson poché.

• Siesta Key
Ophelia's on the Bay **
9105 Midnight Pass Rd, tél. (813) 349 22 12
Bistrot de bord de mer. Soupe de moules, beignets d'aubergines.

• Tallahassee
Anthony's **
1950 Thomasvill Rd, tél. (904) 224 14 47
Très couru pour sa délicieuse cuisine italienne.
Nicholson's Farmhouse **
Suivre les indications de la Hwy 27 à la Hwy 12 en direction de Quincy, tél. (904) 539 59 31
Petit restaurant de campagne où l'on cuisine la viande et le poisson au feu de bois.

• Tampa
Bella Trattoria **
1413 S Howard Ave., tél. (813) 254 33 55
Ambiance animée, cuisine italienne raffinée. Il faut goûter les pâtes *angel-hair*.
Bern's Steack House ***
1208 S Howard Ave., tél. (813) 252 24 21
Pièces de bœuf de premier choix et cave à vins de plus de 7000 bouteilles. Réservation recommandée.
Columbia **
2117 E 7th Ave., Ybor City, tél. (813) 248 49 61
Ce restaurant, qui a ouvert en 1908, est devenu une véritable institution. Cuisine espagnole et spectacle de flamenco.
Crawdaddy's *
2500 Rocky Point Dr., tél. (913) 281 04 70
Ambiance très *funky*. Alligator frit.
Skippers Smoke House **
910 Skipper Rd, tél. (813) 971 06 66
Cuisine locale et spécialités des Caraïbes.

• Tarpon Springs
Louis Pappas' Riverside Restaurant **
10 W Dodecanese Blvd, tél. (813) 937 51 01
Bon restaurant installé au bord de l'eau. Spécialités grecques. Réservation conseillée.

OÙ LOGER

HÔTELS

La Floride offre toutes sortes de structures hôtelières, du motel délabré de bord de route au palace de grand luxe, en passant par le charmant bed-and-breakfast, le gigantesque complexe et l'auberge de jeunesse.

Il est recommandé de faire ses réservations à l'avance. Les prix varient entre haute saison et basse saison (mai, juin, septembre, octobre). L'État préserve une taxe qui s'élève à 1 % ou 2 % du prix de la chambre suivant les régions.

En Floride, il n'existe pas de classement officiel des hôtels et des motels. Ceux qui sont répertoriés dans la liste suivante sont membres de la Florida Hotel and Motel Association. A titre indicatif, ils sont accompagnés de symboles correspondant à différentes catégories, sur la base d'une nuit en chambre double en haute saison.

Bon marché, moins de 75 $ *
Modéré, de 75 $ à 150 $ **
Plus de 150 $ ***

• Alachua
Days Inn *
Rd 1 Box 225, I-75 and US 441, tél. (904) 462 32 51
Établissement modeste et bien tenu, proche de la voie express. 60 chambres, bar et restaurant.

• Altamont Springs
Sundance Inn *
I-4 and Hwy 436, tél. (407) 862 82 00
Proche de la voie express, dans la banlieue de la ville. 150 chambres, certaines non fumeurs, restaurant, bar, piscine, animaux admis.

• Apalachicola
Gibson Inn *
100 Market St, tél. (904) 653 21 91
Édifié en 1907, cet hôtel figure dans le National Register of Historic Places. 31 chambres meublées à l'ancienne, restaurant, bar.

• Apopka
Budget Inn *
429 E Main St, tél. (407) 886 20 92
15 chambres. Nombreux restaurants à proximité.

• Bay Harbor Islands
Bay Harbor Inn **
9660 E Bay Harbor Dr., tél. (305) 868 41 41
Intérieur raffiné et confortable. 36 chambres, 2 excellents restaurants, piscine, animaux acceptés. Amarrage pour bateaux.

• Big Pine Key
Big Pine Motel *
MM 30, tél. (305) 872 90 90
32 chambres et 5 confortables appartements. Piscine.

• Boca Raton
Boca Raton Resort and Club ***
501 E Camino Real, tél. (407) 395 30 00
Somptueux complexe hôtelier, l'un des meilleurs des États-Unis. Golf, 4 piscines, tennis, planche à voile, thermes, beaux jardins.
Friendship Inn *
1801 N. Federal Hwy, tél. (407) 395 75 00
En ville, sur la voie express. 50 chambres, restaurant, piscine.

Shore Edge Motel *
425 N Ocean Blvd, tél. (407) 395 75 00
En ville. 16 chambres confortables situées sur la plage, piscine. Restaurants à proximité.

• Boynton Beach
Golden Sands Inn *
520 SE 21st Ave., tél. (407) 732 60 75
En ville, non loin de la plage. 24 chambres, restaurant.

• Bradenton
Holiday Inn Riverfront *
100 Riverfront Dr., tél. (813) 747 37 27
Proche de Manatee River. Architecture très méditerranéenne. 153 chambres, piscine, restaurant et bar.

• Captiva Island
South Seas Plantation Resort ***
South Seas Plantation Rd, tél. (813) 472 51 11
Village de vacances : hôtel, motel, villas, cottages et bungalows polynésiens. 600 chambres, 4 restaurants, 2 bars, golf, tennis, piscines, école de voile, pêche, activités pour les enfants, etc.

• Cedar Key
Island Place **
First and C Sts., tél. (904) 543 53 07
Sur la plage. 21 chambres, suites, piscine, sauna, Jacuzzi.
Historic Island Hotel
Main and B Sts., tél. (904) 543 51 11
Dans le quartier historique. Architecture de style caraïbe. 10 chambres, excellente cuisine.

• Chattahoochee
Morgan Motel *
E US 90, tél. (904) 663 43 30
En ville. 20 chambres, restaurant, pêche, animaux acceptés.

• Clearwater Beach
Belleview Lido Resort ***
25 Belleview Rd, tél. (813) 442 61 71
Grand hôtel datant de 1896 et donnant sur la baie. 350 chambres, golf, tennis, piscines, sauna, voiliers, pêche.
Clearwater Beach Hotel **
500 Mandalay Ave., tél. (813) 441 24 25
156 chambres bien équipées donnant sur la plage. Piscine, restaurant, service d'étage, chambres non fumeurs, animaux acceptés.
New Comfort Inn *
3580 Ulmerton Rd, tél. (813) 573 11 71
Modeste établissement proche de l'aéroport. 119 chambres, restaurant, piscine.

Sheraton Sand Key Resort **
1160 Gulf Blvd, tél. (813) 595 16 11
390 chambres, certaines avec vue sur le golfe. Restaurant, bar, piscine, plage, tennis et voile.

• Clewiston
Clewiston Inn Hotel *
US 27 and Royal Palm Ave., tél. (813) 983 81 51
Confortable motel situé en ville. 60 chambres, restaurant, bar et marina.

• Cocoa
Cocoa Beach Oceanside Inn *
1 Hendry Ave., tél. (407) 784 31 26
Sur la plage. 40 chambres, restaurant, piscine, activités de pêche, navettes de bus.
Comfort Inn *
3901 N Atlantic Ave., tél. (407) 783 22 21
Sur la plage. 94 chambres, restaurant, bar, piscine, tennis. Interprètes français.

• Coral Gables
Biltmore Hotel ***
1200 Anastasia Ave., tél. (305) 445 19 26
Magnifique hôtel des années 1920 de style andalou. 275 chambres, gigantesque piscine, bons restaurants, bar, golf, tennis, thermes.
Colannade Hotel ***
180 Aragon Ave., tél. (305) 441 26 00
Hôtel Art déco agrandi en 1985. 157 chambres, piscine, sauna, Jacuzzi, club de gymnastique, restaurant, bar et magasins.
Hôtel Place St Michel **
162 Alcazar, tél. (305) 444 16 66
Charmant hôtel du centre-ville au mobilier ancien (victorien, espagnol ou Empire). 28 chambres, élégant restaurant français, bar. Interprètes français et espagnols.

• Daytona Beach
Acapulco Inn **
A1A, 2505 S Atlantic Ave., tél. (904) 761 22 10
Sur l'océan. 133 chambres. Réductions pour les longs séjours.
Captain Quarters Inn **
3711 Atlantic Ave., tél. (904) 767 31 19
Face à la plage. 25 suites, ameublement ancien, piscine, restaurant très convivial.
Daytona Beach Hilton **
2637 S Atlantic Ave., tél. (904) 767 73 50
Les 214 chambres de cette tour dominent la plage. Piscine, Jacuzzi, sauna, club de gymnastique. Animations.
Howard Johnson Hotel *
600 N Atlantic Ave., tél. (904) 255 44 71
324 chambres, piscine, restaurant, bar.

• Deerfield Beach
Carriage House Resort *
250 S Ocean Blvd, tél. (305) 427 76 70
Motel accueillant à la décoration très soignée. 30 chambres, piscine, plage aménagée de planches de bois pour la promenade.

• Everglades City
Rod and Gun Club *
200 Riverside Dr., tél. (813) 695 21 01
25 chambres de style « cottage » au cœur du secteur de pêche des Everglades. Piscine, tennis, pêche, restaurant.

• Fernandina Beach
Bailey House *
28 S 7th St, tél. (904) 261 53 90
Paisible petite pension de famille de style victorien située dans le quartier historique. 4 chambres non fumeurs.

• Fort Lauderdale
Howard Johnson Motor Lodge **
700 N Atlantic Blvd, tél. (305) 563 24 51
Face à la plage. 144 chambres, bar, restauration 24 h sur 24, piscine, service d'autocars. Interprètes espagnols.
La Lorraine *
2800 Vistamar St, tél. (305) 566 64 90
Petit hôtel bien tenu. Ambiance chaleureuse.
Pier 66 Resort ***
2301 SW 17th St, tél. (305) 525 66 66
Tour de 388 chambres, restaurant panoramique, piscine, tennis, club de gymnastique, marina, location de bateau, pêche.
Marriott's Harbor Beach Resort ***
3030 Holiday Dr., tél. (305) 525 40 00
Sur le front de mer. 14 étages, 624 chambres, 8 restaurants, autant de pistes de danse, magasins, piscine, tennis, club de gymnastique et planche à voile.
Riverside Hotel **
620 E Las Olas Blvd, tél. (305) 467 06 71
Édifice ancien situé dans l'élégant quartier commerçant. 117 chambres, bar, restaurants, piscine.

• Fort Myers
Cottage Court Apartment Motel *
3079 Cleveland Ave., tél. (813) 332 03 01
En ville. 27 chambres équipées de cuisines à louer à la semaine ou au mois.
Robert E. Lee Motor Best Western *
6611 US 41 N, North Fort Myers,
tél. (813) 997 55 11
108 chambres spacieuses avec vue sur la rivière Caloosahatchee. Piscine, bar, piscine, ponton.

Sheraton Harbor Place **
2500 Edwards Dr., tél. (813) 337 03 00
Tour moderne située en plein centre-ville. 437 chambres, piscine, tennis. Appontements pour bateaux.

• Gainesville
Holiday Inn University Center *
1250 W University Ave., tél. (904) 376 16 61
Près du campus de l'université. 167 chambres, bar, restaurant, piscine sur le toit.

• Homosassa Springs
Riverside Inn *
Box 258, tél. (904) 628 24 72
Face à Monkey Island, sur la rivière Homosassa. 76 chambres rustiques, restaurant, piscine, tennis, vélos, marina et appontements pour bateaux.

• Indiantown
Seminole Country Inn *
15885 SW Warfield Blvd, tél. (407) 597 37 77
Décoration d'autrefois et cuisine authentique. 28 chambres, bains à remous.

• Islamorada
Cheeca Lodge ***
Mile Marker 82, tél. (305) 245 37 55
L'un des hôtels les plus réputés des Keys. 203 chambres, restaurants, bar, tennis, golf, piscines, plage privée, pêche, plongée.

• Jasper
Jasper Hotel *
3 Main St, tél. (904) 792 14 06
Édifice de 14 étages situé dans un quartier pittoresque de la ville.

• Jacksonville
Comfort Suites Hotel *
833 Dix Ellis Trail, tél. (904) 739 11 55
Au cœur du quartier commerçant. 128 chambres, piscine, thermes.
House on Cherry Street *
1844 Cherry St, tél. (904) 384 19 99
Hôtel au charme désuet situé au bord de l'eau. 4 jolies chambres, petits déjeuners copieux.
Marina Hotel at St Johns Place **
1515 Prudential Dr., tél. (904) 396 51 00
Hôtel moderne, 321 chambres, restaurant, magasins, tennis, piscine.

• Key Largo
Holiday In Key Largo Resort ***
MM 100, tél. (305) 451 21 21
Hôtel moderne, atmosphère tropicale, magnifiques vues sur le canal. 132 chambres, bars,

restaurants, discothèque, piscine, Jacuzzi, plage privée, marina, planches à voile, plongée.
Sunset Cove Motel *
MM 99, tél. (305) 451 07 05
Motel simple mais très agréable. 10 bungalows, jardin tropical, sports aquatiques. Réductions pour les personnes âgées.

• Key West
Curry Mansion **
511 Caroline St, tél. (305) 294 53 49
Hôtel particulier de style victorien. 15 chambres décorées avec soin, piscine, beaux jardins.
Island City House **
411 William St, tél. (305) 294 57 02
24 suites équipées de cuisines, jardins tropicaux, piscine, Jacuzzi.
Ocean Key House ***
Zero Duval St, tél. (305) 296 77 01
Somptueux hôtel situé au cœur de la ville. 100 chambres, Jacuzzi, piscine, restaurant, bars.
Pier House ***
1 Duval St, tél. (305) 296 46 00
Luxueux hôtel de 142 chambres. Restaurant, bars, piscines, jardins tropicaux, plage privée.
Southernmost Motel **
1319 Duval St, tél. (305) 294 55 39
Confortable motel. 127 chambres. Piscines.

• Kissimmee
Beaumont House *
206 S Beaumont St, tél. (407) 846 79 16
Charmant petit bed-and-breakfast décoré de meubles anciens en osier. 3 chambres.
Casa Rosa *
4600 W Irlo Bronson Memorial Hwy, tél. (407) 396 20 20
Hôtel simple à l'atmosphère hispanisante. 54 chambres, piscine.
Comfort Inn Maingate *
7571 W Irlo Bronson Memorial Hwy, tél. (407) 396 75 00
Hôtel modeste et confortable proche de Disney World. 281 chambres, restaurant, piscine, salle de jeux, navettes de bus.
Sheraton Lakeside Inn *
7769 W Irlo Bronson Memorial Hwy, tél. (407) 239 19 19
Grand hôtel de 15 étages. 651 chambres, restaurants, piscine, golf miniature, bateaux.

• Lake Whales
Chalet Suzanne **
Hwy 27 and 17 A, tél. (813) 676 60 11
A quelques kilomètres au nord de Lake Whales. 30 chambres à la décoration aussi charmante que fantasque, restaurant de qualité, piscine, lac, jetée privée.

• Lauderdale by The Sea
Tropic Seas Resort Motel *
4161 El Mar Dr., tél. (305) 772 25 55
Un confortable motel des années 1950 situé sur la plage. 16 chambres, piscine, navettes de bateaux, aires de barbecues.

• Marathon
Hawk's Cay Resorts ***
MM 61, tél. (305) 743 70 00
Accueil et service excellents dans ce vaste complexe hôtelier de style caraïbe. 177 chambres, copieux buffets pour le petit déjeuner, bars, restaurants, piscine, tennis, marina, location de bateaux, plongée.

• Miami
Everglades Hotel **
244 Biscayne Blvd, 33132 tél. (305) 379 54 61
En ville, près du quartier commerçant. Tour de 380 chambres, piscine, restaurants.
Inter-Continental Miami ***
100 Chopin Plaza, 33131 tél. (305) 577 10 00
Vue panoramique depuis cette haute tour située au cœur de la ville. Grand luxe. 644 chambres, restaurants, piscine, parcours de course à pied.
Mayfair House ***
3000 Florida Ave., 33133, tél. (305) 441 00 00
Élégant hôtel situé au centre du quartier d'affaires de Coconut Grove. 181 chambres, quelques suites, bains japonais, piscine, bars, excellents restaurants, boutiques.
Miami River Inn **
118 South River Dr., 33130 tél. (305) 325 92 27
Cet motel de Little Havana, très bien rénové, donne sur la rivière Miami. 40 chambres, piscine, Jacuzzi.
Hôtel Mia **
Miami International Airport, Miami 33159 tél. (305) 871 41 00
Hôtel moderne. 259 chambres, restaurants, boutiques, piscine.

• Miami Beach
Alexander Hotel ***
5225 Collins Ave., 33140, tél. (305) 865 65 00
Hôtel de 15 étages situé face à l'océan. 212 suites et chambres, restaurant français de qualité, piscines, club de remise en forme.
Cardozo Hotel **
1300 Ocean Dr., 33139, tél. (305) 534 21 35
Hôtel-paquebot situé dans le quartier Art déco, face à l'océan. 56 chambres magnifiquement décorées. Bons restaurants à proximité.

Hôtel Cavalier **
1320 Ocean Dr., 33139, tél. (305) 531 64 24
Élégant hôtel. 46 chambres.
Fontainebleau Hilton Resort ***
4441 Collins Ave., 33140, tél. (305) 538 20 00
Grand et confortable hôtel des années 1950. 375 chambres, restaurants, discothèque, piscines avec cascades, tennis, club de gymnastique, activités pour les enfants, boutiques.
Miami Beach International Youth Hostel *
1423 Washington Ave., 33139,
tél. (305) 534 29 88
Auberge de jeunesse située dans le quartier Art déco. 120 lits répartis en dortoirs, cuisines.

• Naples
Edgewater Beach Hotel ***
1901 Gulfshore Blvd, tél. (813) 262 65 11
Face au golfe. 124 chambres, plage, piscine, restaurant.
Ritz Cartlon ***
280 Vanderbilt Beach Rd, tél. (813) 598 33 00
L'un des hôtels les plus élégants de Floride. 464 chambres, restaurants de qualité, piscines, tennis, golf, club de gymnastique, pêche et activités pour les enfants dans un somptueux domaine.
Vanderbilt Beach Motel **
9225 N Gulfshore Dr., tél. (813) 597 31 44
Plaisant motel de plage. 50 chambres confortables, piscine.

• New Smyrna Beach
Ocean Air Motel *
1161 N Dixie Freeway, tél. (904) 428 57 48
Motel modeste mais agréable situé à 5 min de la plage. 14 chambres, piscine, tables de pique-nique.
Riviera Hotel *
103 Flagler Ave., tél. (904) 428 58 58
Vue sur l'Intracoastal Waterway. 18 chambres meublées avec goût, restaurant, piscine.

• Ocala
Seven Sisters Inn **
820 SE Fort King St, tél. (904) 867 11 70
Hôtel particulier de style victorien transformé en charmante auberge. 7 chambres meublées à l'ancienne, délicieux petits déjeuners.

• Orlando
Buena Vista Palace ***
1900 Lake Buena Vista Dr.
tél. (407) 827 27 27
L'un des hôtels « Disney ». 1 028 vastes suites et chambres, restaurants, bars, piscines, lac, tennis, club de gymnastique, salle de jeux. Idéal en famille.
Days Inn Orlando *
7335 Sand Lake Dr., tél. (407) 351 19 00
Motel propre et confortable. 695 chambres, restaurants, piscines, lac. Économique.
Normant Parry Inn **
211 N Lucern Circle E, tél. (407) 648 51 88
Loin des paillettes de Disney World, cette charmante auberge est l'une des meilleures étapes de l'État. 6 chambres meublées à l'ancienne. Les enfants sont les bienvenus.
Orlando International Youth Hostel *
227 N Eola Dr., tél. (407) 843 88 88
Maison coloniale de style espagnol. 90 lits répartis en dortoirs, cuisines, jardins. Les enfants y sont bien accueillis. Étape économique.
Sonesta Villa Resort ***
10000 Turkey Lake Rd, tél. (407) 352 80 51
Complexe hôtelier situé face au lac. 369 appartements, restaurants, livraisons d'épicerie, piscines, tennis, club de gymnastique, plage.
Walt Disney World Dolphin ***
1500 Epcot Resort Blvd,
tél. (407) 934 40 00
Hôtel « Disney » moderne décoré de sculptures de dauphins et d'une pyramide de 27 étages. 225 chambres et suites, bars, restaurants, piscines, tennis, club de gymnastique, salle de jeux.

• Palm Beach
Brazilian Court ***
301 Australian Ave., tél. (407) 655 77 40
Atmosphère tropicale dans ce vieil hôtel rénové en 1986. Jardins luxuriants, 128 chambres donnant sur des patios. Restaurant, bar, piscine.
The Breakers ***
One S Country Rd, tél. (407) 655 66 11
Situé face à l'océan, l'un des plus grands et des plus beaux hôtels des années 1920. 526 chambres de grand luxe, restaurants, discothèque, boutiques, piscines, plage, croquet, tennis, golf, club de remise en forme. Étape à ne pas manquer.

• Panama City Beach
Miracle Mile Resort *
9450 S Thomas Dr., tél. (904) 234 34 84
Résidence familiale située face à la plage. 632 appartements, bars, restaurants, piscines, tennis.
Marriott's Pay Point Resort **
100 Delwood Beach Resort, tél. (904) 234 33 07
Élégant hôtel : ameublement ancien, tapis d'Orient, magnifiques vues. 400 chambres et suites, bars, restaurants, piscines, golf, tennis, marina, locations de bateaux de pêche.

• Sanibel

Casa Ybel Resort ***

2255 W Gulf Dr., tél. (813) 472 31 25

112 villas modernes d'une ou de 2 chambres situées sur le golfe. Piscine, tennis, cycles, pêche, navettes de bateaux.

Sundial Beach & Tennis Resort ***

1451 Middle Gulf Dr., tél. (813) 472 41 51

Le plus grand hôtel de l'île. Vues exceptionnelles sur le golfe. 200 logements avec cuisine, restaurants, bars, piscines, plage privée, tennis, pêche, activités pour les enfants.

• Sarasota

Gulf Beach Resort Motel **

930 Ben Franklin Dr., tél. (813) 388 21 27

Motel tranquille fréquenté par de nombreuses familles enropéennes. 48 chambres avec cuisine, jardins privés, piscine, navettes de bateaux, belles vues sur le golfe.

Hyatt Sarasota **

1000 Blvd of the Arts, tél. (813) 366 90 00

Hôtel moderne en centre-ville offrant de belles vues sur la baie. 297 chambres, bars, restaurants, piscine, sauna, gymnastique, pêche.

Surf View Motel *

1121 Ben Franklin Dr., tél. (813) 388 18 18

Motel confortable et bien tenu situé sur la plage. 27 chambres, piscine, animations.

• Saint Augustine

Casa Solana **

21 Aviles St, tél. (904) 824 35 55

Charmant petit bed-and-breakfast de style colonial. 4 chambres, délicieux petits déjeuners.

Sheraton Palm Coast ***

300 Club House Dr., tél. (904) 445 30 00

Cet hôtel domine l'Intracoastal Waterway. 154 chambres donnant sur des patios privés, restaurants, bars, piscines, tennis, club de gymnastique, thermes, marina.

Saint Francis Inn *

279 Saint George St, tél. (904) 824 60 60

Hôtel particulier du XVIIIe siècle transformé en bed-and-breakfast. 11 chambres, piscine.

• Saint Petersburg

Bayboro House *

1719 Beach Dr. SE, tél. (813) 823 49 55

Charmante auberge de style victorien donnant sur la baie de Tampa. 3 chambres confortables, petits déjeuners copieux, véranda.

Colonial Gateway Resort Inn **

6300 Gulf Blvd, tél. (813) 367 27 11

Hôtel moderne situé face au golfe. 200 chambres dont certaines avec cuisine, restaurants, bar de plage, piscine, sports aquatiques. Ambiance familiale.

Don CeSar Beach Resort ***

3400 Gulf Blvd, tél. (813) 360 18 81

Étonnant édifice rose de style rococo construit en 1920 sur la plage. 277 chambres luxueuses, restaurant de qualité, piscine, plage, tennis, gymnastique, pêche, planche à voile, cours de plongée.

• Sebring

Santa Rosa Inn *

509 N Ridgewood Dr., tél. (813) 385 06 41

Ancien hôtel, accueillant. 25 très belles chambres et suites, cuisine très familiale. Excellente étape. Réserver à l'avance au moment des courses automobiles.

• Tallahassee

Governor's Inn **

209 Adams St, tél. (904) 681 68 55

A côté du Capitole. 40 chambres très confortables. Les enfants sont les bienvenus.

Las Casas **

2801 N Monroe St, tél. (904) 386 82 86

Confortable hôtel à l'atmosphère espagnole. 112 chambres, patios privés, piscine.

• Tampa

Hyatt Regency Tampa **

211 N Tampa St, tél. (813) 225 12 34

Tour moderne du centre-ville. 517 chambres, restaurants, bars, piscine.

Holiday Inn Busch Gardens **

2701 E Fowler Ave., tél. (813) 971 47 10

399 chambres, restaurant, piscine, sauna, transport gratuit vers Bush Gardens. Bonne étape pour les familles.

Tahitian Inn *

601 S Dale Mabry Hwy, tél. (813) 877 67 21

Motel bon marché. 79 chambres, piscine. Idéal en famille.

• Vero Beach

Guest Quarters Suites Hotel ***

3500 Ocean Dr., tél. (407) 231 56 66

Confortable hôtel de 5 étages. 55 chambres, restaurants, patios, piscine.

• West Palm Beach

Hibiscus House **

501 30th St, tél. (407) 863 56 33

Bel hôtel. 7 chambres, un solarium, une piscine, ponton. Possibilité de cuisiner.

Days Inn **

6255 W Okeechobee Rd, tél. (407) 686 60 00

Motel moderne situé à proximité de la voie express. 154 chambres, service de restauration 24 h sur 24, piscine, animations. Animaux admis.

• Winter Park
Park Plaza Hotel **
307 Park Ave., tél. (407) 647 10 71
Édifice des années 1920 transformé en bed-and-breakfast. 27 belles chambres. Les charmes du Sud dans une ambiance paisible.

CAMPINGS

Plus de 100 000 emplacements répartis dans près de 700 campings disséminés dans toute la Floride offrent un large choix d'hébergement en plein air, du simple emplacement pour tente aux installations sophistiquées pour les caravanes ou les mobile homes, avec restaurants, piscine chauffée, minigolf et activités diverses. Il existe également des campings réservés aux nudistes.

La plupart des parcs fédéraux, des forêts et des parcs nationaux et des littoraux offrent des possibilités de camping sauvage. Les équipements fédéraux et nationaux offrent les meilleurs services et les prix les plus intéressants. De plus, ils sont installés dans quelques-uns des plus beaux lieux de l'État.

• Campings privés
La Florida Campground Association édite chaque année un guide des campings privés, *Florida Camping Directory and Map*, largement diffusé et envoyé gratuitement sur demande. Ce guide répertorie des centaines de campings regroupant près de 50 000 places dans différentes régions et décrit les charmes des lieux. Il est possible de contacter les campings par téléphone, l'appel est gratuit.

L'association a estimé à environ 5 millions le nombre de campeurs en Floride en 1990. Près de 4 millions d'entre eux venaient d'autres États et 100 000 de l'étranger. En Floride, un dixième des touristes choisissent ce mode d'hébergement.

Les campings privés se sont multipliés à proximité de la plupart des attractions publiques et commerciales célèbres, en particulier en Floride centrale.

A l'intérieur de Disney World, Fort Wilderness Resort offre 825 emplacements de camping et loue même des caravanes équipées pour 6 personnes avec air conditionné, moquette, télévision couleur, radio, ustensiles de cuisine et draps. Le prix de location inclut les taxes et l'emplacement. Le terrain qui s'étend sur 250 ha de bois et de cours d'eau est proche de Bay Lake. On peut rejoindre River Country et Pioneer Hall à pied ou en tram.

Pour obtenir de plus amples renseignements et effectuer des réservations, s'adresser à :

Florida Campground Association
1638 N Plaza Dr., Tallahassee, Florida 32308
Walt Disney World Central Reservations
– *PO Box 10100, Lake Buena Vista, Florida 32830*
– Par téléphone entre 17 h et 23 h (heure locale de l'Eastern) : *(407) 824 29 00*
– Fort Wilderness Resort
PO Box 40, Lake Buena Vista, Florida 32830
Informations sur les prix de groupes.

• Campings publics
Les campings des parcs fédéraux sont très fréquentés en hiver et jusqu'au début du printemps. Il est donc recommandé de réserver. On peut le faire 60 jours à l'avance, par téléphone tout simplement.

Les parcs louent leurs emplacements pour une durée maximale de 14 jours. Le tarif de base est calculé sur quatre personnes au plus et un emplacement ne peut pas être occupé par plus de huit personnes. Un supplément est exigé pour la consommation d'électricité et le parking de plus d'une voiture. Les prix sont plus élevés dans les Keys de Floride.

Chaque groupe doit compter au moins un adulte (plus de 18 ans). Les animaux domestiques ne sont admis ni dans les campings ni sur les plages publiques. Ils ont accès aux aires de pique-nique des parcs fédéraux à condition d'être tenus en laisse. Pour tout renseignement concernant les campings publics, contacter :

Florida Department of Natural Resources
Bureau of Education and Information
Room 616, Marjory Stoneman Douglas Bldg, 3900 Commonwealth Blvd, Tallahassee, Florida 32399-3000, tél. (904) 488 73 26

ANNEXES

COMPAGNIES AÉRIENNES

Aer Lingus-Irish Airlines	*(1-800) 223 65 37*
Aerolíneas Argentinas	*(1-800) 327 02 76*
Aeroméxico	*(1-800) 237 66 39*
Air Canada	*(1-800) 776 30 00*
Air France	*(1-800) 237 27 47*
Air Jamaica	*(1-800) 523 55 85*
Alitalia Airlines	*(1-800) 223 57 30*
American Airlines	*(1-800) 443 73 00*
British Airlines	*(1-800) 247 92 97*
Delta Air Lines	*(1-800) 638 73 33*
Eastern Airlines	*(1-800) 432 54 01*
Iberia Air Lines of Spain	*(1-800) 221 97 41*
Japan Air Lines	*(1-800) 525 36 63*

KLM Royal Dutch Airlines	*(1-800) 556 77 77*
Sabena Belgian	*(1-800) 645 37 90*
Scandinavian Airlines	*(1-800) 221 23 50*
Swissair	*(1-800) 221 47 50*
TAP Air Portugal	*(1-800) 221 73 70*
Trans World Airlines	*(1-800) 221 20 00*
US Air	*(1-800) 428 43 22*
United Airlines	*(1-800) 521 40 41*

INFORMATIONS TOURISTIQUES SUR PLACE

• Chambres de commerce

Il existe plus de 200 chambres de commerce locales en Floride. Elles donnent des informations gratuites sur les formules d'hébergement, les restaurants, les achats, les centres médicaux et les centres d'intérêt de leur ville. La plupart des chambres tiennent aussi à disposition des visiteurs étrangers des lexiques comprenant des phrases utiles traduites. On peut obtenir la liste complète des chambres de commerce de Floride à l'adresse suivante :

Florida Cbamber of Commerce
PO Box 5497, 32301 Tallahassee

• Centres fédéraux d'information

Les visiteurs qui s'interrogent sur la politique gouvernementale américaine concernant l'immigration, les douanes, l'import-export, le commerce international ou toutes autres questions peuvent appeler le centre d'information fédéral dans les villes suivantes :

Miami
Tél. (305) 536 41 55
Fort Lauderdale
Tél. (305) 522 85 31
Tampa
Tél. (813) 229 79 11
Saint Petersburg
Tél. (813) 893 34 95
West Palm Beach
Tél. (407) 833 75 66
Orlando
Tél. (407) 422 18 00
Jacksonville
Tél. (904) 354 47 56

Ouverts de 8 h à 16 h 30 du lundi au vendredi. Fermés le week-end et les jours fériés.

• Offices de tourisme

Alachua County Tourist Development Council
PO Drawer CC, Gainesville, FL 32602, tél. (904) 374 52 10
Brevard County Tourist Development Council
2235 North Courtenay Parway, Merritt Island, FL 32953, tél. (407) 453 22 11
Citrus County Commission & Tourist Development Council
110 N Apopka St, Inverness, FL 32650, tél. (904) 726 85 00
Destination Daytona
PO Box 2775, Daytona Beach, FL 32015, tél. (904) 255 09 81
Greater Fort Lauderdale Convention & Visitors' Bureau
512 N E 3rd Ave., 33301 Fort Lauderdale, tél. (305) 462 60 00
Greater Miami Convention & Visitors' Bureau
701 Brickell Ave., 33313 Miami, tél. (305) 539 30 00
Jacksonville & its Beaches Convention & Visitors' Bureau
6 E Bay St, Suite 200, Jacksonville, FL 32202, tél. (904) 353 07 36
Kissimmee/Saint Cloud Convention & Visitors' Bureau
PO Box 2007, Kissimmee, FL 32742-2007, tél. (407) 847 50 00
Lake County Tourist Development Council
315 W Main St, Tavares, FL 32778, tél. (904) 343 98 50
Lee County Visitor & Convention Bureau
2180 W First St, Fort Myers, FL 33901, tél. (813) 335 26 31
Manatee County Convention & Visitors' Bureau
PO Box 788, Bradenton, FL 34206-0788, tél. (813) 746 59 89
Monroe County Tourist Development Council
PO Box 866, Key West, FL 33041, tél. (305) 296 22 28
Orlando/Orange County Convention & Visitors' Bureau
7208 Sand Lake Rd, Orlando, FL 32819, tél. (407) 363 58 72
Palm Beach County Convention & Visitors' Bureau
1555 Palm Beach Lakes Blvd, 204 West Palm Beach, FL 33401, tél. (407) 471 39 95
Panama City Beach Convention & Visitors' Bureau
PO Box 9473, Panama City Beach, FL 32407, tél. (904) 234 65 75
Pensacola City Beach Convention & Visitors' Bureau
1401 E Gregory St, Pensacola, FL 32501, tél. (904) 434 12 34
Pinellas County Tourist Development Council
4625 E Bay Dr., Suite 109 A, Clearwater, FL 34624, tél. (813) 530 64 52
Polk County Tourist Development Council
PO Box 1909, Bartow, FL 33830, tél. (813) 533 11 61

Sarasota Convention & Visitors' Bureau
655 N Tamiami Trail, Sarasota, FL 34236, tél. (813) 957 18 77
Tallahassee Convention & Visitors' Bureau
PO Box 1639, Tallahassee, FL 32302, tél. (904) 224 81 16
Tampa/Hillsborough Convention & Visitors' Association
111 Madison St, Tampa, FL 33602, tél. (813) 223 11 11

•Assistance commerciale
Les nombreux avantages offerts par la Floride au commerce international ont contribué à la réputation croissante de Miami et de Tampa comme centres d'affaires et de commerce. De grandes sociétés internationales ont adopté la Floride pour leurs activités de fabrication, de commerce et pour leurs affaires. Pour obtenir de plus amples renseignements, s'adresser à :

Division of Economic Development
Florida Department of Commerce
Suite 501, Collins Bldg, Tallahassee, FL 32301, tél. (904) 488 61 24

Adresses utiles a l'étranger

• En Belgique

Association amicale belgo-américaine
13, place Raymond-Blychaerts, 1050 Bruxelles, tél. (02) 646 53 30
Numéro vert Informations-Floride
Tél. 078 11 91 98
Appel gratuit.

• En France

Association amicale France - États-Unis
6, bd de Grenelle, 75015 Paris, tél. (1) 45 77 48 92
Association France-Amérique
9, av. Franklin-Roosevelt, 75008 Paris, tél. (1) 43 59 51 00
Bibliothèque américaine
10, rue du Général-Camou, 75007 Paris, tél. (1) 45 51 46 82
Numéro vert Informations-Floride
Tél. 05 90 09 98
Appel gratuit.

• En Suisse

Numéro vert Informations-Floride
Tél. 155 36 58
Appel gratuit.

BIBLIOGRAPHIE

Histoire

Daley R., *Chasseurs de trésors*, trad. C. Ter.-Sarkissian, Albin Michel, Paris, 1986
Humboldt A. de, *L'Amérique espagnole en 1800 vue par un savant allemand*, Calmann-Lévy, Paris, 1990
Sowell T., *L'Amérique des ethnies*, L'Age d'homme, Paris, 1983
Turner G., *Les Indiens d'Amérique du Nord*, Armand Colin/Civilisations, Paris, 1985

Guides et revues

Bagnaud R., *Floride*, Voyageurs du monde, Paris, 1995
Cohen S., Groene J. et G., *Floride*, Éditions du Buot/Guide Nelles, Paris, 1991
États-Unis Est et Sud, Hachette/Guides Bleus, Paris, 1994
Floride et Miami in *Muséart* n° 27, février 1993
La Floride in *Géo* n° 56, octobre 1983
Leroux-Monet, R. R., *En Floride*, Hachette/Guides Visa, Paris, 1996

Arts et architecture

Miami : architectures sous les Tropiques, Archives d'architecture moderne, Bruxelles, 1993
Morse A. R. et Lubar R. S., *Dalí inattendu : le musée Salvador-Dalí de Saint Petersburg (Floride)*, Herscher, Paris, 1994

Conquête de l'espace

Lovell J. et Kluger J., *Apollo 13 : perdus dans l'espace*, Robert Laffont, Paris, 1995
Quatre jours d'avril 1970 pendant lesquels la NASA a dû déployé des efforts inouis pour sauver trois hommes qu'elle avait envoyés dans l'espace pour la 5e mission Apollo. Le film du même titre a été réalisé par Ron Howard (1995).
Shepard A. et Slayton D., *Ils voulaient la Lune : l'histoire des États-Unis dans la course à la Lune racontée par ses acteurs*, Ifrane, Paris, 1995

Disney World

Gourdin H., *Walt Disney, bâtisseur de rêves*, Domens, Pézénas, 1995
Planel G. et J., *Disney World en Floride*, Sept Vents, Versailles, 1990
Ritz S., *Disney World (Orlando, Floride)*, Ulysse, Montréal, 1992

LITTÉRATURE

Hemingway E.
- *Œuvres romanesques*, 2 vol., Gallimard/ Bibliothèque de la Pléiade, Paris, 1966 et 1969
- *Pour qui sonne le glas*, Gallimard/Folio, Paris, 1973
- *En avoir ou pas*, Gallimard/Folio, Paris, 1973
- *Iles à la dérive*, Gallimard/Folio, Paris, 1977
- *L'Adieu aux armes*, Gallimard/Folio, Paris, 1982
- *Lettres choisies (1917-1961)*, trad. M. Arnaud, Gallimard/Du monde entier, Paris, 1986

Lurie A., *La Vérité sur Lorin Jones*, trad. S. Mayoux, Rivages/Bibliothèque étrangère, Paris, 1990

MacDonald J. D.
- *Micmac à Miami*, Presses de la Cité, Paris, 1983

McGuane Th., *Trente-trois degrés à l'ombre*, 10/18, Paris, 1984

Slaughter F., *Storm Haven*, Pocket, Paris, 1966

Mellow J. R., *Hemingway*, Rocher, Monaco, 1995

Willeford C., *Miami Blues*, trad. D. et P. Bondil, Rivages Noir, Paris, 1991

Williams T.
- *A cinq heures, mon ange : lettres de Tennessee Williams à Maria St Juste (1948-1982)*, trad. P. Mikriammos, Robert Laffont, Paris, 1991
- *La Nuit de l'iguane*, Imprimerie nationale, Paris, 1991
- *Mémoires d'un vieux crocodile*, Seuil, Paris, 1993
- *Un tramway nommé désir*, 10/18, Paris, 1994
- *Soudain l'été dernier*, trad. J. Guicharnaud et M. Arnaud, 10/18, Paris, 1995
- *La Ménagerie de verre*, trad. M. Duhamel et M. Galey, 10/18, Paris, 1995
- *La Chatte sur un toit brûlant*, trad. A. Hosey et R. Rouleau, 10/18, Paris, 1995

• **En anglais**

Frederiksen A. R., *Red Roe Run*, Green Key Press, 1983

Hurston Z. N., *Their Eyes Were Watching God*, Lippincott, Philadelphia, 1936

Kaufelt D., *American Tropic*, Poseidon Press, 1986

MacDonald J., *The Travis McGee Series*, Lippincott. Cette série sur les enquêtes du détective McGee comprend :
- *Dress Her in Indigo* (1971)
- *The Long Lavender Look* (1972)
- *The Dreadful Lemon Sky* (1975)
- *The Empty Copper Sea* (1978)
- *The Deep Blue Goodby* (1979)
- *A Tan and Sandy Silence* (1979)

Norman G., *Midnight Water*, Dutton, 1983

Pratt T., *The Barefoot Mailman*, Duell, Sloan and Pearce, New York, 1943

Rawlings M. K.
- *The Yearling*, Charles Scribner's Son, New York, 1939
- *Cross Creek*, Charles Scribner's Son, New York, 1942

Slaughter F.
- *In a Dark Garden* (1946)
- *Fort Everglades* (1942)
- *East Side General* (1952)

Wilder R., *Flamingo Road*, Grosset and Dunlap, New York, 1942

NATURE

Audubon J. J.
- *Audubon J. J., les oiseaux d'Amérique*, Taschen, Köln, 1994
- *Le Grand Livre des oiseaux. Ses 435 planches originales*, préface de J. Dorst, de l'Institut de France ; collaboration des ornithologues R. Tory et V.-M. Peterson, Mazenod, Paris, 1986
- *Journaux et récits*, trad. sous la dir. P. Couton, L'Atalante, Nantes, 1992

Migrations d'oiseaux, Unesco/Bordas, Paris, 1990
L'un des phénomènes les plus fascinants du monde des oiseaux observé dans quatre réserves naturelles (dont celle des Everglades) inscrites par l'Unesco sur la liste du patrimoine mondial.

CRÉDITS PHOTOGRAPHIQUES

Illustration de couverture : les « îles emballées », œuvre de Christo, dans la baie de Biscayne.	**© Catherine Karnow**
99	**Greg Anderson**
16-17, 48, 61, 68, 80-81, 82, 83, 91, 92, 93, 94, 120, 121, 122, 127, 129, 142, 144, 145, 146, 147, 149, 151, 152, 154, 158, 159, 161, 165, 175, 178, 180, 192, 196, 205, 206, 213 d, 264, 265, 304, 309, 315	**Tony Arruza**
77, 101, 157, 182, 186, 187, 204	**José Azel**
26, 27, 30, 32, 34, 35, 240	**Charles E. Bennett**
224	**Russell Bronson**
56, 58, 65, 106, 107, 195, 200, 243, 258, 259, 290, 295, 313	**Pat Canova**
134-135, 155, 166, 190, 191, 208-209, 296	**John Coley**
31	**Fredrick Dau**
59, 64, 66, 67, 69, 70, 74, 75, 76, 102, 103, 150, 181, 183, 193, 207, 229, 239, 241, 257, 267, 268, 269, 271, 274, 276, 282, 283, 285, 287, 289, 292, 297, 300-301, 307 g, 310, 311, 312, 314, 318, 319, 320, 330, 336	**Ricardo Ferro**
24, 36, 43, 44	**Florida Division of Tourism**
62	**Bill Held**
211 d	**John F. Kennedy Library, Boston**
46	**Henry Morrison Flagler Museum**
41	**Historical Association of Southern Florida**
28	**Historical Society of St Augustine**
7, 12-13, 18-19, 78-79, 96-97, 104-105, 130-131, 162, 164, 179, 197, 203, 222, 255, 260, 317	**Catherine Karnow**
108, 109	**Don Kincaid**
38	**Library of Congress**
14-15, 51, 52-53, 54-55, 71, 73, 84, 85, 86, 87, 88-89, 90, 95, 123, 125, 136, 173, 189, 213 g, 214, 220-221, 225, 230, 232, 250, 266, 277, 279, 288, 305, 307 g, 322, 325, 326, 327, 333	**Bud Lee**
20, 316	**Leonard Lueras**
140-141	**Walter R. Marks**
50	**Miami Herald**
238	**George Millener**
110-111, 113, 114, 115, 116, 117, 231	**Courtesy of NASA**
176	**Palm Beach County Historical Society**
118-119, 124, 262, 263	**Sea World**
228, 293	**Ron Smith**
22-23, 37, 40, 45, 72, 234-235, 236	**State Library of Florida**
168	**Ken Steinhoff**
42, 278, 306	**J. Manning Strozier Library**
39	**Courtesy of US Treasury**
323	**Bruce Walker**
169, 171, 177, 216	**C. J. Walker**
244-245, 246, 248, 251, 254, 256, 261	**Walt Disney Productions**
280, 281	**Bob Widner**
172, 226, 328, 332, 335	**Baron Wolman**
47, 60, 100, 112, 132-133, 153, 163, 202, 212, 218, 219, 227 d, 299, 308, 331	**Paul Zach**
92, 215, 253	**Joseph F. Viesti**
Avec la collaboration de	**V. Barl**

INDEX

D

W

Y-Z